LA VENTANA ROTA

Jeffery Deaver

La ventana rota

Traducción de Victoria E. Horrillo Ledesma

S

Umbriel Editores

Argentina • Chile • Colombia • España
Estados Unidos • México • Perú • Uruguay • Venezuela

Título original: *The Broken Window*
Editor original: Hodder & Stoughton, an Hachette UK Company
Traducción: Victoria E. Horrillo Ledesma

1.ª edición Febrero 2014

Copyright © 2008 by Jeffery Deaver
All Rights Reserved
© de la traducción 2014 *by* Victoria E. Horrillo Ledesma
© 2014 *by* Ediciones Urano, S.A.
  Aribau, 142, pral. – 08036 Barcelona
  www.umbrieleditores.com

ISBN: 978-84-92915-40-8
E-ISBN: 978-84-9944-679-0
Depósito legal: B-1.187-2014

Fotocomposición: Montserrat Gómez Lao
Impreso por Romanyà-Valls, S.A. – Verdaguer, 1 – 08786 Capellades (Barcelona)

Impreso en España – *Printed in Spain*

A una querida amiga, la palabra escrita

PRIMERA PARTE

ALGO EN COMÚN

Jueves, 12 de mayo

La mayoría de las violaciones de la intimidad vienen dadas no por la revelación de grandes secretos personales, sino por la publicación de numerosos datos de escasa relevancia[...].
Como en el caso de las abejas asesinas, una no es más que un fastidio, pero un enjambre puede ser mortal.

Robert O'Harrow, Jr., *No place to hide*

1

Algo la inquietaba, pero no acertaba a descubrir qué era.

Como un dolor leve pero constante en alguna parte del cuerpo.

O como cuando vas por la calle hacia tu casa y un hombre va detrás de ti. ¿Era el mismo que te había estado mirando en el metro?

O como una mota negra que se mueve hacia tu cama y que desaparece de pronto. ¿Era una viuda negra?

Entonces su visitante, sentado en el sofá de su cuarto de estar, la miró con una sonrisa y Alice Sanderson olvidó su inquietud, si es que podía llamársela así. Arthur era muy listo y estaba cuadrado, eso desde luego. Pero lo que contaba de verdad era su fantástica sonrisa.

—¿Te apetece un vino? —preguntó al entrar en su pequeña cocina.

—Claro. Lo que tengas.

—Esto es divertido. Hacer novillos un día de entre semana. Dos adultos creciditos. Me gusta.

—Como dos salvajes natos —bromeó él.

Más allá de la ventana, al otro lado de la calle, se veían hileras de casas de piedra arenisca pintada o al natural y parte del horizonte de Manhattan, que aparecía brumoso en aquel agradable día de primavera. El aire que entraba (bastante fresco para ser de ciudad) llevaba el olor a ajo y orégano del restaurante italiano que había calle arriba. Era la comida preferida de ambos, uno de los muchos intereses que habían descubierto que tenían en común desde que se conocían. Hacía sólo un par de semanas que habían coincidido en una cata de vinos en el Soho. Era finales de abril, y Alice se había descubierto entre un grupo de unas cuarenta personas, escuchando una conferencia de un sumiller acerca de vinos europeos. De pronto, había oído a un hombre preguntar por un tipo concreto de tinto español.

Se había reído en voz baja. Daba la casualidad de que ella tenía una caja de ese mismo vino (bueno, parte de una caja). Lo producía una bodega poco conocida. Quizá no fuera el mejor rioja de la historia, pero para ella tenía un buqué especial: el de los buenos recuerdos. Había tomado gran cantidad de aquel vino con su amante francés cuando estuvieron una semana en España: un romance perfecto, justo lo que necesitaba una chica de veintitantos años que acababa de romper con su novio. Había sido un ligue de vacaciones apasionado, intenso y, naturalmente, abocado a morir, lo cual lo hacía aún mejor.

Alice se había inclinado un poco hacia delante para ver quién se interesaba por aquel vino: un hombre trajeado y anodino. Tras tomar varias copas de los caldos seleccionados, se había envalentonado y, sosteniendo en equilibrio un plato con canapés, había cruzado la sala para preguntarle por su interés en aquel vino.

Él le había hablado de un viaje que había hecho a España unos años antes con una exnovia. De cómo había aprendido a disfrutar del vino. Se habían sentado a una mesa y habían estado hablando un buen rato. A Arthur, por lo visto, le gustaban la misma comida y los mismos deportes que a ella. Los dos corrían y cada mañana pasaban una hora en sus carísimos gimnasios.

—Pero —le había dicho él— yo llevo las camisetas y los pantalones más baratos que encuentro en JC Penney. Ese rollo de las marcas no me va. —Luego, al darse cuenta de que seguramente la había ofendido, se había puesto colorado.

Pero Alice se había echado a reír. A ella le pasaba lo mismo con la ropa de entrenar (que en su caso compraba en Target cuando iba a visitar a su familia en Nueva Jersey). Había refrenado el impulso de decírselo, sin embargo: le preocupaba parecer demasiado agresiva. Así pues, se habían enzarzado en aquel juego tan común del ligoteo entre urbanitas: lo que tenemos en común. Habían puesto nota a distintos restaurantes, habían comparado episodios de *El show de Larry David* y se habían quejado de sus psiquiatras.

Había seguido una cita y luego otra. Art era divertido y cortés. Un poco envarado, tímido a veces, y retraído, lo que ella achacaba a lo que él mismo describía como «la ruptura infernal»: una larga relación de pareja con una chica que se dedicaba a la moda. Y a su extenuante horario de trabajo: era un hombre de negocios de Manhattan. Tenía poco tiempo libre.

¿Saldría algo de aquello?

Arthur no era su novio todavía. Pero había personas mucho peores con las que pasar el rato. Y cuando se habían besado, en su cita anterior, Alice había sentido esa lenta punzada que significaba que entre ellos había (¡oh, sí!) química. Esa noche desvelaría hasta qué punto la había. Se había fijado en que miraba a hurtadillas (o eso pensaba él) el vestidito ceñido que había comprado en Bergdorf especialmente para la ocasión. Y había hecho ciertos preparativos en la habitación, por si aquel beso llegaba a mayores.

Volvió a sentir aquel leve desasosiego, aquel nerviosismo por la araña.

¿Qué era lo que la inquietaba?

Supuso que no era más que un vestigio del desagrado que había sentido poco antes, cuando un mensajero le había llevado un paquete. Tenía la cabeza afeitada y las cejas pobladas, olía a tabaco y hablaba con un fuerte acento del este de Europa. Mientras ella firmaba los papeles, la había mirado de arriba abajo con clara intención de ligar con ella y luego le había pedido un vaso de agua. Al traérselo de mala gana, Alice se lo había encontrado en medio de su cuarto de estar, mirando su equipo de música.

Le había dicho que esperaba visita y el repartidor se había marchado con el ceño fruncido, como si le hubiera hecho un desaire. Alice había estado mirando por la ventana y había notado que tardaba casi diez minutos en subir a la furgoneta aparcada en doble fila y marcharse.

¿Qué había estado haciendo todo ese tiempo en el edificio? ¿Comprobando si...?

—¡Hola! ¡Aquí la Tierra llamando a Alice!

—Perdona. —Riendo, se acercó al sofá y se sentó junto a Arthur. Sus rodillas se rozaron. Dejó de pensar en el mensajero. Entrechocaron sus copas. Eran dos personas compatibles en todo lo importante: política (contribuían prácticamente con la misma suma al sostenimiento del Partido Demócrata y hacían aportaciones a la campaña de recaudación de fondos de la radio pública), cine, comida, viajes, y los dos eran protestantes no practicantes.

Cuando sus rodillas volvieron a tocarse, Arthur frotó la suya seductoramente. Luego preguntó con una sonrisa:

—Oye, ese cuadro que has comprado, el Prescott... ¿Lo has recibido ya?

Los ojos de Alice se iluminaron cuando asintió.

—Sí. Ya soy dueña de un Harvey Prescott.

Alice Sanderson no era rica conforme a los parámetros de Manhattan, pero había invertido bien y se permitía algunos caprichos relacionados con su verdadera pasión. Había seguido la carrera de Prescott, un pintor de Oregón especializado en retratos de familia fotorrealistas, gente que no existía, sino que se inventaba él. Algunos tradicionales, otros no tanto: padres solteros, parejas homosexuales o mestizas. Casi ninguna de las obras de Prescott estaba al alcance de su bolsillo, pero Alice figuraba en las listas de correo de las galerías que de vez en cuando vendían obras suyas y el mes anterior se había enterado por una de la parte oeste del país de que iba a salir a la venta por ciento cincuenta mil dólares un pequeño lienzo de juventud del pintor. Efectivamente, el dueño había decidido vender y ella había echado mano de su cuenta de inversiones para reunir el dinero.

Ése era el paquete que había recibido. Pero el placer de poseer aquella pieza disminuyó otra vez al avivarse la sensación de desasosiego que le había producido el repartidor. Recordó su olor, su mirada lasciva. Se levantó con la excusa de descorrer las cortinas y se asomó fuera. No vio ninguna furgoneta de reparto, ningún cabeza rapada apostado en la esquina de la calle, mirando hacia su piso. Pensó en cerrar la ventana, pero le pareció demasiado paranoico y además tendría que dar una explicación.

Regresó junto a Arthur, miró las paredes del pequeño apartamento y le dijo que no estaba segura de dónde colgar el cuadro. Se dejó llevar un instante por su fantasía: Arthur quedándose a pasar la noche un sábado y ayudándola a encontrar el lugar perfecto para el lienzo el domingo por la mañana, después de desayunar.

Su voz sonó llena de placer y orgullo cuando dijo:

—¿Quieres verlo?

—Claro.

Se levantaron y Alice se dirigió a su dormitorio. De pronto le pareció oír pasos fuera, en el pasillo. Pero los demás inquilinos debían estar en el trabajo a aquella hora.

¿Sería el repartidor?

Bueno, por lo menos no estaba sola.

Llegaron a la puerta del dormitorio.

Fue entonces cuando atacó la viuda negra.

Con un sobresalto, comprendió de repente qué era lo que la inquietaba, y no tenía nada que ver con el repartidor. No, se trataba de Arthur. El día anterior, cuando habían hablado, él le había preguntado cuándo iba a recibir el Prescott.

Ella le había dicho que iba a recibir un cuadro, pero en ningún momento había mencionado el nombre del pintor. Aflojó el paso al llegar a la puerta. Le sudaban las manos. Si Arthur se había enterado de lo del cuadro sin que ella se lo dijera, tal vez también hubiera averiguado otros datos sobre su vida. ¿Y si era mentira que tuvieran tantas cosas en común? ¿Y si él sabía de antemano que le encantaba el vino español? ¿Y si se había presentado en la cata de vinos sólo para acercarse a ella? Todos los restaurantes que conocían, los viajes, los programas de televisión...

Dios mío, allí estaba, llevando a su cuarto a un hombre al que sólo conocía desde hacía un par de semanas. Con la guardia baja...

Comenzó a respirar agitadamente. Comenzó a temblar.

—Ah, el cuadro —susurró Arthur, mirando más allá de ella—. Es precioso.

Y al oír su voz serena y agradable Alice se rió de sí misma. *¿Estás loca?* Tenía que haberle mencionado el nombre de Prescott. Procuró ahuyentar su inquietud. *Cálmate. Llevas demasiado tiempo viviendo sola. Acuérdate de sus sonrisas, de sus bromas. Piensa igual que tú.*

Relájate.

Una risa suave. Miró el lienzo de sesenta por sesenta, los colores apagados, seis personas cenando alrededor de una mesa, mirando de frente, algunas divertidas, otras pensativas o preocupadas.

—Increíble —comentó Arthur.

—La composición es perfecta, pero lo que de verdad plasma a la perfección son las expresiones, ¿no te parece? —Se volvió hacia él.

Su sonrisa se desvaneció.

—¿Qué es eso, Arthur? ¿Qué haces?

Se había puesto unos guantes de tela de color beige y estaba metiéndose la mano en el bolsillo. Entonces Alice lo miró a los ojos. Se habían endurecido y ahora parecían oscuros agujerillos bajo las cejas fruncidas. Apenas reconoció su cara.

SEGUNDA PARTE

TRANSACCIONES

Domingo, 22 de mayo

Se oye a menudo esa vieja leyenda que afirma que nuestro cuerpo, hecho trozos, valdría cuatro dólares y medio. Nuestra identidad digital vale mucho más.

ROBERT O'HARROW, JR. *No place to hide*

2

La pista les había llevado de Scottsdale a San Antonio y de allí a un área de descanso en Delaware, en la interestatal 95, llena de camioneros y familias agotadas, y por último a un destino poco probable: Londres.

¿Y la presa que había seguido aquella ruta? Un asesino profesional al que Lincoln Rhyme llevaba tiempo persiguiendo, un hombre al que había impedido cometer un crimen horrendo, pero que había logrado escapar de la policía por pocos minutos. Como decía con amargura el propio Rhyme, «se había largado tranquilamente de la ciudad como un puñetero turista que tuviera que estar de vuelta en el trabajo el lunes por la mañana».

El rastro se había secado como el polvo sin que la policía o el FBI descubrieran su escondite ni lo que podía tramar a continuación. Hacía unas semanas, sin embargo, Rhyme había sabido por sus contactos en Arizona que aquel mismo individuo era el sospechoso más probable en el asesinato de un soldado del ejército estadounidense cometido en Scottsdale. Las pistas indicaban que se había dirigido hacia el este: a Texas y luego a Delaware.

El nombre del asesino, que tal vez fuera real o tal vez un alias, era Richard Logan. Era probable que procediera de la parte oeste de Estados Unidos o Canadá. Tras pesquisas exhaustivas, habían dado con cierto número de individuos que respondían a ese nombre, pero ninguno de ellos encajaba con el perfil del asesino.

Después, gracias a un capricho del azar (Lincoln Rhyme jamás empleaba la palabra «suerte»), se había enterado por la Interpol, la principal organización de policía internacional, de que un asesino profesional procedente de Estados Unidos había sido contratado para un trabajo en Inglaterra. Había matado a alguien en Arizona para conseguir acceso a ciertos datos y hacerse con documentación militar, se había reunido con sus contactos en Texas y había recibido un adelanto de su tarifa en cierta parada de camiones de la Costa Este. Luego había volado a Heathrow y se hallaba ahora en algún lugar del Reino Unido, en paradero desconocido.

El objetivo de la «trama perfectamente hilada» de Richard Logan, que tenía su origen en «las altas esferas» (Rhyme no pudo evitar sonreír al leer la pulida descripción de la Interpol), era un pastor protestante africano que, mientras dirigía un campo de refugiados, había descubierto una colosal estafa de robo de medicamentos contra el sida. El dinero que se obtenía con la venta de dichos medicamentos se dedicaba después a la compra de armas. Las fuerzas de seguridad habían trasladado al pastor a Londres después de que sobreviviera a tres intentos de asesinato en Nigeria y Liberia e incluso a uno en una sala de tránsito del aeropuerto de Malpensa, en Milán, donde la Polizia di Stato, provista de ametralladoras recortadas, lo vigilaba todo y pasaba muy poco por alto.

El reverendo Samuel G. Goodlight* (nombre más acertado no podía haber para un hombre de iglesia, según Rhyme) se hallaba ahora en un piso franco en Londres, bajo la atenta mirada de agentes de Scotland Yard y de la Policía Metropolitana, y estaba colaborando con los servicios de inteligencia británicos y de otros países para seguir la pista de aquella trama de venta de fármacos para comprar armamento.

Mediante un intercambio de llamadas vía satélite y correos electrónicos cifrados que había abarcado varios continentes, Rhyme y la inspectora Longhurst, de la Policía Metropolitana, habían ideado una trampa para atrapar al asesino. Digno de las tramas que el propio Logan elaboraba con toda precisión, el plan exigía la participación de varios dobles y la ayuda esencial de un legendario extraficante de armas sudafricano con una amplia red de curtidos confidentes. Danny Krueger había ganado cientos de miles de dólares vendiendo armas con la eficacia y el desapasionamiento con que otros empresarios vendían aparatos de aire acondicionado o jarabe para la tos, pero un viaje que había hecho el año anterior a Darfur, donde había podido ver con sus propios ojos la carnicería que causaban sus juguetes, le había impresionado hondamente. Había dejado el negocio de las armas en el acto y se había afincado en Inglaterra. El grupo de trabajo incluía además a varios agentes del MI5, así como a personal de la oficina del FBI en Londres y a un agente de la Direction Genérale de la Sécurité Extérieur, el equivalente francés de la CIA.

Ni siquiera sabían en qué región de Inglaterra se había escondido Logan para planear su atentado, pero Danny Krueger, siempre tan extrovertido, había oído decir que ejecutaría el golpe en los días siguientes. El sudafricano conservaba muchos contactos en el mundillo de la delincuencia internacional y había dejado caer aquí y allá falsas informaciones acerca del lugar «secreto» donde Goodlight se reunía con las autoridades. El edificio contaba con un patio

---

* Goodlight: «Buenaluz» en español. *(N. de la T.)*

abierto, un campo de tiro perfecto para que el asesino matara a Goodlight de un disparo.

Pero era también el lugar ideal para localizar y abatir a Logan. El dispositivo de vigilancia estaba en marcha y numerosos policías armados y miembros del MI5 y del FBI montaban guardia veinticuatro horas al día.

Rhyme se hallaba ahora sentado en su silla de ruedas eléctrica de color rojo, en la planta baja de su casa de Central Park West. La habitación no era ya el lindo salón victoriano que había sido en tiempos, sino un laboratorio forense bien equipado y más amplio que muchas instalaciones parecidas en ciudades de tamaño medio. Se encontraba haciendo lo que había hecho con frecuencia esos últimos días: mirar fijamente el teléfono, cuyo botón número dos llamaría automáticamente a una línea de Inglaterra.

—El teléfono funciona, ¿verdad? —preguntó.

—¿Hay alguna razón para que no funcione? —respondió Thom, su cuidador, en un tono mesurado que a Rhyme le sonó como un trabajoso suspiro.

—No sé. Puede que se hayan sobrecargado los circuitos. O que haya caído un rayo en el tendido telefónico. Pueden pasar mil cosas.

—Entonces quizá deberías probarlo. Sólo por si acaso.

—Orden —dijo Rhyme, dirigiéndose al sistema de reconocimiento de voz enganchado a la unidad informática de control ambiental que suplía en muchos aspectos sus limitaciones físicas. Lincoln Rhyme era tetrapléjico: por debajo de la cuarta vértebra cervical, el lugar junto a la base del cráneo por donde se había roto el cuello años antes en la escena de un crimen, su capacidad de movimiento era muy limitada.

—Marcar: información telefónica —ordenó.

Los altavoces dejaron oír el ruido de la línea al marcar, seguido por un *bip, bip, bip*. Aquello irritó a Rhyme más que una avería telefónica. ¿Por qué no había llamado la inspectora Longhurst?

—Orden —dijo bruscamente—. Desconectar.

—Parece que funciona. —Thom colocó una taza en el soporte de su silla de ruedas y el criminalista bebió un sorbo del café fuerte a través de una pajita. Miró la botella de whisky Glemmorangie de dieciocho años que había en una estantería: estaba cerca, pero para él, como siempre, era inalcanzable.

—Éstas no son horas, ni siquiera es mediodía —comentó Thom.

—Evidentemente. Ya lo sé. No quiero. Es sólo que... —Había estado esperando una excusa para reprender al joven por aquel asunto—. Creo recordar que anoche me lo retiraste muy temprano. Sólo tomé dos vasitos. Prácticamente nada.

—Fueron tres.

—Si sumáramos el contenido, en centímetros cúbicos, quiero decir, equivaldría a dos copitas de nada. —La mezquindad, al igual que el licor, podía ser embriagadora a su modo.

—Pues no hay whisky por la mañana.

—Me ayuda a pensar con claridad.

—No, nada de eso.

—Claro que sí. Y además soy más creativo.

—Eso tampoco es cierto.

Thom vestía una camisa perfectamente planchada, corbata y pantalones informales. Su ropa estaba menos arrugada que de costumbre: el trabajo del cuidador de un tetrapléjico es en buena medida físico, pero la nueva silla de Rhyme, una Invacare TDX de «conducción integral», podía desplegarse hasta convertirse prácticamente en una cama, lo cual había facilitado mucho su trabajo. La silla podía incluso subir escalones de poca altura y correr a la velocidad de un atleta de mediana edad.

—Te estoy diciendo que quiero un poco de whisky. Ya está. He hecho explícito mi deseo. ¿Qué te parece?

—Que no.

Rhyme arrugó el ceño y clavó de nuevo la mirada en el teléfono.

—Si se escapa... —Se interrumpió—. ¿Qué pasa? ¿Es que no vas a hacer lo que hace todo el mundo?

—¿A qué te refieres, Lincoln? —Thom, un joven delgado, llevaba años trabajando para Rhyme. El criminalista lo había despedido en varias ocasiones y él, a su vez, también se había despedido. Pero allí seguía, lo cual atestiguaba la perseverancia, o la perversidad, de los dos.

—Yo digo «si se escapa» y tú dices «oh, no se va a escapar, no te preocupes». Y se supone que yo me tranquilizo. Es lo que hace la gente, ¿sabes?: intentar tranquilizar a los demás cuando no tienen ni idea de qué están hablando.

—Pero yo no lo he dicho. ¿Estamos discutiendo por algo que no he dicho, pero que podría haber dicho? ¿No es como si una mujer se enfadara con su marido porque ha visto una chica guapa en la calle y ha pensado que él la habría mirado con interés si hubiera estado allí?

—No sé cómo es —contestó Rhyme distraídamente, mientras seguía pensando en el plan para atrapar a Logan en Inglaterra. ¿Tenía lagunas? ¿Hasta qué punto era seguro? ¿Podía fiarse de que los confidentes no filtraban información que pudiera llegar a oídos del asesino?

Sonó el teléfono y en el monitor de pantalla plana que había junto a Rhyme se abrió la ventana del identificador de llamadas. Se llevó un chasco al ver que el número no era de Londres, sino de mucho más cerca: de la Casa Grande. Así se llamaba en jerga policial al número uno de Police Plaza, la dirección de la policía en el centro de Manhattan.

—Orden: responder al teléfono. —*Clic.* Y luego—. ¿Qué hay?

A ocho kilómetros de allí, una voz masculló:

—¿Estás de mal humor?

—Sigo sin noticias de Inglaterra.

—¿Qué pasa? ¿Estás de guardia o qué? —preguntó el detective Lon Sellitto.

—Logan se ha esfumado. Podría moverse en cualquier momento.

—Es como tener un bebé —comentó Sellitto.

—Si tú lo dices. ¿Por qué llamabas? No quiero tener la línea ocupada.

—¿Todos esos cacharros tan sofisticados y no tienes llamada en espera?

—Lon...

—Está bien. Quería contarte una cosa. El jueves de la semana pasada hubo un robo con homicidio. La víctima era Alice Sanderson, una mujer que vivía en el Village. El homicida la mató a puñaladas y le robó un cuadro. Hemos detenido al culpable.

¿Por qué lo llamaba por eso? Un crimen corriente y un sospechoso detenido.

—¿Hay algún problema con las pruebas?

—No, ninguno.

—Entonces, ¿qué me importa a mí?

—El detective a cargo del caso recibió una llamada hace media hora.

—Al grano, Lon, al grano. —Rhyme estaba mirando la pizarra blanca que detallaba el plan para atrapar al asesino en Inglaterra. Era un plan muy complejo.

Y frágil.

Sellitto lo sacó de sus cavilaciones.

—Mira, lo siento, Linc, pero tengo que decírtelo: el sospechoso es un primo tuyo, Arthur Rhyme. Es su primera detención. Se enfrenta a una pena de veinticinco años y el fiscal del distrito dice que es un caso clarísimo.

3

—Hacía mucho tiempo.

Sentada en el laboratorio, Judy Rhyme, macilenta y con las manos unidas, se esforzaba denodadamente por mirar a cualquier parte salvo a los ojos del criminalista.

Había dos respuestas a su estado físico que enfurecían a Rhyme: cuando las visitas luchaban agónicamente por fingir que su invalidez no existía, y cuando la consideraban un motivo para convertirse en sus mejores amigos, para bromear y soltar tacos como si hubieran hecho la guerra juntos. Judy pertenecía a la primera categoría: sopesaba cuidadosamente sus palabras antes de colocarlas con delicadeza ante él. Aun así, era de la familia, más o menos, y Rhyme conservó la paciencia y procuró no mirar el teléfono.

—Mucho, sí —contestó.

Thom se estaba encargando de los cumplidos que a él siempre se le olvidaban. Había ofrecido a Judy un café que permanecía intacto sobre la mesa, ante ella, como un objeto de atrezo. Rhyme había vuelto a mirar el whisky con expresión anhelante, pero su ayudante no le había hecho caso.

La mujer, atractiva y de pelo oscuro, parecía en mejor forma, más fuerte y atlética, que la última vez que la había visto, unos dos años antes del accidente. Se arriesgó a mirar a la cara al criminalista.

—Siento que no hayamos venido. De veras. Quería venir.

No se refería a una visita de cortesía previa al accidente. Se refería a que no hubieran ido a verlo para mostrarle su simpatía después. Los supervivientes de una catástrofe son capaces de interpretar lo que no se dice en una conversación tan claramente como lo que sí se dice.

—¿Recibiste las flores?

En aquel entonces, después del accidente, Rhyme había estado aturdido por la medicación, por el trauma físico y por la lucha psicológica a brazo partido con lo inconcebible: el hecho de que nunca volvería a caminar. No recordaba que ellos le hubieran mandado flores, pero estaba seguro de que se las había mandado la familia. Se las había mandado un montón de gente. Mandar flores es fácil; ir de visita, no.

—Sí, gracias.

Silencio. Una ojeada involuntaria, veloz como una centella, a sus piernas. La gente piensa que, si no puedes caminar, algo les pasa a tus piernas. Pero no, las piernas están bien. El problema es decirles lo que tienen que hacer.

—Tienes buen aspecto —comentó Judy.

Rhyme ignoraba si lo tenía o no. Nunca se lo planteaba.

—Y he oído que te has divorciado.

—Sí.

—Lo siento.

¿Por qué?, se preguntó Rhyme. Pero era una pregunta cínica y asintió con la cabeza para agradecerle su gesto.

—¿Qué es de Blaine?

—Vive en Long Island. Volvió a casarse. No mantenemos mucho contacto. Es lo que suele ocurrir cuando no se tienen hijos.

—Lo pasé muy bien aquella vez en Boston, cuando vinisteis a pasar un fin de semana largo. —Una sonrisa que no lo era en realidad. Pintada, como una máscara.

—Sí, fue agradable.

Un fin de semana en Nueva Inglaterra. Salir de compras, una excursión al sur, a Cape Cod, un *pic-nic* a la orilla del mar. Rhyme recordaba haber pensado en lo bonito que era aquello. Al ver las rocas verdes de la costa, se le habían agolpado las ideas en la cabeza y había decidido empezar una colección de algas procedentes de los alrededores de Nueva York para la base de datos del laboratorio de criminalística de la policía. Había pasado una semana recorriendo en coche la zona metropolitana, tomando muestras.

Y durante aquel viaje para ver a Arthur y Judy, Blaine y él no se habían peleado ni una sola vez. Hasta el trayecto de vuelta a casa, con parada en un hotel de Connecticut, había sido agradable. Recordaba haber hecho el amor en la terraza trasera de su habitación, entre el olor embriagador de la madreselva.

Después de aquella visita, no había vuelto a ver a su primo en persona. Habían mantenido una sola conversación más, muy breve, por teléfono. Luego había sobrevenido el accidente, y después silencio.

—Arthur pareció desaparecer de la faz de la Tierra.

Judy se rió, avergonzada.

—¿Sabes que nos mudamos a Nueva Jersey?

—¿De veras?

—Él enseñaba en Princeton. Pero lo dejó.

—¿Qué ocurrió?

—Era profesor adjunto e investigador. Decidieron no ofrecerle un contrato de profesor titular, Art dice que por motivos políticos. Ya sabes cómo son esas cosas en las universidades.

Henry Rhyme, el padre de Arthur, era un reputado catedrático de física de la Universidad de Chicago: esa rama de la familia Rhyme tenía una fuerte inclinación por la carrera académica. Cuando estaban en el instituto, Arthur y Lincoln debatían acerca de las ventajas de dedicarse a la investigación y a la enseñanza universitaria o al sector privado.

—Si te dedicas a la enseñanza, puedes hacer una contribución de peso a la sociedad —le había dicho Art mientras tomaban una cerveza, todavía más o menos ilegal a su edad, y había conseguido no echarse a reír cuando Lincoln había contestado, como era de rigor:

—Sí, y además las becarias están buenísimas.

No le sorprendió que Art hubiera optado por trabajar en la universidad.

—Podría haber seguido como profesor adjunto, pero renunció. Estaba muy enfadado. Pensó que conseguiría otro puesto enseguida, pero no fue así. Estuvo sin trabajo una temporada. Acabó en una empresa privada, de fabricación de instrumental médico. —Otra mirada automática, esta vez a la sofisticada silla de ruedas. Se sonrojó como si hubiera cometido un desliz—. No era el trabajo de sus sueños y no estaba muy contento. Estoy segura de que quería venir a verte, pero seguramente se avergonzaba por que no le hubiera ido del todo bien. Quiero decir que siendo tú tan famoso y todo eso...

Por fin un sorbo de café.

—Teníais tantas cosas en común... Erais como hermanos. Me acuerdo de Boston, de las historias que contasteis. Estuvimos despiertos hasta las tantas, riendo. Cosas que no sabía de él. Y Henry, mi suegro, cuando vivía hablaba constantemente de ti.

—¿De veras? Me escribía mucho. De hecho, recibí una carta suya unos días antes de que muriera.

Rhyme tenía numerosos recuerdos indelebles de su tío, pero una imagen destacaba en especial: la de aquel hombre alto, calvo y de cara colorada echando el cuerpo hacia atrás y soltando una estruendosa carcajada en plena cena de Nochebuena, una carcajada que avergonzaba a la docena de familiares reunidos en torno a la mesa, a todos excepto al propio Henry, a su paciente esposa y al joven Lincoln, que también reía. Le gustaba mucho su tío y solía ir a visitar a Art y a la familia, que vivía a unos cincuenta kilómetros de distancia, en Evanston, Illinois, a orillas del lago Michigan.

Rhyme, sin embargo, no estaba de humor para la nostalgia y sintió alivio al oír que se abría la puerta y que sonaban siete pasos firmes entre el umbral y la alfombra. Supo quién era por los andares. Un momento después entró en el laboratorio una pelirroja alta y delgada, vestida con vaqueros y camiseta negra debajo de una blusa de color burdeos. Llevaba la blusa suelta y en lo alto de la cadera se veía el extremo de una pistola Glock negra.

Mientras Amelia Sachs sonreía y le daba un beso en la boca, el criminalista advirtió de soslayo que el gesto de Judy cambiaba. El mensaje era claro y Rhyme se preguntó qué era exactamente lo que la inquietaba: haber cometido el lapsus de no preguntarle si tenía pareja o haber dado por sentado que un tullido no podía tenerla, o al menos que no podía tener una pareja tan impresionantemente atractiva como Sachs, que había sido modelo antes de ingresar en la academia de policía.

Las presentó. Sachs escuchó con preocupación la historia de la detención de Arthur Rhyme y preguntó cómo estaba sobrellevando Judy la situación. Luego dijo:

—¿Tenéis hijos?

Rhyme cayó entonces en la cuenta de que, mientras reparaba en el desliz de Judy, él mismo había cometido uno al olvidar preguntarle por su hijo, de cuyo nombre no se acordaba. Resultó que la familia había aumentado. Además de Arthur hijo, que estaba en el instituto, tenían dos hijos más.

—Henry, que tiene nueve años. Y una niña, Meadow, que tiene seis.

—¿Meadow? —preguntó Sachs con sorpresa, por motivos que Rhyme no fue capaz de deducir.

Judy se rió, azorada.

—Y además vivimos en Jersey. Pero no tiene nada que ver con *Los Soprano*. Nació antes de que la viera.

¿Los Soprano?

Judy rompió el breve silencio:

—Seguramente te estarás preguntando por qué llamé a ese policía para conseguir tu número. Pero primero tengo que decirte que Art no sabe que estoy aquí.

—¿No?

—De hecho, si te digo la verdad, a mí tampoco se me había ocurrido. Estoy tan angustiada y duermo tan poco que me cuesta pensar con claridad. Pero hace un par de días estaba hablando con Art en el centro de detención y me dijo: «Sé que lo estás pensando, pero no llames a Lincoln. Esto tiene que ser un caso de confusión de identidad o algo así. Vamos a aclararlo. Prométeme que no lo llamarás». No quería causarte molestias, ya sabes cómo es Art, tan bueno, siempre pensando en los demás.

Rhyme asintió con una inclinación de cabeza.

—Pero cuanto más lo pensaba, más lógico me parecía. No se me ocurriría pedirte que muevas algunos hilos ni nada que no sea correcto, pero he pensado que quizá podrías hacer una llamada o dos. Darme tu opinión.

Rhyme se imaginaba qué tal sentaría aquello en la Casa Grande. Como asesor forense del Departamento de Policía de Nueva York, su labor consistía en llegar a la verdad condujera ésta adonde condujese, pero obviamente los jefes preferían que ayudara a condenar a los detenidos, no a exculparlos.

—He estado mirando tus recortes de prensa...

—¿Mis recortes?

—Art guarda libros de recortes de la familia. Tiene recortados artículos sobre tus casos. A montones. Has hecho cosas increíbles.

Rhyme dijo:

—Bueno, no soy más que un funcionario.

Judy expresó por fin una emoción espontánea: una sonrisa al mirarlo a los ojos.

—Art decía que no se creía tu modestia ni por un segundo.

—¿En serio?

—Pero sólo porque tú tampoco te la creías.

Sachs se rió.

Rhyme soltó una risa que pensó que sonaría sincera. Luego se puso serio.

—No sé qué podré hacer, pero cuéntame lo que ha pasado.

—Fue hace una semana, el jueves doce. Los jueves Art siempre sale temprano de trabajar. De camino a casa, corre un buen rato por un parque estatal. Le encanta correr.

Rhyme se acordó de las muchas veces en que, siendo niños (habían nacido con escasos meses de diferencia), corrían por las aceras o por los campos verde amarillentos que había cerca de sus casas del Medio Oeste. Volaban los saltamontes y los mosquitos se les pegaban a la piel sudorosa cuando paraban a coger aliento. Art parecía siempre en mejor forma, pero Lincoln había conseguido entrar en el equipo de atletismo de su facultad. Su primo no había querido intentarlo.

Dejó a un lado los recuerdos y se concentró en lo que estaba diciendo Judy.

—Salió del trabajo sobre las tres y media y se fue a correr. Llegó a casa como a las siete o siete y media. No estaba raro, se comportó como siempre: se dio una ducha, cenamos... Pero al día siguiente se presentó en casa la policía, dos agentes de Nueva York y uno de Nueva Jersey. Le hicieron unas preguntas y registraron el coche. Encontraron sangre, no sé... —Su voz conservaba aún un vestigio del trauma que había sufrido aquella espantosa mañana—. Registraron la casa y se llevaron algunas cosas. Y luego volvieron para detenerlo. Por asesinato. —Le costó pronunciar la palabra.

—¿Qué había hecho, supuestamente? —preguntó Sachs.

—Dijeron que había matado a una mujer y que le había robado un cuadro raro. —Resopló con amargura—. ¿Robar un cuadro? ¿Para qué, si puede saberse? ¿Y matar a una mujer? Dios mío, Arthur no ha hecho daño a nadie en toda su vida. Es incapaz de algo así.

—Esa sangre que encontraron... ¿Han hecho análisis de ADN?

—Pues sí, lo han hecho. Y al parecer coincide con la de la víctima. Pero esos análisis pueden equivocarse, ¿no?

—A veces —contestó Rhyme, y añadió para sus adentros: *Muy raras veces.*

—O puede que el verdadero asesino pusiera allí la sangre.

—Ese cuadro —dijo Sachs—, ¿Arthur tenía algún interés particular en él?

Judy se puso a juguetear con las pulseras de plástico blancas y negras que llevaba en la muñeca izquierda.

—El caso es que sí, antes tenía uno del mismo pintor. Le gustaba. Pero tuvo que venderlo cuando se quedó sin trabajo.

—¿Dónde encontraron el cuadro?

—No lo han encontrado.

—¿Y cómo saben que lo robaron?

—Alguien, un testigo, dijo que había visto a un hombre llevarlo del apartamento de la mujer a un coche más o menos a la hora a la que fue asesinada. Pero no es más que un terrible malentendido. Coincidencias... Tiene que ser eso, una extraña serie de coincidencias. —Se le quebró la voz.

—¿La conocía Arthur?

—Al principio dijo que no, pero luego, en fin, cree que quizá se hubieran visto alguna vez. En una galería de arte a la que va a veces. Pero dice que nunca habló con ella, que él recuerde. —Fijó los ojos en la pizarra blanca con el esquema del plan para capturar a Logan en Inglaterra.

Rhyme se estaba acordando de otros momentos que había pasado con Arthur.

Te echo una carrera hasta ese árbol... No, idiota... Ese arce de allí... ¡A ver quién toca primero el tronco! A la de tres. Una, dos... ¡ya!

¡No has dicho tres!

—Hay algo más, ¿verdad, Judy? Cuéntanoslo.

Rhyme dedujo que Sachs había adivinado algo en los ojos de la mujer.

—Es sólo que estoy angustiada. Por los niños, también. Para ellos es una pesadilla. Los vecinos nos tratan como a terroristas.

—Siento tener que insistir, pero es importante que conozcamos todos los datos. Por favor.

Había vuelto a sonrojarse y se agarraba con fuerza las rodillas. Rhyme y Sachs tenían una amiga policía, Kathryn Dance, que trabajaba en el CBI, la Oficina de Investigación de California. Estaba especializada en lenguaje gestual. Rhyme opinaba que aquella disciplina ocupaba un lugar secundario dentro de las ciencias forenses, pero respetaba a Dance y tenía algunas nociones sobre su campo de estudio. No le costó deducir que Judy Rhyme rebosaba estrés.

—Continúa —la animó Sachs.

—Es sólo que la policía encontró otras pruebas... Bueno, en realidad no eran pruebas. Nada parecido a pistas, pero... les hicieron pensar que quizás Art y esa mujer se estaban viendo.

—¿Qué opinas tú al respecto? —preguntó Sachs.

—Creo que no.

Rhyme reparó en el verbo atenuado. No lo había negado rotundamente, como en el caso del robo y el asesinato. Deseaba con toda su alma que no fuera cierto, pero seguramente había llegado a la misma conclusión a la que acababa de llegar él: que el hecho de que fueran amantes beneficiaba a Arthur. Era más probable robar a un desconocido que a una persona con la que uno se acostaba. Aun así, como esposa y madre que era, Judy pedía a gritos que la respuesta fuera no.

Levantó la vista y miró con menos recelo a Rhyme, al artilugio en el que estaba sentado y a los demás aparatos que definían su vida.

—No sé qué estaba pasando, pero Art no mató a esa mujer. Es imposible. Lo sé de corazón... ¿Podéis hacer algo?

Rhyme y Sachs se miraron. Él contestó:

—Lo siento, Judy, ahora mismo estamos en medio de un caso muy importante. Estamos a punto de atrapar a un asesino muy peligroso. No puedo dejar el caso a medias.

—No te estoy pidiendo eso, sólo que hagas algo, lo que sea. No se me ocurre qué más hacer. —Comenzó a temblarle el labio.

—Vamos a hacer algunas llamadas —añadió Rhyme—, averiguaremos lo que podamos. No puedo darte información que supuestamente no puedas conseguir a través de tu abogado, pero te diré con franqueza lo que opino sobre las posibilidades de éxito de la acusación.

—Gracias, Lincoln.

—¿Quién es su abogado?

Les dio el nombre y el número de teléfono. Rhyme lo conocía, era un penalista caro, con mucho renombre, pero estaría muy ocupado y tenía más experiencia en delitos financieros que en crímenes violentos.

Sachs preguntó por el fiscal.

—Bernhard Grossman. Puedo conseguiros su número.

—No es necesario —dijo Sachs—, ya lo tengo. He trabajado con él otras veces. Es un hombre razonable. Imagino que le habrá ofrecido a tu marido una reducción de condena a cambio de que se confiese culpable.

—Sí, y nuestro abogado quería que aceptara, pero Arthur se negó. Sigue diciendo que es un error, que todo acabará por aclararse. Pero no siempre es así, ¿verdad? A veces la gente va a la cárcel, aunque sea inocente, ¿no es cierto?

Sí, así es, pensó Rhyme, y dijo:

—Vamos a hacer esas llamadas.

Judy se levantó.

—No sabes cuánto siento que hayamos dejado pasar tanto tiempo. Es inexcusable. —Para sorpresa de Rhyme, se acercó a la silla de ruedas sin vacilar y se inclinó para rozarle la mejilla con la suya.

El criminalista olió a sudor nervioso y a dos fragancias distintas, desodorante y laca, quizá. Perfume, no. No parecía de las que usaban perfume.

—Gracias, Lincoln. —Se acercó a la puerta y se detuvo. Dijo dirigiéndose a los dos—: Si descubres algo sobre Arthur y esa mujer, lo que sea, no pasa nada. Lo único que me importa es que no vaya a la cárcel.

—Haré lo que pueda. Te llamaremos si averiguamos algo concreto.

Sachs la acompañó a la puerta.

Cuando regresó, él dijo:

—Vamos a hablar primero con el abogado.

—Lo siento, Rhyme. —Al ver que él arrugaba el ceño, añadió—: Quiero decir que tiene que ser duro para ti.

—¿El qué?

—Pensar que han acusado de asesinato a un familiar cercano.

El criminalista se encogió de hombros, uno de los pocos gestos que aún podía hacer.

—Ted Bundy también era hijo de alguien. Y puede que también primo.

—Aun así. —Sachs levantó el teléfono. Al cabo de un rato consiguió dar con el abogado. Saltó el contestador y le dejó un mensaje. Rhyme se preguntó en qué hoyo de qué campo de golf estaría en ese momento.

Sachs llamó a continuación a Grossman, el ayudante del fiscal del distrito, que no estaba disfrutando del descanso dominical, sino en su despacho del centro de la ciudad. No se le había ocurrido relacionar el apellido del detenido con el del criminalista.

—Vaya, lo siento, Lincoln —dijo sinceramente—, pero la verdad es que es un buen caso, y no hablo por hablar. Si hubiera lagunas, te lo diría. Pero no las hay. El jurado lo condenará, eso es seguro. Le harías un gran favor si lo convences de que se declare culpable. Podría conseguir que le bajaran la pena a doce años.

Doce años, sin condicional. Arthur se moriría, pensó Rhyme.

—Te lo agradecemos —dijo Sachs.

El fiscal añadió que tenía un juicio complicado que empezaba al día siguiente y que no podía seguir hablando con ellos en ese momento. Les llamaría unos días después, si querían.

Les dio, sin embargo, el nombre del detective de la policía que había llevado el caso, Bobby Lagrange.

—Lo conozco —dijo Sachs, y lo llamó a casa. Respondió su buzón de voz, pero cuando probó a llamar a su móvil el detective respondió al instante.

—Lagrange.

El siseo del viento y el sonido de las olas revelaron a qué estaba dedicando el detective aquel día cálido y despejado.

Sachs se identificó.

—Ah, sí, claro. ¿Cómo te va, Amelia? Estoy esperando la llamada de un soplón. Estamos pendientes de un asunto en Red Hook y puede haber noticias en cualquier momento.

Así que no estaba en su barca de pesca.

—Puede que tenga que colgar a toda prisa.

—Entendido. Te estoy llamando por el manos libres.

—Detective, soy Lincoln Rhyme.

Una vacilación.

—Ah, sí. —Una llamada de Lincoln Rhyme solía captar de inmediato la atención de los demás.

Rhyme le explicó lo de su primo.

—Espere... «Rhyme». Me chocó el nombre, ¿sabe? Por lo raro, quiero decir. Pero no lo relacioné. Y él no me dijo nada de usted. Ninguna de las veces que he hablado con él. Su primo. Caramba, lo siento.

—Detective, no quiero interferir en el caso, pero me he comprometido a hacer algunas llamadas para averiguar qué ha pasado. Sé que el caso ya está en manos del fiscal. Acabo de hablar con él.

—Quiero que sepa que la detención estaba absolutamente justificada. Hace cinco años que llevo casos de homicidio y más claro que éste no he visto ninguno, como no sea un ajuste de cuentas entre bandas presenciado por un patrullero de la policía.

—¿Qué sucedió exactamente? La mujer de Art sólo me ha contado lo básico.

Con la voz crispada que adoptaban los policías al desgranar los detalles de un delito, desprovista por completo de emoción, Lagrange respondió:

—Su primo salió del trabajo temprano. Fue al apartamento de una mujer llamada Alice Sanderson, en el Village. Ella también había salido temprano ese día. No sabemos exactamente cuánto tiempo estuvo allí, pero alrededor de las seis de la tarde murió apuñalada y sustrajeron un cuadro de su casa.

—Un cuadro valioso, tengo entendido.

—Sí. Aunque no era un Van Gogh.

—¿Quién era el pintor?

—Un tal Prescott. Ah, y encontramos algunas cartas, folletos sobre Prescott que un par de galerías le habían mandado directamente a su primo, ¿sabe? No tenía buena pinta.

—Cuénteme más sobre el doce de mayo —dijo Rhyme.

—A eso de las seis, un testigo oyó gritos y unos minutos después vio a un hombre llevar un cuadro a un Mercedes azul claro aparcado en la calle. Se marchó a toda prisa. El testigo sólo vio las tres primeras letras de la matrícula, no le dio tiempo a ver el estado, pero buscamos en toda la zona metropolitana, redujimos bastante la lista e interrogamos a los propietarios. Uno de ellos era su primo. Fuimos mi compañero y yo a Jersey a hablar con él, le pedimos a un agente de allí que nos acompañara, por cuestión de protocolo, ya sabe. Vimos manchas que parecían de sangre en la puerta trasera y en el asiento de atrás. Debajo del asiento había una toalla ensangrentada. Coincidía con un juego que había en el apartamento de la víctima.

—¿Y los análisis de ADN dieron positivo?

—Era sangre de la víctima, sí.

—¿El testigo reconoció a Arthur en una ronda de identificación?

—No, fue un testigo anónimo. Llamó desde una cabina y no quiso dar su nombre. No quería meterse en líos. Pero no hacían falta testigos. Para los del laboratorio fue pan comido. Levantaron una huella de calzado en la entrada de la casa de la víctima, el mismo tipo de zapatos que llevaba su primo, y consiguieron algunas pruebas bastante sólidas.

—¿Pruebas genéricas?

—Sí, genéricas. Restos de espuma de afeitar, migas de aperitivos, restos del fertilizante para el césped que había en su garaje. Coincidían a la perfección con las que había en casa de la víctima.

No, no *coincidían a la perfección*, se dijo Rhyme. Las pruebas materiales se clasifican en varias categorías. Una prueba «individualizada» sólo puede tener un origen, lo mismo que el ADN o las huellas dactilares. Los indicios «genéricos» comparten ciertas características con materiales semejantes, pero no tienen necesariamente el mismo origen. Las fibras de moqueta, por ejemplo. La sangre obtenida en la escena de un crimen y analizada genéticamente puede *coincidir* a la perfección con la sangre de un sospechoso. Pero una fibra de moqueta recogida en la escena de un crimen sólo puede *asociarse* con fibras encontradas en casa del sospechoso, lo que permite al jurado inferir que estuvo en el lugar de los hechos.

—¿Qué opinas? ¿La conocía Arthur o no? —preguntó Sachs.

—Afirma que no, pero hemos encontrado dos notas escritas por ella. Una en su despacho y otra en casa. En una decía: «ART: COPAS». En la otra sólo decía «ARTHUR». Nada más. Ah, y encontramos su nombre en la agenda de la chica.

—¿Su número de teléfono? —Rhyme había fruncido el ceño.

—No, un número de móvil de prepago. No tenemos los registros.

—Entonces, ¿supone que eran más que amigos?

—Se nos ha pasado por la cabeza. ¿Por qué si no iba a darle un número de prepago y no el de su casa o el de la oficina? —Lagrange se rió—. Por lo visto a ella no le importó. Le sorprendería lo que es capaz de aceptar la gente sin hacer preguntas.

No, no me sorprendería tanto, pensó Rhyme

—¿Y el teléfono?

—Muerto. No lo hemos encontrado.

—¿Y creen ustedes que la mató porque le estaba presionando para que dejara a su mujer?

—Es lo que va a alegar el fiscal. Algo así.

Rhyme comparó lo que sabía de su primo, al que hacía más de una década que no veía, con aquella información. No podía ni confirmar ni negar la acusación.

—¿Hay alguien más que tenga un posible móvil? —preguntó Sachs.

—No, nadie. Su familia y sus amigos dicen que salía con hombres de vez en cuando, pero nada serio. No había tenido rupturas de pareja traumáticas. Llegué incluso a dudar si habría sido la esposa, Judy. Pero tenía coartada para esa hora.

—¿Arthur tenía alguna?

—No. Asegura que fue a correr, pero no hay nadie que pueda confirmarlo. En el parque estatal de Clinton, un sitio enorme. Y muy solitario.

—Por curiosidad —dijo Sachs—, ¿cómo se comportó durante el interrogatorio?

Lagrange se rió.

—Tiene gracia que lo preguntes: es lo más raro de todo el caso. Parecía aturdido. Como atontado de vernos allí. He detenido a un montón de gente a lo largo de mi carrera, algunos de ellos profesionales. Tipos con contactos, quiero decir. Y seguramente es el que mejor se ha hecho el inocente. Es un actor magnífico. ¿Recuerda eso de él, detective Rhyme?

El criminalista no contestó.

—¿Qué ha sido del cuadro?

Un silencio.

—Ésa es otra. No lo hemos recuperado. No estaba en casa del detenido, ni en el garaje, pero la gente de criminalística encontró tierra en el asiento trasero del coche y en su garaje. Coincidía con la tierra del parque al que iba a correr el detenido todas las noches, cerca de su casa. Suponemos que lo enterró en alguna parte.

—Una pregunta, detective —añadió Rhyme.

Un silencio al otro lado de la línea, durante el cual una voz dijo algo indescifrable y se oyó de nuevo el aullido del viento.

—Adelante.

—¿Puedo ver el expediente del caso?

—¿El expediente? —No era una pregunta, en realidad. Sólo quería ganar tiempo para pensárselo—. Es un caso muy sólido. Y hemos seguido el procedimiento al pie de la letra.

—No nos cabe ninguna duda —dijo Sachs—. Pero el caso es que tenemos entendido que ha rechazado la reducción de condena.

—Ah, ¿y quieren convencerlo para que la acepte? Sí, lo entiendo. Es lo mejor para él. Bien, yo sólo tengo copias, las pruebas y todo lo demás lo tiene el ayudante del fiscal del distrito, pero puedo conseguirles los informes. ¿Dentro de un día o dos les parece bien?

Rhyme negó con la cabeza. Sachs respondió:

—Si pudieras hablar con Archivos y decirles que voy a ir a recoger el archivo en persona...

Volvió a oírse el viento a través del teléfono. Luego el sonido cesó bruscamente. Lagrange debía de haberse puesto a refugio.

—Sí, de acuerdo, voy a llamarles ahora mismo.

—Gracias.

—No hay de qué. Buena suerte.

Después de que colgaran, Rhyme esbozó una breve sonrisa.

—Ha sido un buen toque, eso de la reducción de condena.

—Una tiene que conocer a su público —repuso Sachs, y colgándose el bolso del hombro se dirigió a la puerta.

4

Sachs regresó de su visita a Police Plaza mucho más deprisa que si hubiera ido en transporte público o hubiera hecho caso de los semáforos. Rhyme comprendió que había puesto la sirena en el capó de su coche, un Camaro SS de 1969 que había pintado de rojo vivo hacía un par de años, a juego con el color que él prefería para sus sillas de ruedas. Aprovechaba cualquier excusa para revolucionar el enorme motor y quemar goma de los neumáticos, como si aún fuera una adolescente.

—He hecho copias de todo —dijo al entrar en la habitación llevando una gruesa carpeta. Hizo una mueca de dolor al ponerla sobre la mesa de examen.

—¿Estás bien?

Amelia Sachs padecía de artritis, la tenía desde siempre, y engullía pastillas de glucosamina, condroitina y Advil o Naprosyn como si fueran gominolas, pero rara vez reconocía su estado ante los demás. Temía que, si se enteraban, los jefes decidieran sentarla detrás de una mesa por motivos de salud. Incluso cuando estaba a solas con Rhyme, quitaba importancia a los dolores que sufría. Ese día, sin embargo, reconoció:

—Algunos pinchazos son peores que otros.

—¿Quieres sentarte?

Negó con la cabeza.

—Bueno, entonces, ¿qué tenemos?

—El informe, el inventario de pruebas materiales y copias de las fotografías. Los vídeos no. Los tiene el fiscal.

—Vamos a ponerlo todo en la pizarra. Quiero ver la escena principal del crimen y la casa de Arthur.

Sachs se acercó a una pizarra blanca, una de las muchas que había en el laboratorio, y fue transcribiendo los datos mientras Rhyme la observaba.

APARTAMENTO DE ALICE SANDERSON:

- Rastros de espuma de afeitar Edge Advanced con aloe.
- Migas presuntamente de Pringles *light*, sabor barbacoa.
- Cuchillo de Chicago Cutlery (arma del crimen).
- Fertilizante Tru Gro.
- Huella de un zapato Alton EZ-Walk, número 44.
- Fragmento de guante de látex.
- Referencias a «Art» y a un número de teléfono móvil de prepago, ahora inactivo, en la agenda de la víctima. Número imposible de rastrear (¿posible relación extramatrimonial?).
- Dos notas: «ART: COPAS» (oficina) y «ARTHUR» (casa).
- Un testigo vio un Mercedes azul claro. Matrícula parcial: NLP.

COCHE DE ARTHUR RHYME:

- Mercedes sedán Clase C azul claro de 2004. Matrícula de Nueva Jersey NLP 745, registrado a nombre de Arthur Rhyme.

- Sangre en la puerta y el suelo de atrás (el ADN coincide con el de la víctima).
- Toalla manchada de sangre. Coincide con un juego hallado en el apartamento de la víctima (el ADN coincide con el de la víctima).
- Tierra de composición similar a la del parque estatal Clinton.

CASA DE ARTHUR RHYME:

- Espuma de afeitar Edge Advanced con aloe, compatible con la hallada en la escena del crimen.
- Patatas Pringles *light*, sabor barbacoa
- Fertilizante Tru Gro (garaje).
- Pala con tierra similar a la del parque estatal Clinton (garaje).
- Cuchillos Chicago Cutlery, del mismo tipo que el arma del crimen.
- Zapatos Alton EZ-Walk del número 44, huella semejante a la hallada en la escena del crimen.
- Folletos enviados por correo postal procedentes de las galerías de arte Wilcox (Boston) y Anderson-Billings (Carmel), acerca de exposiciones de Harvey Prescott.

—Madre mía, las pruebas son fulminantes, Rhyme —dijo Sachs al apartarse y poner los brazos en jarras.

—¿Y usar un teléfono de prepago? Y referencias a «Art». Y en cambio no aparece su dirección de casa, ni del trabajo, lo cual sugiere una aventura extramatrimonial. ¿Algún otro dato?

—No, aparte de las fotografías.

—Pégalas en la pizarra —ordenó Rhyme mientras seguía observando el esquema.

Lamentó no haber inspeccionado él mismo el lugar de los hechos, por mediación de Amelia Sachs, claro está, como hacían a menudo sirviéndose de un micrófono con auriculares o una videocámara de alta definición que llevaba ella. Los encargados de hacer la inspección de la escena del crimen parecían haber hecho un buen trabajo, aunque no magnífico. No había fotografías de las otras habitaciones del apartamento y el cuchillo... Miró la fotografía del arma ensangrentada, bajo la cama. Un agente de policía levantaba el faldón del colchón para que el fotógrafo tomara la fotografía. ¿No se veía el cuchillo con el faldón bajado (lo que supondría que el homicida podía, lógicamente, haberlo olvidado en el frenesí del momento) o sí se veía? Si era así, podría deducirse que el autor de los hechos lo había dejado allí intencionadamente, a fin de que la policía encontrara la prueba.

Observó la fotografía del material de embalaje hallado en el suelo, en el que supuestamente había llegado envuelto el lienzo de Prescott.

—Algo no encaja —murmuró Rhyme.

Sachs, que seguía de pie junto a la pizarra, lo miró.

—El cuadro —continuó el criminalista.

—¿Qué pasa con él?

—Lagrange sugirió dos posibles móviles. Uno, que Arthur robara el Prescott como tapadera porque quería matar a Alice para que lo dejara en paz.

—Sí.

—Pero —añadió Rhyme— para que el homicidio pareciera motivado por un robo, un asesino listo no habría robado la única cosa del apartamento que podía relacionarlo con él. Recuerda que Art había tenido un Prescott. Y tenía en casa folletos de sus exposiciones.

—Claro, Rhyme, eso no tiene sentido.

—Y pongamos que Arthur quería de verdad el cuadro y no podía permitirse comprarlo. Pues bien, es muchísimo más seguro y más fácil entrar en la casa y llevárselo durante el día, cuando la dueña está trabajando, que asesinarla para conseguirlo.

La actitud de su primo también le parecía chocante, aunque no atribuyera gran importancia a esas cosas al valorar la posible inocencia o culpabilidad de un sospechoso.

—Tal vez no estuviera haciéndose el inocente. Tal vez sea inocente. ¿Fulminantes, dices? No. *Demasiado* fulminantes.

Pensó para sus adentros: *Supongamos que no fue él.* Si era así, las consecuencias eran significativas. Porque aquél no era un simple caso de confusión de identidad: las pruebas coincidían con demasiada exactitud, incluyendo una relación concluyente entre la sangre de la víctima y el coche de Arthur. No, si su primo era inocente, cabía deducir que alguien se había tomado muchas molestias para tenderle una trampa.

—Creo que han intentado cargarle el muerto.

—¿Por qué?

—¿El móvil? —masculló—. Eso no nos importa ahora mismo. La pregunta relevante es cómo. Si despejamos esa incógnita, quizá lleguemos al quién. Tal vez averigüemos el porqué de paso, pero ésa no es nuestra prioridad. Así que vamos a tomar como premisa de partida que otra persona, un Señor X, asesinó a Alice Sanderson y robó el cuadro y luego intentó inculpar a Arthur. Bien, Sachs, ¿cómo pudo hacerlo?

Un mueca de dolor (otra vez la artritis) y se sentó. Estuvo pensando un rato. Luego dijo:

—El Señor X estuvo siguiendo a Arthur y a Alice. Comprobó que a los dos les interesaba el arte, los vio coincidir en la galería y averiguó quiénes eran.

—El Señor X sabe que Alice tiene un Prescott. Quiere uno, pero no puede permitírselo.

—Exacto. —Sachs señaló la pizarra con la cabeza—. Así que se cuela en casa de Arthur, ve que tiene Pringles, espuma de afeitar Edge, fertilizante Tru Gro y cuchillos Chicago Cutlery. Roba algunas cosas para dejarlas en la escena del crimen. Sabe qué zapatos calza Arthur, así que puede dejar la pisada, y recoge un poco de tierra del parque con la pala de tu primo...

—Ahora pensemos en el doce de mayo. El Señor X se entera de algún modo de que los jueves Art siempre sale antes del trabajo y va a correr a un parque desierto, de modo que no tiene coartada. Va al apartamento de la víctima, la mata, roba el cuadro y llama desde un teléfono público para informar de que ha oído gritos y ha visto a un hombre llevar el cuadro a un coche que se parece un montón al de Arthur, añadiendo parte de un número de matrícula. Luego se va a casa de Arthur en Nueva Jersey y deja los rastros de sangre, la tierra, la toalla y la pala.

Sonó el teléfono. Era el abogado defensor de Arthur. Parecía tener prisa al reiterarles todo cuanto le había explicado el ayudante del fiscal del distrito. No dijo nada que pudiera ayudarles y, de hecho, varias veces intentó convencerlos de que presionaran a Arthur para que se declarara culpable y aceptara la reducción de condena.

—Van a condenarlo, está claro —afirmó—. Háganle ese favor. Le conseguiré quince años.

—Eso acabará con él —contestó Rhyme.

—No se trata de una cadena perpetua.

El criminalista se despidió de él gélidamente y colgó. Fijó de nuevo la mirada en la pizarra.

Entonces se le ocurrió otra cosa.

—¿Qué pasa, Rhyme? —La detective había notado que estaba mirando el techo.

—¿Crees que lo habrá hecho otras veces?

—¿A qué te refieres?

—Suponiendo que el objetivo, el móvil, fuera robar el cuadro, en fin, no es precisamente un golpe millonario. No es un Renoir que puedas vender por diez millones y luego desaparecer para siempre. Todo este asunto huele a negocio. Es posible que el homicida haya dado con un modo ingenioso de cometer crímenes y salir indemne. Y que vaya a seguir practicándolo hasta que alguien lo pare.

—Sí, tienes razón. Entonces deberíamos buscar otros robos de cuadros.

—No. ¿Por qué iba a limitarse a robar cuadros? Podría ser cualquier cosa. Pero hay un elemento en común.

Sachs arrugó el ceño. Luego contestó:

—El homicidio.

—Exactamente. Dado que el responsable inculpa a otra persona, tiene que matar a las víctimas porque podrían identificarlo. Llama a alguien de Homicidios. A casa, si es necesario. Estamos buscando circunstancias semejantes: un delito asociado, un robo quizá, la víctima asesinada y pruebas circunstanciales muy sólidas.

—Y tal vez una identificación de ADN que podría haber sido manipulada.

—Bien —dijo Rhyme, excitado ante la idea de que tal vez hubieran dado con algo—. Y si se está ciñendo a una fórmula, habrá también un testigo anónimo que llamó a la policía para proporcionar algunos datos concretos que permitieron la identificación del sospechoso.

Sachs se acercó al escritorio que había en un rincón del laboratorio y se sentó para hacer la llamada.

Rhyme apoyó la cabeza en la silla de ruedas y observó a su compañera mientras hablaba por teléfono. Vio que tenía sangre seca en la uña del pulgar y una marca apenas visible encima de la oreja, medio escondida por el pelo liso y rojizo. Sachs hacía aquello con frecuencia: se rascaba el cuero cabelludo, se arrancaba la piel de las uñas, se hacía pequeñas heridas. Era al mismo tiempo una costumbre y un síntoma del estrés que la impulsaba a actuar.

Asintió con la cabeza mientras escribía y sus ojos adquirieron una expresión reconcentrada. También a Rhyme, aunque no pudiera sentirlo de manera directa, se le había acelerado el corazón. Amelia había descubierto algo importante. Su bolígrafo se había secado. Lo tiró al suelo y sacó otro tan rápidamente como sacaba la pistola en las competiciones de tiro.

Pasados diez minutos colgó.

—Escucha esto, Rhyme. —Se sentó a su lado en un sillón de mimbre—. Estaba hablando con Flintlock.

—Ah, buena elección.

El detective Joseph Flintick, cuyo apodo hacía referencia, intencionadamente o no, al pistolero de antaño, trabajaba ya en homicidios cuando Rhyme era todavía un novato. Aquel viejo gruñón estaba al tanto de casi todos los asesinatos que se habían cometido en la ciudad de Nueva York (y en muchas de los alrededores) en el curso de su larga carrera policial. A pesar de que a su edad debía estar visitando a sus nietos, Flintlock* seguía trabajando los domingos. Pero a Rhyme no le sorprendió.

—Se lo he contado todo y enseguida se le han ocurrido dos casos que pueden encajar con nuestro perfil. Uno fue un robo de monedas antiguas por valor de unos cincuenta mil dólares. El otro una violación.

—¿Una violación? —Aquello añadía al caso un elemento mucho más turbio y perturbador.

—Sí. En ambos casos hubo testigos anónimos que llamaron para denunciar el delito y aportaron información fundamental para la identificación de los responsables, como el testigo que llamó para contar lo del coche de tu primo.

—Ambos testigos eran hombres, claro.

—Sí. Y el municipio ofreció una recompensa, pero ninguno de los dos se presentó.

—¿Qué hay de las pruebas?

—Flintlock no las recuerda con precisión, pero me ha dicho que había pruebas circunstanciales y rastros materiales clarísimos. Lo mismo que en el caso de tu primo: cinco o seis tipos de pruebas genéricas asociadas en el lugar de los hechos y en casa de los sospechosos. Y en ambos casos se encontró sangre de la víctima en un trapo o una prenda de ropa en la vivienda de los sospechosos.

—Y apuesto a que en el caso de violación no se encontraron fluidos que pudieran cotejarse.

En la mayoría de los casos, los violadores son condenados porque dejan rastros de las Tres Eses: semen, saliva y sudor.

—No, ninguno.

---

* Juego de palabras entre el apellido Flintick y *flintlock*, «fusil de chispa». (*N. de la T.*)

—Y las personas anónimas que llamaron... ¿dieron sólo un número de matrícula parcial?

Sachs consultó sus notas.

—Sí, ¿cómo lo sabes?

—Porque nuestro sujeto necesita ganar tiempo. Si diera el número completo de la matrícula, la policía iría derecha a casa del presunto sospechoso y el verdadero culpable no tendría tiempo de colocar las pruebas incriminatorias.

El asesino había pensado en todo.

—¿Y los sospechosos lo negaron todo? —preguntó el criminalista.

—Sí, totalmente. Se la jugaron con el jurado y perdieron.

—No, no, no, son demasiadas coincidencias —masculló Rhyme—. Quiero ver...

—Ya he pedido que saquen los expedientes del archivo de los casos resueltos.

Él se rió. Amelia iba un paso por delante de él, como siempre. Se acordó de cuando se habían conocido, hacía años. Ella era por entonces una patrullera desencantada que se disponía a abandonar el trabajo policial. Él, por su parte, estaba listo para abandonar mucho más que eso. Cuánto camino habían recorrido juntos desde entonces.

Rhyme habló dirigiéndose a su micrófono.

—Orden: llamar a Sellitto. —Estaba nervioso. Sentía aquel hormigueo especial, la emoción de la caza inminente.

Coge el maldito teléfono, pensó enfadado, y por una vez no estaba pensando en Inglaterra.

—Hola, Linc. —La voz de Sellitto, con su fuerte acento de Brooklyn, retumbó en la habitación—. ¿Qué...?

—Escucha, hay un problema.

—Estoy muy liado aquí.

El excompañero de Rhyme, el teniente detective Lon Sellitto, no estaba de muy buen humor últimamente. Un caso importante en el que había estado trabajando con la colaboración de distintos cuerpos policiales acababa de venirse abajo. El año anterior Vladimir Dienko, el matón de un jefe de la mafia rusa de Brighton Beach, había pasado a disposición judicial por chantaje y asesinato. Rhyme había colaborado en la investigación forense. Pero para sorpresa de todos, el caso contra Dienko y tres de sus colaboradores había sido sobreseído el viernes anterior después de que los testigos se esfumaran de la noche a la mañana o se negaran a declarar. Sellitto y varios agentes del FBI llevaban todo el fin de semana trabajando con la esperanza de dar con nuevos testigos y confidentes.

—Iré al grano. —Rhyme le explicó lo que habían descubierto sobre el caso de su primo, el de violación y el de robo de monedas.

—¿Otros dos casos? Qué raro. ¿Qué dice tu primo?

—Todavía no he hablado con él, pero lo niega todo. Quiero que esto se investigue.

—¿Que «se investigue»? ¿Qué cojones quieres decir con eso?

—No creo que lo hiciera Arthur.

—Es tu primo. Claro que no crees que lo hiciera él. Pero ¿tienes algo concreto?

—Todavía no. Por eso quiero que me ayudes. Necesito gente.

—Estoy metido hasta el cuello en el caso de Dienko, en Brighton Beach. En el que, dicho sea de paso, deberías estar ayudándonos si no estuvieras tan liado tomando el puto té con los ingleses.

—Esto podría ser un caso de los gordos, Lon. Otros dos casos que apestan a pruebas manipuladas. Y apuesto a que hay más. Sé lo mucho que te gustan los tópicos. ¿Es que no te subleva que «el asesino se vaya de rositas»?

—Puedes soltarme todas las frasecitas que quieras, Linc. Estoy ocupado.

—Es una frase hecha, Lon.

—Me la suda. Estoy intentando salvar la Conexión Rusa. En el ayuntamiento y el FBI están que trinan por lo que ha pasado.

—Pues mi más sentido pésame para ellos. Que te reasignen.

—Eso es un homicidio. Yo pertenezco a Delitos Mayores.

La División de Delitos Mayores de la Policía de Nueva York no investigaba asesinatos, pero la excusa que puso Sellitto hizo aflorar una sonrisa sarcástica a los labios de Rhyme.

—Investigas homicidios cuando quieres. ¿Desde cuándo te importan los protocolos de departamento?

—Vamos a hacer una cosa —refunfuñó el detective—. Hay un capitán que hoy está trabajando en el centro, Joe Malloy. ¿Lo conoces?

—No.

—Yo sí —dijo Sachs—. Es de fiar.

—Hola, Amelia. ¿Crees que sobrevivirás a la borrasca de hoy?

Sachs se rió. Rhyme gruñó:

—Muy gracioso, Lon. ¿Quién diablos es ese tipo?

—Es muy listo. No se anda por las ramas. Y no tiene sentido del humor. Supongo que eso te gustará.

—Cuánto cómico hay por aquí hoy —masculló Rhyme.

—Es bueno. Y una especie de cruzado. A su mujer la mataron en un atraco hace seis años.

Sachs hizo una mueca.

—No lo sabía.

—Sí, y se dedica al trabajo al cien por cien. Dicen que va derecho a un despacho de los de arriba. O quizás incluso a la puerta de al lado.

Se refería al ayuntamiento.

—Dale un toque —añadió Sellitto—, a ver si consigue que te manden a alguien.

—Quiero que vengas tú.

—No puede ser, Linc. Estoy dirigiendo una puñetera operación de vigilancia. Es una pesadilla. Pero mantenme informado y...

—Tengo que dejarte, Lon. Orden: desconectar teléfono.

—Le has colgado —dijo Sachs.

Rhyme soltó un gruñido y llamó a Malloy. Se pondría furioso si le saltaba el contestador.

Pero el detective respondió al primer pitido. Otro policía veterano que trabajaba los domingos. Bueno, el criminalista también lo había hecho a menudo, como demostraba su divorcio.

—Aquí Malloy.

Rhyme se identificó.

Una breve vacilación. Luego:

—Vaya, Lincoln. Creo que no nos conocemos, pero he oído hablar de ti, claro.

—Estoy con Amelia Sachs, una de vuestras detectives. Tengo puesto el manos libres, Joe.

—Buenas tardes, detective Sachs —dijo el capitán con voz crispada—. ¿En qué puedo ayudarles?

Rhyme le explicó el caso y su sospecha de que a Arthur le habían tendido una trampa.

—¿Es primo tuyo? Cuánto lo siento. —Pero no parecía sentirlo especialmente. Seguramente le preocupaba más que Rhyme quisiera que intercediera para reducir los cargos. Oh, oh, indicios de prevaricación, en el mejor de los casos. O, en el peor, una investigación de Asuntos Internos y la intervención de la prensa. En el otro platillo de la balanza estaba, claro, el mal gesto de no ayudar a un hombre que procuraba valiosísimos servicios al Departamento de Policía de Nueva York. Y que además era paralítico. Y en el gobierno municipal prosperaba la corrección política.

La petición de Rhyme era, claro está, mucho más compleja. Añadió:

—Creo que hay muchas probabilidades de que el mismo sujeto haya cometido otros crímenes. —Le dio los datos del caso del robo de monedas y del de violación.

De modo que el departamento de policía al que pertenecía Malloy había detenido erróneamente no a una, sino a tres personas. Lo que significaba que tres casos criminales habían quedado sin resolver y el verdadero culpable seguía libre. Lo que presagiaba una auténtica pesadilla mediática.

—Bueno, es bastante raro. Irregular, ¿comprendes? Entiendo que seas tan leal con tu primo...

—Yo soy leal a la verdad, Joe —respondió Rhyme, sin importarle que sonara pedante.

—Pues...

—Sólo necesito que nos asignen a un par de agentes para revisar las pruebas de esos casos y patear un poco las calles, quizás.

—Ah, entiendo. Bien, perdona, Lincoln, pero es que no tenemos medios. Para algo así, no. Pero mañana se lo comento al subcomisario.

—¿Crees que podríamos llamarlo ahora mismo?

Otro titubeo.

—No, hoy tenía un compromiso.

Un almuerzo. Una barbacoa. Una sesión de tarde de *El Jovencito Frankenstein* o *Spamalot*.

—Se lo comentaré mañana en la reunión semanal. Es un caso curioso, pero no hagas nada hasta que te llame. Yo, u otra persona.

—Claro que no.

Colgaron. Rhyme y Sachs se quedaron callados unos segundos.

Un caso curioso.

Rhyme fijó la mirada en la pizarra blanca, en la que yacía el cadáver de una investigación policial muerta de un disparo nada más nacer.

Fue ella quien rompió el silencio:

—Me pregunto qué estará haciendo Ron.

—¿Qué te parece si se lo preguntamos? —Rhyme le dedicó una de sus raras sonrisas sinceras.

Sachs sacó su móvil, marcó un número de la agenda y puso el manos libres.

—Sí, señora, detective —contestó una voz juvenil.

Sachs llevaba años intentando que el patrullero Ron Pulaski la llamara «Amelia», pero normalmente no se atrevía.

—Está puesto el manos libres, Pulaski —le advirtió el criminalista.

—Sí, señor.

También a Rhyme le molestó que lo llamara «señor», pero en ese momento no le apetecía corregir al joven agente.

—¿Cómo está? —preguntó Pulaski.

—¿Importa eso? —respondió Rhyme—. ¿Qué estás haciendo? Ahora mismo. ¿Algo importante?

—¿Ahora mismo?

—Creo que es lo que acabo de preguntar.

—Estoy fregando los platos. Jenny y yo acabamos de almorzar con mi hermano y su mujer. Hemos ido al mercado de agricultores con los niños. Es una pasada. ¿Han ido alguna vez la detective Sachs y...?

—Entonces estás en casa. Sin hacer nada.

—Bueno, estoy fregando los platos.

—Pues déjalos y vente para acá. —Rhyme, que era civil, no tenía autoridad para dar órdenes a ningún miembro de la policía de Nueva York, ni siquiera a los guardias de tráfico.

Pero Sachs era detective de tercera clase. Aunque no podía ordenar a Pulaski que les ayudara, podía solicitar formalmente que le asignaran a un nuevo caso.

—Te necesitamos, Ron. Y puede que también te necesitemos mañana.

Ron Pulaski solía trabajar con Rhyme, Sachs y Sellitto. Al criminalista le había hecho gracia enterarse de que su colaboración con el célebre investigador forense había elevado el estatus del joven agente dentro del cuerpo. Estaba seguro de que su supervisor accedería a prestarle a Pulaski un par de días, siempre y cuando no llamara a Malloy ni a ninguna otra persona de la Central y se enterara de que en realidad no tenían asignado ningún caso.

Pulaski dio a Sachs el nombre de su superior en comisaría. Luego preguntó:

—Señor, ¿el teniente Sellitto también está trabajando en el caso? ¿Quieren que lo llame para que nos coordinemos?

—No —respondieron los dos a la vez.

Siguió un breve silencio. Luego Pulaski dijo en tono indeciso:

—Bueno, entonces estaré ahí lo antes que pueda, creo. Pero ¿puedo secar primero los vasos? Jenny odia que queden las marcas del agua.

5

El mejor día es el domingo.

Porque la mayoría de los domingos soy libre de hacer lo que más me gusta.

Colecciono cosas.

Todo lo que se pueda imaginar. Si me llama la atención y puedo meterlo en la mochila o en el maletero, lo colecciono. No soy una rata cambalachera, como dirían algunos. Esos roedores dejan algo en lugar de lo que se llevan. Yo, cuando encuentro algo, me lo quedo. Nunca me desprendo de ello. Nunca.

El domingo es mi día favorito. Porque es el día de descanso de las masas, de los dieciséis que llaman hogar a esta ciudad increíble. Hombres, mujeres, niños, abogados, artistas, ciclistas, cocineros, ladrones, esposas y amantes (también colecciono DVD), políticos, corredores y comisarios de exposiciones... Es alucinante la cantidad de cosas que hace la gente para divertirse.

Vagan como antílopes felices por la ciudad y los parques de Nueva Jersey, de Long Island, del interior del estado.

Y yo puedo cazarlos a placer.

Que es lo que estoy haciendo ahora mismo, después de haberme librado de las demás distracciones del domingo, tan aburridas: almuerzo, película y hasta una invitación para jugar al golf. Ah, y las celebraciones religiosas, siempre tan populares entre los antílopes, con tal, claro, de que la visita a la iglesia vaya seguida del susodicho almuerzo dominical o de nueve hoyos dándole a la pelotita.

Salir a cazar...

Ahora mismo estoy pensando en mi última transacción. Tengo bien guardado su recuerdo en mi colección mental: la transacción con Alice Sanderson, 3895-0967-7524-3630, que tenía muy, muy buena pinta. Hasta que le clavé el cuchillo, claro.

Alice 3895, con aquel lindo vestido rosa que le marcaba los pechos y las caderas (también pienso en ella como 95-65-90, pero es una broma por mi parte). Bastante guapa, perfume con olor a flores asiáticas.

Los planes que había previsto para ella sólo tenían que ver en parte con el cuadro de Harvey Prescott que tuvo la suerte de comprar (o la desgracia, según se mire). En cuanto me asegurara de que lo había recibido, iba a sacar la cinta aislante y a pasarme un par de horas con ella en la cama. Pero lo echó todo a perder. Justo cuando me estaba acercando a ella por la espalda, se giró y soltó aquel grito horrible. No tuve más remedio que cortarle el cuello como si fuera una piel de tomate, coger mi precioso Prescott y salir pitando de allí. Por la ventana, por decirlo así.

No, no puedo dejar de pensar en Alice 3895, tan guapa ella, con su vestidito rosa y su piel que olía a flores como una casa de té. En resumen, que necesito una mujer.

Camino por las aceras mirando a los dieciséis a través de mis gafas de sol. Ellos, en cambio, no me ven a mí. Y es lo que quiero: me visto para ser invisible y para eso no hay mejor sitio que Manhattan.

Doblo esquinas, me deslizo por un callejón, compro algo (en efectivo, claro), y luego me meto en una parte desierta de la ciudad, una antigua zona industrial cerca del Soho que se está convirtiendo en barrio residencial y comercial. Aquí todo está tranquilo. Y eso está bien. Quiero tomarme con calma mi transacción con Myra Weinburg, 9834-4452-6740-3418, una dieciséis a la que le eché el ojo hace tiempo.

Myra 9834, te conozco muy bien. Lo sé todo de ti.

Myra 9834 vive en Waverley Place, Greenwich Village, en un edificio que el propietario quiere vender mediante un plan de desahucio. (Yo lo sé, pero los pobres inquilinos no lo saben aún, y a juzgar por sus ingresos y por su historial de crédito, para la mayoría va a ser una auténtica putada.)

La bella, exótica y morena Myra 9834 estudió en la Universidad de Nueva York y lleva varios años trabajando en una agencia de publicidad aquí, en la ciudad. Su madre todavía vive, pero su padre murió. Lo atropellaron y el responsable se dio a la fuga, su detención sigue pendiente después de tantos años. Por delitos así, la policía no echa precisamente el resto.

En este momento Myra 9834 no tiene novio y debe de andar escasa de amistades porque hace poco cumplió treinta y dos años y lo celebró pidiendo cerdo *moo shu* en el Hunan Dinasty de la Cuarta Avenida Oeste (no es mala elección) y comprando una botella de Caymus Conundrum blanco por veintiocho dólares en Village Wines, un sitio carísimo. Se resarció de aquella solitaria velada, imagino, con una excursión posterior a Long Island un sábado, coincidiendo con un corto desplazamiento de otros miembros de su familia y conocidos y una gruesa factura, con copioso Brunello, en un restaurante de Garden City que el *Newsday* ponía por las nubes.

Myra 9834 duerme con una camiseta de Victoria's Secret: lo deduzco del hecho de que tenga cinco de una talla demasiado grande para llevarlas en público. Se levanta temprano pensando en sus galletas danesas marca Entenmann (nunca bajas en grasa, estoy orgulloso de ella por eso) y en su café Starbucks hecho en casa: rara vez va a una cafetería. Lo cual es una lástima, porque me gusta observar en persona al antílope al que le he echado el ojo, y Starbucks es uno de los mejores sitios del mundo para hacerlo. Sale de su apartamento sobre las ocho y veinte y se va a trabajar a Manhattan, a la agencia Maple, Reed & Summers, donde es ejecutiva de cuentas júnior.

Adelante sin desfallecer. Sigo mi camino este domingo, con mi gorra de béisbol de lo más corriente (en la zona metropolitana, las llevan el 87,3 por ciento de los hombres que se cubren la cabeza con alguna prenda). Y, como siempre, con los ojos bajos. Si crees que un satélite no puede grabar tu cara sonriente desde una distancia de cincuenta kilómetros allá arriba, en el espacio, piénsatelo mejor: en algún lugar, en una docena de servidores alrededor del mundo, hay centenares de fotografías tuyas tomadas desde el cielo, y más te vale que cuando te las hicieron sólo estuvieras guiñando los ojos para que no te deslumbrara el sol mientras mirabas el dirigible de Goodyear o una nube en forma de corderito.

Mi pasión por el coleccionismo incluye no sólo esos datos cotidianos, sino la psique de los dieciséis que me interesan, y Myra 9834 no iba a ser una excepción. Sale con cierta frecuencia a tomar una copa con amigas después del trabajo y he notado que paga a menudo la cuenta, demasiado a menudo en mi opinión. Está claro que intenta comprar su cariño, ¿verdad que sí, doctor Phil?* Seguramente tuvo acné durante su *adolescence terrible* porque sigue yendo a un dermatólogo de vez en cuando, aunque las facturas son bajas. Puede que esté pensando en hacerse la dermoabrasión (totalmente innecesaria, por lo que he podido ver) o que sólo quiera asegurarse de que los granos no van a volver a aparecer como *ninjas* en plena noche.

Después, tras tres rondas de cosmopolitans con las chicas o una visita al gimnasio, se va a casa a hablar por teléfono, o a pasar el rato con el sempiterno ordenador o viendo la tele por cable, el paquete básico, no el *premium*. (Me encanta rastrear sus hábitos televisivos. Los programas que elige sugieren una extrema lealtad: cambió de cadena cuando cambió *Seinfeld*, y deshizo dos citas para pasar la noche con Jack Bauer.)**

* Doctor Phil McGraw, conductor de un famoso consultorio psicológico de la televisión estadounidense. *(N. de la T.)*

** Nombre del personaje de ficción protagonista de la serie *24*. (*N. de la T.*)

Luego, a la cama, donde a veces le gusta darse una pequeña alegría (la delata el hecho de que compra pilas AA, y su cámara digital y su iPod son recargables).

Naturalmente, ésos son los datos de su vida cotidiana. Pero hoy hace un domingo espléndido, y los domingos son distintos. Es cuando Myra 9834 se monta en su amada y carísima bicicleta y sale a recorrer las calles de su ciudad.

La ruta varía. A lo mejor va a Central Park, o a los parques de Riverside o Prospect, en Brooklyn. Pero sea cual sea el camino que elija Myra 9834, hay una parada que hace invariablemente hacia el final de su ruta: la tienda de *delicatessen* Hudson's Gourmet, en Broadway. Después, con la perspectiva de una buena comida y una buena ducha por delante, toma el camino más rápido para llegar a casa en bici, que, debido a la locura del tráfico en el centro, pasa justo por delante de donde me encuentro en este momento.

Estoy enfrente de un patio que da al *loft* de la planta baja de un edificio. Los dueños del *loft* son Maury y Stella Griszinski (figúrate, lo compraron hace diez años por 278.000 dólares). Pero los Griszinski no están en casa, porque están disfrutando de un crucero primaveral por Escandinavia. Han dado orden de que no les repartan el correo y no han contratado a cuidadores de mascotas ni a regadores de plantas. Y no hay sistema de alarma.

Todavía no hay rastro de ella. Mmm. ¿Habrá surgido algo? Quizás esté equivocado.

Claro que rara vez me equivoco.

Pasan cinco minutos angustiosos. Saco de mi colección mental algunas imágenes del cuadro de Harvey Prescott. Las disfruto un rato y vuelvo a guardarlas. Miro a mi alrededor y me resisto al impulso delicioso de echar un vistazo al gran cubo de basura que hay aquí para ver qué tesoros contiene.

Quédate en la sombra. Mantente fuera del casillero. Sobre todo en momentos como éste. Y evita las ventanas a toda costa. Te sorprendería la atracción que ejerce el voyeurismo, la cantidad de gente que puede estar observándote desde el otro lado de un cristal que para ti es sólo un reflejo o un resplandor.

¿Dónde está? ¿Dónde?

Si no hago pronto mi transacción...

Y entonces, ¡ah!, me da un vuelco el corazón al verla: Myra 9834.

Avanza despacio, con un piñón bajo, moviendo rítmicamente sus preciosas piernas. Pagó 1.020 dólares por la bici. Más de lo que costó mi primer coche.

¡Ah!, lleva una ropa muy ajustada. Se me acelera la respiración. La deseo muchísimo.

Miro a un lado y otro de la calle. Está desierta, salvo por la mujer que avanza hacia mí, que ya está muy cerca, a menos de diez metros. Me acerco el teléfono apagado a la oreja, con mi bolsa de Food Emporium colgando de la mano. La miro una sola vez. Me subo al bordillo mientras mantengo una conversación animada y absolutamente ficticia. Me detengo para dejarla pasar. Frunzo el ceño, levanto la vista. Luego sonrió.

—¿Myra?

Afloja el pedaleo. Qué ceñida lleva la ropa. Contrólate, contrólate. Compórtate con naturalidad.

No hay nadie en las ventanas que dan a la calle. No hay tráfico.

—¿Myra Weinburg?

El chirrido de los frenos de la bicicleta.

—Hola. —Me saluda y se esfuerza por recordar quién soy, pero ello sólo se debe a que la gente es capaz de hacer cualquier cosa con tal de no sentirse ridícula.

Adopto absolutamente el papel del hombre de negocios maduro cuando me acerco a ella mientras le digo a mi amigo invisible que luego lo llamo y cierro el teléfono.

Dice frunciendo un poco el ceño mientras sonríe:

—Perdona, ¿eres...?

—Mike, el ejecutivo de cuentas de Ogilvy. Creo que nos conocimos... Sí, eso es. En la sesión de fotos para National Foods, donde David. Estábamos en el estudio dos. Me pasé por allí y estuve contigo y con... ¿cómo se llama? Richie. Vuestro cáterin era mejor que el nuestro.

Ahora, una sonrisa sincera.

—Ah, claro. —Se acuerda de David, de National Foods, de Richie y del cáterin del estudio de fotografía, pero no puede acordarse de mí porque no estuve. Y tampoco había nadie que se llamara Mike, pero no va a pararse a pensar en eso porque da la casualidad de que así se llamaba su difunto padre.

—Me alegro de verte —digo con mi mejor sonrisa, como diciendo «Vaya, qué casualidad»—. ¿Vives por aquí?

—En el Village. ¿Y tú?

Señalo con la cabeza la casa de los Griszinski.

—Ahí.

—Madre mía, un *loft*. Qué suerte.

Le pregunto por su trabajo y ella me pregunta por el mío. Entonces hago una mueca.

—Más vale que entre en casa. Me he quedado sin limones. —Levanto la bolsa con los cítricos de atrezo—. Tengo visita. —Bajo la voz al tiempo que se me ocurre una idea brillante—. Oye, no sé si tienes planes, pero vamos a tomar un almuerzo tardío. ¿Te apetece acompañarnos?

—Pues... gracias, pero estoy hecha un asco.

—Por favor... Mi pareja y yo hemos estado fuera todo el día, participando en una carrera benéfica. —Bonito toque, creo. Y totalmente improvisado—. Estamos más sudorosos que tú, te lo aseguro. Es un almuerzo muy informal. Será divertido. Hay un ejecutivo de cuentas sénior de Thompson. Y un par de chicos de Burston. Monísimos, pero heteros. —Me encojo de hombros, apenado—. Y también tenemos un actor sorpresa. No voy a decirte quién.

—Bueno...

—Anda, venga. Tienes cara de que te hace falta un cosmopolitan. Cuando nos vimos en el estudio, ¿no estuvimos de acuerdo en que era nuestra bebida favorita?

6

Los Tombs.

De acuerdo, ya no era los Tombs, el edificio original del siglo XIX. Ése hacía ya mucho tiempo que no existía, pero todo el mundo seguía llamando así a aquel sitio: el Centro de Detención de Manhattan, en pleno cogollo de la ciudad. Sentado allí, Arthur Rhyme sentía latir su corazón con un golpeteo desesperado, el mismo golpeteo que lo había acompañado casi constantemente desde el día de su arresto.

Para él, aquel lugar era simplemente el infierno, daba igual que se llamara los Tombs, el Centro de Detención de Manhattan o el Centro Bernard Kerik (así se había llamado una temporada, hasta que el anterior jefe de policía y el director de prisiones se fueron a pique en medio de un escándalo).

El auténtico infierno.

Iba vestido con un mono naranja igual que el resto de los reclusos, pero su parecido con ellos acababa ahí. Medía un metro ochenta, pesaba ochenta y seis kilos, llevaba el pelo castaño muy corto, al estilo empresarial, y era completamente distinto a los demás hombres que estaban allí en espera de juicio. No, él no estaba cachas ni *tintado* (así llamaban, había descubierto, a estar tatuado), no se afeitaba la cabeza ni era tonto, ni negro, ni latino. El tipo de delincuentes en el que encajaba (hombres de negocios acusados de delitos de guante blanco) no vivían en los Tombs hasta que eran juzgados: salían bajo fianza. Las faltas que cometían, fueran cuales fuesen, no se consideraban merecedoras de la fianza de dos millones de dólares que le habían impuesto a él.

Así pues, los Tombs eran su hogar desde el 13 de mayo: el periodo más largo y angustioso de su vida.

Y el más desconcertante.

Quizá conociera a la mujer a la que presuntamente había matado, pero ni siquiera se acordaba de ella. Sí, había estado en la galería del Soho que al parecer también frecuentaba ella, pero no recordaba que hubieran hablado. Y sí, le encantaba la obra de Harvey Prescott y le había dolido muchísimo tener que desprenderse de su cuadro después de perder el trabajo. Pero ¿robar uno? ¿Matar a alguien? ¿Es que estaban locos o qué? *¿Es que tengo pinta de asesino?*

Para él era un misterio irresoluble, como el teorema de Fermat: conocía la explicación matemática, pero seguía sin entenderlo. ¿La sangre de aquella mujer en su coche? Estaba claro que alguien le había tendido una trampa. Cabía incluso la posibilidad de que hubiera sido la propia policía.

Después de diez días en los Tombs, la defensa de O. J. Simpson* comenzaba a parecerle un poco menos rocambolesca.

Pero ¿por qué, por qué, por qué? ¿Quién estaba detrás de aquello? Pensó en las cartas furibundas que había escrito cuando en Princeton prescindieron de él. Algunas eran estúpidas, mezquinas y amenazadoras. Pues bien, había mucho desequilibrado en el mundo académico. Tal vez quisieran vengarse de él por el revuelo que había levantado. Y luego estaba esa alumna de su clase que había intentado ligar con él. Le había dicho que no, que no quería tener una aventura. Y se había puesto furiosa.

Atracción fatal.

La policía había hecho averiguaciones sobre la chica y había llegado a la conclusión de que no se hallaba detrás del asesinato, pero ¿hasta qué punto se habían esforzado por verificar su coartada?

Recorrió con la mirada la amplia zona común, a las decenas de *talegueros*, como llamaban a los reclusos en la jerga de la prisión. Al principio lo habían mirado como a una curiosidad. Su prestigio parecía haber subido cuando se enteraron de que estaba allí por asesinato, pero había vuelto a desplomarse cuando corrió la voz de que la víctima no había intentado robarle droga ni ponerle los cuernos: dos razones aceptables para matar a una mujer.

Después, cuando quedó claro que no era más que uno de esos blancos que la habían cagado, la vida se volvió un infierno.

Lo empujaban, lo desafiaban, le quitaban el cartón de leche, igual que en el colegio. Lo del sexo no era como creía la gente. Allí no. Allí estaban todos recién detenidos y podían mantener la polla dentro del mono durante un tiempo. Pero varios de sus nuevos «amigos» le habían asegurado que su virginidad no duraría mucho tiempo cuando llegara a una cárcel de internamiento prolongado, como Attica, sobre todo si le caía una condena de las gordas: de veinticinco años a cadena perpetua.

Le habían dado puñetazos en la cara cuatro veces, le habían puesto la zancadilla en dos ocasiones y el psicópata Aquilla Sanchez lo había tirado al suelo y lo había sujetado allí, chorreándole sudor en la cara mientras le gritaba en espanglish, hasta que un par de guripas (o sea, de guardias) se lo quitaron de encima.

---

* O. J. Simpson: deportista y actor estadounidense que fue absuelto del cargo de asesinato de su esposa y el amante de ésta tras un juicio de gran repercusión mediática. *(N. de la T.)*

Se había meado en los pantalones en dos ocasiones y había vomitado una docena de veces. Era un gusano, era basura, no merecía la pena follárselo.

De momento.

Y le latía tan fuerte el corazón que tenía la sensación de que iba a estallarle en cualquier momento, como le había pasado a su padre, Henry Rhyme, aunque el afamado catedrático no había muerto en un sitio inmundo como los Tombs, claro, sino en la acera de una facultad debidamente señorial, en Hyde Park, Illinois.

¿Cómo había sucedido aquello? Un testigo y pruebas materiales... Era absurdo.

—Acepte la reducción de condena, señor Rhyme —le había dicho el ayudante del fiscal del distrito—. Se lo aconsejo.

Su letrado le había dicho lo mismo.

—Me conozco esto al dedillo, Art. Es como si estuviera leyendo un mapa en un puto GPS. Puedo decirte exactamente adónde irá a parar todo esto... y no acabará en inyección letal. Los de Albany no firmarían una condena a muerte ni aunque su vida dependiera de ello. Perdona, es un chiste muy malo, pero aun así te enfrentas a veinticinco años de cárcel. Puedo conseguirte quince. Acéptalos.

—Pero yo no he sido.

—Ya. La verdad es que eso importa bien poco, Arthur.

—¡Pero no fui yo!

—Ya.

—Pues no pienso declararme culpable y aceptar la reducción de condena. El jurado lo entenderá. Me verá. Se dará cuenta de que no soy un asesino.

Silencio. Y luego:

—Está bien.

Pero no estaba bien. Saltaba a la vista que estaba cabreado, a pesar de los seiscientos dólares y pico que se embolsaba a la hora. ¿Y de dónde demonios iban a sacar tanto dinero? Él...

De pronto alzó los ojos y vio que dos reclusos, dos latinos, estaban observándolo. Lo miraban inexpresivamente, sin cordialidad, sin dureza, sin desafío. Parecían sentir curiosidad.

Mientras se le acercaban, pensó si debía levantarse o quedarse donde estaba.

Quédate.

Pero baja la mirada.

Bajó la mirada. Uno de ellos se paró delante de él, poniendo sus zapatillas deportivas arañadas justo en su línea de visión.

El otro lo rodeó para ponerse a su espalda.

Iba a morir. Lo sabía. *Daos prisa y acabemos con esto de una puta vez.*

—Tú —dijo con voz potente el que estaba detrás de él.

Arthur miró al otro, al que tenía delante. Tenía los ojos enrojecidos, un pendiente grande y los dientes podridos. No fue capaz de decir nada.

—Tú —repitió el de atrás.

Tragó saliva. No quería, pero no pudo evitarlo.

—Mi colega y yo te estamos hablando. Eso es de mala educación. ¿Por qué te comportas como un capullo?

—Perdón, es que... Hola.

—Tú, ¿tú a qué te dedicas, tío? —preguntó el de la voz potente

—Soy... —Se quedó en blanco. *¿Qué debo decirles?*—. Soy científico.

El del pendiente:

—Joder, ¿científico? ¿Y qué haces? ¿Cohetes espaciales?

Se rieron.

—No, equipamiento médico.

—¿Como esa mierda, ya sabes, ésa que dicen «ya» y te pegan una descarga eléctrica? ¿Como en *Urgencias*?

—No, es complicado.

El del pendiente arrugó el ceño.

—Me he explicado mal —se apresuró a decir Arthur—. No es que no podáis entenderlo. Es que es difícil de explicar. Sistemas de control de calidad para diálisis y...

El de la voz potente:

—Conque ganabas una pasta, ¿eh? Me han dicho que llevabas un traje muy bonito cuando te intubaron.

—¿Cuando me...? —*Ah, cuando me imputaron*—. No sé. Me lo compré en Nordstrom.

—¿Nordstrom? ¿Qué cojones es Nordstrom?

—Una tienda.

Mientras Arthur le miraba los pies, el del pendiente añadió:

—Lo que yo te diga, tú estabas forrado. ¿Cuánta pasta ganabas?

—Yo...

—¿Vas a decirnos que no lo sabes?

—Pues... —Sí, iba a decírselo.

—¿Cuánto ganas?

—No... Unos cien mil, creo.

—Joder.

Arthur no sabía si les parecía mucho o poco.

El de la voz potente se echó a reír.

—¿Tienes familia?

—No voy a deciros nada de ellos —contestó en tono desafiante.

—¿Tienes familia?

Arthur Rhyme miraba hacia otro lado, hacia la pared cercana. Entre los bloques de cemento sobresalía un clavo, supuso que destinado a sujetar una señal que alguien había retirado o robado hacía años.

—Dejadme en paz. No quiero hablar con vosotros —trató de que su voz sonara enérgica, pero habló como una chica a la que hubiera abordado un patoso en una fiesta.

—Estamos intentando hablar contigo civilizadamente, hombre.

¿Había dicho aquello de verdad? ¿Hablar *civilizadamente*?

Entonces pensó: *Qué demonios, a lo mejor sólo quieren ser amables.* Quizá pudieran hacerse amigos, vigilarle las espaldas. Bien sabía Dios que le hacían falta amigos. ¿Podría salvar la situación?

—Lo siento, es sólo que para mí todo esto es muy raro. Nunca me había metido en líos. Estoy...

—¿A qué se dedica tu mujer? ¿También es científica? ¿Es una chica lista?

—Yo... —Las palabras que pensaba decir se evaporaron.

—¿Tiene buenas tetas?

—¿Te la follas por el culo?

—Atiende, científico de mierda, voy a decirte lo que vamos a hacer. La lista de tu mujer va a sacar dinero del banco, diez mil pavos, y va a ir a hacerle una visita a mi primo al Bronx y a...

Su voz de tenor se apagó.

Un recluso negro, de cerca de un metro noventa de alto, gordo y musculoso, con las mangas del mono enrolladas, se les acercó. Miraba a los dos latinos con los ojos entornados y expresión malévola.

—Vosotros, chihuahuas, largaos de aquí.

Arthur Rhyme se quedó helado. No habría podido moverse ni aunque alguien hubiera empezado a dispararle, lo cual no le habría sorprendido ni estando allí, en el reino de los magnetómetros.

—Que te jodan, negrata —respondió el del pendiente.

—Pedazo de mierda —añadió el de la voz potente, y el negro se rió, rodeó con el brazo al del pendiente y se lo llevó a un lado mientras le susurraba algo al oído. Los ojos del latino se empañaron y le hizo una seña con la cabeza a su compañero, que fue a reunirse con él. Se alejaron hacia la esquina del otro extremo del recinto, fingiéndose compungidos. De no haber estado tan asustado, tal vez a Arthur le habría hecho gracia la escena: parecían dos matones del colegio de sus hijos a los que alguien hubiera abochornado.

El negro se estiró y Arthur oyó el chasquido de una articulación. El corazón le latía aún más deprisa. Por su mente cruzó una plegaria a medio hacer: que el infarto lo fulminara allí mismo, en el acto.

—Gracias.

El negro contestó:

—Que te jodan. Y a esos dos capullos también. Tienen que entender cómo van aquí las cosas. ¿Entiendes lo que te digo?

No, no tenía ni idea, pero dijo:

—Aun así. Me llamo Art.

—Ya sé cómo te llamas, joder. Aquí todo el mundo lo sabe todo. Menos tú. Tú no sabes una mierda.

Arthur Rhyme, sin embargo, sabía una cosa con absoluta certeza: sabía que era hombre muerto. Así que dijo:

—Muy bien, entonces dime quién cojones eres tú, gilipollas.

La enorme cara del negro se volvió hacia él. Olió a sudor y a aliento impregnado de tabaco y pensó en su familia, primero en sus hijos y luego en Judy. En sus padres, primero en su madre y luego en su padre. Y después, curiosamente, pensó en su primo Lincoln. Se acordó de una carrera a través de un ardiente campo de Illinois, un verano, cuando eran adolescentes.

Te echo una carrera hasta ese roble. ¿Lo ves? Ése de allí. A la de tres. ¿Preparado? Una... dos... tres... ¡ya!

Pero el hombre se había dado la vuelta y se alejaba por el recinto, hacia otro recluso negro. Arthur cerró entonces los ojos y agachó la cabeza. Era un científico. Tenía el convencimiento de que la vida avanzaba mediante un proceso de selección natural en el que la justicia divina no desempeñaba papel alguno.

Ahora, sin embargo, hundido en una depresión tan implacable como las mareas invernales, no podía evitar preguntarse si existía algún sistema de retribución invisible pero tan seguro como la gravedad, y si no estaría funcionando en aquel instante, castigándolo por el daño que había hecho a lo largo de su vida. Había hecho mucho bien, sí. Había criado a sus hijos, les había inculcado tolerancia y amplitud de miras, había sido un buen compañero para su esposa, la había ayudado cuando le diagnosticaron un cáncer, había contribuido al gran corpus de la ciencia que enriquecía el mundo.

Y sin embargo también había cosas malas. Siempre las había.

Sentado allí, con su apestoso mono naranja, se esforzó por creer que si pensaba lo que debía, si hacía las debidas promesas y tenía fe en el sistema que apoyaba fielmente cada día de elecciones, podría regresar al otro lado de la balanza de la justicia, reencontrarse con su familia y retomar su vida.

Que con el empeño y la determinación necesarios, aunque tuviera que esforzarse hasta quedar sin aliento, podría vencer a la fatalidad igual que había vencido a Lincoln en aquel campo abrasado y polvoriento, corriendo con todas sus fuerzas camino del roble.

Que quizás aún tuviera salvación. Que tal vez...

—Aparta.

Dio un brinco al oír la orden a pesar de que había sido emitida con voz suave. Otro recluso, un blanco de pelo desgreñado, lleno de tatuajes pero escaso de dientes y nervioso a medida que las drogas se esfumaban de su organismo, se había acercado a él por la espalda. Se quedó mirando el banco en el que estaba sentado Arthur, aunque podría haber escogido cualquier otro sitio. Su mirada era pura malevolencia.

La esperanza momentánea de Arthur en un sistema de justicia moral científico y mensurable se esfumó de pronto, aniquilada por una sola palabra de aquel hombrecillo maltrecho pero peligroso.

Aparta...

Luchando por contener las lágrimas, Arthur Rhyme se apartó.

7

Sonó el teléfono y Lincoln Rhyme se enfadó por la interrupción. Estaba pensando en su Señor X y en el mecanismo de producción de pruebas falsas, si en efecto era eso lo que había ocurrido, y no quería distracciones.

Pero la realidad le salió al paso: vio en el identificador de llamadas el número 44, el prefijo de Inglaterra, y al instante dijo:

—Orden: contestar al teléfono.

Clic.

—¿Sí, inspectora Longhurst? —Había renunciado al tuteo. Las relaciones con Scotland Yard exigían cierta formalidad.

—Hola, detective Rhyme —contestó—. Hay novedades por aquí.

—Usted dirá.

—Danny Krueger se ha enterado por uno de sus antiguos colaboradores. Por lo visto Richard Logan se marchó de Londres para recoger algo en Manchester. No sabemos qué, pero sabemos que en Manchester hay un floreciente comercio de armas ilegales.

—¿Alguna idea de dónde está exactamente?

—Danny todavía está intentando averiguarlo. Sería estupendo poder atraparlo aquí en vez de esperar a que llegue a Londres.

—¿Danny está siendo sutil? —Rhyme se acordaba del sudafricano, al que había visto por videoconferencia. Era grandullón, expansivo y tostado por el sol, y su barriga y el anillo de oro que lucía en el meñique sobresalían de manera alarmante. El criminalista había colaborado en un caso relacionado con Darfur, y Krueger y él habían pasado algún tiempo hablando sobre el trágico conflicto de la región.

—Bueno, sabe lo que se hace. Es sutil cuando tiene que serlo. Y feroz como un sabueso cuando lo exige la situación. Conseguirá la información si es que hay forma de conseguirla. Estamos trabajando con nuestros colegas de Manchester para tener listo un equipo de asalto. Volveremos a llamarlo cuando sepamos algo más.

Rhyme le dio las gracias y colgaron.

—Vamos a atraparlo, ya lo verás —afirmó Sach. Ella también tenía mucho interés en encontrar a Logan. Había estado a punto de morir debido a una de sus conspiraciones.

Recibió una llamada. Escuchó unos instantes y dijo que estaría allí en diez minutos.

—Los archivos de esos dos casos de los que me habló Flintlock. Ya están listos. Voy a buscarlos. Ah, y puede que Pam se pase por aquí.

—¿Qué se trae entre manos?

—Está estudiando con un amigo de Manhattan. Un noviete.

—Qué bien. ¿Quién es?

—Un chico de clase. Estoy deseando conocerlo. Pam no habla de otra cosa. Se merece que haya alguien decente en su vida, claro, pero no quiero que se precipite. Me quedaré más tranquila cuando lo vea y lo cale.

Rhyme asintió con la cabeza cuando Sachs se marchó, pero tenía la mente en otra parte. Con la mirada fija en la pizarra blanca que contenía la información del caso de Alice Sanderson, ordenó al teléfono que hiciera otra llamada.

—¿Diga? —respondió una suave voz masculina. De fondo se oía un vals. A todo volumen.

—Mel, ¿eres tú?

—¿Lincoln?

—¿Qué es esa música horrenda? ¿Dónde estás?

—En el Concurso de Baile de Nueva Inglaterra —contestó Mel Cooper.

Rhyme suspiró. Platos que fregar, sesiones de tarde, bailes de salón... Odiaba los domingos.

—Pues te necesito. Tengo un caso. Un caso único.

—Contigo son todos únicos, Lincoln.

—Éste es más único que los demás, y perdona el disparate lingüístico. ¿Puedes venir? Has dicho Nueva Inglaterra. No me digas que estás en Boston o en Maine.

—En Manhattan. Y me parece que estoy libre. A Gretta y a mí acaban de eliminarnos. Van a ganar Rosie Talbott y Bryan Marshall. Está cantado. —Lo dijo con cierto énfasis—. ¿Cuándo quieres que esté ahí?

—Ya.

Cooper se rió.

—¿Cuánto tiempo vas a necesitarme?

—Un rato, quizás.

—¿Hasta las seis de la tarde, por ejemplo? ¿O más bien hasta el miércoles?

—Más vale que llames a tu supervisor y le digas que te reasigne. Espero que no se prolongue más allá del miércoles.

—Tendré que darle algún nombre. ¿Quién dirige la investigación? ¿Lon?

—Permíteme expresarlo así: sé un poco impreciso.

—Bueno, Lincoln, tú te acuerdas de lo que es ser policía, ¿verdad? Lo de ser un poco impreciso no cuela. Ser muy concreto, sí.

—No hay exactamente un detective principal.

—¿Estás solo? —preguntó, indeciso.

—No exactamente. Están Amelia y también Ron.

—¿Nadie más?

—Y tú.

—Entiendo. ¿Quién es el sospechoso?

—La verdad es que los sospechosos ya están en prisión. Dos están condenados y el otro a la espera de juicio.

—¿Y tienes tus dudas de que hayan sido ellos?

—Algo así.

Mel Cooper, detective de la Unidad de Investigacón Forense del Departamento de Policía de Nueva York, estaba especializado en el trabajo de laboratorio y era uno de los agentes más eficaces del cuerpo, así como uno de los más sagaces.

—Ah. Así que quieres que te ayude a descubrir cómo la cagaron mis jefes y detuvieron a tres personas inocentes, y que luego les convenza de que abran tres investigaciones costosísimas para descubrir a los verdaderos culpables, a los que, dicho sea de paso, tampoco va a hacerles ninguna gracia saber que no van a irse de rositas después de todo. O sea, una especie de putada en cadena, ¿no, Lincoln?

—Pídele disculpas a tu novia de mi parte, Mel. Ven cuanto antes.

Sachs estaba a medio camino de su Camaro SS rojo cuando oyó gritar:

—¡Eh, Amelia!

Al volverse vio a una adolescente guapa, de largo cabello castaño con mechas rojas y un par de bonitos *piercings* en ambas orejas. Iba cargada con dos bolsas de loneta. Su cara, salpicada de delicadas pecas, irradiaba felicidad.

—¿Te vas? —le preguntó a Sachs.

—Un caso de los gordos. Tengo que ir al centro. ¿Quieres que te lleve?

—Claro. Cogeré el tren en City Hall. —Pam subió al coche.

—¿Qué tal? ¿Has estudiado mucho?

—Ya sabes.

—¿Dónde está tu amigo? —Sachs miró a su alrededor.

—Acaba de irse.

Stuart Everett era alumno del mismo instituto de Manhattan al que iba Pam. Llevaban varios meses saliendo. Se habían conocido en clase y enseguida habían descubierto que compartían la misma pasión por los libros y la música. Formaban parte del club de poesía del instituto, lo cual tranquilizaba a Sachs. Al menos no era un motero, ni uno de esos deportistas que caminaban arrastrando los nudillos por el suelo.

Pam arrojó al asiento de atrás una de sus bolsas, que contenía libros de texto, y abrió la otra. Asomó la cabeza un perro de cabeza peluda.

—Hola, *Jackson* —dijo Sachs, acariciándole la cabeza.

El diminuto habanero agarró la galleta que le ofreció la detective. La había sacado de un soporte para vasos cuyo único fin era servir de almacén de golosinas para perros: sus hábitos de aceleración y viraje eran poco propicios para mantener los líquidos en sus recipientes.

—¿No te ha acompañado hasta aquí? Menudo caballero.

—Tenía partido de fútbol. Es muy deportista. ¿La mayoría de los chicos son así?

Sachs soltó una risa irónica mientras se incorporaba al tráfico.

—Sí.

Parecía una pregunta extraña viniendo de una chica de su edad. La mayoría lo sabían ya todo sobre los chicos y los deportes. Pero Pam Willoughby no era como la mayoría de las chicas de su edad. Su padre había muerto en una misión de paz de la ONU siendo ella muy pequeña y su madre, una mujer inestable, se había lanzado al submundo de la ultraderecha política y religiosa, y había ido fanatizándose progresivamente. Estaba cumpliendo cadena perpetua por asesinato: era la responsable del atentado contra Naciones Unidas cometido unos años antes, en el que habían muerto seis personas. Amelia Sachs y Pam se habían conocido entonces, cuando la detective había salvado a la niña de un secuestrador en serie. Luego había desaparecido y hacía poco tiempo que, por pura coincidencia, Sachs había vuelto a rescatarla.

Liberada de su familia de desequilibrados, Pam había sido enviada a un hogar de acogida en Brooklyn, no sin que antes la detective investigara a la pareja que iba a acogerla como un agente del Servicio Secreto planeando una visita presidencial. A Pam le gustaba vivir con su nueva familia, pero Sachs y ella seguían viéndose con frecuencia y estaban muy unidas. Su madre de acogida solía estar ocupada, tenía que cuidar de otros cinco chicos más pequeños, y la detective hacía el papel de hermana mayor.

Lo cual les venía de perlas a las dos. Sachs siempre había querido tener hijos, pero era complicado. Había previsto tener familia con su primer novio serio, un compañero de la policía con el que había vivido una temporada, pero se había llevado un tremendo chasco con él: imputado por extorsión y asalto, había acabado en prisión. Después había estado sola hasta conocer a Lincoln Rhyme, con el que estaba desde entonces. Rhyme no se entendía muy bien con los niños, pero era un hombre bueno, justo e inteligente, y sabía separar su severo profesionalismo de su vida doméstica. Muchos hombres no podían.

Tener familia, sin embargo, sería difícil en aquel momento de sus vidas: tenían que sobrellevar los peligros y las exigencias del trabajo policial, así como la energía inquieta que ambos sentían y la incertidumbre respecto a la salud de Rhyme. Tenían además que superar ciertos impedimentos físicos, aunque habían descubierto que el problema no era de Rhyme, que era perfectamente capaz de engendrar, sino de Sachs.

Así que de momento tendría que conformarse con su relación con Pam. Disfrutaba del papel que ejercía y se lo tomaba muy a pecho, y la chica empezaba a desprenderse de su reticencia a la hora de confiar en los adultos. Y Rhyme disfrutaba sinceramente de su compañía. Incluso la estaba ayudando a bosquejar un libro acerca de sus experiencias en el submundo de la ultraderecha que había de titularse *Cautiverio*. Thom le había dicho que tenía posibilidades de aparecer en el programa de Oprah.

Mientras adelantaba a un taxi, Sachs dijo:

—No me has contestado. ¿Qué tal los estudios?

—Genial.

—¿Estás preparada para el examen del jueves?

—Lo tengo todo controlado. No hay problema.

La detective soltó una carcajada.

—Hoy ni siquiera has abierto un libro, ¿a que no?

—Vamos, Amelia. ¡Hacía un día tan bueno! Ha hecho un tiempo horrible toda la semana. Teníamos que salir.

Sachs sintió el impulso de recordarle la importancia de sacar buenas notas en los exámenes finales. Pam era muy inteligente, tenía un cociente intelectual alto y un apetito voraz para los libros, pero tras su rocambolesca escolarización le sería difícil ingresar en una buena universidad. Sin embargo, parecía tan contenta que reculó.

—¿Qué habéis hecho, entonces?

—Pasear, nada más. Hemos ido hasta Harlem dando la vuelta al lago. Ah, y había un concierto junto al embarcadero, no era una banda conocida, claro, pero era alucinante lo bien que imitaban a Coldplay... —Se quedó pensando—. Hemos pasado casi todo el tiempo charlando. Sobre nada en particular. Eso es lo mejor, creo yo.

Amelia Sachs no podía estar en desacuerdo.

—¿Es mono?

—Ah, sí. Supermono.

—¿Tienes una foto?

—¡Amelia! Eso sería una cutrez.

—¿Qué te parece si en cuanto acabe este caso cenamos los tres juntos?

—¿Sí? ¿De veras quieres conocerlo?

—A cualquier chico que salga contigo le conviene saber que tienes a alguien que te cubre las espaldas. Alguien que lleva pistola y esposas. Bueno, agarra al perro. Hoy tengo ganas de conducir.

Redujo bruscamente de marcha, pisó a fondo el acelerador y sus neumáticos dejaron dos signos de exclamación grabados en el negro mate del asfalto.

8

Desde que Amelia Sachs pasaba de vez en cuando la noche y los fines de semana con Rhyme, se habían operado ciertos cambios en la casa victoriana del criminalista. Cuando había vivido allí solo, después del accidente y antes de conocer a Sachs, la casa estaba más o menos limpia y ordenada (dependiendo de si había despedido o no al ayudante o a la asistenta de turno), pero nunca había podido calificársela de «hogareña». Las paredes carecían por completo de cualquier toque personal: no las adornaban los certificados, los diplomas, las condecoraciones y medallas que había recibido durante su encomiable desempeño como jefe de la brigada de criminología del Departamento de Policía de Nueva York. Tampoco había fotografías de sus padres, Teddy y Anne, ni de la familia de su tío Henry.

A Sachs aquello no le había gustado.

—Es importante —le había dicho, sermoneándolo—. Tu pasado, tu familia. Estás purgando tu propia historia, Rhyme.

Él nunca había visto la casa de Amelia, que no tenía acceso para discapacitados, pero sabía que sus habitaciones estaban atiborradas de vestigios de su historia personal. Había visto muchas de las fotografías, claro: Amelia Sachs de pequeña, una niña muy guapa y pecosa (las pecas habían desaparecido hacía tiempo), pero poco risueña; Amelia en su época del instituto, con herramientas de mecánico en la mano; Amelia de vacaciones cuando ya tenía edad para ir a la universidad, flanqueada por su padre, un policía sonriente, y por su madre, una mujer de semblante severo; Amelia cuando había sido modelo de publicidad y de revistas, luciendo esa elegante frigidez que estaba tan en boga (y que Rhyme sabía que no era otra cosa que desprecio por el modo en que se trataba a las modelos como simples perchas para ropa).

Había centenares de fotografías más, hechas casi siempre por su padre, el hombre de la Kodak siempre lista.

Sachs había observado las paredes desnudas de Rhyme y a continuación había echado mano de algo que sus asistentes personales, incluido Thom, tenían vedado: las cajas del sótano, docenas de cajas de cartón repletas de pruebas materiales de la vida previa del criminalista, de su vida del Antes, vestigios ocultos de los que se hablaba tan poco como de su exmujer. Muchos de aquellos certificados, diplomas y fotografías familiares llenaban ahora las paredes y la repisa de la chimenea.

Entre ellas, la fotografía que Rhyme miraba en ese instante, en la que se le veía a él de adolescente, flaco y en ropa de correr, tras participar en una carrera del instituto. Aparecía con el pelo revuelto y una nariz prominente, a lo Tom Cruise, doblado hacia delante con las manos en las rodillas. Seguramente acababa de correr una milla. Él nunca había sido un velocista; prefería el lirismo, la elegancia de las distancias más largas. Correr era, en su opinión, «un proceso». A veces no paraba ni siquiera tras cruzar la línea de meta.

Su familia habría estado en las gradas. Tanto su padre como su tío residían en los alrededores de Chicago, aunque no cerca. La casa de Lincoln estaba al Oeste, en los extensos y llanos descampados que en aquel entonces todavía eran en parte tierras de labor, objetivo ineludible tanto de promotores sin escrúpulos como de tornados aterradores. Henry Rhyme y su familia, en cambio, vivían en Evanston, a orillas del lago, y eran hasta cierto punto inmunes a ambas lacras.

Henry iba dos veces por semana a dar sus clases de física avanzada en la Universidad de Chicago, un largo viaje en dos trenes a través de las muchas divisorias sociales de la ciudad. Su esposa, Paula, enseñaba en la Northwestern. La pareja tenía tres hijos: Robert, Marie y Arthur, los tres bautizados en honor de científicos, los más famosos de los cuales eran Oppenheimer y Curie. Art se llamaba así por Arthur Compton, que en 1942 dirigía el célebre Laboratorio Metalúrgico de la Universidad de Chicago, la institución que había servido como tapadera al proyecto de generar la primera reacción nuclear en cadena controlada del mundo. Los tres habían asistido a buenas universidades: Robert, a la Northwestern Medical; Marie, a la de California-Berkeley, y Arthur, al MIT.

Robert había muerto hacía diez años en un accidente en Europa y Marie estaba trabajando en China, en temas medioambientales. En cuanto a los Rhyme de la generación anterior, sólo quedaba uno de los cuatro: la tía Paula, que vivía en una residencia geriátrica, entre recuerdos vívidos y coherentes de hacía sesenta años y confusos fragmentos del presente.

Rhyme siguió mirando fijamente su fotografía. Era incapaz de apartar la mirada, se acordaba de aquella competición... Cuando daba clases en la facultad, el profesor Henry Rhyme manifestaba su satisfacción levantando sutilmente una ceja. En cambio, cuando estaba en las gradas del campo de deportes, se levantaba de un salto, silbaba y jaleaba a Lincoln gritándole: «¡Aprieta, aprieta, tú puedes!» A menudo era también quien llegaba primero para animarlo en la línea de meta.

Supuso que después de la competición habría salido con Arthur a dar una vuelta. Pasaban juntos todo el tiempo que podían, para compensar la falta de hermanos: Robert y Marie eran mucho mayores que Arthur, y Lincoln era hijo único.

Así que los dos chicos se habían adoptado mutuamente. La mayoría de los fines de semana y todos los veranos, los hermanos postizos salían de aventuras, a menudo en el Corvette de Arthur (el tío Henry, a pesar de ser profesor, ganaba varias veces lo que el padre de Lincoln; Teddy Rhyme también era científico, pero se sentía más cómodo trabajando en el anonimato). Sus salidas eran las típicas de los adolescentes: chicas, partidos de fútbol, cine, discusiones, hamburguesas y pizza, beber cerveza a escondidas y explicar el mundo. Y, claro, más chicas.

Ahora, sentado en su silla de ruedas, Lincoln se preguntaba cómo él y Arthur se habían distanciado.

Arthur, su hermano adoptivo...

Que no había ido a verlo después de que su columna se quebrara como un trozo de madera defectuosa.

¿Por qué, Arthur? Dime por qué.

El sonido del timbre de la casa hizo descarrilar sus recuerdos. Thom giró hacia el pasillo y un momento después entró en la habitación un hombre calvo y de complexión delgada vestido de esmoquin. Mel Cooper se subió las gruesas gafas por su fina nariz y saludó a Rhyme con una inclinación de cabeza.

—Buenas.

—¿Y eso? —preguntó el criminalista mirando el esmoquin.

—Es por el concurso de baile. Si hubiéramos quedado finalistas, no habría venido, ya lo sabes. —Se quitó la chaqueta y la pajarita y a continuación se enrolló las mangas de la camisa con volantes—. Bueno, ¿qué tenemos? ¿Cuál es ese caso único del que me hablabas?

Rhyme lo puso al corriente.

—Lamento lo de tu primo, Lincoln. Creo que nunca te había oído hablar de él.

—¿Qué opinas del modus operandi?

—Si estás en lo cierto, es brillante. —Cooper miró el diagrama del homicidio de Alice Sanderson.

—¿Alguna idea? —preguntó Rhyme.

—Bueno, la mitad de las pruebas halladas en casa de tu primo estaban en el coche o en el garaje. Es mucho más fácil colocarlas ahí que dentro de la casa.

—Es justo lo que yo estaba pensando.

Sonó otra vez el timbre. Un momento después, el criminalista oyó los pasos de su asistente, que volvía solo. Se preguntó si les habrían entregado un paquete, pero de inmediato su mente dio un brinco: era domingo. Las visitas podían ir en ropa de calle y con zapatillas deportivas que no harían ruido al pisar el suelo de la entrada.

Claro.

El joven Ron Pulaski dobló la esquina e inclinó la cabeza tímidamente. Ya no era un novato, llevaba varios años trabajando como patrullero uniformado. Parecía nuevo en el oficio, sin embargo, y por tanto para Rhyme seguía siendo un novato. Seguramente lo sería siempre.

Calzaba, en efecto, unas Nike silenciosas, y encima de los vaqueros azules lucía una camisa hawaiana muy chillona. Llevaba el pelo rubio cortado de punta, con mucho estilo, y tenía la frente marcada claramente por una cicatriz, vestigio de una agresión casi fatal que había sufrido durante su primer caso con Rhyme y Sachs. El brutal ataque le había causado daños cerebrales y Pulaski había estado a punto de dejar el cuerpo. Finalmente, sin embargo, había superado la rehabilitación a base de esfuerzo y había decidido seguir en la policía de Nueva York, inspirado en gran medida por el ejemplo de Rhyme (cosa que sólo le había dicho a Sachs, naturalmente, no al propio Rhyme, al que la noticia le había llegado a través de la detective).

Pulaski pestañeó al ver a Cooper en esmoquin y luego los saludó a ambos con una inclinación de cabeza.

—¿Has dejado los platos impolutos, Pulaski? ¿Las plantas regadas? ¿Las sobras guardadas en bolsas de congelación?

—He venido enseguida para acá, señor.

Estaban repasando el caso cuando oyeron la voz de Sachs desde la puerta.

—Una fiesta de disfraces. —Estaba mirando el esmoquin de Cooper y la estrafalaria camisa de Pulaski—. Estás muy apuesto —le dijo al detective—. Es el término apropiado para alguien con esmoquin, ¿no? «¿Apuesto?»

—Por desgracia, ahora mismo la única palabra que se me viene a la cabeza es «semifinalista».

—¿Gretta se lo ha tomado bien?

Su bella novia escandinava estaba, les dijo, «tomando algo por ahí con unos amigos y ahogando sus penas en *aquavit*, su bebida patria. Pero, si queréis que os dé mi opinión, no hay quien se la beba».

—¿Cómo está tu madre?

Cooper vivía con su madre, una enérgica y vivaracha señora de Queens.

—Está bien. Ha ido a almorzar al embarcadero del lago.

Sachs preguntó también por la esposa y los dos hijos de Pulaski. Luego añadió:

—Gracias por venir en domingo. Les has dicho cuánto se lo agradecemos, ¿verdad? —le preguntó a Rhyme.

—Seguro que sí —masculló él—. Y ahora, si podemos ponernos manos a la obra... ¿Qué tienes ahí? —Miró el gran sobre marrón que llevaba Sachs.

—El inventario de pruebas y las fotografías del robo de monedas y la violación.

—¿Dónde están las pruebas físicamente?

—Archivadas en el almacén de pruebas materiales de Long Island.

—Bueno, echemos un vistazo.

Como había hecho con el expediente de Arthur Rhyme, Sachs cogió un rotulador y comenzó a escribir en otra pizarra en blanco.

HOMICIDIO / ROBO, 27 DE MARZO

27 de marzo

Delito: homicidio, robo de seis cajas de monedas antiguas.

Causa de la muerte: pérdida de sangre, estado de *shock* producido por múltiples heridas de arma blanca.

Lugar: Bay Ridge, Brooklyn.

Víctima: Howard Schwartz.

Sospechoso: Randall Pemberton.

PRUEBAS MATERIALES HALLADAS EN CASA DE LA VÍCTIMA:

- Grasa.
- Restos de laca capilar seca.
- Fibras de poliéster.
- Fibras de lana.
- Huella de zapato del número 43 ½, marca Bass.

Un testigo informó de que un hombre con un chaleco de color marrón se dirigió corriendo a un Honda Accord negro.

INVENTARIO DE PRUEBAS PROCEDENTES DE LA CASA Y EL COCHE DEL SOSPECHOSO:

- Grasa en un paraguas encontrado en el patio, coincide con la que se halló en casa de la víctima.
- Un par de zapatos, marca Bass, del número 43 ½.
- Laca de pelo Clairol, coincidente con los restos hallados en el lugar del crimen.
- Cuchillo/restos incrustados en el mango: polvo que no coincide con nada de lo hallado en el lugar de los hechos ni en casa del sospechoso; restos de cartón viejo.
- Cuchillo/restos hallados en la hoja: sangre de la víctima. Identificación positiva.
- El sospechoso tenía un Honda Accord negro de 2004.
- Una moneda identificada como perteneciente a la colección de la víctima.
- Chaleco de la marca Culberton Outdoor Company, de color marrón. Coin-

cide con las fibras de poliéster halladas en la escena del crimen.

- Una manta de lana en el coche. Coincide con las fibras de lana halladas en la escena del crimen.

Nota: antes del juicio, los investigadores interrogaron a los principales tratantes de monedas de la zona metropolitana y de Internet. Nadie había intentado vender las monedas robadas.

—Así pues, si el asesino robó las monedas, se las quedó. Y ese polvo «que no coincide con nada de lo hallado en el lugar de los hechos»... Probablemente significa que procedía de la casa del asesino. Pero ¿qué tipo de polvo es? ¿Es que no lo analizaron? —Rhyme meneó la cabeza—. Está bien, quiero ver las fotografías. ¿Dónde están?

—Voy por ellas. Espera.

Sachs buscó cinta adhesiva y pegó las fotografías en una tercera pizarra. Rhyme se acercó y observó con los ojos entornados las decenas de fotografías tomadas en el lugar de los hechos. La vivienda del coleccionista de monedas era muy pulcra; la del sospechoso lo era menos. La cocina, donde habían aparecido la moneda y el cuchillo, debajo del fregadero, estaba atestada de cosas y la encimera se veía cubierta de platos sucios y envoltorios de comida. Sobre la mesa había un montón de correo que parecía publicidad, en su mayoría.

—El siguiente —ordenó Rhyme—. Vamos. —Intentó que su voz no sonara cargada de impaciencia.

HOMICIDIO / VIOLACIÓN, 18 DE ABRIL

18 de abril
Delito: homicidio y violación.
Causa de la muerte: estrangulamiento.
Lugar: Brooklyn.
Víctima: Rita Moscone.
Sospechoso: Joseph Knightly.

PRUEBAS PROCEDENTES DEL APARTAMENTO DE LA VÍCTIMA:

- Restos de jabón de manos Colgate-Palmolive.
- Lubricante para preservativos.
- Fibras de cuerda.

- Polvo adherido a cinta aislante, no coincide con las muestras recogidas en la vivienda.
- Cinta aislante marca American Adhesive.
- Fragmento de látex.
- Fibras de lana y poliéster, negras.
- Restos de tabaco en el cuerpo de la víctima (ver nota de más abajo).

PRUEBAS PROCEDENTES DE LA VIVIENDA DEL SOSPECHOSO:

- Preservativos Durex impregnados de

lubricante idéntico al hallado en el cuerpo de la víctima.

- Rollo de cuerda, las fibras coinciden con las descubiertas en la escena del crimen.
- 60 cm de la misma cuerda, manchada de sangre de la víctima, junto con una hebra de 5 cm de nailon 6 BASF B35, posiblemente procedente del pelo de una muñeca.
- Jabón de manos Colgate-Palmolive.
- Cinta aislante marca American Adhesive.
- Guantes de látex coincidentes con la fibra encontrada en el lugar de los hechos.
- Calcetines de hombre, mezcla de lana y poliéster, coinciden con la fibra hallada en la escena del crimen. Otro par idéntico en el garaje, con restos de sangre de la víctima.
- Tabaco procedente de cigarrillos Tareyton (ver nota de más abajo).

—¿El presunto asesino guardó los calcetines manchados de sangre y se los llevó a casa? Qué idiotez. Esas pruebas están amañadas. —Rhyme releyó los datos—. ¿Cuál es la «nota de más abajo»?

Sachs la encontró: eran unas pocas líneas escritas por el detective a cargo del caso y dirigidas al fiscal, acerca de posibles problemas con la instrucción. Sachs se la enseñó a Rhyme.

Stan:

Un par de fallos potenciales a los que posiblemente intente agarrarse la defensa:

—Posibles problemas de contaminación: se hallaron restos de tabaco similares en el lugar de los hechos y en la vivienda del imputado, pero ni la víctima ni el sospechoso fumaban. Se interrogó a los agentes que efectuaron la detención y al personal que se encargó de la inspección de la escena del crimen, pero todos ellos aseguraron al detective encargado del caso que dichos restos no procedían de ellos.

—No se encontró material genético vinculante, con excepción de la sangre de la víctima.

—El imputado tiene coartada: un testigo ocular lo sitúa frente a su casa, a unos seis kilómetros del lugar de los hechos, sobre la hora del crimen. Se trata de un indigente al que el imputado daba dinero de vez en cuando.

—Tenía una coartada —señaló Sachs—, que el jurado obviamente no creyó.

—¿Qué opinas, Mel? —preguntó Rhyme.

—Sigo manteniendo mi teoría. Todo encaja sospechosamente bien.

Pulaski hizo un gesto de asentimiento.

—La laca de pelo, el jabón, las fibras, el lubricante... todo.

Cooper añadió:

—Son las alternativas obvias si uno quiere falsear una prueba. Y fijaos en el ADN: no hay restos genéticos del sospechoso en la escena del crimen, sino de la víctima en casa del sospechoso, donde es mucho más fácil colocarlos.

Rhyme siguió examinando atentamente las pizarras.

Sachs agregó:

—Pero no todas las pruebas materiales coinciden. El cartón viejo y el polvo no están vinculados a ninguno de los dos escenarios.

—Y el tabaco —dijo Rhyme—. Ni la víctima ni el detenido fumaban. Lo que significa que tal vez esos restos procedan del verdadero culpable.

—¿Qué hay del pelo de muñeca? —preguntó Pulaski—. ¿Significa que tiene hijos?

—Pega esas fotos —ordenó Rhyme—. Vamos a echarles un vistazo.

La Unidad de Inspección Forense había documentado profusamente el apartamento de la víctima, la casa y el garaje del detenido, al igual que los otros escenarios del crimen. Rhyme observó las fotografías.

—No hay muñecas, ni ningún juguete. Puede que el verdadero asesino tenga hijos o algún contacto con juguetes. Y fuma o tiene acceso a tabaco o cigarrillos. Sí, esto promete. Vamos a hacer un perfil del asesino. Lo llamaremos «Señor X». Pero necesitamos algo más para caracterizar a nuestro asesino... ¿Qué día es hoy?

—Veintidós del cinco —respondió Pulaski.

—Muy bien. Sujeto No Identificado Cinco Dos Dos. Sachs, si haces el favor... —El criminalista señaló con la cabeza una pizarra blanca—. Vamos a empezar con el perfil.

PERFIL DEL SNI 522

- Varón.
- Posiblemente fuma o vive/trabaja con alguien que fuma, o cerca de un lugar donde hay tabaco.
- Tiene hijos o vive/trabaja cerca de ellos o cerca de un lugar con juguetes.
- ¿Le interesa el arte, las monedas?

PRUEBAS MATERIALES NO FALSIFICADAS

- Polvo.
- Cartón viejo.
- Pelo de muñeca, nailon 6 BASF B35.
- Tabaco de cigarrillos Tareyton.

Bien, era un comienzo, se dijo Rhyme, aunque no fuera muy sólido.

—¿Quieres que llamemos a Lon y a Malloy? —preguntó Sachs.

El criminalista puso mala cara.

—¿Y qué vamos a decirles? —Señaló la pizarra con la cabeza—. Sospecho que darían carpetazo a nuestra pequeña operación clandestina en un abrir y cerrar de ojos.

—¿Quiere decir que no es oficial? —preguntó Pulaski.

—Bienvenido a la clandestinidad —respondió Sachs.

El joven policía intentó digerir la noticia.

—Por eso vamos disfrazados —agregó Cooper, señalando la lista de raso negro que adornaba los pantalones de su esmoquin. Es posible que guiñara un ojo, pero Rhyme no pudo verlo a través de sus gruesas gafas—. ¿Qué vamos a hacer ahora?

—Sachs, llama a Inspección Forense de Queens. No podemos hacernos con las pruebas del caso de mi primo. El juicio aún no se ha celebrado y estarán bajo custodia en la oficina del fiscal. Pero a ver si alguien del almacén puede mandarnos las pruebas de esos dos casos anteriores: el de violación y el robo de monedas. Quiero el polvo, el cartón y la cuerda. Y, Pulaski, tú vete a la Casa Grande. Quiero que revises los expedientes de todos los casos de asesinato de los últimos seis meses.

—¿De todos?

—El alcalde ha limpiado la ciudad, ¿no te has enterado? Da gracias de que no estemos en Detroit o en Washington. A Flintlock se le han ocurrido estos dos casos, pero yo apostaría a que hay más. Tienes que buscar un delito asociado, un robo quizás, o una violación que acabaron en homicidio. Pruebas genéricas claras y una llamada anónima justo después del crimen. Ah, y un sospechoso que jura que es inocente.

—De acuerdo, señor.

—¿Y nosotros? —preguntó Mel Cooper.

—Nosotros, a esperar —masculló Rhyme como si dijera una obscenidad.

9

Una transacción maravillosa.

Ya estoy satisfecho. Camino por la calle contento y feliz, repasando las imágenes que acabo de guardar en mi colección. Imágenes de Myra 9834. Las visuales las guardo en la memoria. Las demás están en la grabadora digital.

Camino por la calle viendo dieciséis a mi alrededor.

Los veo avanzar en tromba por las aceras. En coches, en autobuses, en taxis, en furgonetas.

Los veo a través de las ventanas, indiferentes a mí mientras los estudio.

Dieciséis... No, no soy el único que llama así a los seres humanos, desde luego que no. En absoluto. Es una denominación muy común en el sector. Pero seguramente yo soy el único que prefiere pensar en la gente como dieciséis, el único al que reconforta esa idea.

Un número de dieciséis dígitos es mucho más preciso y eficaz que un nombre. Los nombres me ponen nervioso. Y eso no me gusta. No es bueno para mí, ni para nadie, que me ponga nervioso. Los nombres... ¡Ah, son terribles! Los apellidos Jones y Brown, por ejemplo. Equivalen cada uno aproximadamente a un 0,6 por ciento de la población de Estados Unidos. Moore, un 0,3 por ciento y, en cuanto al favorito de todo el mundo, Smith, asciende a la friolera de un 1 por ciento. Hay casi tres millones de Smith en el país. (Y en cuanto a los nombres de pila, por si a alguien le interesa: ¿John? No. Ése es el segundo, con un 3,2 por ciento. El que se lleva la palma es James, con un 3,3 por ciento.)

Así que pensad en las consecuencias. Oigo a alguien decir «James Smith». Y bien, ¿a qué James Smith se refiere cuando hay cientos de miles de ellos? Y me refiero sólo a los vivos. Porque si sumamos todos los James Smith de la historia...

Ay, Dios mío.

Me vuelvo loco sólo con pensarlo.

Me pongo nervioso...

Y las consecuencias de los errores pueden ser muy graves. Supongamos que estamos en Berlín en 1938. ¿Es *Herr* Wilhelm Frankel el Wilhelm Frankel judío o el gentil? Hay una enorme diferencia, y se piense lo que se piense de ellos, esos chicos de las camisas pardas eran unos genios totales rastreando identidades (¡y usaban ordenadores para hacerlo!)

Los nombres generan errores. Los errores son ruido. El ruido es contaminación. Y la contaminación hay que eliminarla.

Podría haber decenas de Alices Sanderson, pero sólo hay una Alice 3895 que sacrificó su vida para que yo tuviera un retrato de familia pintado por mi querido señor Prescott.

¿Y en cuanto a Myra Weinburg? No, de ésas no hay tantas, seguramente. Pero sí más de una. Y sin embargo únicamente Myra 9834 se ha sacrificado para que yo esté satisfecho.

Me apostaría algo a que hay un montón de DeLeon Williams, pero sólo uno, el número 6832-5794-8891-0923, va a ir a la cárcel de por vida por violar y asesinar a Myra Weinburg para que yo sea libre para hacerlo otra vez.

En este momento voy camino de su casa (técnicamente, camino de la casa de su novia, por lo que he averiguado), cargado con pruebas suficientes para asegurarme de que el pobre hombre sea condenado por violación y asesinato después de que el jurado delibere más o menos una hora.

DeLeon 6832.

Ya he llamado a Emergencias, una transacción en la que he informado de que un Dodge viejo de color beige (el coche que conduce) se ha alejado a toda velocidad del lugar del crimen conducido por un varón negro.

—¡Le he visto las manos! ¡Las tenía todas llenas de sangre! ¡Manden a alguien enseguida! ¡Los gritos eran horribles!

¡Qué perfecto sospechoso vas a ser, Deleon 6832! La mitad de los violadores actúan bajo los efectos del alcohol o las drogas (DeLeon 6832 ahora bebe cerveza con moderación, pero hace unos años pertenecía a Alcohólicos Anónimos). La mayoría de las víctimas de violación conoce a sus agresores (DeLeon 6832 hizo una vez unos trabajos de carpintería en la tienda de alimentación en la que compraba habitualmente la difunta Myra 9834, de modo que es lógico suponer que se conocían, aunque probablemente no sea así).

La mayoría de los violadores tiene treinta años o menos (da la casualidad de que DeLeon 6832 tiene justamente esa edad). A diferencia de los camellos y los drogadictos, no suelen tener antecedentes, como no sea por violencia de género, y a mi chico lo condenaron una vez por agredir a una novia, ¿a que es perfecto? Los violadores proceden en su inmensa mayoría de las clases sociales más bajas y económicamente más desfavorecidas (DeLeon 6832 lleva meses en paro).

Y ahora, señoras y señores del jurado, tengan presente que dos días antes de la violación el imputado compró una caja de preservativos Trojan-Enz, como los dos que se hallaron junto al cadáver de la víctima. (En cuanto a los dos que se han usado en realidad, los míos, hace rato que han desaparecido, claro está. Los restos de ADN son muy peligrosos, sobre todo ahora que en Nueva York se están recogiendo muestras en todos los delitos, no sólo en los casos de violación. Y en Gran Bretaña pronto sacarán muestras a todo el que reciba una citación por cambiar de sentido donde no debía o porque su perro caga en la acera.)

Hay otro dato que la policía debería tener en cuenta si hace bien su trabajo. DeLeon 6832 es un veterano de guerra, sirvió en Irak, y hay ciertas dudas respecto a qué fue de su pistola del calibre 45 cuando dejó el ejército. No pudo devolverla. Se había «perdido» en combate.

Pero, curiosamente, hace unos años compró munición del calibre 45.

Si la policía se entera, lo cual puede suceder con facilidad, tal vez llegue a la conclusión de que su sospechoso va armado. Y si indaga un poco más descubrirá que recibió tratamiento en un hospital de la Administración de Veteranos por síndrome de estrés postraumático.

¿Un sospechoso armado e inestable?

¿Qué agente de policía no se sentiría inclinado a disparar primero?

Ojalá. No siempre estoy del todo seguro sobre los dieciséis que elijo. Nunca se sabe, con las coartadas inesperadas. O con los jurados idiotas. Puede que DeLeon 6832 acabe el día de hoy metido en una bolsa negra. ¿Por qué no? ¿No me merezco un poquito de buena suerte en compensación por el nerviosismo que me ha dado Dios? La vida no siempre es fácil, ¿sabes?

Debería tardar como media hora en llegar a pie a su casa, aquí, en Brooklyn. Estoy disfrutando del paseo, a gusto y satisfecho todavía por mi transacción con Myra 9834. Me pesa la mochila en la espalda. No contiene solamente las pruebas que tengo que colocar y el zapato que ha dejado la huella delatora de DeLeon 6832, sino que está llena con los tesoros que he encontrado hoy paseando por la calle. Por desgracia sólo llevo en el bolsillo un pequeño trofeo de Myra 9834, un trozo de su uña. Me gustaría tener algo más personal, pero en Manhattan se toman muy en serio los asesinatos y llama mucho la atención que falte algún miembro.

Aprieto un poco el paso mientras disfruto del redoble de la mochila sobre mi espalda, de este domingo despejado de primavera y de los recuerdos de mi transacción con Myra 9834.

Mientras disfruto de la perfecta tranquilidad de saber que, aunque seguramente soy la persona más peligrosa de la ciudad de Nueva York, soy también invulnerable, prácticamente invisible para todos los dieciséis que podrían hacerme daño.

Se fijó en la luz.

Un destello de la calle.

Rojo.

Otro destello. Azul.

DeLeon Williams aflojó la mano con la que sujetaba el teléfono. Estaba llamando a un amigo, intentando localizar a su antiguo jefe. El negocio de carpintería se había venido abajo y el tipo se había largado de la ciudad dejando un montón de deudas, entre ellas los más de cuatro mil dólares que le debía a él, DeLeon, su empleado de más confianza.

—Leon —estaba diciendo su amigo al otro lado de la línea—, yo no sé dónde está ese capullo. A mí también me dejó colgado...

—Luego te llamo.

Clic.

Le sudaban las palmas de las grandes manos cuando miró a través de la cortina que Janeece y él acababan de colocar ese mismo sábado (a Williams no le había sentado bien que tuviera que pagarlas ella. Odiaba estar en el paro). Notó que los destellos procedían de las sirenas de dos coches de policía sin distintivos. Salieron un par de detectives desabrochándose las chaquetas, y no porque el día de primavera fuera especialmente caluroso. Los coches se dirigieron a bloquear las intersecciones.

Los detectives miraron a su alrededor con cautela. Luego, destrozando su última esperanza de que se tratara de una extraña coincidencia, se dirigieron al Dodge beige de Williams, miraron la matrícula y echaron un vistazo dentro. Uno habló por su radio.

Williams bajó los párpados, desesperado, y un suspiro de repulsión salió de sus pulmones.

Ella había empezado otra vez.

Ella...

El año anterior, se había liado con una mujer que tenía varios hijos. No sólo era atractiva, sino también lista y amable. O eso le había parecido al principio. Pero poco después de que empezaran a salir en serio, se había convertido en una bruja odiosa. Celosa, malhumorada, vengativa. Inestable. Había estado con ella unos cuatro meses y habían sido los peores de su vida. Y había pasado gran parte de ese tiempo protegiendo a los hijos de su propia madre.

De hecho, había acabado en la cárcel por sus buenas acciones. Una noche, Leticia dio un puñetazo a su hija por no fregar suficientemente bien una cazuela. Williams la agarró instintivamente del brazo mientras la niña huía llorando. Calmó a la madre y el asunto parecía zanjado, pero unas horas después estaba sentado en el porche pensando en cómo podía alejar a los niños de ella, devolviéndoselos quizás a su padre, cuando llegó la policía para detenerlo.

Leticia había presentado una denuncia por maltrato, alegando como prueba la magulladura del brazo por el que la había agarrado. Williams se quedó petrificado. Explicó lo que había pasado, pero los policías no tuvieron más remedio que detenerlo. El caso fue a juicio, pero él se negó a que la niña subiera al estrado para defenderlo, aunque la pequeña quería hacerlo. Fue declarado culpable de agresión y condenado a servicios a la comunidad.

Pero durante el juicio había puesto de manifiesto la crueldad de Leticia. El fiscal le creyó y pasó el nombre de la mujer al Departamento de Servicios Sociales. Un trabajador social se presentó en la casa para investigar las condiciones de vida de los niños, que fueron sacados de allí y cuya custodia se entregó finalmente a su padre.

Leticia entonces comenzó a acosar a Williams. Había pasado así mucho tiempo, pero luego, hacía unos meses, había desaparecido, y él empezaba a pensar que estaba a salvo...

Y ahora esto. Sabía que Leticia estaba detrás.

Dios mío, ¿cuánto puede aguantar un hombre?

Volvió a mirar. ¡No! ¡Los detectives habían sacado las pistolas!

Lo invadió una oleada de horror. ¿Había hecho Leticia daño a uno de sus hijos y lo había acusado a él? No le habría sorprendido.

Le temblaron las manos y comenzó a llorar gruesas lágrimas que corrieron por su cara ancha. Sentía el mismo pánico que se había apoderado de él en el desierto, durante la guerra, cuando se había vuelto hacia su compañero justo a tiempo de ver al sonriente soldado de Alabama convertido en un amasijo sanguinolento por culpa del proyectil de un lanzagranadas iraquí. Hasta ese momento, Williams había estado más o menos bien. Le habían disparado, le había salpicado arena como consecuencia de los balazos, se había desmayado por el calor. Pero ver a Jackson convertido en una *cosa* le había afectado profundamente. El síndrome de estrés postraumático con el que luchaba desde entonces volvió a apoderarse de él ahora.

Un miedo absoluto y paralizante.

—No, no, no, no. —Jadeaba, le costaba respirar. Había dejado de tomar sus medicinas hacía meses, creyendo que estaba mejor.

Ahora, al ver a los detectives desplegarse en torno a la casa, pensó ciegamente: *¡Sal de aquí cagando leches! ¡Huye!*

Tenía que alejarse de allí. Para demostrar que Janeece no tenía nada que ver con él, para salvarles a ella y a su hijo (dos personas a las que quería de veras) tenía que desparecer. Puso la cadena de la puerta delantera, echó el cerrojo y corrió arriba a buscar una bolsa en la que metió todo lo que se le ocurrió, sin ton ni son: espuma de afeitar pero no cuchillas, calzoncillos pero no camisas, zapatos sin calcetines...

Cogió también otra cosa del armario.

Su pistola del ejército, una Colt calibre 45. Estaba descargada (jamás se le ocurriría disparar a nadie), pero podía utilizarla para abrirse paso entre la policía, o para robar un coche a mano armada si era preciso.

Sólo podía pensar: *¡Corre! ¡Huye!*

DeLeon Williams echó un último vistazo a la fotografía de Janeece y él, con el niño, en una visita al parque de atracciones. Se echó a llorar otra vez; luego se limpió los ojos, se colgó la bolsa del hombro y, empuñando la pesada pistola, comenzó a bajar las escaleras.

10

—¿El tirador está en su puesto?

Bo Haumann, exsargento de instrucción y ahora jefe de la Unidad de Servicios de Emergencia (el equipo de fuerzas de intervención rápida de la policía de Nueva York) señaló un edificio con una ubicación perfecta desde la que disparar: desde él se divisaba claramente el jardincillo trasero de la casa en la que vivía DeLeon Williams.

—Sí, señor —contestó el agente que estaba a su lado—. Y Johnny tiene cubierta la parte de atrás.

—Bien.

Haumann (un hombre correoso, con el pelo cano cortado a cepillo) ordenó a los dos equipos de captura que ocuparan sus posiciones.

—Y que no os vea.

Haumann estaba en su propio jardín, no muy lejos de allí, intentando que prendiera el carbón del año anterior, cuando había recibido una llamada para informar de un caso de violación y asesinato. Había una pista sólida que conducía al sospechoso. Haumann había dejado en manos de su hijo la misión de prender fuego al carbón, se había puesto su equipo y había salido a toda prisa, dando gracias al cielo por no haber llegado a abrir esa primera cerveza. A veces conducía después de haberse tomado un par de cervezas, pero jamás disparaba un arma hasta pasadas ocho horas después de ingerir alcohol.

Y cabía la posibilidad de que asistieran a un tiroteo aquel hermoso domingo.

Su radio chisporroteó y por el auricular escuchó una voz que decía:

—Be y Uve Uno a Base, cambio.

Había un equipo de Búsqueda y Vigilancia al otro lado de la calle, junto con el segundo francotirador.

—Aquí Base, adelante, cambio.

—La imagen térmica muestra movimiento. Puede que haya alguien dentro. Pero no oímos nada.

Puede, pensó Haumann irritado. Había visto la partida presupuestaria de la cámara térmica. Debería haber podido señalar con toda certeza si había alguien en la casa, y hasta qué número calzaba y si esa mañana había usado el puñetero hilo dental.

—Haced otra comprobación.

Después de lo que le pareció una eternidad, oyó decir:

—Be y Uve Uno. Muy bien, sólo tenemos una persona dentro. Y hemos podido verla por una ventana. No hay duda de que es DeLeon Williams, por la fotografía que Tráfico nos ha distribuido, cambio.

—Bien, corto.

Haumann llamó a los dos equipos tácticos que se estaban posicionando alrededor de la casa, casi ocultos a la vista.

—Bueno, no ha habido mucho tiempo para explicar la situación, pero prestad atención: el sospechoso es un violador y un asesino. Lo queremos vivo, pero es demasiado peligroso para dejarlo escapar. Si hace algún gesto hostil, tenéis luz verde.

—Aquí el jefe del equipo Be. Recibido. Le informo de que estamos en posición. Tenemos cubiertos el callejón, las calles que dan al norte y la puerta trasera, cambio.

—Jefe del equipo A a Base. Entendido, luz verde. Estamos en posición en la puerta delantera, y tenemos cubiertas todas las calles hacia el sur y el este.

—Tiradores —llamó Haumann por radio—, ¿recibida la luz verde?

—Recibida. —Añadieron que tenían los rifles montados y cargados (a Haumann le sacaba de quicio aquella expresión porque hacía referencia al antiguo rifle M-1 del ejército, en el que había que echar el cerrojo hacia atrás para introducir por arriba un cargador de balas. Con un rifle moderno, no hacía falta montar para cargar, pero aquél no era momento para sermones).

El jefe de la Unidad de Servicios de Emergencia desabrochó la funda de su Glock y se deslizó por el callejón de detrás de la casa, donde se le unieron otros agentes que, al igual que él, habían visto bruscamente truncados sus planes para aquel idílico domingo de primavera.

En ese momento una voz tronó por el auricular:

—Be y Uve Dos a Base. Creo que tenemos algo.

De rodillas, DeLeon Williams miró cautelosamente por una rendija de la puerta (una grieta en la madera que había tenido intención de arreglar) y vio que los policías ya no estaban allí.

No, se corrigió a sí mismo, ya no se les veía, lo cual era muy distinto. Distinguió un destello de metal o de vidrio entre los arbustos, quizás uno de aquellos extraños adornos de jardín, duendes o cervatillos, que coleccionaban los vecinos.

O quizás el arma de un policía.

Cargado con la bolsa, avanzó a gatas hasta el fondo de la casa. Miró otra vez. Se arriesgó a mirar por la ventana, luchando por dominar su pánico.

El jardín de atrás y el callejón de más allá estaban desiertos.

O *parecían* desiertos, puntualizó de nuevo.

Sintió otro estremecimiento de temor, otra punzada de estrés postraumático, y un impulso de salir corriendo por la puerta, de sacar la pistola y enfilar a toda mecha el callejón apuntando a quien se le pusiera por delante, gritando que se apartaran.

Echó mano del picaporte impulsivamente mientras su mente giraba como un torbellino.

No.

No seas tonto.

Se sentó, apoyó la cabeza contra la pared y procuró calmar su respiración.

Pasado un momento se tranquilizó y decidió intentar otra cosa. En el sótano había una ventana que daba al minúsculo jardín lateral de anémico césped. A dos metros y medio, una ventana parecida daba al sótano de los vecinos. Los Wong se habían ido a pasar el fin de semana fuera (DeLeon tenía que regarles las plantas). Pensó que podía entrar en la casa, subir las escaleras y salir por la puerta de atrás.

Con un poco de suerte, la policía no estaría cubriendo el jardín lateral. Luego seguiría el callejón hasta la calle principal y correría hasta el metro.

No era un plan genial, pero tendría más oportunidades que si esperaba allí. Lloró de nuevo. Y de nuevo sintió pánico.

Para, soldado. Vamos.

Se levantó y bajó tambaleándose las escaleras del sótano.

Lárgate de una puta vez. La poli estará en la puerta de un momento a otro, la echará abajo.

Abrió el pestillo de la ventana, se encaramó a ella y salió. Al empezar a arrastrarse hacia la ventana del sótano de los Wong, miró a su derecha. Y se quedó paralizado.

Dios mío...

Dos detectives, un hombre y una mujer, estaban agazapados en el estrecho jardín lateral. Sostenían sus armas con la mano derecha, pero no miraban hacia él, sino hacia la puerta trasera y el callejón.

El pánico volvió a apoderarse de él. Sacó el Colt y les apuntó. Diles que se sienten, que se pongan las esposas y tiren las radios. Le repugnaba hacer aquello, sería un verdadero delito, pero no tenía elección. Saltaba a la vista que estaban convencidos de que había hecho algo terrible. Sí, cogería sus armas y escaparía. Quizá tuvieran un coche sin distintivos por allí cerca. Se llevaría también sus llaves.

Pero ¿habría alguien cubriéndoles, alguien a quien no podía ver? ¿Un francotirador, quizá?

Bien, tendría que correr ese riesgo.

Dejó la bolsa en el suelo sin hacer ruido y fue a echar mano de la pistola. En ese instante, la detective se volvió hacia él. Williams sofocó un gemido. *Soy hombre muerto*, pensó.

Janeece, te quiero.

Pero la mujer miró un trozo de papel, entornó los ojos y lo miró de arriba abajo.

—¿DeLeon Williams?

—Yo... —respondió con voz estrangulada. Asintió con la cabeza y hundió los hombros. Sólo pudo quedarse mirando la bella cara de la detective, su cabello rojo recogido en una coleta, sus ojos fríos.

Ella levantó una insignia que colgaba de su cuello.

—Somos agentes de policía. ¿Cómo ha salido de la casa? —Reparó entonces en la ventana y asintió—. Señor Williams, estamos en medio de una operación. ¿Le importaría volver a entrar? Estará más seguro ahí dentro.

—Yo... —El pánico le quebró la voz—. Yo...

—Enseguida —dijo ella con insistencia—. Estaremos con usted en cuanto todo esté resuelto. No haga ruido. Y, por favor, no vuelva a intentar salir.

—Claro, yo... Claro.

Dejó la bolsa y comenzó a meterse de nuevo por la ventana.

La detective dijo acercándose la radio a la boca:

—Aquí Sachs. Yo ensancharía el perímetro, Bo. Va a tener mucho cuidado.

¿Qué demonios estaba pasando? Williams no perdió tiempo en especulaciones. Volvió a entrar torpemente en el sótano y subió las escaleras. Una vez arriba, se fue derecho al cuarto de baño. Levantó la tapa de la cisterna y metió la pistola dentro. Se acercó a la ventana, dispuesto a asomarse otra vez. Pero entonces se detuvo y corrió de nuevo al váter, justo a tiempo para vomitar, presa de dolorosas náuseas.

Es curioso, dado el buen día que hace (y a lo que me he dedicado con Myra 9834), pero echo de menos estar en la oficina.

En primer lugar, me gusta trabajar, siempre me ha gustado. Y me gusta el ambiente, la camaradería con los dieciséis que te rodean, casi como una familia.

Y luego está la sensación de ser productivo, de formar parte del vertiginoso mundo de los negocios de Nueva York. (El «no va más», como suele decirse, y eso es algo que detesto, la jerga empresarial, una expresión que es en sí misma jerga empresarial. No, los grandes líderes, Franklin Delano Roosevelt, Truman, César, Hitler, no necesitaban envolverse en un manto de retórica ramplona.)

Pero lo más importante, claro, es que mi trabajo me es de gran ayuda para practicar mi afición. No, eso es poco. Es fundamental.

Me encuentro en una situación inmejorable. Normalmente puedo escaparme del trabajo cuando quiero. Cambiando esta cita y aquélla, encuentro tiempo entre semana para entregarme a mi pasión. Y dado quién soy en público (mi faceta profesional, digamos), es muy improbable que alguien sospeche que en el fondo soy una persona muy distinta. Por decirlo suavemente.

A menudo trabajo también los fines de semana, y ése es uno de mis momentos favoritos (naturalmente, si no estoy inmerso en una transacción con una bella señorita como Myra 9834, o adquiriendo un cuadro, o libros de cómics, o monedas, o una pieza rara de porcelana). Incluso cuando hay pocos dieciséis en la oficina, los días festivos, un sábado o un domingo, zumba en los pasillos el ruido blanco de los engranajes que hacen avanzar lentamente la sociedad hacia un intrépido nuevo mundo.

Ah, aquí hay una tienda de antigüedades. Me paro a mirar el escaparate. Hay algunos cuadros y platos de *souvenir*, tazas y carteles que me atraen. Por desgracia no podré volver a comprar nada porque está demasiado cerca de la casa de DeLeon 6832. La probabilidad de que alguien me relacione con el «violador» es mínima, pero aun así... ¿para qué correr ese riesgo? (Sólo compro en tiendas o rebusco en la basura. Mirar en eBay es entretenido, pero ¿comprar algo por Internet? Hay que estar loco.) De momento no hay problema con el dinero en efectivo, pero pronto también llevará dispositivos de control y seguimiento, como todo lo demás. Los billetes llevan etiquetas de identificación por radiofrecuencia. En otros países ya se hace. El banco sabrá de qué banco o de qué cajero sacaste tal o cual billete de veinte dólares. Y sabrá que te lo gastaste en una coca-cola o en un sujetador para tu querida o en un adelanto para pagar a un matón. A veces creo que deberíamos volver al oro.

Escapar del casillero.

¡Ah, pobre DeLeon 6832! Conozco su cara por la foto del permiso de conducir: mira bonachón a la cámara del funcionario. Me imagino su expresión cuando la policía llame a su puerta y le enseñe la orden de detención por violación y asesinato. Veo también la mirada de horror que le lanzará a su novia, Janeece 9810, y al hijo de diez años de ella si están en casa cuando llegue la policía. Me pregunto si será un llorón.

Estoy a tres manzanas de distancia. Y...

Ah, espera... Pasa algo raro.

Dos Crown Victoria nuevos aparcados en esta bocacalle bordeada de árboles. Estadísticamente es muy improbable que en un vecindario como éste se vea un coche de ese tipo, y tan reluciente. Es especialmente improbable que haya dos coches idénticos, y a eso hay que añadir el hecho de que están aparcados el uno junto al otro y no tienen restos de hojas ni de polen, como los otros. Han llegado hace poco.

Y sí, una mirada indiferente al interior, la curiosidad normal de un transeúnte, me confirma que son coches de policía.

Pero no es el procedimiento habitual para una disputa doméstica o un robo. Sí, estadísticamente esos delitos ocurren con bastante frecuencia en esta parte de Brooklyn, pero los datos demuestran que rara vez a esta hora del día, antes de que hagan acto de aparición los paquetes de seis cervezas. Y seguramente jamás se ven coches camuflados y sin distintivos, sólo coches patrulla blancos y azules, a plena vista. Pensemos. Están a tres manzanas de la casa de DeLeon 6832. Hay que tenerlo en cuenta. No sería inconcebible que el comandante les dijera a sus agentes: «Es un violador. Es peligroso. Vamos a entrar dentro de diez minutos. Aparcad el coche a tres manzanas de aquí y volved inmediatamente».

Miro como si tal cosa por el callejón más próximo. Vaya, esto va de mal en peor. Aparcado a la sombra hay un furgón de la Unidad de Servicios de Emergencia de la policía. El Servicio de Emergencia. A menudo cumplen labores de apoyo en detenciones de gente como DeLeon 6832. Pero ¿cómo es que han llegado tan pronto? Sólo hace media hora que llamé al 911. (Siempre es un riesgo, pero si tardas demasiado en llamar después de una transacción, la poli puede preguntarse por qué has tardado tanto en informar de los gritos o de que has visto a un individuo sospechoso.)

Bien, hay dos razones para explicar la presencia de la policía. La más lógica es que después de mi llamada anónima hayan buscado en sus bases de datos todos los Dodge de color beige con más de cinco años de antigüedad registrados en la ciudad (ayer había 1.357) y que de algún modo hayan dado en el blanco. Están convencidos, incluso sin las pruebas que iba a dejar en su garaje, de que DeLeon 6832 ha violado y asesinado a Myra 9834 y van a detenerlo ahora misma, o están esperando a que regrese.

La otra explicación es mucho más preocupante. La policía ha llegado a la conclusión de que le han tendido una trampa. Y me están esperando a mí.

Estoy sudando. Esto no es bueno, no es bueno, no es bueno...

Pero no te dejes llevar por el pánico. Tus tesoros están a salvo, tu Armario está a salvo. Relájate.

Aun así, tengo que averiguar qué ha pasado. Si es sólo una coincidencia perversa que la policía esté aquí, si no tiene nada que ver con DeLeon 6832 ni conmigo, entonces dejaré las pruebas y volveré a toda pastilla a mi Armario.

Pero si han descubierto lo mío, también podrían averiguar lo de los otros. Randall 6794 y Rita 2907 y Arthur 3480...

Me calo un poco más la gorra sobre los ojos, me subo del todo las gafas de sol por la nariz y cambio completamente de rumbo, rodeando la casa por callejones, jardines y patios traseros sin traspasar el perímetro de tres manzanas que tan amablemente me han marcado como zona de seguridad al aparcar allí sus Crown Victoria.

Ello me conduce, trazando un semicírculo, hasta un talud cubierto de hierba que sube a la autovía. Mientras subo por él veo los patios minúsculos y los porches de las casas de la calle de DeLeon 6832. Comienzo a contar las casas hasta llegar a la suya.

Pero no hace falta que lo haga. Veo claramente a un agente de policía en el tejado de una casa de dos plantas, detrás del callejón de su casa. Tiene un rifle. ¡Un francotirador! También hay otro con unos prismáticos. Y varios más, en traje o con ropa de paisano, agazapados entre los matorrales, justo a la derecha de la casa.

Entonces dos policías señalan hacia mí. Veo que había otro policía en el tejado de la casa de enfrente. También me señala a mí. Y dado que no mido un metro noventa ni peso ciento cinco kilos, ni tengo la piel oscura como el ébano, está claro que no están esperando a DeLeon 6832. Me están esperando *a mí*.

Empiezan a temblarme las manos. Imagínate, si me hubiera metido en medio de esa trampa, con las pruebas en la mochila.

Una docena de agentes corre a sus coches o hacia mí. Corren como lobos. Doy media vuelta y sigo subiendo casi a gatas por el talud, jadeando aterrorizado. Todavía no he llegado arriba cuando oigo las primeras sirenas.

¡No, no!

Mis tesoros, mi Armario...

La autovía, cuatro carriles en total, está abarrotada, lo cual es una suerte porque los dieciséis tienen que conducir despacio. Puedo esquivarlos bastante bien hasta con la cabeza agachada. Estoy seguro de que ninguno ve con claridad mi cara. Luego salto el quitamiedos y bajo a trompicones por el otro talud. El coleccionismo y otras actividades me mantienen en buena forma y pronto estoy corriendo a toda velocidad hacia la estación de metro más cercana. Me detengo sólo una vez para ponerme unos guantes de algodón y sacar de la mochila la bolsa de plástico con la prueba que iba a dejar; luego la meto en una papelera. No puedo dejar que me atrapen con ella. No puedo. Cuando estoy a media manzana del metro, me meto en el callejón de atrás de un restaurante. Le doy la vuelta a mi chaqueta reversible, me cambio de gorra y vuelvo a salir con la mochila metida en una bolsa de la compra.

Por fin estoy en la estación de metro y puedo sentir (menos mal) el aliento mohoso del túnel que precede a la llegada de un tren. Luego, el estruendo del voluminoso convoy, el chirrido del metal al rozar con metal.

Pero antes de llegar al torniquete, me detengo. La impresión ha pasado, pero en su lugar ha aparecido el nerviosismo. Comprendo que no puedo marcharme aún.

La magnitud del problema me asalta de pronto. Puede que desconozcan mi identidad, pero han descubierto lo que hago.

Lo que significa que quieren arrebatarme algo. Mis tesoros, mi Armario..., todo.

Y eso, por supuesto, es inaceptable.

Manteniéndome fuera del alcance de la cámara de seguridad, vuelvo a subir tranquilamente las escaleras y hurgo en mi bolsa mientras salgo de la estación.

—¿Dónde? —La voz de Rhyme retumbó en el auricular de Amelia Sachs—. ¿Dónde demonios está?

—Nos ha visto, se ha largado.

—¿Estás segura de que era él?

—Segurísima. Los de Vigilancia detectaron a alguien a unas manzanas de distancia. Por lo visto vio los coches de los detectives y cambió de ruta. Lo vimos mirándonos y echó a correr. Tenemos a varios equipos detrás de él.

Estaba en el jardín delantero de DeLeon Williams, con Pulaski, Bo Haumann y media docena de agentes de la Unidad de Emergencias. Varios técnicos de la Unidad de Inspección Forense y policías uniformados estaban inspeccionando la ruta seguida por el sospechoso para escapar, en busca de pruebas, y buscando testigos por el vecindario.

—¿Algún indicio de que tenga coche?

—No sé. Iba a pie cuando lo vimos.

—Santo Dios. Bien, avísame cuando sepáis algo.

—Te...

Clic.

Sachs hizo una mueca a Pulaski, que, con su radiotransmisor pegado a la oreja, escuchaba cómo se desarrollaba la búsqueda. Haumann hacía lo mismo. Por lo que pudo oír la detective, no estaba siendo muy fructífera. En la autovía nadie lo había visto o, si lo había visto, no estaba dispuesto a reconocerlo. Sachs se volvió hacia la casa y vio a DeLeon Williams mirando a través de la cortina de la ventana. Parecía muy preocupado y confuso.

Para salvarlo de convertirse en otra víctima de 522, había hecho falta suerte y un buen trabajo policial.

Y eso tenían que agradecérselo a Ron Pulaski. El joven agente, con su colorida camisa hawaiana, había hecho lo que le había pedido Rhyme: había ido enseguida al número uno de Police Plaza y había empezado a buscar casos que encajaran con el modus operandi de 522. No había encontrado ninguno, pero mientras hablaba con un detective de Homicidios la brigada había recibido un aviso del distrito Central acerca de una llamada anónima. Un hombre había oído gritos procedentes de un *loft* cerca del Soho y había visto a un hombre negro huyendo en un Dodge de color beige. Un patrullero había acudido al aviso y había descubierto el cuerpo violado y sin vida de una joven llamada Myra Weinburg.

A Pulaski le había chocado la llamada anónima, que le recordó a los casos anteriores, y enseguida había llamado a Rhyme. El criminalista había deducido que, si 522 estaba en efecto detrás del crimen, seguramente se atendría a su plan: colocaría pruebas materiales para incriminar a su nuevo chivo expiatorio, y a ellos les correspondía descubrir cuál de los más de mil trescientos Dodge de color beige era el que escogería 522. Tal vez el responsable no fuera 522, desde luego, pero aunque no lo fuera, tenían la oportunidad de atrapar a un violador y asesino.

Siguiendo órdenes de Rhyme, Mel Cooper había cotejado la base de datos del Departamento de Vehículos a Motor con las de la policía y había dado con siete afroamericanos que tenían antecedentes por faltas más graves que infracciones de tráfico. Entre ellos, uno era el más probable: DeLeon Williams, denunciado anteriormente por agredir a una mujer. El chivo expiatorio perfecto.

Suerte y trabajo policial.

Para autorizar la operación táctica se necesitaba la firma de un teniente o un mando superior. El capitán Joe Malloy seguía sin estar al corriente de la investigación clandestina para atrapar a 522, así que Rhyme había llamado a

Sellitto, que a pesar de refunfuñar había accedido a llamar a Bo Haumann para autorizar la intervención de la Unidad de Emergencia.

Amelia Sachs se había reunido con Pulaski y con el equipo de Haumann en casa de Williams, donde habían sabido por los agentes de Búsqueda y Vigilancia que dentro sólo estaba Williams, no 522. Se habían desplegado para atrapar al asesino cuando fuera a colocar las pruebas falsas. El plan, improvisado sobre la marcha, era arriesgado y evidentemente no había dado resultado, aunque habían salvado a un hombre inocente de ser detenido por violación y homicidio y cabía la posibilidad de que hubieran encontrado alguna prueba interesante que pudiera conducirles al asesino.

—¿Alguna noticia? —le preguntó Sachs a Haumann, que había estado conferenciando con algunos de sus agentes.

—No, ninguna.

Entonces volvió a sonar la radio del comandante de la Unidad de Emergencias y la detective oyó su estrepitosa transmisión.

—Unidad Uno, estamos al otro lado de la autovía. Parece que ha escapado. Debe de haber llegado al metro.

—Mierda —masculló Sachs.

Haumann hizo una mueca, pero no dijo nada.

El agente añadió:

—Pero hemos encontrado la ruta que es probable que haya seguido. Es posible que haya tirado alguna prueba en una papelera por el camino.

—Algo es algo —comentó Sachs—. ¿Dónde? —Anotó la dirección que le dio el agente—. Dígales que acordonen la zona. Dentro de diez minutos estoy ahí. —Subió los escalones y llamó a la puerta. Cuando salió a abrir DeLeon Williams, dijo—: Lamento no haber tenido tiempo de explicárselo. Un hombre al que intentábamos detener se dirigía hacia su casa.

—¿Hacia mi casa?

—Eso pensamos. Pero ha escapado. —Le explicó lo de Myra Weinburg.

—No me diga... ¿Está muerta?

—Me temo que sí.

—Lo siento muchísimo.

—¿La conocía usted?

—No, su nombre no me suena de nada.

—Creemos que el responsable ha podido intentar responsabilizarlo a usted del crimen.

—¿A mí? ¿Por qué?

—No lo sabemos. Cuando hallamos indagado un poco más, quizá necesitemos hablar con usted otra vez.

—Claro. —Le dio los números de su casa y su móvil. Luego arrugó el ceño—. ¿Puedo preguntarle una cosa? Parece muy segura de que no he sido yo. ¿Cómo sabe que soy inocente?

—Por su casa y su garaje. Los hemos registrado y no hemos encontrado ningún resto material procedente del lugar del crimen. Estamos seguros de que el asesino iba a dejar ciertas cosas en su casa para incriminarlo. Pero, naturalmente, si hubiéramos llegado después que él, habría tenido usted un problema muy serio. Ah, una cosa más, señor Williams —añadió Sachs.

—¿Qué, detective?

—Sólo un dato que tal vez le interese. ¿Sabe que en Nueva York estar en posesión de un arma sin registrar es un delito muy grave?

—Creo que lo he oído en alguna parte.

—Tal vez también le interese saber que en la comisaría de distrito hay un programa de amnistía. Nadie le hará preguntas si entrega un arma. En fin, cuídese. Que disfrute del resto del fin de semana.

—Lo intentaré.

11

Observo a la policía que registra la papelera en la que he tirado las pruebas. Al principio me he quedado de piedra, pero luego me he dado cuenta de que era lógico: si Ellos son lo bastante listos para descubrir lo que me traigo entre manos, también son lo bastante listos para registrar una papelera.

Dudo de que me hayan visto bien, pero estoy teniendo mucho cuidado. Naturalmente, no estoy en el lugar mismo de los hechos; estoy en un restaurante, al otro lado de la calle, comiéndome con mucho esfuerzo una hamburguesa y bebiendo agua. La policía tiene una brigada especial para labores «antidelincuencia», lo cual siempre me ha parecido absurdo. Como si otras labores policiales fueran pro delincuencia. Los agentes antidelincuencia visten de paisano y circulan por los escenarios del delito en busca de testigos y a veces incluso de sospechosos que han vuelto al lugar de los hechos. La mayoría de los criminales lo hacen porque son idiotas o porque se comportan de manera irracional. Yo, en cambio, estoy aquí por dos motivos concretos: primero, porque me he dado cuenta de que tengo un problema. No puedo convivir con él, de modo que necesito una solución. Y no se puede resolver un problema sin conocimiento. Y yo ya he descubierto un par de cosas.

Conozco, por ejemplo, a varias de las personas que van detrás de mí. Como esta pelirroja con su mono de plástico blanco que se concentra en su inspección como yo me concentro en mis datos.

La veo salir con varias bolsas de la zona acordonada, delimitada por cinta amarilla. Las deposita en cajas de plástico grises y se quita el mono blanco. A pesar de que todavía me espanta el desastre de esta tarde, siento esa punzada dentro de mí al ver sus vaqueros ceñidos. La satisfacción de mi transacción de hoy con Myra 9834 empieza a disiparse.

Mientras los policías regresan a sus coches, ella hace una llamada.

Pago la cuenta y salgo tranquilamente por la puerta, fingiendo ser un cliente cualquiera esta hermosa tarde de domingo.

Fuera del casillero.

Ay, ¿y la segunda razón por la que estoy aquí?

Muy sencillo: para proteger mis tesoros, para preservar mi vida, lo que equivale a hacer lo que sea necesario para que desaparezcan Ellos.

—¿Qué ha dejado Cinco Dos Dos en esa papelera? —Rhyme estaba hablando por el manos libres.

—No mucho, pero estamos seguros de que es suyo. Una toalla de papel manchada de sangre y un poco de sangre todavía fresca en bolsas de plástico, para poder dejarla en el coche o el garaje de Williams. Ya he mandado una muestra al laboratorio para que hagan una prueba preliminar de ADN. Una fotografía de la víctima sacada por impresora. Un rollo de cinta aislante marca Home Depot y una zapatilla deportiva. Parecía nueva.

—¿Sólo una?

—Sí, la derecha.

—Puede que la haya robado de casa de Williams para dejar una huella en la escena del crimen. ¿Alguien ha podido verlo?

—Un francotirador y dos chicos del equipo de Búsqueda y Vigilancia, pero no estaba muy cerca. Blanco, seguramente, o de etnia de piel clara, complexión media. Gorra de color marrón verdoso, gafas de sol y mochila. Ni edad, ni color de pelo.

—¿Eso es todo?

—Sí.

—Bien, trae las pruebas enseguida. Luego quiero que inspecciones el lugar donde fue violada Weinburg. Lo están preservando hasta que llegues.

—Tengo otra pista, Rhyme.

—¿Ah, sí? ¿Cuál?

—Hemos encontrado una nota adhesiva pegada al fondo de la bolsa de plástico que contenía las pruebas. Cinco Dos Dos quería tirar la bolsa, pero no estoy segura de que quisiera tirar la nota.

—¿Qué pone?

—Un número de habitación de un hotel residencia en el Upper East Side, en Manhattan. Quiero ir a echar un vistazo.

—¿Crees que se aloja allí?

—No, he llamado a recepción y me han dicho que el inquilino lleva todo el día en su habitación. Un tal Robert Jorgensen.

—Bien, tenemos que inspeccionar el lugar del crimen, Sachs.

—Manda a Ron. Puede hacerlo él.

—Prefiero que lo hagas tú.

—Creo en serio que tenemos que ver si hay alguna relación entre ese tal Jorgensen y Cinco Dos Dos. Y deprisa.

Rhyme no pudo contradecirla. Además, los dos se habían empeñado en enseñar a Pulaski a «recorrer la cuadrícula», una expresión acuñada por el propio criminalista con la que designaba la inspección de la escena de un crimen, el método para examinar la zona siguiendo el dibujo de un damero, y el modo más exhaustivo de descubrir pruebas materiales.

Rhyme, que se sentía al mismo tiempo jefe y padre, sabía que el chico tendría que inspeccionar su primera escena del crimen tarde o temprano.

—Está bien —refunfuñó—. Esperemos que esa pista de la nota lleve a alguna parte. —No pudo evitar añadir—: Y no sea una completa pérdida de tiempo.

Ella se rió.

—¿No es ésa siempre nuestra esperanza?

—Y dile a Pulaski que no la cague.

Colgaron y Rhyme informó a Cooper de que las pruebas estaban de camino.

Mientras miraba los esquemas de las pizarras masculló:

—Ha escapado.

Ordenó a Thom que escribiera la escueta descripción de 522 en la pizarra blanca.

«Probablemente blanco y de piel clara...»

¿De qué servía eso?

Amelia Sachs estaba en el asiento delantero de su Camaro, con el coche aparcado y la puerta abierta. El aire del atardecer de primavera entraba en el coche, que olía a cuero viejo y a aceite. Estaba tomando notas para su informe. Lo hacía siempre en cuanto le era posible después de examinar la escena de un crimen. Era asombroso lo que podía olvidar uno en un corto lapso de tiempo. Cambiaban los colores, la derecha se volvía izquierda, las puertas y las ventanas se movían de una pared a otra o desaparecían por completo.

Se detuvo, distraída de nuevo por las extrañas circunstancias del caso. ¿Cómo se las había ingeniado el asesino para estar a punto de culpar a un inocente de un asesinato y una violación atroces? Nunca se había tropezado con un criminal así. No era infrecuente que se dejaran pruebas falsas para despistar a la policía, pero aquel tipo era un genio a la hora de conducirles en la dirección equivocada.

La calle donde había aparcado estaba a dos manzanas de la papelera que acababa de inspeccionar, desierta y en sombras.

Un movimiento atrajo su atención. Pensando en 522, sintió un hormigueo de inquietud. Levantó la vista y vio por el espejo retrovisor que alguien caminaba hacia ella. Guiñó los ojos y observó con detenimiento al desconocido, a pesar de que parecía inofensivo: un profesional cualquiera, pulcro y formal. Sujetaba con una mano una bolsa de comida para llevar y con la otra hablaba por el móvil, sonriendo. Un vecino cualquiera que había salido a comprar comida china o mexicana para cenar.

Sachs volvió a sus notas.

Acabó finalmente y las guardó en su maletín. Pero entonces reparó en algo extraño. El hombre de la acera ya debería haber dejado atrás el Camaro. Pero no había pasado. ¿Había entrado en alguno de los edificios? Se volvió hacia la acera para mirar.

¡No!

Vio la bolsa de comida para llevar sobre la acera, a la izquierda, detrás del coche. ¡No era más que un señuelo!

Echó mano de su Glock, pero antes de que pudiera sacarla se abrió de golpe la puerta del lado derecho y se halló mirando cara a cara al asesino que, con los ojos entornados, le apuntaba de frente con una pistola.

Sonó el timbre y un momento después Rhyme oyó pasos conocidos. Unos andares pesados.

—Estoy aquí, Lon.

El detective Lon Sellitto lo saludó con una inclinación de cabeza. Había embutido su rolliza figura en unos vaqueros y una camisa Izod de color púrpura oscuro, y llevaba zapatillas deportivas, lo cual sorprendió a Rhyme. Casi nunca veía a Sellitto con ropa informal. También le extrañó que, aunque no parecía tener ni un solo traje que no estuviera irremediablemente arrugado, su ropa parecía recién salida de la tabla de planchar. Lo único que estropeaba el efecto era la forma en que se estiraba la tela allí donde sobresalía su barriga, por encima de la cinturilla del pantalón, y el bulto de sus riñones, donde había ocultado desmañadamente la pistola que llevaba cuando no estaba de servicio.

—Me han dicho que se ha escapado.

—Se lo ha tragado la tierra —masculló Rhyme.

El suelo crujió bajo el peso del orondo detective cuando se acercó a las pizarras para echarles un vistazo.

—¿Ése es el nombre que le has puesto? ¿Cinco Dos Dos?

—Mes cinco, día veintidós. ¿Qué ha pasado con los rusos?

Sellitto no contestó.

—¿El señor Cinco Dos Dos ha dejado alguna pista?

—Estamos a punto de descubrirlo. Tiró una bolsa con las pruebas falsas que iba a colocar. La bolsa viene para acá.

—Qué amabilidad por su parte.

—¿Té con hielo, café?

—Sí —refunfuñó el detective en respuesta a Thom—. Café, gracias. ¿Tienes leche desnatada?

—Con un dos por ciento de materia grasa.

—Estupendo. ¿Y una de esas galletas de la última vez? ¿Las de chocolate?

—Sólo de avena.

—También están buenas.

—Mel —dijo Thom—, ¿tú quieres algo?

—Si como o bebo cerca de una mesa de examen, me gritan.

Rhyme soltó:

—No es culpa mía que los abogados defensores tengan la manía de excluir las pruebas contaminadas. Yo no hice las normas.

—Veo que tu humor no ha mejorado —observó Sellitto—. ¿Cómo va lo de Londres?

—No quiero hablar de ese tema.

—Bueno, pues para que mejore tu humor tenemos otro problema.

—¿Malloy?

—Sí. Se ha enterado de que Amelia estaba haciendo una inspección ocular y de que yo había autorizado una operación de la Unidad de Emergencias. Se puso contentísimo creyendo que era el caso Dienko, y luego tristísimo cuando se enteró de que no. Preguntó si tenía algo que ver contigo. Estoy dispuesto a que me den un puñetazo en la barbilla por ti, Linc, pero no a que me peguen un balazo. Te vendí... Ah, gracias. —Asintió cuando Thom le llevó el refrigerio.

El asistente de Rhyme puso una bandeja similar en una mesa no muy lejos de Cooper, que se puso unos guantes de látex y empezó a comerse una galleta.

—Para mí un poco de whisky, si haces el favor —dijo Rhyme rápidamente.

—No. —Thom desapareció.

El criminalista frunció el ceño.

—Me figuré que Malloy nos pillaría en cuanto intervinieran los de Emergencias —dijo—. Pero necesitamos a los jefazos de nuestra parte ahora que el caso está candente. ¿Qué hacemos?

—Más vale que se nos ocurra algo deprisa porque quiere que lo llamemos. Hace media hora, más o menos. —Sellitto bebió un sorbo de café y dejó de mala gana el cuarto de galleta que le quedaba, con la aparente determinación de no acabársela.

—Pues necesito el respaldo de la plana mayor. Necesitamos gente ahí fuera, buscando a ese tipo.

—Entonces vamos a llamar. ¿Estás listo?

—Sí, sí.

Sellitto marcó un número y activó el manos libres.

—Baja el volumen —dijo Rhyme—. Sospecho que puede haber gritos.

—Aquí Malloy.

El criminalista oyó el ruido del viento, voces y un tintineo de platos o cristalería. Tal vez estuviera en la terraza de una cafetería.

—Capitán, he puesto el manos libres. Estoy con Lincoln Rhyme.

—Muy bien, ¿qué demonios está pasando? Podría usted haberme dicho que la operación de la Unidad de Emergencias era para el asunto del que me habló Lincoln esta mañana. ¿Sabía que pospuse hasta mañana la decisión respecto a cualquier posible operación?

—No, Lon no lo sabía —respondió Rhyme.

El detective balbució:

—No, pero sabía lo suficiente para imaginármelo.

—Me conmueve que intenten protegerse el uno al otro, pero la cuestión es por qué no me lo han dicho.

Sellitto respondió:

—Porque teníamos la oportunidad de atrapar a un violador y asesino y decidí que no podíamos permitirnos retrasos.

—No soy un niño, teniente. Usted presénteme sus argumentos, que yo sacaré mis conclusiones. Es así como se supone que funciona esto.

—Lo siento, capitán. En su momento me pareció la decisión acertada.

Silencio. Después:

—Pero se ha escapado.

—Sí, se ha escapado —dijo Rhyme.

—¿Cómo?

—Organizamos un equipo lo más rápido que pudimos, pero falló el camuflaje. El sospechoso estaba más cerca de lo que pensábamos. Vio un coche sin distintivos o a algún miembro del equipo, supongo. Y se largó. Pero tiró algunas pruebas que podrían ser de ayuda.

—¿Y que van camino del laboratorio de Queens? ¿O del tuyo?

Rhyme miró a Sellitto. En una institución como el Departamento de

Policía de Nueva York, la gente ascendía a fuerza de experiencia, ambición e ingenio. Malloy iba un paso por delante de todos ellos.

—He pedido que me las traigan aquí, Joe —respondió Rhyme.

Esta vez no se hizo el silencio. Se oyó un suspiro de resignación por el altavoz.

—Entiendes el problema, ¿verdad, Lincoln?

Conflicto de intereses, pensó Rhyme.

—Hay un claro conflicto de intereses: eres consejero del cuerpo y al mismo tiempo intentas exonerar a tu primo. Y aparte de eso estás dando por sentado que se ha detenido a la persona equivocada.

—Pero es exactamente lo que ha ocurrido. Y se ha condenado por error a otras dos personas. —Le recordó los casos de los que les había hablado Flintlock: la violación y el robo de las monedas—. Y no me sorprendería que hubiera pasado otras veces. ¿Conoces el principio de Locard, Joe?

—Estaba en tu manual, el de la academia, ¿no?

El criminalista francés Edmond Locard afirmaba que cada vez que se comete un crimen se produce una transferencia de pruebas materiales entre el delincuente y el lugar de los hechos o la víctima. Se refería concretamente al polvo, pero la norma se aplica a numerosas sustancias y tipos de pruebas. La relación puede ser difícil de establecer, pero existe.

—Nuestra labor se rige por el principio de Locard, Joe, pero he aquí un criminal que se está sirviendo de él como arma. Es su modus operandi. Mata y sale impune porque otra persona es condenada por el crimen. Sabe exactamente cuándo atacar, qué clase de pruebas dejar y cuándo dejarlas. Los equipos de inspección forense, los detectives, la gente de laboratorio, los fiscales y los jueces... Ha utilizado a todo el mundo, les ha convertido en sus cómplices. Esto no tiene nada que ver con mi primo, Joe. Tiene que ver con parar a un individuo muy peligroso.

Siguió un silencio sin suspiro.

—Está bien. Autorizaré la operación.

Sellitto levantó una ceja.

—Con condiciones. Vais a mantenerme informado de todas las novedades del caso. Y me refiero a todas.

—Claro.

—Y, Lon, vuelva a intentar no decirme la verdad y haré que lo trasladen a Presupuestos. ¿Entendido?

—Sí, capitán. Absolutamente.

—Y ya que está en casa de Lincoln, imagino que quiere que le reasignen y le retiren del caso de Vladimir Dienko.

—Petey Jimenez está al tanto de todo. Ha hecho más trabajo de calle que yo y se ha ocupado personalmente de preparar los señuelos.

—Y Dellray se está ocupando de los soplones, ¿no? ¿Y de la jurisdicción federal?

—Exacto.

—Muy bien, queda libre del caso. Temporalmente. Ábrale un expediente a ese individuo. Quiero decir que me mande una memoria sobre el expediente que ya le habían abierto. Y escúcheme: no voy a sacar a relucir el tema de esa gente a la que se ha condenado erróneamente. No voy a decírselo a nadie. Y ustedes tampoco. Ese tema no está sobre el tapete. El único delito que están investigando es una violación con resultado de muerte que ocurrió esta tarde. Punto. Puede que, como parte de su modus operandi, el criminal haya intentado inculpar a otra persona, pero eso es lo único que pueden decir, y únicamente si surge el tema. No hablen de ello por iniciativa propia y, por amor de Dios, no digan nada a la prensa.

—Yo no hablo con la prensa —contestó Rhyme. ¿Quién hablaba con la prensa si podía evitarlo?—. Pero vamos a tener que revisar los otros casos para hacernos una idea de cómo opera.

—Yo no he dicho que no puedan hacerlo —repuso el capitán con voz firme, pero no estridente—. Manténgame informado. —Y colgó.

—Bueno, ya tenemos caso —comentó Sellitto y, rindiéndose al cuarto de galleta abandonado, lo engulló con el café.

Parada en la acera, con otros tres policías de paisano, Amelia Sachs estaba hablando con el hombre rechoncho que había abierto la puerta de su Camaro y la había apuntado con su arma. Había resultado no ser 522, sino un agente federal que trabajaba para la DEA, la Agencia Antidroga.

—Todavía estamos intentando averiguarlo —dijo, y miró a su jefe, el agente especial que ejercía como subdirector de la oficina de la DEA en Brooklyn.

—Sabremos más dentro de unos minutos —añadió el subdirector.

Poco antes, en su coche y a punta de pistola, Sachs había levantado las manos lentamente y se había identificado como agente de policía. El agente del FBI le había quitado el arma y había comprobado su identificación dos veces. Luego le había devuelto la pistola meneando la cabeza.

—No lo entiendo —había dicho. Se había disculpado, pero su cara no parecía sugerir que lo sintiera. Sugería más bien que, en fin, no lo entendía.

Un momento después habían llegado su jefe y otros dos agentes.

El subdirector recibió una llamada y escuchó unos minutos. Luego cerró su móvil y explicó lo que al parecer había ocurrido. Un rato antes, alguien había hecho una llamada anónima desde un teléfono público para informar de que una mujer armada cuya descripción coincidía con la de Sachs acababa de disparar a alguien en lo que parecía ser una reyerta por cuestiones de drogas.

—Tenemos una operación en marcha en esta zona —explicó el agente especial al mando—. Estamos investigando el asesinato de varios camellos y pequeños traficantes. —Señaló con la cabeza a su subalterno, el que había intentado detener a Sachs—. Anthony vive a una manzana de aquí. El director de operaciones lo ha mandado para inspeccionar la zona mientras reunía a las tropas.

Anthony añadió:

—Pensé que iba a irse, así que agarré una bolsa vieja y me acerqué. Madre mía... —De pronto parecía haber comprendido la magnitud de lo que había estado a punto de hacer. Se puso pálido, y Sachs se hizo la reflexión de que las Glock tenían un gatillo muy sensible. Se preguntó hasta qué punto había estado cerca de recibir un disparo.

—¿Qué estaba haciendo aquí? —preguntó el subdirector de la oficina de la DEA.

—Teníamos una violación con homicidio. —No les habló de la táctica de 522 de incriminar a personas inocentes para que pagaran por sus crímenes—. Supongo que el sospechoso me vio e hizo esa llamada para frenar la búsqueda.

O para que me mataran de un tiro por error.

El agente federal sacudió la cabeza, ceñudo.

—¿Qué ocurre? —preguntó Sachs.

—Estaba pensando que ese tipo es muy listo. Si hubiera llamado a la policía local, como habría hecho la mayoría de la gente, habrían estado al tanto de la operación y habrían sabido quién era usted. Así que nos llamó a nosotros. Lo único que sabíamos era que presuntamente había disparado a alguien, así que nos acercaríamos con precaución, listos para abatirla si sacaba un arma. —Arrugó el ceño—. Es muy astuto.

—Y da mucho miedo, además —comentó Anthony, todavía pálido.

Los agentes se marcharon y Sachs hizo una llamada.

Cuando Rhyme contestó, le contó el incidente. El criminalista escuchó con atención y luego dijo:

—¿Ha llamado a los federales?

—Sí.

—Es casi como si supiera que estaban en medio de una operación antidroga. Y que ese agente que ha intentado detenerte vivía cerca.

—Eso no podía saberlo —contestó ella.

—Puede que no. Pero una cosa sí sabía, eso está claro.

—¿Cuál?

—Sabía exactamente dónde estabas. Lo que significa que estaba observando. Ten cuidado, Sachs.

Rhyme le estaba explicando a Sellitto la trampa que el asesino le había tendido a Sachs en Brooklyn.

—¿Eso ha hecho?

—Por lo visto sí.

Estaban hablando de cómo podía haber conseguido esa información (sin llegar a ninguna conclusión convincente) cuando sonó el teléfono. Rhyme echó un vistazo al identificador de llamadas y respondió al instante:

—Inspectora.

La voz de Longhurst surgió del altavoz.

—¿Cómo está, detective Rhyme?

—Bien.

—Excelente. Sólo quería que supiera que hemos encontrado el piso franco de Logan. Al final no estaba en Manchester, pero estaba cerca, en Oldham, al este de la ciudad. —Le explicó a continuación que Danny Krueger se había enterado por uno de sus hombres de que un individuo del que se creía que era Richard Logan se había interesado por comprar ciertas piezas para armas—. No las armas propiamente dichas, ojo. Pero si se tienen las piezas para reparar un arma, cabe suponer que también se pueda fabricar una.

—Un rifle.

—Sí. De calibre grande.

—¿Se identificó?

—No, aunque creían que Logan pertenecía al ejército de Estados Unidos. Por lo visto prometió conseguirles munición en gran cantidad y con descuento en el futuro. Parecía tener documentos oficiales del ejército acerca de inventarios y especificaciones.

—Entonces, es posible que vaya a atacar en Londres.

—Eso parece. Respecto al piso franco: tenemos contactos en la comunidad hindú de Oldham. Contactos impecables. Oyeron hablar de un americano que había alquilado una casa vieja a las afueras del pueblo. Hemos conseguido localizarla, pero no la hemos registrado aún. Podría haberlo hecho nuestro equipo, pero hemos creído conveniente hablar con usted primero.

Longhurst añadió:

—Tengo la sensación, detective, de que no sabe que hemos descubierto su escondite. Y sospecho que puede haber pruebas muy interesantes dentro de la casa. He llamado a unos colegas del MI5 y les he pedido prestado un juguetito muy caro. Una cámara de vídeo de alta resolución. Nos gustaría que uno de nuestros agentes la lleve y que usted lo guíe por la escena y nos diga lo que opina. El equipo podría estar in situ dentro de unos cuarenta minutos.

Inspeccionar debidamente la casa, incluidas las salidas y las entradas, los cajones, los aseos, los armarios, los colchones... les llevaría casi toda la noche.

¿Por qué tenía que suceder ahora? Estaba convencido de que 522 suponía una verdadera amenaza. De hecho, si se tenía en cuenta la cronología (los casos anteriores, el de su primo y el asesinato de hoy), parecía estar aumentando la frecuencia de sus crímenes. Y le preocupaba especialmente el último suceso: que 522 se hubiera revuelto contra ellos y hubiera estado a punto de hacer que mataran a Sachs.

¿Sí? ¿No?

Pasado un momento de duda angustiosa, dijo:

—Inspectora, lamento decirle que ha surgido algo aquí. Tenemos una serie de homicidios y necesito concentrarme en ellos.

—Entiendo. —Irreductible reserva británica.

—Voy a tener que dejar el caso en sus manos.

—Desde luego, detective. Lo comprendo.

—Es usted libre de tomar todas las decisiones.

—Le agradezco el voto de confianza. Resolveremos este asunto y lo mantendré informado. Ahora será mejor que cuelgue.

—Buena suerte.

—Igualmente.

Era duro para Lincoln Rhyme abandonar una cacería, sobre todo cuando la presa era aquel criminal en concreto. Pero había que tomar una decisión. Y ahora 522 era su único objetivo.

—Mel, coge el teléfono y averigua dónde diablos están esas pruebas que venían de Brooklyn.

12

Esto sí que es una sorpresa.

Las señas del Upper East Side y el hecho de que Robert Jorgensen fuera cirujano ortopédico había inducido a Amelia Sachs a creer que la residencia Henderson, cuya dirección figuraba en la nota adhesiva, sería mucho más bonita.

Era, en cambio, un tugurio repugnante, una pensión de mala muerte habitada por borrachos y yonquis. El sórdido vestíbulo, lleno de muebles desparejados y mohosos, apestaba a ajo, a desinfectante barato, a ambientador inservible y a sudor agrio. Los albergues para indigentes eran, en su mayoría, más agradables.

Sachs se detuvo en la entrada oscura y se dio la vuelta. Inquieta todavía por la vigilancia de 522 y por la facilidad con que había engañado a los federales en Brooklyn, inspeccionó cuidadosamente la calle con la mirada. Nadie parecía prestarle atención, pero el asesino tenía que haber estado muy cerca de la casa de DeLeon Williams, y ella no se había dado cuenta. Observó un edificio abandonado, al otro lado de la calle. ¿Estaría observándola alguien desde una de las ventanas cubiertas de mugre?

¡O allí! En la segunda planta había un ventanal roto y estaba segura de haber visto moverse algo entre las sombras. ¿Era una cara? ¿O era una luz procedente de un agujero en el tejado?

Se acercó y examinó el edificio con detenimiento, pero al no ver a nadie llegó a la conclusión de que sus ojos le habían jugado una mala pasada. Regresó hacia el hotel y entró respirando agitadamente. En el mostrador de recepción, enseñó su insignia al gordísimo empleado. No pareció sorprendido en absoluto, ni tampoco preocupado por la llegada de un agente de policía. Le indicó el ascensor, que al abrirse exhaló un olor fétido. Muy bien, iría por las escaleras.

El dolor de sus articulaciones artríticas le hizo esbozar una mueca cuando empujó la puerta del sexto piso y encontró la habitación 672. Llamó y luego se hizo a un lado.

—Policía. ¿Señor Jorgensen? Por favor, abra la puerta.

Ignoraba qué relación podía tener aquel hombre con el asesino, de modo que acercó la mano a la empuñadura de su Glock, una buena pistola, tan fiable como el sol.

No hubo respuesta, pero le pareció oír el sonido de la tapita metálica de la mirilla.

—Policía —repitió.

—Meta su identificación por debajo de la puerta.

Sachs así lo hizo.

Un silencio. Luego se descorrieron varias cadenas y un cerrojo. La puerta se abrió un corto trecho, pero la detuvo una barra de seguridad. El hueco era más grande que el que dejaba una cadena, pero no lo suficiente para que entrara una persona.

Apareció la cabeza de un hombre de mediana edad. Tenía el pelo largo y sucio y la cara cubierta por una barba agreste. Sus párpados se movían espasmódicamente.

—¿Es usted Robert Jorgensen?

El hombre miró su cara, luego miró de nuevo su identificación, dio la vuelta a la tarjeta y la levantó hacia la luz, a pesar de que el rectángulo plastificado era opaco. Se la devolvió y quitó la barra de seguridad. Se abrió la puerta. Robert Jorgensen echó un vistazo al pasillo, a espaldas de Sachs, y luego le indicó que entrara. Ella entró con cautela, con la mano todavía cerca del arma. Echó una rápida ojeada a la habitación y a los armarios. No había nadie más allí y el ocupante de la habitación iba desarmado.

—¿Es usted Robert Jorgensen? —repitió.

El hombre asintió con la cabeza.

Sachs miró más detenidamente la lúgubre habitación. Contenía una cama, un escritorio, una silla, un sillón y un sofá mísero. La moqueta gris oscura estaba manchada. La lámpara de pie, la única que había en la habitación, proyectaba una luz mortecina y amarillenta, y las persianas estaban echadas. Al parecer, todas las pertenencias del señor Jorgensen se hallaban en cuatro maletas grandes y una bolsa de deporte. No tenía cocina, pero a un lado del cuarto de estar había una nevera pequeña y dos microondas. También una cafetera. Su dieta se componía principalmente de sopa y fideos chinos. Alineadas con esmero junto a la pared, había un centenar de carpetas de color marrón.

Sus prendas de vestir procedían de un periodo distinto de su vida, de una época más próspera. Parecían costosas, pero estaban manchadas y raídas. Los tacones de los zapatos de aspecto lujoso estaban gastados. Era de suponer que hubiera perdido su consulta por culpa de un problema con las drogas o la bebida.

En aquel momento estaba ocupado en una extraña tarea: diseccionar un grueso manual de tapa dura. Sujeta al escritorio había una lupa desportillada, montada sobre un cuello plegable, y el señor Jorgensen había estado arrancando páginas del libro y cortándolas en tiras.

Tal vez fuera la enfermedad mental lo que le había conducido a la ruina.

—Ha venido por las cartas. Ya era hora.

—¿Las cartas?

Jorgensen la miró con recelo.

—¿No?

—No sé nada de ninguna carta.

—Las mandé a Washington. Pero ustedes hablan, ¿verdad? Todos los policías. La gente que se dedica a la seguridad pública. Claro que sí. Tienen que hablar, todo el mundo habla. Las bases de datos policiales y todo eso...

—La verdad es que no sé a qué se refiere.

Jorgensen pareció creerla.

—Pues entonces... —Miró su cadera y sus ojos se dilataron—. Espere, ¿lleva el móvil encendido?

—Pues sí.

—¡Santo Dios! ¿Se puede saber qué le pasa?

—Yo...

—¿Por qué no va corriendo desnuda por la calle y le da su dirección a cualquier desconocido con el que se tope? Quite la batería, no se limite a apagarlo. ¡La batería!

—No voy a hacer eso.

—Quítesela o ya puede largarse. La agenda electrónica también. Y el buscapersonas.

No parecía dispuesto a negociar, pero Sachs dijo con firmeza:

—No voy arriesgarme a perder la memoria. Apagaré el teléfono y también el busca.

—Está bien —refunfuñó él, y se inclinó hacia delante mientras Sachs quitaba la batería a los dos dispositivos y apagaba la agenda electrónica.

Luego le pidió la documentación. Jorgensen dudó, pero finalmente sacó su permiso de conducir. La dirección era de Greenwich, Connecticut, uno de los municipios más ricos del área metropolitana.

—No he venido por las cartas, señor Jorgensen. Sólo quiero hacerle unas preguntas. No le entretendré mucho tiempo.

Él le indicó el sofá raído y se sentó en la desvencijada silla del escritorio. Como si no pudiera refrenarse, se volvió hacia el libro y cortó un trozo del lomo con una cuchilla. Manejaba la cuchilla con habilidad, rápidamente y con mano firme. Sachs se alegró de que el escritorio se interpusiera entre ellos y de tener a mano su pistola.

—Señor Jorgensen, estoy aquí por un crimen que se ha cometido esta mañana.

—Ah, claro, desde luego. —Frunciendo los labios, la miró de nuevo con clara expresión de asco y de resignación—. ¿Y qué se supone que he hecho esta vez?

¿Esta vez?

—El crimen al que me refiero es una violación con resultado de muerte. Pero sabemos que usted no está implicado. Estaba aquí.

Una sonrisa cruel.

—Ah, conque han estado siguiéndome la pista. Cómo no. —Luego hizo una mueca—. Maldita sea —dijo en respuesta a algo que había encontrado, o que no había encontrado, en el trozo de lomo del libro que estaba cortando. Lo tiró a la basura. Sachs vio varias bolsas de basura abiertas a medias y llenas de restos de ropa, libros, periódicos y cajitas que también había hecho trizas. Luego miró el microondas de tamaño más grande y vio que tenía dentro un libro.

Fobia a los gérmenes, supuso.

Jorgensen reparó en su mirada.

—Pasarlos por el microondas es el mejor modo de destruirlos.

—¿Las bacterias? ¿Los virus?

Su pregunta la hizo reír como si fuera una broma. Señaló con la cabeza el volumen que tenía delante.

—Pero a veces cuesta mucho encontrarlos. Hay que hacerlo, de todos modos. Uno tiene que ver qué aspecto tiene el enemigo. —Señaló otra vez el microondas—. Y muy pronto ellos empezarán a hacerlos de tal manera que no se puedan desactivar pasándolos por el microondas. Sí, más vale que me crea.

«Ellos», «el enemigo»... Sachs había sido policía de a pie en la División de Patrullas durante varios años: un «comodín», los llamaban en la jerga policial. Había trabajado en Times Square cuando todavía era eso, Times Square, antes de que se convirtiera en el Disneyland del Norte. La patrullera Sachs tenía mucha experiencia con indigentes y perturbados psíquicos. Reconoció en Jorgensen los síntomas típicos de una personalidad paranoica, quizás incluso de esquizofrenia.

—¿Conoce a un tal DeLeon Williams?

—No.

Sachs le dio los nombres de las otras víctimas y los chivos expiatorios, incluido el primo de Rhyme.

—No, no me suenan de nada. —Parecía contestar con sinceridad. El libro acaparó su atención durante medio minuto largo. Arrancó una página, la levantó y volvió a hacer una mueca. Tiró la página.

—Señor Jorgensen, el número de esta habitación figuraba en una nota que hemos hallado hoy cerca de la escena del crimen.

La mano que sostenía la cuchilla se detuvo de pronto. Jorgensen le lanzó una mirada ardiente y atemorizada.

—¿Dónde? —preguntó casi sin aliento—. ¿Dónde diablos la encontraron?

—En una papelera, en Brooklyn. Estaba pegada a unas pruebas. Es posible que la tirara el asesino.

—¿Saben su nombre? —preguntó Jorgensen con un susurro espantoso—. ¿Qué aspecto tiene? ¡Dígamelo! —Se levantó a medias y su rostro se puso de un rojo vivo. Le temblaban los labios.

—Cálmese, señor Jorgensen. Tranquilo. No estamos seguros de que sea él quien dejó la nota.

—Oh, claro que es él. Puede estar segura. ¡Ese hijo de puta! —Se inclinó hacia delante—. ¿Sabe su nombre?

—No.

—¡Dígamelo, maldita sea! Hagan algo por mí para variar, en vez de ir contra mí.

Sachs dijo con firmeza:

—Si puedo ayudarle, lo haré. Pero tiene que calmarse. ¿De quién está hablando?

Él dejó la cuchilla y se echó hacia atrás con los hombros hundidos. Por su cara se extendió una sonrisa amarga.

—¿De quién? ¿De quién? ¡Pues de Dios, claro!

—¿De Dios?

—Y yo soy Job. ¿Conoce a Job? El inocente al que Dios atormentaba. ¿Todas las pruebas que tuvo que pasar? Eso no es nada comparado con lo que he pasado yo... Es él, claro que es él. Ha averiguado dónde estoy y lo ha escrito en esa nota suya. Creía que había escapado. Pero ha vuelto a pillarme.

A Sachs le pareció ver que lloraba.

—¿A qué se refiere? —preguntó—. Cuéntemelo, por favor.

Jorgensen se frotó la cara.

—Bien... Hace un par de años, yo ejercía como médico, vivía en Connecticut. Tenía mujer y dos hijos maravillosos. Dinero en el banco, plan de pensiones, segunda residencia. Una vida cómoda. Era feliz. Pero entonces pasó algo extraño. Nada del otro mundo, al principio. Solicité una tarjeta de crédito nueva, para conseguir puntos en el programa de usuario frecuente de líneas aéreas. Ganaba trescientos mil dólares al año. No había dejado de pagar un solo plazo de la hipoteca o de la tarjeta de crédito en toda mi vida. Pero rechazaron mi solicitud. Será un error, pensé. Pero la empresa me dijo que se me consideraba un riesgo crediticio, puesto que había cambiado de domicilio tres veces en los seis meses anteriores. Sólo que yo no me había mudado ni una sola vez. Alguien se había adueñado de mi nombre, de mi número de la Seguridad Social y de mis datos bancarios y había alquilado pisos haciéndose pasar por mí. Después había dejado sin pagar el alquiler, no sin antes haber gastado casi cien mil dólares en mercancías y haber pedido que las enviaran a esas direcciones.

—¿Usurpación de identidad?

—Ya lo creo: la madre de todas ellas. Dios abría tarjetas de crédito a mi nombre, pagaba con ellas facturas altísimas y hacía que enviaran los recibos a distintas direcciones. Nunca pagaba, claro. En cuanto yo conseguía aclarar uno de sus pufos, hacía otra cosa. Y conseguía continuamente información sobre mí. ¡Lo sabía todo! El nombre de soltera de mi madre, su fecha de cumpleaños, el nombre de mi primer perro, mi primer coche: todas esas cosas que las empresas te preguntan para que sirvan de contraseña. Se hizo con mis números de teléfono y con el número de mi tarjeta de llamadas. Gastó diez mil dólares en teléfono. ¿Cómo? Llamaba para saber la hora y la temperatura que había en Moscú, en Singapur o en Sídney y dejaba el teléfono descolgado durante horas.

—¿Por qué?

—¿Que por qué? Porque es Dios. Y yo soy Job. ¡El muy hijo de puta compró una casa a mi nombre! ¡Una casa, nada menos! Y luego la dejó sin pagar. Yo sólo me enteré cuando un abogado que trabajaba para una agencia de cobro de impagos dio conmigo en mi clínica de Nueva York y me propuso llegar a un acuerdo para el pago de los trescientos setenta mil dólares que debía. Dios dejó también un cuarto de millón de dólares en deudas de juego *online*.

»Hizo reclamaciones falsas en mi nombre a mi empresa aseguradora y cancelaron mi seguro de responsabilidad civil. No podía seguir trabajando en la clínica sin seguro, y nadie quería suscribirme una póliza. Tuvimos que vender la casa y, cómo no, invertir hasta el último centavo en pagar las deudas que supuestamente había contraído yo y que en ese momento ascendían ya a unos dos millones de dólares.

—¿Dos millones?

Jorgensen cerró los ojos un instante.

—Luego fue aún peor. Mi mujer aguantó el tirón mientras duró todo aquello. Fue duro, pero siguió a mi lado... hasta que Dios empezó a mandar regalos, regalos muy caros, en mi nombre a algunas antiguas enfermeras de la clínica, regalos comprados con mi tarjeta de crédito y que incluían invitaciones y comentarios insinuantes. Una de ellas dejó un mensaje en el contestador de mi casa dándome las gracias y diciendo que le encantaría pasar conmigo un fin de semana fuera. Mi hija lo oyó. Le dio un ataque de llanto cuando se lo contó a mi mujer. Creo que mi mujer siguió creyendo que era inocente, pero aun así me dejó hace cuatro meses y se fue a vivir a Colorado, con su hermana.

—Lo siento.

—¿Lo siente? Ah, vaya, muchísimas gracias, pero no he acabado aún. No, nada de eso. Justo después de que me dejara mi mujer, empezaron las detenciones. Por lo visto, varias armas compradas con una tarjeta de crédito y un permiso de conducir falso a mi nombre se habían utilizado en robos a mano armada en el este de Nueva York, en New Haven y en Yonkers. Un empleado había resultado herido de gravedad. La Oficina de Investigación de Nueva York me detuvo. Finalmente me dejaron marchar, pero ya tenía una detención en mi historial. Se quedaría para siempre, lo mismo que cuando me detuvo la Agencia Antidroga porque alguien había comprado con un cheque a mi nombre fármacos importados ilegalmente y que sólo se podían comprar por prescripción facultativa.

»Ah, y también estuve en la cárcel una temporada. Bueno, yo no, una persona a la que Dios vendió unas tarjetas de crédito falsas y un permiso de conducir a mi nombre. Naturalmente, el detenido era otra persona completamente distinta. ¿Quién sabe cuál es su verdadero nombre? Pero oficialmente los archivos administrativos muestran que Robert Samuel Jorgensen, con número de la Seguridad Social nueve, dos, tres, seis, siete, cuatro, uno, ocho, dos, anteriormente vecino de Greenwich, Connecticut, estuvo en la cárcel. Eso también figura en mi historial. Para siempre.

—Supongo que habrá tomado medidas, que habrá hablado con la policía.

Jorgensen resopló.

—Por favor... Usted es policía. ¿Sabe qué prioridad tiene esto dentro del trabajo policial? Más o menos la misma que cruzar la calle por donde no se debe.

—¿Averiguó algo que pueda servirnos de ayuda? ¿Algo acerca de ese individuo? ¿Edad, raza, formación, lugar de residencia?

—No, nada. Allá donde mirara sólo aparecía una persona: yo. Me robó mi identidad. Dicen que hay salvaguardas, claro, que hay garantías. Tonterías. Sí, si pierdes la tarjeta de crédito, quizás estés protegido hasta cierto punto.

Pero si alguien se empeña en destrozarte la vida, no hay nada que puedas hacer al respecto. La gente cree lo que le dicen los ordenadores. Y si los ordenadores dicen que debes dinero, es que debes dinero. Si dicen que eres un cliente de riesgo, eres un cliente de riesgo. Si el informe dice que no tienes crédito, es que no tienes crédito, aunque seas multimillonario. Creemos en los datos, no nos importa la verdad.

»¿Quiere ver cuál fue mi último empleo? —Se levantó de un salto y abrió el armario para mostrarle el uniforme de una cadena de restaurantes de comida rápida. Regresó a su escritorio y se puso a trabajar de nuevo en el libro mascullando—: Te encontraré, cabrón. —Levantó la mirada—. ¿Y quiere saber qué es lo peor de todo?

Sachs asintió con una inclinación de cabeza.

—Que Dios nunca vivió en los pisos que alquilaba a mi nombre. Nunca recogió las drogas compradas ilegalmente, ni ninguno de los productos que encargó. La policía lo recuperó todo. Y jamás vivió en la preciosa casa que compró. ¿Entiende? Su único objetivo era atormentarme. Él es Dios y yo soy Job.

Sachs se fijó en una fotografía que había sobre el escritorio. En ella aparecían Jorgensen y una mujer rubia más o menos de su misma edad, rodeando con los brazos a una chica adolescente y un niño pequeño. La casa que se veía al fondo era muy bonita. La detective se preguntó por qué se había tomado tantas molestias 522 para destruir la vida de aquel hombre, si en efecto era él quien se hallaba detrás de todo aquello. ¿Estaba poniendo a prueba técnicas que luego utilizaría para acercarse a sus víctimas e inculpar a sus chivos expiatorios? ¿Había sido Jorgensen su conejillo de Indias?

¿O era 522 un sociópata implacable? Lo que le había hecho a Jorgensen podía calificarse de violación no sexual.

—Creo que debería buscarse otro sitio donde vivir, señor Jorgensen.

Una sonrisa resignada.

—Lo sé. Es más seguro así. Ponerle las cosas difíciles para que no me encuentre.

Sachs se acordó de una expresión que solía emplear su padre y que le parecía que se ajustaba bastante bien a su propia vida: «Cuando te mueves, no pueden atraparte».

Jorgensen señaló el libro con la cabeza.

—¿Sabe cómo me ha encontrado aquí? Tengo la sensación de que ha sido por esto. Las cosas empezaron a torcerse justo después de comprarlo. No dejo de pensar que la respuesta está dentro. Lo he pasado por el microondas, pero no ha servido de nada, obviamente. La respuesta tiene que estar dentro. ¡Tiene que estar dentro!

—¿Qué está buscando exactamente?

—¿No lo sabe?

—No.

—Pues dispositivos de seguimiento, claro está. Los ponen en los libros. Y en la ropa. Muy pronto los pondrán en casi todo.

Así que no eran gérmenes.

—¿Los microondas destruyen los dispositivos de seguimiento? —preguntó, siguiéndole la corriente.

—La mayoría sí. Se les puede romper la antena, pero ahora los hacen tan pequeños... Casi microscópicos. —Se quedó callado y Sachs advirtió que la miraba intensamente mientras sopesaba una idea. Después anunció—: Lléveselo.

—¿Qué?

—El libro. —Sus ojos se movían frenéticamente, recorriendo la habitación—. Tiene la respuesta dentro, la respuesta a todo lo que me ha pasado... ¡Por favor! Es usted la primera que no ha puesto cara de fastidio cuando le he contado mi historia, la única que no me ha mirado como si estuviera loco. —Se echó hacia delante—. Usted tiene tantas ganas de atraparlo como yo. Y ustedes tienen toda clase de equipamiento, me juego algo. Microscopios de barrido, sensores... ¡Usted puede encontrarlo! Y la llevará hasta él. ¡Sí! —Empujó el libro hacia ella.

—Bueno, no sé qué estamos buscando.

Jorgensen asintió, comprensivo.

—Dígamelo a mí. Ése es el problema. Que cambian las cosas constantemente. Ellos van siempre un paso por delante de nosotros. Pero, por favor...

Ellos...

Sachs cogió el libro y se pensó si debía guardarlo en una bolsa de plástico para pruebas y adjuntar una tarjeta de cadena de custodia. Se preguntó si se reirían mucho de ella en casa de Rhyme. Seguramente sería mejor llevarlo en la mano sin más.

Jorgensen se inclinó hacia delante y apretó su mano con fuerza.

—Gracias. —Había empezado a llorar otra vez.

—Entonces, ¿va a mudarse? —preguntó ella.

Contestó que sí y le dio el nombre de otro hotel en el Lower East Side.

—No lo anote. No se lo diga a nadie. No hable de mí por teléfono. Ellos están escuchando todo el tiempo, ¿sabe?

—Llámeme si se le ocurre algo más sobre... Dios. —Le dio su tarjeta.

Jorgensen memorizó la información que contenía y rompió la tarjeta. Entró en el cuarto de baño y tiró de la cadena sólo a medias. Se dio cuenta de que Sachs lo observaba con curiosidad.

—Luego tiraré del todo de la cadena. Tirarlo todo por la cadena de una vez es tan estúpido como dejar facturas en tu buzón con la banderita roja subida. La gente es tan tonta...

La acompañó a la puerta y se inclinó hacia ella. El hedor de la ropa sucia asaltó a Sachs. Sus ojos enrojecidos la miraban con fiereza.

—Escúcheme, agente. Sé que lleva esa pistola tan grande en la cadera, pero eso no le servirá de nada contra alguien como él. Tiene que acercarse mucho para dispararle. Él, en cambio, no tiene que acercarse en absoluto. Puede quedarse sentado en una habitación a oscuras, en cualquier parte, bebiendo una copa de vino, y hacerle trizas la vida. —Señaló el libro que ella llevaba en la mano—. Y ahora que tiene eso, usted también está infectada.

13

He estado viendo las noticias (hoy día hay tantas manera eficaces de conseguir información) y no he oído nada sobre una policía pelirroja abatida por otro agente de la ley en Brooklyn.

Pero por lo menos Ellos tienen miedo.

Deben de estar nerviosos.

Bien. ¿Por qué iba a ser yo el único?

Mientras camino, reflexiono: ¿cómo ha ocurrido esto? ¿Cómo es posible que haya ocurrido?

Esto no va bien, no va bien, no va...

Parecían saber exactamente lo que iba a hacer, quién era mi víctima.

Y que iba camino de la casa de DeLeon 6832 *en ese preciso momento*.

¿Cómo lo sabían?

Repasando los datos, variándolos, analizándolos. No, no entiendo cómo lo han conseguido.

Todavía no. Tengo que seguir pensando.

No dispongo de información suficiente. ¿Cómo voy a extraer conclusiones si no tengo los datos? ¿Cómo?

Cálmate, cálmate, me digo. Cuando caminan deprisa, los dieciséis van arrojando datos, desvelando información de todas clases, al menos para aquellos que son listos, que saben hacer buenas deducciones.

Arriba y abajo por las calles grises de la ciudad, el domingo ha perdido su encanto. Un día feo, arruinado. El sol es áspero y turbio. La ciudad es fría, tiene los bordes deshilachados. Los dieciséis son burlones, hipócritas y pedantes.

¡Los odio a todos!

Pero mantén la cabeza baja, finge que estás disfrutando del día.

Y, sobre todo, *piensa*. Analiza. ¿Cómo analizaría un ordenador los datos si se enfrentara a un problema?

Piensa. Bien, ¿cómo han podido enterarse Ellos?

Una manzana, dos manzanas, tres manzanas, cuatro...

No hay respuestas. Sólo una conclusión: son buenos. Y otro interrogante: ¿quiénes son exactamente Ellos? Supongo...

Me asalta una idea espantosa. No, por favor... Me paro y rebusco en mi mochila. ¡No, no, no! ¡No está! El Post-it pegado a la bolsa de las pruebas, olvidé quitarlo antes de tirarla. La dirección de mi dieciséis favorito: 3694-8938-5330-2498, mi mascota, conocido oficialmente como el doctor Robert Jorgensen. Acababa de averiguar adónde había huido intentando esconderse y lo había anotado en el Post-it. Me enfurece no haberlo memorizado y haber tirado la nota.

Me odio a mí mismo, odio todas las cosas. ¿Cómo he podido ser tan descuidado?

Tengo ganas de llorar, de gritar.

¡Mi Robert 3694! Ha sido durante dos años mi conejillo de Indias, mi experimento humano. Archivos públicos, usurpación de identidad, tarjetas de crédito...

Pero, sobre todo, arruinarlo fue un enorme subidón. Orgásmico, indescriptible. Como la coca o la heroína. Coger a un padre de familia feliz y completamente normal, a un médico bueno y atento, y destruirlo.

Bien, no puedo correr ningún riesgo. Tengo que dar por descontado que alguien encontrará la nota y hablará con él. Él huirá... y yo tendré que dejarlo marchar.

Hoy me han robado algo más. No puedo describir cómo me siento cuando eso pasa. Duele como una quemadura, es un miedo parecido al pánico ciego, es como caer y saber que vas a estrellarte contra el suelo borroso en cualquier momento, pero... todavía... no.

Deambulo entre las manadas de antílopes, entre los dieciséis que vagan de acá para allá en su día de fiesta. Mi felicidad está aniquilada, mi bienestar ha desaparecido. Hace apenas unas horas miraba a todo el mundo con curiosidad benévola o con lujuria. Ahora sólo quiero abalanzarme sobre alguien y rajar su carne blanca, fina como la piel de un tomate, con una de mis ochenta y nueve cuchillas de barbero.

Quizá con mi modelo Krusius Brothers de fines del siglo XIX. Tiene una hoja extralarga, un mango fino de asta de venado y es el orgullo de mi colección.

—Las pruebas, Mel. Vamos a echarles un vistazo.

Rhyme se refería a las pruebas que habían recogido en la papelera, cerca de la casa de DeLeon Williams.

—¿Crestas de fricción?

Cooper buscó primero huellas dactilares en las bolsas de plástico: la que contenía las pruebas que presuntamente iba a colocar 522 y las bolsas que había dentro, una con sangre todavía fresca y otra con una toalla de papel ensangrentada. Pero no había huellas en el plástico, lo cual fue una desilusión teniendo en cuenta lo bien que las conserva. (A menudo son visibles, no latentes, y pueden distinguirse sin iluminación especial ni productos químicos.) Cooper encontró, en cambio, indicios de que el sujeto no identificado había manipulado las bolsas con guantes de algodón: los criminales expertos los prefieren a los de látex, que conservan perfectamente las huellas dactilares en el interior de los dedos.

Sirviéndose de diversos aerosoles y fuentes de luz alterna, Mel Cooper examinó el resto de los objetos sin encontrar huellas en ninguno de ellos.

Rhyme comprendió que aquel caso, como los demás que cabía atribuir a 522, se diferenciaba de la mayoría en que presentaba pruebas de dos clases. En primer lugar, pruebas materiales falsas con las que el asesino tenía intención de inculpar a DeLeon Williams. Indudablemente, se había cerciorado de que ninguna de ellas pudiera conducir hasta su persona. En segundo lugar, pruebas auténticas que había dejado accidentalmente y que podían muy bien conducir hasta su domicilio. Los restos de tabaco, por ejemplo, o el pelo de muñeca.

La toalla de papel manchada de sangre y la sangre fresca pertenecían a la primera categoría, la de las pruebas que pensaba colocar en casa de Williams. Del mismo modo, no cabía duda de que la cinta aislante que pensaba depositar en el garaje o en el coche de Williams encajaría a la perfección con las tiras empleadas para amordazar o atar a Myra Weinburg, pero había sido cuidadosamente aislada de la casa de 522 para que no se contaminara con ningún otro resto material.

La zapatilla deportiva marca Sure-Track del número 47 seguramente no iba a ser depositada en casa de Williams, pero aun así era una prueba falsificada en el sentido de que 522 la había utilizado indudablemente para dejar en el lugar de los hechos la huella de un zapato parecido a los que gastaba Williams. Mel Cooper la examinó de todos modos y descubrió algunos restos materiales: había cerveza en los intersticios de la suela. Según la base de datos de ingredientes de bebidas fermentadas que Rhyme había creado años antes para el Departamento de Policía de Nueva York, era con toda probabilidad cerveza de la marca Miller. Podía pertenecer a cualquiera de las dos categorías de pruebas: falsas o auténticas. Para salir de dudas, tendrían que ver qué recogía Pulaski en la escena del crimen de Myra Weinburg.

La bolsa contenía además una fotografía de la joven impresa por impresora que seguramente 522 había incluido a fin de sugerir que Williams le había estado siguiendo la pista a través de Internet. Por tanto, estaba también destinada a servir de prueba falsa. Aun así, Rhyme pidió a Cooper que la examinara con cuidado. El test de ninhidrina no reveló, sin embargo, ninguna huella dactilar. Los análisis microscópicos y químicos pusieron de manifiesto que el papel era genérico, imposible de rastrear, y que se había utilizado una impresora Hewlett-Packard láser, también ilocalizable más allá del nombre de la marca.

Hicieron, no obstante, un descubrimiento que podía ser útil: encontraron algo incrustado en el papel: restos de un hongo, *Stachybotrys chartarum*, el célebre moho de los «edificios enfermos». Dado que la cantidad hallada en el papel era muy escasa, era improbable que 522 pensara utilizarla como prueba falsa. Procedía, más probablemente, de la casa del asesino o de su lugar de trabajo. La presencia de dicho moho, que se encontraba casi exclusivamente en interiores, suponía que su vivienda o lugar de trabajo era, al menos en parte, húmedo y oscuro. El moho no prolifera en lugares secos.

La nota adhesiva, que el asesino seguramente tampoco preveía dejar como prueba inculpatoria, no era genérica, de las más baratas, sino de la marca 3M, pero aun así resultaba imposible localizar su origen. Cooper no encontró restos materiales en ella aparte de unas cuantas esporas de moho, lo cual les sirvió al menos para constatar que probablemente procedía de 522. La tinta era de un bolígrafo desechable de los que se vendían en un sinfín de tiendas de todo el país.

Y eso era todo, aunque mientras Cooper estaba anotando los resultados, un técnico del laboratorio externo que utilizaba Rhyme para los análisis médicos de urgencia llamó para informarles de que las pruebas preliminares confirmaban que la sangre hallada en las bolsas era de Myra Weinburg.

Sellitto atendió una llamada telefónica, mantuvo una conversación breve y colgó.

—Nada. La Agencia Antidroga ha rastreado la llamada acerca de Amelia. Se hizo desde un teléfono público. Nadie vio a la persona que llamó y en la autopista nadie vio a un tipo corriendo. Los interrogatorios en las dos estaciones de metro más cercanas no han dado resultado. Nadie vio nada sospechoso a la hora en la que escapó ese tipo.

—Bueno, no estaba haciendo nada sospechoso, ¿no? ¿Qué se piensan los que han hecho los interrogatorios? ¿Que un asesino que huía iba a saltarse el torniquete o a quitarse la ropa y a ponerse un traje de superhéroe?

—Sólo te estoy diciendo lo que me han dicho, Linc.

Rhyme hizo una mueca y pidió a Thom que anotara los resultados de la búsqueda en la pizarra.

116

- Tres bolsas de plástico de congelación marca Ziploc, de medio litro.
- Zapatilla deportiva marca Sure-Track del número 47, pie derecho, con cerveza seca en la suela (posiblemente marca Miller), sin signos de haber sido usada. No se distingue ningún otro resto material. ¿Fueron compradas las zapatillas para dejar una huella en la escena del crimen?
- Toalla de papel con sangre en bolsa de plástico. Análisis preliminares confirman que es de la víctima.
- 2 cm^3 de sangre en bolsa de plástico. Análisis preliminares confirman que es de la víctima.
- Post-it con la dirección del hotel residencia Henderson, habitación 672, ocupada por Robert Jorgensen. Nota y bolígrafos ilocalizables. Papel ilocalizable. Restos de hongo *Stachybotrys chartarum* en el papel.
- Fotografía de la víctima, aparentemente impresa con una Hewlett-Packard láser, a color. Ilocalizable como el papel. Restos de hongo *Stachybotrys chartarum* en el papel.
- Cinta aislante marca Home Depot. Imposible determinar origen.
- Ausencia de crestas de fricción.

Sonó el timbre y Ron Pulaski entró en la habitación con paso enérgico, llevando dos cajas de plástico, de las que se usaban para las botellas de leche, llenas de bolsas de plástico. Eran las pruebas del lugar donde había sido asesinada Myra Weinburg.

Rhyme advirtió de inmediato que su expresión había cambiado. Su rostro permanecía inmóvil. Pulaski gesticulaba a menudo, o parecía perplejo o, de vez en cuando, orgulloso. Incluso se sonrojaba. Ahora, en cambio, sus ojos parecían desprovistos de emoción, carecían por completo de la mirada decidida de antes. Saludó a Rhyme con una inclinación de cabeza, se acercó con aire hosco a las mesas de examen, le entregó las pruebas a Cooper y le dio las tarjetas de cadena de custodia, que el técnico firmó.

Luego, el novato se apartó y echó un vistazo al esquema de la pizarra que había hecho Thom. Con las manos en los bolsillos y la camisa hawaiana suelta, no vio una sola palabra.

—¿Estás bien, Pulaski?

—Claro.

—Pues no lo parece —comentó Sellitto.

—Qué va, no es nada.

Pero no era cierto. Algo le había afectado mientras inspeccionaba por primera vez solo la escena de un homicidio.

Por fin dijo:

—Estaba allí tumbada, boca arriba, mirando el techo. Era como si estuviera viva, buscando algo. Con el ceño fruncido, como si tuviera curiosidad. Supongo que esperaba que estuviera tapada.

—Sí, bueno, ya sabes que no los tapamos —masculló Sellitto.

Pulaski miró por la ventana.

—El caso es... Vale, sé que es una locura, pero es que se parecía un poco a Jenny. —Se refería a su mujer—. Ha sido muy raro.

En muchos sentidos, Lincoln Rhyme y Amelia Sachs se parecían a la hora de desempeñar su trabajo. Creían que, al inspeccionar el lugar de un crimen, había que poner en juego la empatía a fin de sentir lo que habían experimentado el asesino y la víctima. Ello ayudaba a entender mejor la escena del crimen y a encontrar pruebas que de otro modo podían pasar desapercibidas.

Quienes tenían esa habilidad, por espeluznantes que pudieran ser sus consecuencias, eran maestros en el arte de «recorrer la cuadrícula».

Pero Rhyme y Sachs diferían en un aspecto fundamental: ella creía que era importante no embotarse, no hacerse inmune al horror del crimen. Había que sentir ese horror cada vez que se entraba en la escena de un asesinato, y después. Si no, decía, se te endurecía el corazón y te hallabas más cercano a las tinieblas que habitaban en el interior de la gente a la que perseguías. Rhyme, en cambio, opinaba que había que mostrarse lo más desapasionado posible. Sólo desentendiéndote fríamente de la tragedia podías ser el mejor agente de policía posible e impedir que ocurrieran futuras tragedias. («Ya no es un ser humano», les decía a sus nuevos reclutas. «Es una fuente de pruebas materiales. Y muy buena, además.»)

El criminalista creía que Pulaski estaba más cerca de ser como él, pero en aquel momento, estando tan al comienzo de su carrera, pertenecía más bien al bando de Amelia Sachs. Sintió lástima por el joven, pero tenían un caso que resolver. Esa noche, cuando llegara a casa, Pulaski podría abrazar con fuerza a su mujer y llorar en silencio la muerte de la joven a la que tanto se parecía su esposa.

—¿Estás aquí, Pulaski? —preguntó en tono malhumorado.

—Sí, señor, estoy bien.

No del todo, pero Rhyme se había hecho entender.

—¿Has inspeccionado el cadáver?

Un gesto de asentimiento.

—También estaba allí el forense de guardia. Lo hemos inspeccionado juntos. Me he asegurado de que se pusiera gomas en los zapatos.

Para evitar confusiones a la hora de examinar las huellas de pisadas, Rhyme exigía a sus colaboradores que se pusieran gomas alrededor de los zapatos incluso cuando vestían monos de plástico con capucha para impedir que sus cabellos, sus células epidérmicas y otros restos materiales contaminaran la escena del crimen.

—Bien. —El criminalista miró con avidez las cajas de leche—. Vamos a ponernos en marcha. Le hemos estropeado el plan. Puede que esté enfadado y que en estos momentos esté buscando a otra víctima. O puede que esté comprando un billete con destino a México. En cualquier caso, quiero que nos demos prisa.

El joven policía abrió su cuaderno.

—Yo...

—¡Thom, ven aquí! ¡Thom! ¿Dónde demonios estás?

—Dime, Lincoln —dijo su asistente con una sonrisa alegre al entrar en la habitación—. Siempre estoy dispuesto a dejarlo todo para atender una petición tan amable.

—Te necesitamos otra vez. Otro esquema.

—¿Ah, sí?

—Por favor.

—No lo dices sinceramente.

—Thom...

—Está bien.

—«Escena del crimen de Myra Weinburg.»

El asistente escribió el encabezamiento y permaneció en guardia con el rotulador en la mano mientras Rhyme preguntaba:

—Bueno, Pulaski, tengo entendido que no ha sido en el apartamento de la chica.

—Así es, señor. Los dueños son una pareja. Están de vacaciones, en un crucero. He podido comunicarme con ellos. Nunca habían oído hablar de Myra Weinburg. Dios mío, debería haberles oído. Estaban disgustadísimos. No tienen ni idea de quién ha podido ser. Y para entrar rompió la cerradura.

—Así que sabía que la casa estaba vacía y que no había alarma —comentó Cooper—. Muy interesante.

Sellitto sacudía la cabeza.

—¿Tú qué crees? ¿Que lo escogió sólo como decorado?

—Es una zona muy tranquila —respondió Pulaski.

—¿Y qué crees que estaba haciendo ella por allí?

—Encontré su bici fuera. Tenía la llave de una cadena de seguridad en el bolsillo y encajaba.

—Montando en bicicleta. Quizá Cinco Dos Dos se había informado de la ruta que seguía la víctima y sabía que pasaría por allí a cierta hora. Y también se había enterado de algún modo de que los dueños de la casa iban a estar de viaje, así que nadie le molestaría... Está bien, novato, cuéntanos qué has encontrado. Thom, si tienes la amabilidad de anotarlo...

—Se te ve el plumero.

—¡Ja! ¿Causa de la muerte? —preguntó Rhyme a Pulaski.

—Le he dicho al forense de guardia que le diga al patólogo que se dé prisa en mandarnos los resultados de la autopsia.

Sellitto se rió de mala gana.

—¿Y qué te ha dicho?

—Algo así como «Sí, vale» y un par de cosas más.

—Necesitas tener un poco más de empaque antes de poder pedir cosas así, pero te agradezco el esfuerzo. ¿Cuál es el dictamen preliminar?

Pulaski echó un vistazo a sus notas.

—Sufrió varios golpes en la cabeza. Para que dejara de forcejear, dedujo el forense. —El joven agente hizo una pausa, recordando quizá la herida que había sufrido un par de años antes. Luego añadió—: Murió por estrangulación. Tenía petequias en los ojos y en el interior de los párpados, pequeñas hemorragias...

—Sé lo que son las petequias, novato.

—Ah, claro. Vale. Y distensión venosa en la cara y el cuero cabelludo. Ésta es posiblemente el arma homicida. —Levantó una bolsa que contenía un tramo de cuerda de unos ciento veinte centímetros.

—¿Mel?

Cooper cogió la cuerda y la desplegó cuidadosamente sobre una gran hoja de papel fino en blanco. A continuación le pasó un brochín para desalojar los restos materiales. Examinó lo que había encontrado y tomó un par de muestras de las fibras.

—¿Qué? —preguntó Rhyme con impaciencia.

—Lo estoy comprobando.

El novato volvió a refugiarse en sus notas.

—En cuanto a la violación, fue vaginal y anal. Post mórtem, en opinión del forense de guardia.

—¿El cadáver había sido colocado de alguna manera especial?

—No, pero me he fijado en una cosa, detective —dijo Pulaski—. Tenía todas las uñas largas, menos una, que estaba cortada muy corta.

—¿Tenía sangre?

—Sí. Estaba cortada casi hasta la raíz. —Titubeó—. Seguramente, pre mórtem.

Así que 522 es un poco sádico, pensó Rhyme.

—Le gusta el dolor.

—Comprueba las fotografías de los otros casos, desde la violación anterior.

El joven corrió a buscar las fotografías. Rebuscó entre ellas, encontró una y la miró guiñando los ojos.

—Mire esto, detective. Sí, aquí también le cortó una uña. Del mismo dedo.

—A nuestro chico le gustan los trofeos. Es bueno saberlo.

Pulaski asintió con entusiasmo.

—Y fíjese: el dedo donde se lleva la alianza de casado. Seguramente tiene algo que ver con su pasado. Puede que lo dejara su mujer, o que su madre o alguna figura maternal lo abandonara...

—Buena idea, Pulaski. Eso me recuerda que nos hemos olvidado de otra cosa.

—¿De cuál, señor?

—¿Has mirado tu horóscopo esta mañana, antes de empezar la investigación?

—¿Mi...?

—Ah, ¿y a quién le tocaba hoy leer los posos del té? Se me ha olvidado.

Sellitto se echó a reír. Pulaski se sonrojó

—Los perfiles psicológicos no sirven de nada —soltó Rhyme—. Lo que sí sirve es saber que Cinco Dos Dos tiene ahora en su poder material genético, una uña que lo vincula con la escena del crimen. Eso por no hablar de que, si conseguimos deducir qué tipo de instrumento utilizó para recoger su trofeo, tal vez podamos dar con el lugar donde lo compró y encontrar al asesino. Pruebas, novato. No paparruchas psicológicas.

—Claro, detective. Entendido.

—Con «Lincoln» me vale.

—Muy bien. Claro.

—¿La cuerda, Mel?

Cooper estaba revisando la base de datos de fibras.

—Cáñamo genérico, disponible en cientos de tiendas al por menor en todo el país. —Hizo un análisis químico—. No hay restos.

Mierda.

—¿Qué más, Pulaski? —preguntó Sellitto.

El joven fue repasando su lista. Le habían atado las manos con hilo de sedal que le había cortado la piel, haciéndola sangrar. Tenía la boca tapada con cinta aislante. La cinta era marca Home Depot, claro está, cortada del rollo que había tirado 522: los extremos deshilachados coincidían perfectamente. Cerca del cuerpo se habían descubierto dos preservativos sin abrir, explicó el joven agente levantando la bolsa. Eran de la marca Trojan-Enz.

—Y aquí están las muestras de fluidos.

Mel Cooper cogió las bolsas de plástico y analizó las muestras vaginales y rectales. La oficina del patólogo les proporcionaría un informe más detallado, pero estaba claro que entre las sustancias presentes había restos de un lubricante espermicida semejante al que se utilizaba con los preservativos. No había semen en ningún lugar de la escena del crimen.

Otra muestra recogida en el suelo, donde Pulaski había encontrado la huella de una zapatilla deportiva, resultó ser de cerveza, de la marca Miller. La imagen electrostática de la suela era, naturalmente, la de una zapatilla Sure-Track del pie derecho y del número 47: la misma que 522 había tirado a la papelera.

—Y los dueños del *loft* no tenían cerveza, ¿verdad? ¿Has registrado la cocina y la despensa?

—Sí, señor, claro. Y no he encontrado ninguna.

Lon Sellitto estaba asintiendo.

—Te apuesto diez pavos a que Miller es la marca de cerveza preferida de DeLeon.

—Esta apuesta no te la acepto, Lon. ¿Qué más había?

Pulaski levantó una bolsa de plástico con un hebra marrón que había encontrado justo encima de la oreja de la víctima. Los análisis revelaron que era tabaco.

—¿Qué puedes decirnos, Mel?

Los exámenes del técnico revelaron que era una hebra cortada finamente, de las que se empleaban en los cigarrillos, pero no idéntica a la muestra de Tareyton que figuraba en la base de datos. Lincoln Rhyme era uno de los pocos no fumadores del país que renegaba de las leyes antitabaco: el tabaco y la ceniza eran vínculos forenses maravillosos entre el criminal y la escena del crimen. Cooper no pudo decirles la marca. Concluyó, sin embargo, que la sequedad del tabaco se debía probablemente a que era viejo.

—¿Fumaba Myra? ¿O los dueños del *loft*?

—No vi nada que lo indicara. Y además hice lo que siempre nos dice: olisqueé la escena del crimen cuando llegué. No olía a tabaco.

—Bien. —Rhyme estaba satisfecho con la inspección, hasta el momento—. ¿Qué hay de las huellas dactilares?

—He recogido muestras de las huellas de los dueños de la casa, del armario de las medicinas y de las cosas que tenían sobre la mesilla de noche.

—Así que no era un farol: de verdad has leído mi libro. —Rhyme había dedicado varios párrafos de su manual de técnicas forenses a la importancia de recoger huellas de control en la escena de un delito y acerca de los mejores sitios para encontrarlas.

—Sí, señor.

—Me alegro mucho. ¿Gané algo en derechos de autor gracias a ti?

—El libro se lo pedí prestado a mi hermano. —Pulaski tenía un hermano gemelo que era policía en la comisaría número seis, en Greenwich Village.

—Espero que lo haya comprado.

La mayoría de las huellas halladas en el *loft* eran de la pareja, lo cual pudieron determinar gracias a las muestras. Las otras pertenecían posiblemente a visitas, pero cabía la posibilidad de que 522 se hubiera descuidado. Cooper las pasó todas por el Sistema Automatizado de Identificación de Huellas Dactilares. Los resultados tardarían poco en estar disponibles.

—Muy bien, cuéntame, Pulaski, ¿qué impresión te dio la escena del crimen?

La pregunta pareció sorprenderle.

—¿Qué impresión me dio?

—Ésos eran los árboles. —Rhyme bajó los ojos hacia las bolsas de pruebas—. ¿Qué opinas del bosque?

El joven agente se quedó pensando.

—Bueno, la verdad es que sí que pensé algo. Pero es una tontería.

—Tú sabes que seré el primero en decírtelo si se te ocurre una teoría idiota, novato.

—Es sólo que cuando llegué tuve la impresión de que había algo extraño en el forcejeo.

—¿Qué quieres decir?

—Verá. La bicicleta de la víctima estaba sujeta con la cadena a una farola, fuera del *loft*. Como si la hubiera aparcado, sin pensar que pasaba nada malo.

—Así que no la asaltó en la calle.

—Exacto. Y para entrar en el *loft* hay que pasar por una verja y luego recorrer un pasillo largo que llevaba a la puerta de entrada. Era muy estrecho y estaba lleno de cosas que la pareja guardaba fuera: tarros y latas, cosas de deporte, algunos envases para reciclar, herramientas para el jardín... Pero estaba todo intacto. —Tocó otra fotografía—. En cambio, mire dentro: fue allí donde empezó el forcejeo. La mesa y los jarrones... Justo junto a la puerta de entrada. —Volvió a bajar la voz—. Parece que se defendió con uñas y dientes.

Rhyme asintió con un gesto.

—Muy bien, así que Cinco Dos Dos la engatusa para llevarla al *loft*. Ella echa el seguro a la bici, recorre el pasillo y entran en la casa. Ella se para en la entrada, ve que está mintiendo e intenta salir.

Se quedó pensándolo.

—Así pues, él tenía que saber algo sobre Myra que la tranquilizara y que le hiciera sentir que podía confiar en él. Claro, pensadlo bien: tiene toda esa información acerca de quiénes son esas personas, de lo que compran, de cuándo están de vacaciones, de si tienen alarma y de dónde van a estar... No está mal, novato. Ahora sabemos algo concreto sobre él.

Pulaski se esforzó por refrenar una sonrisa.

El ordenador de Cooper emitió un pitido. El técnico leyó la información desplegada en la pantalla.

—Ninguna coincidencia respecto a las huellas. Cero.

Rhyme se encogió de hombros, nada sorprendido.

—Me interesa esa idea: que sepa tantas cosas. Que alguien llame a De-Leon Williams. ¿Cinco Dos Dos acertó de lleno en las pruebas que iba a plantar en su casa?

La breve conversación que sostuvo Sellitto confirmó que, en efecto, Williams usaba zapatillas Sure-Track del número 47, que solía comprar preservativos de la marca Trojan-Enz, que tenía sedal de cuarenta libras, que bebía cerveza Miller y que hacía poco había comprado cinta aislante y cuerda de cáñamo en Home Depot para amarrar una carga que tenía que transportar.

Al mirar el esquema de pruebas de la violación anterior, Rhyme reparó en que los preservativos utilizados por 522 en ese caso eran Durex. El asesino los había empleado porque Joseph Knightly compraba esa marca.

—¿Le falta alguna zapatilla? —preguntó a Williams por el manos libres.

—No.

—Así que compró un par —comentó Sellitto—. Del mismo tipo y del mismo número que las que tiene usted. ¿Cómo lo sabía? ¿Ha visto a alguien rondando por su casa últimamente, quizás en su garaje, o rebuscando en su cubo de basura o en su coche? ¿Han sufrido algún robo en casa en los últimos tiempos?

—No, claro que no. Yo estoy en paro y paso casi todo el día aquí, cuidando de la casa. Me habría dado cuenta. Y éste no es el mejor barrio del mundo. Tenemos una alarma. Siempre la dejamos puesta.

Rhyme le dio las gracias y colgaron.

Echó la cabeza hacia atrás y se quedó mirando la pizarra mientras le dictaba a Thom lo que quería que escribiera.

- Causa de la muerte: estrangulación, a la espera del informe definitivo del forense.
- No hubo mutilación ni se dispuso el cadáver de ningún modo especial, pero el asesino cortó la uña del dedo anular izquierdo de la víctima. Posible trofeo. Pre mórtem, probablemente.
- Lubricante de preservativos, marca Trojan-Enz.
- Preservativos Trojan-Enz sin abrir (2).
- No había preservativos usados, ni fluidos corporales.
- Restos de cerveza Miller en el suelo (no procedentes de la escena del crimen).

- Sedal monofilamento de 40 libras de resistencia, marca genérica.
- Trozo de cuerda marrón de cáñamo (arma del delito) de un metro veinte de largo.
- Cinta aislante usada como mordaza.
- Hebra de tabaco viejo de marca no identificada.
- Huella de pie, zapatilla deportiva de hombre marca Sure-Track del número 47.
- Ausencia de huellas dactilares.

Rhyme preguntó:

—Nuestro chico llamó a emergencias, ¿verdad? ¿Para informar sobre el Dodge?

—Sí —confirmó Sellitto.

—Informaos sobre la llamada. Qué dijo, cómo sonaba su voz.

Sellitto añadió:

—De los casos anteriores también: el de tu primo, el del robo de monedas y la violación anterior.

—Claro, muy bien. No lo había pensado.

Sellitto se puso en contacto con la centralita de la policía. Las llamadas al 911 eran grabadas y se conservaban durante periodos de tiempo variables. Solicitó la información. Diez minutos después recibió una llamada. Las llamadas al número de emergencias en el caso de Arthur y en el asesinato de Myra Weinburg estaban todavía grabadas, le informó el supervisor de la centralita, y habían sido enviadas a la dirección de correo electrónico de Cooper en formato .wav. Las de los casos anteriores habían sido enviadas a Archivos en formato CD. Podían tardar días en encontrarlas, pero habían mandado a un ayudante a solicitarlas.

Cuando llegaron los archivos de audio, Cooper los abrió para que los oyeran. Una voz de hombre pedía a la policía que se diera prisa en llegar a una dirección en la que había oído gritos. Describía los vehículos de huida. Las voces sonaban idénticas.

—¿Huellas de voz? —preguntó Cooper—. Si conseguimos identificar a un sospechoso, podremos compararlas.

En el mundo de las ciencias forenses, las huellas de voz se consideraban más fiables que los detectores de mentiras y algunos tribunales las admitían como pruebas, dependiendo del juez. Pero Rhyme meneó la cabeza.

—Escuchad. Está hablando a través de una caja. ¿No lo notáis?

Una «caja» es un aparato que disfraza la voz. No produce un sonido extraño, a lo Darth Vader: el timbre es normal, aunque suene un poco a hueco. Muchos servicios de información telefónica y atención al cliente los utilizan para uniformizar las voces de sus empleados.

Entonces se abrió la puerta y Amelia Sachs entró en el salón llevando un objeto grande bajo el brazo. Rhyme no pudo ver qué era. Ella inclinó la cabeza, miró el esquema de pruebas y le dijo a Pulaski:

—Parece que has hecho un buen trabajo.

—Gracias.

Rhyme advirtió que lo que sostenía era un libro. Parecía medio deshecho.

—¿Qué demonios es eso?

—Un regalo de nuestro amigo el doctor Robert Jorgensen.

—¿Qué es? ¿Una prueba?

—No sabría decirte. La verdad es que hablar con él ha sido una experiencia muy rara.

—¿Rara en qué sentido, Amelia? —preguntó Sellitto.

—Pues como si el Niño Murciélago, Elvis y los alienígenas estuvieran detrás del asesinato de Kennedy. Así de rara.

Pulaski soltó una rápida carcajada, y Lincoln Rhyme la lanzó una mirada fulminante.

14

Sachs les contó una historia acerca de un hombre al que le habían robado la identidad y arruinado la vida. Un hombre que llamaba «Dios» a su bestia negra, y a sí mismo «Job».

Evidentemente, estaba trastornado: decir que era «raro» era quedarse muy corto. Sin embargo, aunque sólo fuera cierta en parte, su historia era conmovedora y dura de escuchar. Una vida hecha trizas, y un crimen sin objeto.

Sachs acaparó la atención de Rhyme cuando dijo:

—Jorgensen asegura que el responsable ha estado siguiéndole la pista desde que compró este libro, hace dos años. Parece saber todo lo que hace.

—Lo sabe todo —repitió Rhyme mirando los esquemas de las pruebas—. Precisamente de eso estábamos hablando hace unos minutos. Consigue toda la información que necesita sobre las víctimas y los chivos expiatorios. —La puso al corriente de lo que habían averiguado.

Ella entregó el libro a Mel Cooper y le dijo que Jorgensen estaba convencido de que contenía un dispositivo de seguimiento.

—¿Un dispositivo de seguimiento? —bufó Rhyme—. Ha visto demasiadas películas de Oliver Stone. Muy bien, revísalo si quieres, pero no descuidemos las verdaderas pistas.

Las llamadas que hizo Sachs a la policía de las distintas jurisdicciones en las que Jorgensen había sido víctima de 522 no dieron resultado alguno. Sí, había habido usurpación de identidad, de eso no había duda.

—Pero —le dijo un policía de Florida— ¿sabe con qué frecuencia pasan estas cosas? Encontramos un domicilio falso y hacemos una redada, pero cuando llegamos está vacío. Se llevan toda la mercancía que han cargado a la cuenta de la víctima y se largan a Texas o a Montana.

La mayoría habían oído hablar de Jorgensen («Escribe un montón de cartas») y se compadecían de él, pero ninguno tenía pistas concretas que pudieran conducir a un individuo o a una banda que pudiera hallarse detrás de los delitos y no podían dedicar a los casos tanto tiempo como les gustaría.

—Podríamos tener a cien personas más en nómina y ni así haríamos ningún avance.

Después de colgar, Sachs explicó que, dado que 522 conocía la dirección de Jorgensen, le había dicho al recepcionista del hotel que la avisara inmediatamente si alguien llamaba o se pasaba por allí preguntando por él. Si el recepcionista accedía, ella no informaría a la oficina de inspección de edificios del ayuntamiento del estado en que se hallaba el establecimiento.

—Bien hecho —comentó Rhyme—. ¿Sabías que habían cometido infracciones?

—No hasta que me dijo que sí aproximadamente a la velocidad de la luz. —Sachs se acercó a las pruebas que Pulaski había recogido en el *loft* de los alrededores del Soho y les echó un vistazo.

—¿Alguna idea, Amelia? —preguntó Sellitto.

Ella se levantó y se quedó mirando las pizarras, arañándose un dedo con otro mientras intentaba dar sentido a aquella colección de pistas dispares.

—¿De dónde sacó esto? —Recogió la bolsa que contenía la fotografía con la cara de Myra Weinburg: la joven miraba fijamente a la cámara que había hecho la foto, con expresión tierna y divertida—. Deberíamos averiguarlo.

Tenía razón. Rhyme no se había parado a pensar en la procedencia de la fotografía: había dado por sentado que 522 la habría descargado de alguna página web. Le había interesado más el papel como fuente de restos materiales.

En la fotografía, Myra Weinburg aparecía de pie al lado de un árbol en flor, mirando a la cámara con una sonrisa. Sostenía en la mano una bebida de color rosa en una copa de martini.

El criminalista notó que Pulaski también miraba la fotografía, de nuevo con ojos angustiados.

El caso es que... se parecía un poco a Jenny.

Rhyme advirtió unos bordes característicos y, a la derecha, lo que parecían ser los trazos de varias letras que se salían del encuadre.

—La habrá conseguido en Internet. Para que pareciera que DeLeon Williams le estaba siguiendo la pista.

Sellitto dijo:

—Quizá podamos encontrarlo a través de la página de donde la descargó. ¿Cómo podemos averiguar de dónde la sacó?

—Busca su nombre en Google —sugirió Rhyme.

Cooper probó a hacerlo y encontró una docena de correspondencias, varias de ellas referidas a otra Myra Weinburg. Las que atañían a la víctima eran todas ellas páginas de carácter profesional, pero ninguna de las fotografías que figuraban en ellas se parecía a la que había impreso 522.

—Tengo una idea —dijo Sachs—. Deja que llame a mi experto en informática.

—¿A quién? ¿A ese tipo de Delitos Informáticos? —preguntó Sellitto.

—No, a alguien todavía mejor.

Levantó el teléfono y marcó un número.

—Hola, Pammy, ¿dónde estás? Vale. Tengo un encargo. Conéctate a Internet para un chat. El audio lo haremos por teléfono.

Sachs se volvió hacia Cooper:

—¿Puedes conectar tu cámara web, Mel?

El técnico pulsó unas teclas y un momento después apareció en su monitor una imagen de la habitación de Pam en la casa de sus padres de acogida en Brooklyn. La cara de la guapa adolescente apareció ante ellos cuando se sentó. La lente de gran angular distorsionaba ligeramente su cara.

—Hola, Pam.

—Hola, señor Cooper —dijo su voz cantarina a través del altavoz del teléfono.

—Ya me ocupo yo —dijo Sachs, y sustituyó a Cooper ante el teclado—. Cariño, hemos encontrado una fotografía y creemos que procede de Internet. ¿Puedes echarle un vistazo y decirnos si sabes de dónde?

—Claro.

Sachs levantó la fotografía a la altura de la cámara web.

—Se ve borrosa. ¿No puedes sacarla del plástico?

La detective se puso unos guantes de látex, sacó con cuidado la hoja y volvió a levantarla.

—Así está mejor. Claro, es de OurWorld.

—¿Qué es eso?

—Pues ya sabes, una red social. Como Facebook y MySpace. Es la que está más de moda. Está todo el mundo.

—Rhyme, ¿sabes lo que es eso? —preguntó Sachs.

El criminalista asintió con la cabeza. Curiosamente, había estado pensando en ello hacía poco, a raíz de un artículo del *New York Times* sobre las redes sociales y los mundos virtuales como Second Life. Le había sorprendido descubrir que la gente pasaba cada vez menos tiempo en el mundo exterior y más en el virtual: desde avatares a redes sociales, pasando por el teletrabajo. Por lo visto los adolescentes pasaban ahora menos tiempo en el exterior que en cualquier otro periodo de la historia de Estados Unidos. Lo irónico era que, gracias a un régimen de ejercicio que estaba mejorando su estado físico y su capacidad de adaptación, él era cada vez menos virtual y se aventuraba cada vez más en el mundo exterior. La línea divisoria entre la capacidad y la discapacidad empezaba a desvanecerse.

Sachs preguntó a Pam:

—¿Estás segura de que es de esa página?

—Sí. Tienen ese borde especial. Si te fijas bien, no es sólo una línea. Son como globos, como la Tierra repetida muchas veces.

Rhyme aguzó la vista. Sí, el borde era tal y como acababa de describirlo Pam. Hizo memoria y recordó que en el artículo se hablaba de OurWorld.

—Hola, Pam. Hay muchos miembros, ¿verdad?

—Ah, hola, señor Rhyme. Sí. No sé, como treinta o cuarenta millones de personas. ¿De qué dominio es ésa?

—¿De qué dominio? —preguntó Sachs.

—Así es como se llama a tu página: tu «dominio». ¿Quién es la chica?

—Me temo que la han asesinado hoy —contestó Sachs sin alterar la voz—. Es el caso del que te hablé antes.

Rhyme no le habría hablado del asesinato a una adolescente, pero era Sachs quien estaba llamando: ella sabía qué debía contar y qué no.

—Vaya, lo siento. —Pam se mostró apenada, pero no impresionada, ni consternada por la cruda realidad.

El criminalista preguntó:

—Pam, ¿cualquiera puede conectarse a Internet y entrar en tu dominio?

—Bueno, se supone que para eso tienes que unirte a la red. Pero si no quieres colgar nada ni tener tu propio dominio, puedes entrar solamente para echar un vistazo.

—Entonces, tú dirías que la persona que imprimió esta fotografía sabe de ordenadores.

—Sí, tiene que saber, supongo. Sólo que no la imprimió.

—¿Qué?

—No se puede imprimir ni descargar nada. Ni siquiera dándole al icono de imprimir de la pantalla. El sistema tiene un filtro. Ya sabe, para evitar acosos. Y no se puede forzar. Es como lo que protege los libros electrónicos para evitar la piratería.

—Entonces, ¿cómo consiguió la fotografía? —preguntó Rhyme.

Pam se rió.

—Bueno, seguramente hizo lo que hacemos todos en el instituto si queremos una foto de un chico mono o de una chica gótica un poco rara. Hacemos una foto a la pantalla con una cámara digital. Es lo que hace todo el mundo.

—Claro —dijo el criminalista, meneando la cabeza—. No se me había ocurrido.

—Bueno, no se preocupe, señor Rhyme —repuso la chica—. Muchas veces, a la gente no se le ocurre la respuesta obvia.

Sachs miró a Rhyme, que sonrió al oír la respuesta tranquilizadora de la muchacha.

—Muy bien, Pam. Gracias. Luego nos vemos.

—¡Adiós!

—Vamos a completar el retrato de nuestro amigo.

Sachs cogió el rotulador y se acercó a la pizarra.

PERFIL DEL SNI 522

- Varón.
- Posiblemente fuma o vive/trabaja con alguien que fuma, o cerca de un lugar donde hay tabaco.
- Tiene hijos o vive/trabaja cerca de ellos o cerca de un lugar con juguetes.
- ¿Le interesan el arte, las monedas?
- Probablemente blanco o de etnia de piel clara.
- Complexión media.
- Fuerte: capaz de estrangular a sus víctimas.
- Tiene acceso a dispositivos de ocultamiento de voz.
- Posiblemente con conocimientos de informática: conoce OurWorld. ¿También otras redes sociales?
- Se lleva trofeos de las víctimas. ¿Sádico?
- Parte de su casa o lugar de trabajo es oscura y húmeda.

PRUEBAS MATERIALES NO FALSIFICADAS

- Polvo.
- Cartón viejo.
- Pelo de muñeca, nailon 6 BASF B35.
- Tabaco de cigarrillos Tareyton.
- Tabaco viejo, no de marca Tareyton, sino de marca desconocida.
- Restos de hongo *Stachybotrys chartarum*.

Rhyme estaba mirando los pormenores del esquema cuando oyó reír a Mel Cooper.

—Vaya, vaya, vaya.

—¿Qué pasa?

—Esto es interesante.

—Sé más concreto. No necesito cosas «interesantes». Necesito datos.

—Aun así es interesante. —El técnico había estado iluminando con una luz potente el lomo rasgado del libro de Robert Jorgensen—. ¿Creíais que el médico estaba chalado porque hablaba de dispositivos de seguimiento? Pues ¿adivina qué? Puede que aquí haya una película para Oliver Stone. Hay algo implantado aquí dentro. En la cinta del lomo.

—¿En serio? —dijo Sachs sacudiendo la cabeza—. Creía que estaba loco.

—Déjame ver —dijo Rhyme, al que de pronto le picaba la curiosidad. De momento había dejado aparcado su escepticismo.

Cooper acercó una pequeña cámara de alta definición a la mesa de examen y enfocó el libro con una luz de infrarrojos. Vieron bajo la cinta un rectángulo minúsculo de líneas entrecruzadas.

—Sácalo —ordenó Rhyme.

Cooper rasgó con cuidado la cinta del lomo y sacó lo que parecía ser un trozo de papel plastificado de dos centímetros y medio de largo, con líneas de circuitos informáticos grabadas en él. Había además una serie de números y el nombre del fabricante: DMS, Inc.

Sellitto preguntó:

—¿Qué cojones es eso? ¿De verdad es un dispositivo de seguimiento?

—No veo cómo iba a serlo. No tiene batería ni fuente de alimentación, que yo vea —dijo Cooper.

—Busca la empresa, Mel.

Una búsqueda rápida reveló que se trataba de Data Management Systems, con sede a las afueras de Boston. Cooper leyó una descripción de su actividad, una de cuyas ramas se dedicaba a la fabricación de aquellos aparatitos, conocidos como etiquetas RFID para la identificación de radiofrecuencias.

—He oído hablar de ellas —dijo Pulaski—. Salió en la CNN.

—Ah, la fuente definitiva del conocimiento forense —exclamó Rhyme con socarronería.

—No, eso es *CSI* —dijo Sellitto, y Ron Pulaski abortó de nuevo una carcajada.

Sachs preguntó:

—¿Para qué sirven?

—Es interesante.

—Otra vez «interesante».

—Básicamente se trata de un circuito integrado programable que puede leerse con un escáner de radio. No necesitan batería: la antena capta las ondas de radio y con eso tienen alimento suficiente para funcionar.

—Jorgensen dijo algo de romper las antenas para desconectarlos —explicó Sachs—. También dijo que algunos se pueden destruir con un microondas. Pero que ése... —señaló el aparatito— no había podido desactivarlo así. O eso dijo.

Cooper añadió:

—Los fabricantes y los minoristas los utilizan para el control de inventarios. Dentro de unos años casi todos los productos que se vendan en Estados

Unidos llevarán su etiqueta RFID. Algunas grandes cadenas de tiendas los exigen ya antes adquirir una línea de productos.

Sachs se rió.

—De eso me hablaba Jorgensen. Tal vez no esté tan chiflado como yo creía.

—¿Todos los productos? —preguntó Rhyme.

—Sí. De ese modo las tiendas saben dónde están las cosas inventariadas, cuántas existencias tienen, qué cosas se venden más rápidamente que otras, cuándo tienen que rellenar las estanterías o volver a hacer un pedido. También las utilizan las aerolíneas para el manejo del equipaje. De ese modo saben dónde están tus maletas sin tener que escanear el código de barras. Y se usan en las tarjetas de crédito, en los permisos de conducir, en las tarjetas de identificación de los empleados... En esos casos, las llaman «tarjetas inteligentes».

—Jorgensen quiso ver mi carné de la policía. Lo miró con mucha atención. Quizás era esto lo que buscaba.

—Están por todas partes —agregó Cooper—. En esas tarjetas de descuento que se usan en los supermercados, en las tarjetas de puntos de la gente que viaja a menudo en avión, en el telepeaje de las autopistas...

Sachs señaló con la cabeza las pizarras.

—Piénsalo, Rhyme. Jorgensen decía que ese hombre al que llamaba «Dios» lo sabía todo sobre su vida. Sabía lo suficiente para robarle su identidad, para comprar cosas a su nombre, para conseguir préstamos y tarjetas de crédito y averiguar dónde estaba.

El criminalista sintió la emoción de estar avanzando en su cacería.

—Y Cinco Dos Dos sabe lo suficiente sobre sus víctimas para acercarse a ellas, para conseguir que confíen en él. Sabe lo suficiente sobre sus chivos expiatorios para colocar en la escena del crimen pruebas falsas elaboradas con cosas idénticas a las que tienen en sus casas.

—Y —añadió Sellitto— sabe exactamente dónde están en el momento del crimen. Para que no tengan coartada.

Sachs echó una ojeada a la pequeña etiqueta.

—Jorgensen dijo que su vida había empezado a derrumbarse más o menos en la época en que compró ese libro.

—¿Dónde lo compró? ¿Hay algún recibo o alguna pegatina con el precio, Mel?

—No. Si los había, los ha cortado.

—Llama a Jorgensen. Vamos a traerlo aquí.

Sachs sacó su teléfono y llamó al hotel donde acababa de reunirse con él. Frunció el ceño.

—¿Ya? —preguntó al recepcionista.

Esto no pinta bien, se dijo Rhyme.

—Se ha marchado —dijo ella al colgar—. Pero sé adónde ha ido. —Encontró un trozo de papel e hizo otra llamada, pero tras mantener una breve conversación volvió a colgar y lanzó un suspiro. Jorgensen tampoco estaba en aquel hotel, informó; ni siquiera había llamado para hacer una reserva.

—¿Tienes su número de móvil?

—No tiene móvil. No se fía de ellos. Pero sabe mi número. Con un poco de suerte, llamará. —Se acercó al minúsculo dispositivo—. Mel, corta el cable. La antena.

—¿Qué?

—Jorgensen dijo que ahora que tenemos el libro, nosotros también estamos infectados. Córtalo.

Cooper se encogió de hombros y miró a Rhyme, al que la idea le parecía absurda. Aun así, Amelia Sachs no se asustaba fácilmente.

—Claro, adelante. Pero haz una anotación en la tarjeta de cadena de custodia. «Prueba desactivada.»

Una expresión que solía reservarse para bombas y armas de fuego.

Rhyme perdió entonces el interés por las etiquetas RFID. Levantó la mirada.

—Muy bien. Hasta que tengamos noticias suyas, vamos a especular. Vamos, chicos. Sed valientes. ¡Necesito ideas! Tenemos un criminal que es capaz de conseguir todo tipo de información sobre la gente. ¿Cómo lo hace? Sabe todo lo que compran las personas a las que inculpa. Sedal, cuchillos de cocina, espuma de afeitar, fertilizante, preservativos, cinta aislante, cuerda, cerveza... Ha habido cuatro víctimas y cuatro chivos expiatorios, como mínimo. No puede seguir a todo el mundo, ni entrar en sus casas.

—Puede que trabaje en una de esas grandes tiendas de artículos baratos —sugirió Cooper.

—Pero DeLeon compró algunas de las pruebas en Home Depot, y allí no pueden comprarse preservativos ni aperitivos.

—Quizá trabaje en una empresa de tarjetas de crédito —sugirió Pulaski—. De ese modo podría ver lo que compra la gente.

—No está mal, novato, pero en algunos casos las víctimas habrán pagado en efectivo.

Sorprendentemente, fue Thom quien les proporcionó la respuesta. Sacó sus llaves.

—He oído hablar a Mel de las tarjetas de descuento. —Enseñó varias tarjetitas de plástico que llevaba en el llavero. Una de A&P y otra de Food

Emporium—. Paso la tarjeta y me hacen un descuento. Aunque pague en efectivo, la tienda sabe lo que he comprado.

—Bien —dijo Rhyme—, pero ¿qué hacemos ahora? Seguimos teniendo delante decenas de lugares distintos donde compraron las víctimas y los inculpados.

—Ah.

Rhyme miró a Sachs, que estaba observando el esquema de las pruebas con una leve sonrisa en la cara.

—Creo que ya lo tengo.

—¿Qué? —preguntó Rhyme, esperando la aplicación inteligente de un principio de la ciencia forense.

—Zapatos —dijo ella con sencillez—. La respuesta está en los zapatos.

15

—No se trata únicamente de saber en general lo que compra la gente —explicó Sachs—, sino de saber datos concretos de todas las víctimas y de los chivos expiatorios. Fijaos en los tres crímenes. El caso de tu primo, el de Myra Weinburg y el robo de monedas. Cinco Dos Dos no sólo sabía la clase de zapatos que calzaba el inculpado. Sabía su número.

—Bien —dijo Rhyme—. Vamos a averiguar dónde se compran los zapatos Arthur y DeLeon Williams.

Una rápida llamada a Judy Rhyme y otra a Williams revelaron que habían comprado sus zapatos por correo: uno a través de un catálogo y el otro a través de una página web, pero los dos directamente a las empresas fabricantes.

—Muy bien —dijo el criminalista—, elegid una, llamadles y averiguad cómo funciona el negocio de los zapatos. Lanzad una moneda al aire.

Ganó Sure-Track. Y sólo tuvieron que hacer cuatro llamadas para hablar con alguien relacionado con la empresa, el presidente y el consejero delegado, nada menos.

Se oía agua de fondo, un chapoteo y risas de niños cuando el hombre preguntó indeciso:

—¿Un crimen?

—Nada relacionado directamente con usted —le aseguró Rhyme—. Un producto suyo es una prueba material.

—Pero ¿no será como lo de ese tipo que intentó volar un avión con una bomba metida en el zapato? —Se interrumpió como si el solo hecho de hablar de ello fuera una violación de la seguridad nacional.

Rhyme le explicó la situación: que el asesino obtenía información personal sobre las víctimas, incluidos los datos concretos de las zapatillas Sure-Track, así como de las Alton de su primo y de los zapatos Bass de otro de los inculpados.

—¿Venden a través de minoristas?

—No. Sólo *online*.

—¿Comparten información con sus competidores? ¿Información sobre clientes?

Una vacilación.

—¿Oiga? —dijo Rhyme en medio del silencio.

—Bueno, no podemos compartir información. Eso iría contra las leyes antimonopolio.

—Pues ¿cómo ha podido alguien acceder a información sobre usuarios de zapatillas Sure-Track?

—Es una situación compleja.

Rhyme hizo una mueca.

Sachs dijo:

—Señor, el hombre al que buscamos es un asesino y un violador. ¿Se le ocurre alguna idea sobre cómo puede haber averiguado esos datos de sus clientes?

—La verdad es que no.

Lon Sellitto bramó:

—Pues entonces conseguiremos una puta orden judicial y revisaremos sus archivos línea por línea.

Rhyme habría manejado la situación con mayor sutileza, pero el mazazo del detective funcionó a la perfección. El hombre balbució:

—Espere, espere, espere. Puede que tenga una idea.

—¿Cuál? —le espetó Sellitto.

—Puede que... Vale, si tenía información de distintas empresas quizá la haya conseguido en una empresa de minería de datos.

—¿Qué es eso? —preguntó Rhyme.

La pausa que siguió pareció motivada por la sorpresa.

—¿No sabe qué es la minería de datos?

El criminalista puso cara de fastidio.

—No. ¿Qué es?

—La propia expresión lo dice: empresas de servicios que proporcionan información. Buscan entre los datos sobre personas, sus compras, sus casas y sus coches, sus historiales de crédito, todo lo que haya sobre ellos. Analizan y procesan los datos y los venden. Ya sabe, para ayudar a las empresas a detectar tendencias de mercado, a encontrar clientes nuevos, a planificar sus campañas publicitarias y a personalizar los mensajes de la publicidad directa. Cosas así.

Todo lo que haya sobre ellos...

Rhyme pensó: *Puede que hayamos dado con algo.*

—¿Obtienen información de circuitos RFID?

—Claro que sí. Son una fuente de datos fundamental.

—¿Qué empresa de minería de datos usan ustedes?

—Pues no sé. Varias. —Su voz sonó reticente.

—Necesitamos saberlo de verdad —dijo Sachs, haciendo de poli buena frente a Sellitto, que hacía de malo—. No queremos que muera nadie más. Ese hombre es muy peligroso.

Un suspiro flotó sobre la indecisión de su interlocutor.

—Bueno, supongo que la principal es SSD. Es bastante grande. Pero si piensan que alguien de allí puede estar implicado en un crimen, es imposible. Son unos tipos geniales, los mejores del mundo. Y hay seguridad, hay...

—¿Dónde tienen su sede? —preguntó Sachs.

Otra vacilación. *Vamos, maldita sea*, pensó Rhyme.

—En la ciudad de Nueva York.

El campo de juego de Cinco Dos Dos. El criminalista miró a Sachs. Sonrió. Aquello prometía.

—¿Hay alguna otra en esa zona?

—No. Axciom, Experian y Choicepoint, las otras grandes, no son de por aquí. Pero, créanme, nadie de SSD puede estar implicado. Se lo juro.

—¿Qué significa SSD? —preguntó Rhyme.

—Strategic Systems Datacorp.

—¿Tiene algún contacto allí?

—Nadie en particular. —Lo dijo muy deprisa. Demasiado deprisa.

—¿No?

—Bueno, nosotros tratamos con comerciales. No recuerdo sus nombres en este momento. Podría mirarlo.

—¿Quién dirige la empresa?

Otra pausa.

—Andrew Sterling. Es el fundador y el consejero delegado. Miren, les aseguro que nadie de allí haría nada contra la ley. Es imposible.

Rhyme se dio cuenta de algo: el hombre estaba asustado. No de la policía. De la propia SSD.

—¿Qué es lo que le preocupa?

—Es sólo que... no podríamos funcionar sin ellos —añadió en tono confesional—. La verdad es que... estamos asociados con ellos.

Pero de su tono se deducía que aquel verbo espurio significaba en realidad «dependemos desesperadamente de ellos».

—Seremos discretos —le aseguró Sachs.

—Gracias. De veras. Gracias. —Su alivio resultaba evidente.

La detective le dio amablemente las gracias por su colaboración y Sellitto puso los ojos en blanco al oírla.

Rhyme cortó la llamada.

—¿Minería de datos? ¿Alguien sabe algo de eso?

Thom dijo:

—No conozco SSD, pero he oído hablar de la minería de datos. Es el negocio del siglo veintiuno.

Rhyme miró el esquema de las pruebas.

—Así que, si Cinco Dos Dos trabaja para SSD o es uno de sus clientes, puede averiguar todo lo que necesita saber sobre quién compra loción de afeitar, cuerda, preservativos, sedal... Todas las pruebas falsas que podría colocar. —Entonces lo asaltó otra idea—. El presidente de la empresa de zapatos ha dicho que venden los datos para envíos por correo postal. Arthur había recibido publicidad directa por correo acerca de ese cuadro de Prescott, ¿os acordáis? Puede que Cinco Dos Dos lo supiera por sus listas de correo. Quizás Alice Sanderson también figuraba en una lista.

—Y mirad: las fotografías del lugar de los crímenes. —Sachs se acercó a las pizarras y señaló varias fotografías del caso del robo de monedas. En las mesas y por el suelo se veían claramente folletos publicitarios enviados por correo.

Pulaski dijo:

—Y señor... El detective Cooper ha hablado de las tarjetas de peaje de las autopistas. Si SSD dispone de esos datos, el asesino podía saber a qué hora exactamente estaba su primo en la ciudad y cuándo volvía a casa.

—Dios mío —masculló Sellitto—. Si eso es cierto, ese tipo ha dado con un modus operandi acojonante.

—Infórmate sobre la minería de datos, Mel. Búscalo en Google. Quiero saber con seguridad si SSD es la única de esta zona.

Unos cuantos tecleos después:

—Mmm... Me salen unos veinte millones de referencias para «minereía de datos».

—¿Veinte millones?

Durante la hora siguiente, vieron cómo Cooper iba reduciendo la lista de las principales empresas de minería de datos del país: en torno a media docena. Descargó cientos de páginas de información sobre sus sitios web y otros datos. La comparación del listado de clientes de varias empresas y de los productos utilizados como pruebas en el caso de 522 dio como resultado que SSD era el origen único más probable de toda la información y la única, de hecho, que tenía su sede en Nueva York o sus alrededores.

—Si queréis —propuso Cooper—, puedo descargar su folleto de ventas.

—Claro que queremos, Mel. Vamos a verlo.

Sachs se sentó junto a Rhyme y miraron juntos la pantalla cuando apareció en ella la página web de SSD, encabezada por el logotipo de la empresa: una atalaya con una ventana de la que salían rayos de luz.

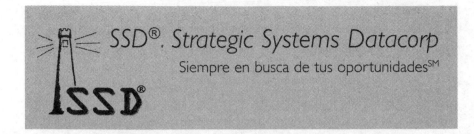

SSD®. Strategic Systems Datacorp
Siempre en busca de tus oportunidades^{SM}

«El conocimiento es poder.» El bien más valioso del siglo XXI es la información, y en SSD somos líderes en la utilización del conocimiento para personalizar las estrategias de su empresa, redefinir sus objetivos y estructurar soluciones para ayudarle a encarar el sinfín de retos que ofrece el mundo actual. Con más de 4.000 clientes en Estados Unidos y el extranjero, SSD marca el estándar del sector y es el proveedor de servicios de conocimiento más importante del planeta.

LA BASE DE DATOS

innerCircle® es la base de datos privada más grande del mundo, con información clave de 280 millones de ciudadanos estadounidenses y 130 millones de ciudadanos de otros países. innerCircle® se aloja en nuestra Red Informática Paralela Masiva (MPCAN®), el sistema informático comercial más potente que haya existido jamás.

innerCircle® almacena más de 500 petabytes de información, equivalentes a trillones de páginas de datos, y está previsto que dentro de poco crezca hasta alcanzar un exabyte de datos, una cantidad tan inmensa que sólo harían falta cinco exabytes para almacenar la trascripción de todas las palabras pronunciadas por el ser humano a lo largo de la historia.

Disponemos de infinidad de información pública y privada: números de teléfono, direcciones, registro de vehículos, información de licencias, historiales y preferencias de compra, perfiles de viaje, archivos administrativos y estadísticas vitales, antecedentes crediticios, historiales de ingresos y mucho, mucho más. Ponemos todos estos datos a su disposición a la velocidad de la luz, en un formato fácilmente accesible, de uso inmediato y adaptado a las necesidades específicas de cada uno de nuestros clientes.

innerCircle® crece a una velocidad de cientos de miles de entradas por día.

LAS HERRAMIENTAS

- Atalaya DBM®, el sistema de gestión de bases de datos más completo del mundo. Fundamental para su planificación estratégica, Atalaya® le ayuda a definir sus metas, extrae los datos más significativos de innerCircle® y pone directamente sobre su mesa una estrategia ganadora, 24 horas al día, 7 días a la semana, a través de nuestros servidores superseguros y a la velocidad del rayo. Atalaya® alcanza y supera los estándares marcados por SQL hace años.

- Xpectation®: *software* de predicción de conducta basado en la tecnología de modelado computacional e inteligencia artificial más novedosa. Fabricantes, proveedores de servicios, mayoristas y minoristas... ¿Quieren saber hacia dónde se encamina el mercado y qué desearán sus clientes en el futuro? Si es así, éste es el producto que necesitan. Y tomen nota, cuerpos de seguridad: con Xpectation® pueden predecir dónde y cuándo se cometerán delitos y, lo que es más importante, quién es probable que los cometa.

- FORT® (Herramienta de Búsqueda de Relaciones Opacas), un producto único y revolucionario que analiza millones de datos sin relación aparente a fin de encontrar conexiones que los seres humanos no podrían descubrir por sí mismos. Ya pertenezca usted a una empresa comercial que desea saber más acerca del mercado (o de sus competidores) o a un cuerpo de seguridad que se enfrenta a un difícil caso delictivo, FORT® le dará la ventaja que necesita.

- ConsumerChoice®: *software* y equipamiento de monitorización que le permite determinar la respuesta exacta de los consumidores a la publicidad, los programas de márqueting y los productos nuevos o en fase de estudio. Olvídese de los grupos focales de opinión subjetiva. Ahora, a través de la monitorización biométrica, puede recabar y analizar la respuesta real de los individuos frente a sus planes potenciales, a menudo sin que se percaten de que están siendo observados.

- Hub Overvue®: *software* de procesamiento de información. Este producto, fácil de usar, le permite controlar todas las bases de datos de su empresa u organización y, en las debidas circunstancias, también las de otras compañías.

- SafeGard®: *software* y servicios de seguridad y verificación de identidad. Si lo que le preocupan son los ataques terroristas, los secuestros corporativos, el espionaje industrial o el robo de empleados o clientes, Safe-Gard® le garantiza que sus instalaciones seguirán siendo seguras, permitiéndole de ese modo concentrarse en el desarrollo de su negocio. Esta división incluye a empresas líderes en verificación de antecedentes, seguridad y pruebas de detección de sustancias ilegales que atienden la demanda de empresas y gobiernos de todo el mundo. La División Safe-Gard® de SSD acoge también a BioChek®, la firma líder en *hardware* y *software* biométricos.

- NanoCure®: *software* y servicios de investigación médica. Bienvenido al mundo de los sistemas microbiológicos inteligentes para el diagnóstico y el tratamiento de enfermedades. En colaboración con médicos, nuestros expertos en nanotecnología están creando soluciones para los problemas de salud más comunes que afronta la población actual. Desde la monitorización de problemas genéticos al desarrollo de etiquetas inyectables que permitan detectar y curar enfermedades crónicas y mortales, nuestra División NanoCure® trabaja para crear una sociedad más sana.

- On-Trial®: sistemas y servicios de asesoramiento de litigación civil. Desde seguros de responsabilidad civil a casos antimonopolio, On-Trial® se encarga de la gestión de documentos y el control de declaraciones y pruebas materiales.

- PublicSure®: *software* de soporte para cuerpos de seguridad pública. El sistema definitivo para la gestión y consolidación de archivos públicos civiles y criminales albergados en bases de datos internacionales, federales, estatales y municipales. Mediante PublicSure®, los resultados de las búsquedas pueden descargarse en las terminales informáticas de oficinas, coches patrulla, agendas electrónicas o teléfonos móviles en cuestión de segundos, ayudando así a los investigadores a un rápida resolución de los casos y mejorando la preparación y la seguridad de los agentes de la ley en el desempeño de sus funciones.

- EduServe®: *software* y servicios de apoyo educativo. Gestionar lo que aprenden los niños es fundamental para el desarrollo de una sociedad próspera. EduServe® ayuda a los consejos escolares y a los docentes, desde educación infantil a bachillerato, a utilizar eficazmente sus recursos y a ofrecer servicios que garanticen la mejor educación posible por cada dólar de impuestos gastado.

Rhyme se rió, incrédulo.

—Si Cinco Dos Dos tiene acceso a toda esta información... En fin, entonces es el hombre que lo sabe todo.

Mel Cooper comentó:

—Vale, escuchad esto. Estaba buscando las empresas de las que es dueña SSD y adivinad cuál es una de ellas.

Rhyme contestó:

—Apuesto a que DMS, o como diablos se llame. La empresa fabricante de la etiqueta RFID del libro, ¿a que sí?

—Sí, exacto.

Pasaron unos instantes sin que nadie dijera nada. Rhyme advirtió que estaban mirando todos el logotipo de SSD, con su ventanita resplandeciente, que aparecía en la pantalla del ordenador.

—Bueno —masculló Sellitto con los ojos fijos en la pizarra—, ¿y ahora qué hacemos?

—¿Vigilar? —sugirió Pulaski.

—Es lo más lógico —repuso el detective—. Voy a llamar a Búsqueda y Vigilancia para que vayan organizando los equipos.

Rhyme los miró con sorna.

—¿Vigilar una empresa con...? ¿Cuántos? ¿Mil empleados? —Meneó la cabeza y preguntó—. ¿Has oído hablar de la navaja de Ockham, Lon?

—¿Quién cojones es Ockham? ¿Un barbero?

—Un filósofo. La navaja es una metáfora: eliminar de un tajo las explicaciones innecesarias para un fenómeno dado. Su teoría era que, cuando hay múltiples posibilidades, la más sencilla es casi siempre la acertada.

—¿Y cuál es la teoría más sencilla según tú, Rhyme?

Mirando fijamente el folleto, el criminalista respondió a Sachs:

—Creo que Pulaski y tú deberías ir a hacer una visita a SSD mañana por la mañana.

—¿Y qué hacemos cuando lleguemos?

Rhyme se encogió de hombros.

—Preguntar si alguien que trabaja allí es el asesino.

16

¡Ah, por fin en casa!

Cierro la puerta.

Y dejo fuera al mundo.

Respiro hondo, dejo mi mochila en el sofá y entro en la cocina impecable para beber un poco de agua pura. En este momento no necesito ningún estimulante.

Este nerviosismo otra vez.

La casa es bonita. De antes de la guerra, enorme (tenía que serlo llevando la vida que llevo, con todas mis colecciones). No fue fácil encontrar el lugar perfecto. Me costó algún tiempo. Pero heme aquí, desconocido por casi todos. En Nueva York es facilísimo vivir prácticamente en el anonimato. ¡Qué ciudad tan maravillosa! Aquí, el modo de existencia por defecto es el de fuera del casillero. Aquí tienes que esforzarte para que alguien se fije en ti. Muchos dieciséis lo hacen, claro está. Pero es que en el mundo siempre ha habido más tontos de la cuenta.

Aun así hay que mantener las apariencias. Las habitaciones delanteras de mi casa son sencillas y están decoradas con buen gusto (gracias, Escandinavia). No me relaciono mucho con la gente de por aquí, pero necesitas una fachada para parecer normal. Tienes que desenvolverte en el mundo real. Si no, los dieciséis empiezan a preguntarse si pasa algo, si no eres lo que pareces.

Y de ahí a que alguien venga a meter las narices en tu armario y a quitártelo todo (todo lo que tanto te ha costado conseguir), sólo hay un paso.

Todo.

Y eso es lo peor de lo peor.

Sí que tiene uno que asegurarse de que su Armario sea secreto. Tienes que asegurarte de que tus tesoros están bien escondidos detrás de ventanas con cortinas o cegadas mientras mantienes tu otra vida a plena vista, en el lado iluminado de la luna. Para escapar a la red, lo mejor es tener una segunda vivienda. Hacer lo que he hecho yo: mantener esta pátina de modernidad danesa, de normalidad limpia y ordenada, aunque permanecer dentro de ella te crispe los nervios como el chirrido del acero al rozar contra la pizarra.

Tienes una casa normal. Porque es lo que tiene todo el mundo.

Y mantienes una relación cordial con amigos y compañeros de trabajo. Porque es lo que hace todo el mundo.

Y de vez en cuando sales con alguna mujer y la persuades para que pase la noche contigo y lo haces todo hasta el final, maquinalmente.

Porque eso también lo hace todo el mundo. Da igual que no te ponga tan cachondo como cuando consigues engatusar a una chica para colarte en su habitación, con una sonrisa (¿a que somos almas gemelas?, fíjate en todo lo que tenemos en común), una grabadora y un cuchillo en el bolsillo de la chaqueta.

Cierro las persianas de los ventanales y me dirijo al fondo del cuarto de estar.

—*¡Vaya, qué casa tan bonita! Parece más grande desde fuera.*

—*Sí, es curioso.*

—*Oye, hay una puerta en tu cuarto de estar. ¿Adónde da?*

—*Ah, eso. Es solo un trastero. Un armario. No hay nada que ver. ¿Te apetece un vino?*

Pues a lo que hay al otro lado, Debby, Sandra, Susan, Brenda, es adonde voy ahora mismo. A mi verdadero hogar. Mi Armario, lo llamo yo. Es como la torre del homenaje, el último bastión de un castillo medieval, el refugio de su centro. Cuando todo lo demás fallaba, el rey y su familia se retiraban a la torre del homenaje.

Entro en la mía a través de esa puerta mágica. Es de veras un armario, un vestidor, y dentro se ve ropa colgada y cajas de zapatos. Pero, si los apartas, encontrarás otra puerta que da al resto de la casa, que es mucho, mucho más grande que ese horrible trampantojo de rubio minimalismo sueco.

Mi Armario...

Entro ahora en él, cierro las puertas con llave tras de mí y enciendo la luz.

Intento relajarme. Pero después de lo de hoy, después de la catástrofe, me cuesta sacudirme el nerviosismo.

Esto no va bien, esto no va bien, no va...

Me dejo caer en mi silla y enciendo el ordenador mientras miro el Prescott que tengo delante de mí, cortesía de Alice 3895. ¡Qué toque tiene este hombre! Los ojos de los miembros de la familia son fascinantes. Prescott ha conseguido dotar a cada uno de una mirada distinta. Salta a la vista que son parientes: sus semblantes se parecen. Y sin embargo son también diferentes, como si cada uno estuviera visualizando un aspecto distinto de la vida familiar: feliz, angustiado, furioso, perplejo, controlador, controlado.

Así son siempre las familias.

Supongo.

Abro la mochila y saco los tesoros que he adquirido hoy. Un bote de estaño, un juego de lápices, un viejo rallador de queso. ¿Por qué tira la gente estas cosas? Saco también algunas cosas prácticas que tendré que usar en las próximas semanas: algunas cartas de préstamos preconcedidos que alguien tiró descuidadamente, extractos de tarjetas de crédito, facturas telefónicas... Tontos, como decía.

Hay otra pieza para mi colección, claro, pero luego me pondré con la grabadora. No es un hallazgo tan estupendo como podría haberlo sido porque tuve que sofocar con cinta aislante los gritos guturales de Myra 9834 mientras le arrancaba la uña (me preocupaba la gente que pasaba por la calle). Aun así, no todo en una colección puede ser una joya de la corona: se necesitan cosas mediocres para que lo excepcional pueda brillar.

Deambulo luego por mi Armario, depositando los tesoros en los sitios adecuados.

Parece más grande desde fuera...

Actualmente tengo 7.403 periódicos, 3.234 revistas (las de *National Geographic* son la piedra angular, por supuesto), 4.235 librillos de cerillas y, prescindiendo de las cifras: perchas de ropa, utensilios de cocina, fiambreras, botellas de refrescos, cajas de cereales vacías, tijeras, trastos de afeitar, calzadores y hormas, botones, cajas de gemelos, peines, relojes de pulsera, prendas de ropa, herramientas en uso y herramientas obsoletas desde hace mucho tiempo. Discos de vinilo en negro y en colores. Botellas, juguetes, tarros de mermelada, velas y candeleros, frascos de caramelos, armas. Y podría seguir y seguir.

El Armario se compone de dieciséis (cómo no) galerías semejantes a las de un museo que van desde las que albergan juguetes alegres (aunque algunas marionetas dan bastante miedo) a habitaciones ocupadas por cosas que yo guardo como oro en paño, pero que la mayoría de la gente encontraría repugnantes. Recortes de pelo y uñas y algunos recuerdos arrugados de diversas transacciones. Como la de esta tarde. Deposito la uña de Myra 9834 en un lugar destacado. Y aunque normalmente ello me reportaría placer suficiente como para ponerme otra vez cachondo, este instante queda deslucido y arruinado.

Los odio tanto...

Con manos temblorosas cierro la caja de puros, sin obtener ningún placer de mis tesoros en este momento.

Odio, odio, odio...

De vuelta ante al ordenador me digo: *Quizá no haya peligro.* Tal vez haya sido sólo una extraña sucesión de coincidencias lo que les ha llevado a casa de DeLeon 6832.

Pero no puedo correr ningún riesgo.

El problema: el peligro de que me arrebaten mis tesoros, un temor que ahora mismo me consume por completo.

La solución: acabar lo que empecé en Brooklyn. Devolver el golpe. Eliminar cualquier amenaza.

Lo que no entienden la mayoría de los dieciséis, incluidos mis perseguidores, y lo que les sitúa en una patética desventaja respecto a mí es esto: yo creo en la verdad inmutable de que segar una vida no tiene absolutamente nada de reprobable, porque sé que existe una vida eterna completamente al margen de estos sacos de piel y vísceras que acarreamos temporalmente. Tengo pruebas: no hay más que ver el arsenal de datos acerca de la vida de uno que se acumula desde el momento en que nacemos. Todo permanece, almacenado en mil sitios, copiado, guardado en copias de seguridad, invisible e indestructible. Cuando el cuerpo desaparece, como han de desaparecer todos los cuerpos, los datos sobreviven para siempre.

Y si eso no es la definición de un alma inmortal, no sé qué es.

17

El dormitorio estaba en silencio.

Rhyme había mandado a Thom a casa, a pasar la noche del domingo con Peter Hoddins, su pareja desde hacía tiempo. Rhyme le daba mucho la lata. No podía remediarlo y a veces se sentía mal por ello, pero intentaba compensarle y, cuando Amelia Sachs se quedaba con él, como esa noche, le mandaba marcharse. El joven necesitaba hacer más vida fuera de aquella casa, cuidando de un tullido viejo y gruñón.

El criminalista oyó un tintineo en el cuarto de baño. Los ruidos que hacía una mujer preparándose para acostarse. Repiqueteos de cristal, chasquidos de tapas de plástico, siseos de aerosol, un grifo abierto, fragancias que escapaban al aire húmedo del baño.

Le gustaban los momentos como aquél. Le recordaban a su vida de Antes del accidente.

Lo cual le trajo a la memoria las fotografías que había abajo, en el laboratorio. Junto a la que aparecía él en chándal, había otra en blanco y negro. Mostraba a dos jóvenes veinteañeros, larguiruchos y desgarbados, vestidos con traje, el uno al lado del otro, con los brazos colgando rectos, como si dudaran en abrazarse.

Su padre y su tío.

Pensaba a menudo en el tío Henry. En su padre, no tanto. Había sido así toda su vida. Teddy Rhyme no tenía nada que objetar: el más joven de los hermanos era sencillamente reservado, a menudo tímido. Le encantaba su trabajo procesando números en diversos laboratorios, adoraba leer, lo que hacía cada noche recostado en un grueso y gastado sillón de orejas mientras su esposa, Anne, cosía o veía la televisión. Era un apasionado de la historia, especialmente de la Guerra Civil estadounidense, un interés que (suponía Rhyme) estaba en el origen del nombre que había escogido para su hijo.

El niño y su padre convivían cordialmente, aunque recordaba muchos silencios incómodos cuando se hallaban a solas. Lo que te preocupa, también te estimula. Lo que supone un desafío, te hace sentirte vivo. Y Teddy nunca era un desafío, ni una preocupación.

El tío Henry, en cambio, sí. A montones.

No podías estar en la misma habitación que él más de un par de minutos sin que fijara sus ojos en ti como un faro. Y luego estaban las bromas, las curiosidades, las noticias familiares recientes. Y siempre las preguntas, algunas de ellas formuladas porque sentía verdadera curiosidad. La mayoría, sin embargo, las hacía como una invitación a debatir con él. ¡Ah, cómo le gustaban las justas intelectuales a Henry Rhyme! Podía uno acobardarse, podía sonrojarse, podía ponerse furioso, pero también arder de orgullo por uno de los raros cumplidos que hacía, porque sabías que te lo habías ganado. De los labios del tío Henry jamás salía un halago o una palabra de aliento injustificada.

—Estás cerca. ¡Piensa más! Lo llevas dentro. Einstein hizo todos sus descubrimientos importantes cuando era poco mayor que tú.

Si acertabas, recibías como premio una ceja levantada en señal de aprobación, equivalente a ganar el premio Westinghouse de las Ciencias. Pero con demasiada frecuencia tus argumentos eran falaces, tus premisas inútiles, tus críticas viscerales, tus datos sesgados... Lo que estaba en juego, sin embargo, no era su victoria sobre ti; su única meta era alcanzar la verdad y asegurarse de que entendías cómo llegar hasta ella. En cuanto hacía picadillo tu argumentación y se cercioraba de que entendías el porqué, se acababa la cuestión.

Entonces, ¿entiendes dónde te has equivocado? Has calculado la temperatura basándote en una serie de premisas incorrectas. ¡Exacto! Ahora vamos a hacer unas llamadas, a ver si nos juntamos para ir a ver a los Medias Blancas el sábado. Necesito un perrito caliente de los del estadio, y seguro que no vamos a poder comprarlo en Comiskey Park en pleno octubre.

Lincoln siempre había disfrutado de aquel forcejeo intelectual, y a menudo iba en coche hasta Hyde Park para asistir a los seminarios de su tío o tomar parte en los grupos de discusión informales que había en la facultad. De hecho, había ido con más frecuencia que Arthur, que solía estar ocupado con otras actividades.

Si su tío estuviera vivo, sin duda entraría en la habitación sin lanzar una sola mirada al cuerpo inmóvil de Rhyme, señalaría el cromatógrafo de gases y le espetaría: *¿Por qué usas todavía esa antigualla?* Luego se acomodaría delante de las pizarras blancas y empezaría a interrogarlo acerca de cómo había manejado el caso 522.

Sí, pero ¿es lógico que ese sujeto se comporte de esta manera? Exponme otra vez tus argumentos.

Pensó en la noche que había recordado poco antes: la Nochebuena de su último año en el instituto, en casa de su tío en Evanston. Estaban presentes

Henry, Paula y sus hijos. Robert, Arthur y Marie; Teddy y Anne con Lincoln; algunos otros tíos y tías, otros primos. Y un vecino o dos.

Lincoln y Arthur se habían pasado buena parte de la velada jugando al billar abajo y hablando sobre sus planes para el otoño siguiente y la universidad. Lincoln estaba empeñado en entrar en el MIT. Arthur también pensaba ir allí. Los dos confiaban en que los admitieran y esa noche estuvieron debatiendo si debían alojarse juntos en una residencia para estudiantes o buscar un apartamento fuera del campus (la camaradería masculina frente a una guarida donde llevar a las chicas).

La familia se reunió luego en la gran mesa del comedor de sus tíos. El lago Michigan se agitaba allí cerca, el viento silbaba entre las ramas desnudas y grises del jardín de atrás. Henry presidía la mesa igual que presidía su clase, siempre alerta y al mando, con una leve sonrisa por debajo de aquellos ojos incansables, atentos a todas las conversaciones que tenían lugar a su alrededor. Contaba chistes y anécdotas y preguntaba por las vidas de sus invitados. Rebosaba curiosidad, interés... y a veces era también un manipulador.

—Bueno, Marie, ahora que estamos todos aquí, cuéntanos lo de esa beca para Georgetown. Creo que estamos de acuerdo en que sería excelente para ti. Y Jerry puede ir a visitarte los fines de semana en ese coche nuevo tan elegante que tiene. Por cierto, ¿cuándo acaba el plazo de solicitud? Muy pronto, si no recuerdo mal.

Y su hija de cabello fino y algodonoso esquivaba su mirada y decía que, entre las Navidades y los exámenes finales, no había terminado de rellenar los impresos. Pero lo haría. Claro que sí.

El objetivo de Henry era, naturalmente, conseguir que su hija se comprometiera delante de testigos, a pesar de que ello la obligara a pasar otros seis meses separada de su novio.

Rhyme siempre había tenido el convencimiento de que su tío habría sido un abogado o un político excelente.

Después de retirar de la mesa los restos del pavo y del pastel de carne, cuando hicieron acto de aparición el Grand Marnier, el café y el té, Henry les hizo entrar a todos en el cuarto de estar, dominado por un árbol de Navidad enorme, por las llamas alegres de la chimenea y por un severo retrato del abuelo de Lincoln: un profesor de Harvard con tres doctorados.

Era la hora de la competición.

Henry lanzaba una pregunta de ciencias y el primero en responderla acertadamente ganaba un punto. Los jugadores que quedaban en los tres mejores puestos recibían como premio un regalo elegido por Henry y cuidadosamente envuelto por Paula.

La tensión se palpaba en el ambiente (siempre era así cuando Henry estaba al mando) y la gente se tomaba muy a pecho la competición. Podía contarse con que el padre de Lincoln acertara unas cuantas preguntas sobre química. Si el tema tenía que ver con los números, su madre, que enseñaba matemáticas a tiempo parcial, respondía a algunas preguntas antes incluso de que Henry hubiera acabado de formularlas. Pero quienes abrían la marcha a lo largo de todo el concurso eran los primos (Robert, Marie, Lincoln y Arthur) y el novio de Marie.

Hacia el final, poco antes de las ocho de la tarde, los concursantes se hallaban sentados literalmente al borde de sus sillas. El *ranking* cambiaba con cada pregunta. Les sudaban las palmas de las manos. Cuando sólo faltaban unos minutos para que el reloj de Paula marcara el final de la competición, Lincoln contestó a tres preguntas seguidas y se puso en cabeza. Marie fue segunda y Arthur tercero.

En medio de los aplausos, Lincoln hizo una reverencia teatral y aceptó el primer premio de manos de su tío. Todavía recordaba la sorpresa que sintió cuando quitó el papel verde oscuro: una caja de plástico transparente que contenía un cubo de cemento de una pulgada. Pero no era un premio de broma. Lo que sostenía Lincoln era un pedazo del Stagg Field de la Universidad de Chicago, donde había tenido lugar la primera reacción atómica en cadena bajo la dirección de Enrico Fermi y del tocayo de su primo, Arthur Compton. Al parecer, Henry había comprado aquel fragmento cuando el estadio fue derribado en los años cincuenta. Lincoln se sintió muy conmovido por aquel premio histórico y de pronto se alegró de haber jugado en serio. Todavía tenía la piedra en alguna parte, guardada en una caja de cartón, en el sótano.

Pero no había tenido tiempo de admirar su recompensa.

Porque esa noche había tenido una cita nocturna con Adrianna.

Al igual que su familia, que ese día se había colado inopinadamente en sus pensamientos, la bella gimnasta pelirroja también figuraba en sus memorias.

Adrianna Waleska (se pronunciaba con una uve suave, un eco de sus raíces en Gdansk, de donde su familia había salido hacía dos generaciones) trabajaba en el despacho del orientador universitario del instituto de Lincoln. A principios de su último curso, mientras le entregaba unos impresos, había visto sobre su mesa un ejemplar muy manoseado de *Forastero en tierra extraña*, la novela de Heinlein. Se habían pasado la hora siguiente hablando sobre el libro, coincidiendo a menudo en sus opiniones y disintiendo otras veces, de resultas de lo cual Lincoln se percató de que se había saltado la clase de química. No importaba. Lo primero era lo primero.

Era alta, delgada, llevaba un aparato invisible en los dientes y tenía una figura atractiva bajo sus jerséis peludos y sus vaqueros acampanados. Su sonrisa iba de efervescente a seductora. Pronto empezaron a salir, la primera incursión para ambos en el campo de las relaciones serias. Cada uno asistía a las competiciones deportivas del otro, visitaban las Salas Thorne del Instituto de las Artes de Chicago, los clubes de jazz del casco viejo y, de vez en cuando, el asiento trasero del Chevy Monza de Adrianna, que difícilmente podía considerarse un asiento trasero y que por tanto añadía su toque de encanto. Ella vivía a un corto trecho de su casa conforme a los parámetros de corredor de fondo de Rhyme, pero no podía ir hasta allí corriendo (¿cómo iba a presentarse sudando?), de modo que les pedía prestado el coche a sus padres cuando podía y se iba a verla.

Pasaban horas hablando. Al igual que con tío Henry, Adie y él se *picaban* entre sí.

Había obstáculos, sí. Él se iba al curso siguiente a estudiar a Boston; ella, a San Diego a estudiar biología y a trabajar en el zoo. Pero eran simples complicaciones, y Lincoln Rhyme, tanto entonces como ahora, no aceptaba las complicaciones como excusa.

Más tarde (después del accidente, y de que Blaine y él se divorciaran), se había preguntado a menudo qué habría pasado si Adrianna y él hubieran seguido juntos y llevado adelante su relación. Esa Nochebuena, de hecho, había estado a punto de pedirle matrimonio. Había pensado ofrecerle no un anillo sino, según había ensayado ingeniosamente, «otro tipo de piedra»: el premio del concurso de ciencias de su tío.

Pero se había echado para atrás por culpa del tiempo. Mientras estaban sentados, abrazados en un banco, la nieve empezó a lanzarse con ímpetu suicida desde el silencioso cielo del Medio Oeste y a los pocos minutos tenían el pelo y los abrigos cubiertos de una capa blanca y mojada. Adrianna volvió a su casa y Lincoln a la suya antes de que quedaran bloqueadas las carreteras. Esa noche, tumbado en la cama, con la bolsa de plástico que contenía el trozo de cemento a su lado, ensayó su petición de matrimonio.

Pero nunca llegó a efectuarla. Surgieron cosas que les hicieron tomar caminos distintos, acontecimientos aparentemente insignificantes que, al igual que los átomos invisibles a los que se engañó para que se fisionaran en un gélido campo de deportes, cambiaron para siempre el mundo.

Todo habría sido distinto...

Rhyme entrevió a Sachs cepillándose el largo pelo rojizo. Estuvo observándola unos instantes, contento de que fuera a quedarse a pasar la noche: más contento de lo habitual. Rhyme y Sachs no eran inseparables. Eran personas de una independencia obstinada, y a menudo preferían pasar la noche separados. Esa noche, en cambio, él quería que estuviera allí. Quería disfrutar de la cercanía de su cuerpo. La sensación (en las escasas partes en las que era capaz de sentir algo) era aún más intensa precisamente por su infrecuencia.

Su amor por ella era de las razones que lo habían impulsado a asumir su régimen de ejercicios, para el que se servía de un cinta andadora informatizada y de una bicicleta Electrologic. Si la ciencia médica, que avanzaba a paso de tortuga, llegaba alguna vez a la línea de meta (es decir, si le permitía volver a caminar), quería que sus músculos estuvieran preparados. Estaba pensando, además, en someterse a una nueva operación que podía mejorar su estado hasta que llegara ese día. Era una técnica experimental y controvertida conocida como «redirección del nervio periférico». Llevaba años hablándose de ella (y se había ensayado de vez en cuando) sin muchos resultados positivos, pero últimamente unos médicos extranjeros habían practicado con cierto éxito la operación pese a las reservas de la comunidad médica estadounidense. El procedimiento consistía en conectar quirúrgicamente nervios de más arriba del punto de la lesión con nervios de más abajo. Un desvío para rodear un puente inutilizado, de hecho.

Los resultados positivos se habían dado en su mayor parte en pacientes con lesiones menos graves que las de Rhyme, pero en todo caso eran notables: recuperación del control de la vejiga, del movimiento de algunas extremidades e incluso de la capacidad de caminar. Esto último era imposible en su caso, pero sus conversaciones con un médico japonés pionero en el uso de la técnica y con un colega que trabajaba en el hospital asociado a una prestigiosa y selecta universidad de la Costa Este le habían hecho concebir ciertas esperanzas de mejoría. Cabía la posibilidad de que recuperara en parte la sensación y el movimiento de brazos y manos y el control de la vejiga.

Y el sexo, también.

Los paralíticos, incluso los tetrapléjicos, son perfectamente capaces de mantener relaciones sexuales. Si el estímulo es mental (ver a un hombre o a una mujer que nos atrae), entonces no, el mensaje no pasa más allá del punto en que se ha producido la lesión en la médula espinal. Pero el cuerpo es un mecanismo brillante y existe un nudo mágico de nervios que opera por sí solo, más abajo de la lesión. Un pequeño estímulo local y hasta los hombres con mayor grado de parálisis pueden hacer, a menudo, el amor.

Se apagó la luz del cuarto de baño y vio que la silueta de Amelia se acercaba a él y se subía a la que, según había afirmado ella misma hacía tiempo, era la cama más cómoda del mundo.

153

—Yo... —comenzó a decir Rhyme, y su voz quedó sofocada de inmediato por un beso apasionado de Sachs.

—¿Qué decías? —susurró ella, moviendo los labios por su barbilla y luego por su cuello.

Se le había olvidado.

—Se me ha olvidado.

Tomó la oreja de Sachs entre los labios y notó que apartaba las mantas. Le costó cierto esfuerzo: Thom hacía la cama como un soldado que temiera a su sargento instructor. Pero pronto vio las mantas arrebujadas a los pies de la cama. Y, a su lado, la camiseta de Sachs.

Ella volvió a besarlo. Rhyme la besó con ansia.

Y entonces sonó el teléfono de ella.

—Oh, oh —susurró—. No lo he oído. —Tras cuatro pitidos, el bendito buzón de voz se hizo cargo de la llamada. Pero un momento después el teléfono volvió a sonar.

—Puede que sea tu madre —dijo Rhyme.

Rose Sachs tenía un problema cardíaco y estaba en tratamiento. El pronóstico era bueno, pero últimamente había sufrido algunos reveses.

La detective refunfuñó y abrió el teléfono, bañando sus cuerpos con una luz azulada. Miró la pantalla y dijo:

—Es Pam. Será mejor que lo coja.

—Claro.

—Hola, ¿qué pasa?

Rhyme dedujo de la conversación que siguió que algo iba mal.

—De acuerdo... Claro... Pero estoy en casa de Lincoln. ¿Quieres venir aquí? —Miró a Rhyme, que asintió con la cabeza—. Está bien, cariño. Claro que estaremos despiertos. —Cerró el teléfono.

—¿Qué ocurre?

—No lo sé. No ha querido contármelo. Sólo ha dicho que esta noche Dan y Enid han recibido a dos niños nuevos, un caso de emergencia, y que los más mayores tenían que dormir juntos en la misma habitación. Le apetecía salir de allí y no quiere estar sola en mi casa.

—Por mí no hay problema, ya lo sabes.

Sachs se tumbó y lo besó enérgicamente. Susurró:

—He hecho cuentas. Tiene que hacer la mochila, sacar su coche del garaje... Tardará tres cuartos de hora largos en llegar aquí. Tenemos un poco de tiempo.

Se inclinó hacia delante y lo besó de nuevo.

En ese instante sonó estruendosamente el timbre y se oyó decir por el intercomunicador:

—¿Señor Rhyme? ¿Amelia? Hola, soy Pam. ¿Pueden abrirme?
Él se echó a reír.
—O puede que haya llamado desde los escalones de la puerta.

Pam y Sachs estaban sentadas en uno de los dormitorios de arriba.

Aquél era el cuarto de la chica, para cuando le apetecía quedarse a dormir allí. Sobre la estantería había sólo uno o dos peluches abandonados (cuando tu madre y tu padrastro huyen del FBI, los juguetes no tienen una gran presencia en tu infancia). Tenía, en cambio, varios cientos de discos y libros. Gracias a Thom, siempre había algún chándal limpio, así como camisetas y calcetines. Una radio Sirius por satélite y un lector de discos. Y también sus zapatillas deportivas: a Pam le encantaba correr por la pista de dos kilómetros y medio que rodeaba el lago de Central Park. Corría porque le gustaba correr, y también por una necesidad ansiosa.

Sentada en la cama, se pintaba con esmero las uñas de los pies con laca dorada, separando los dedos con bolas de algodón. Su madre le tenía prohibido pintárselas, lo mismo que maquillarse («por respeto a Cristo», argumentaba con dudosa lógica), y en cuanto se vio libre de su vida en la clandestinidad ultraderechista, Pam había adoptado pequeños y reconfortantes hábitos como aquél, o como teñirse el pelo de un tono rojizo o llevar tres pendientes en la oreja. Sachs se alegraba de que no se hubiera pasado de la raya: si alguien tenía motivos para zambullirse de cabeza en lo extravagante, era Pamela Willoughby.

La detective estaba arrellanada en un sillón, con los pies en alto y las uñas de los pies sin pintar. La brisa llevaba hasta el interior del cuartito la compleja mezcla de olores primaverales de Central Park: estiércol, tierra, follaje mojado por el rocío, humo de motor. Bebió un sorbo de su chocolate caliente.

—¡Uf! Sóplalo primero.

Pam sopló suavemente sobre su taza y probó el chocolate.

—Está bueno. Y caliente, sí. —Siguió pintándose las uñas. Su expresión preocupada contrastaba con su semblante de esa mañana.

—¿Sabes cómo se llama a eso? —Sachs señaló con el dedo.

—¿A los pies? ¿A los dedos?

—No, a la parte de abajo.

—Claro. La parte de abajo de los pies y la parte de abajo de los dedos.

Se rieron.

—Plantas. Y también tienen huellas, igual que los dedos de las manos. Lincoln atrapó a un criminal una vez porque dejó inconsciente a una persona dándole patadas con el pie descalzo. Una de las veces falló y dio en la puerta. Y dejó una huella.

—Es genial. Debería escribir otro libro.

—Estoy intentando convencerlo para que lo escriba —comentó Sachs—. Bueno, ¿qué pasa?

—Stuart.

—Cuéntame.

—A lo mejor no debería haber venido. Es una tontería.

—Vamos, soy policía, ¿recuerdas? No pararé hasta que me lo cuentes.

—Es sólo que me ha llamado Emily, y es muy raro que me llame un domingo. Nunca me llama en domingo, así que enseguida he pensado, vale, pasa algo. Al principio parecía que no quería decirme nada, pero luego sí. Y me ha dicho que hoy ha visto a Stuart con otra, con una chica del instituto, después del partido de fútbol. Y resulta que a mí me había dicho que iba a irse directamente a casa.

—Bueno, ¿y qué más? ¿Sólo estaban hablando? No hay nada de malo en eso.

—Emily dice que no está segura, pero que parecía, ya sabes, que estaba abrazándola. Y cuando vio que alguien lo estaba mirando, se fue rápidamente con ella. Como si intentara esconderse. —La labor de pedicura quedó a medias—. Me gusta muchísimo, de verdad. Sería una mierda que quisiera cortar conmigo.

Las dos habían visitado juntas a una psicóloga y, con permiso de Pam, Sachs había hablado a solas con ella. La chica pasaría un largo periodo de estrés postraumático, no sólo debido a su prolongado cautiverio en manos de su madre trastornada, sino como resultado de un episodio concreto en el que su padrastro había estado a punto de sacrificar su vida al intentar matar a varios agentes de policía. Incidentes como aquél con Stuart Everett, de poca importancia para la mayoría de la gente, cobraban proporciones desmesuradas en la mente de la muchacha y podían tener efectos devastadores. La psicóloga le había dicho a Sachs que no diera pábulo a sus temores, pero que tampoco les quitara importancia. Que sopesara con cuidado cada uno de ellos e intentara analizarlos.

—¿Habéis hablado de salir con otras personas?

—Stuart dijo que... Bueno, hace un mes dijo que no salía con nadie más. Y yo tampoco. Se lo dije.

—¿Algún otro soplo? —preguntó Sachs.

—¿Soplo?

—Me refiero a que si alguna otra de tus amigas te ha dicho algo.

—No.

—¿Conoces a los amigos de Stuart?

—Más o menos, pero no puedo preguntarles nada. Quedaría fatal.

Sachs sonrió.

—Entonces lo de los espías no sirve. Bueno, lo que deberías hacer sería preguntárselo a él. Directamente.

—¿Tú crees?

—Sí, creo que sí.

—¿Y si me dice que está saliendo con otra?

—Entonces deberías dar gracias por que sea sincero contigo. Es buena señal. Y luego convencerlo de que deje a la otra. —Se rieron—. Tienes que decirle que tú sólo quieres salir con un chico. —La madre en ciernes que llevaba dentro se apresuró a añadir—: Pero no estamos hablando de que os caséis, ni de iros a vivir juntos. Sólo de salir.

Pam asintió rápidamente con la cabeza.

—Sí, claro.

Aliviada, Sachs agregó:

—Y que con quien quieres salir es con él. Pero que esperas lo mismo de él. Que entre vosotros hay algo importante, que os entendéis, que podéis hablar, que tenéis un vínculo fuerte y que eso no se encuentra muy a menudo.

—Como tú y el señor Rhyme.

—Sí, así. Pero si él no quiere, no pasa nada.

—No, sí que pasa. —Pam arrugó el ceño.

—No, sólo te estoy diciendo lo que tienes que decirle. Pero luego dile que tú también vas a salir con otros chicos. Que no puede tenerlo todo.

—Supongo que sí, pero ¿y si me dice que vale? —Se le ensombreció el semblante al pensarlo.

Sachs se rió y sacudió la cabeza.

—Sí, es una faena que te tomen la palabra. Pero no creo que vaya a hacerlo.

—Muy bien. Mañana voy a verlo después de clase. Hablaré con él.

—Llámame para contarme. —Se levantó, recogió el bote de laca de uñas y lo tapó—. Duerme un poco. Es tarde.

—Pero mis uñas... No he terminado.

—Pues no te pongas zapatos abiertos.

—Amelia...

Se detuvo en la puerta.

—¿El señor Rhyme y tú vais a casaros?

Sachs sonrió y cerró la puerta.

TERCERA PARTE

EL ADIVINO

Lunes, 23 de mayo

Los ordenadores predicen comportamientos con precisión pavorosa rebuscando entre las montañas de datos que las empresas recaban sobre sus clientes. Denominada «analítica predictiva», esta bola de cristal computerizada se ha transformado en una industria que factura 2.300 millones de dólares en Estados Unidos y va camino de alcanzar los 3.000 millones en 2008.

CHICAGO TRIBUNE

18

Es bastante grande...

Sentada en el vestíbulo de Strategic Systems Datacorp, Amelia Sachs se dijo que el presidente de la empresa de zapatos se había quedado *muy* corto al describirles la importancia de la operadora de procesamiento de datos.

El edificio, situado en el distrito de Midtown, tenía treinta plantas y era un monolito gris y puntiagudo en cuyos costados de terso granito brillaba la mica. Las ventanas eran ranuras estrechas, lo cual resultaba sorprendente teniendo en cuenta las asombrosas vistas de la ciudad que se tenían desde aquella ubicación y aquella altura. Sachs conocía el edificio, al que se apodaba popularmente «la Roca Gris», pero nunca había sabido de quién era.

Ella y Ron Pulaski (vestidos no con su ropa de ocio, sino con traje y uniforme azul marino, respectivamente) se hallaban sentados frente a una enorme pared en la que aparecían grabadas las sedes de las oficinas de SSD en todo el mundo, entre ellas Londres, Buenos Aires, Bombay, Singapur, Pekín, Dubái, Sídney y Tokio.

Bastante grande, sí...

Sobre el listado de delegaciones comerciales se veía el logotipo de la compañía: la ventana en la atalaya.

Se le encogió ligeramente el estómago al acordarse del edificio abandonado que había frente al hotel donde vivía Robert Jorgensen. Recordó las palabras de Lincoln Rhyme acerca del incidente con el agente federal, en Brooklyn.

Sabía exactamente dónde estabas. Lo que significa que estaba vigilando. Ten cuidado, Sachs...

Al recorrer al vestíbulo con la mirada, vio a media docena de personas esperando. Muchas de ellas parecían inquietas, y se acordó del presidente de la empresa de zapatos y de su preocupación ante la perspectiva de perder los servicios de SSD. Vio entonces que giraban las cabezas casi al unísono para mirar más allá de la recepcionista. Miraban al hombre bajo y de aspecto juvenil que acababa de entrar en el vestíbulo y que avanzaba directamente hacia ellos cruzando las alfombras blancas y negras. Su porte era perfecto y sus pasos largos. El hombre de cabello rubicundo inclinó la cabeza, sonrió y saludó rápidamente por su nombre a casi todos los presentes.

Un candidato presidencial. Ésa fue la primera impresión de Sachs.

Pero no se detuvo hasta llegar ante los dos agentes de policía.

—Buenos días, soy Andrew Sterling.

—Detective Sachs. Y éste es el agente Pulaski.

Sterling era unos cinco centímetros más bajo que ella, pero parecía bastante en forma y tenía los hombros anchos. Su impecable camisa blanca estaba provista de gemelos y cuello almidonado. Sus hombros parecían musculosos: la chaqueta le quedaba algo justa. No llevaba joyas. Cuando aquella sonrisa fácil cruzaba su cara, de las comisuras de sus ojos verdes irradiaban pequeñas arrugas.

—Vamos a mi despacho.

El presidente de una gran empresa... Y sin embargo había salido a recibirles en persona, en lugar de enviar un subalterno para que les condujera hasta su salón del trono.

Avanzó con paso ágil por los pasillos amplios y silenciosos. Saludaba a todos los empleados y a veces les preguntaba por el fin de semana, y ellos devoraban ávidamente sus sonrisas al oír que se lo habían pasado estupendamente, o su expresión de contrariedad al saber que tenían algún familiar enfermo o habían tenido que cancelar un partido. Había docenas de ellos, y Sterling tenía un comentario personal para cada uno.

—Hola, Tony —le dijo a un conserje que estaba vaciando el contenido de un triturador de papel en una gran bolsa de plástico—. ¿Viste el partido?

—No, Andrew, me lo perdí. Tenía muchas cosas que hacer.

—Quizá deberíamos instituir los fines de semana de tres días —bromeó Sterling.

—Yo votaría a favor, Andrew.

Y siguieron avanzando por el pasillo.

En aquel trayecto de cinco minutos, pensó Sachs, Sterling había saludado a más gente de la que ella conocía en todo el Departamento de Policía de Nueva York.

La decoración de la empresa era mínima: algunas pequeñas fotografías y bocetos de muy buen gusto, ninguno de ellos en color, abrumados por el blanco impoluto de las paredes. Los muebles, también negros o blancos, eran sencillos: de Ikea, pero caros. Sachs dedujo que se trataba de una especie de declaración de principios, pero a ella le pareció triste y sombrío.

Mientras caminaban, fue repasando lo que había averiguado la noche anterior, tras desear buenas noches a Pam. La biografía de Sterling, extraída a retazos de Internet, era escueta. Era un hombre sumamente reservado: un Howard Hughes, no un Bill Gates. Su vida anterior era un misterio. No había encontrado ninguna referencia sobre su infancia o acerca de sus padres. Un par de esquemáticos artículos de prensa afirmaban que había comenzado su andadura a la edad de diecisiete años, cuando desempeñó sus primeros empleos, casi siempre como comercial, trabajando de puerta en puerta o en telemárquetin, dedicándose a productos cada vez más grandes y caros, hasta llegar por fin a los ordenadores. «Para ser un chaval que casi se sacó el título de grado en clases nocturnas», contaba Sterling a la prensa, había resultado ser un comercial con mucho éxito. Después había vuelto a la universidad, había aprobado lo poco que le quedaba para sacarse el título de grado y seguidamente se había licenciado en ingeniería y ciencias computacionales. Era una historia típica de esfuerzo y superación personal, y los únicos pormenores que incluía ponían de relieve su ingenio y su estatus como empresario.

Después, con veintitantos años, había llegado el «gran despertar», decía él hablando como un dictador de la China comunista. Vendía un montón de ordenadores, pero eso no le satisfacía. ¿Por qué no le iba mejor? No era perezoso. No era tonto.

Comprendió entonces cuál era el problema: era desorganizado.

Como lo eran muchos otros vendedores.

Así pues, aprendió programación y pasó semanas enteras en una habitación oscura, trabajando en jornadas de dieciocho horas para crear su propio *software*. Lo empeñó todo y fundó una empresa basada en un concepto que o bien era una estupidez, o bien era brillante: su activo más valioso no pertenecía a la compañía, sino a millones de personas, y en gran parte era de acceso libre: información sobre esas personas. Comenzó a compilar una base de datos que incluía a clientes potenciales de diversos sectores de servicios y producción de bienes, datos demográficos de la zona en la que estaban ubicados, sus ingresos, su estado civil, las buenas y las malas noticias acerca de su situación económica y jurídica y cualquier otro dato, personal o profesional, que Sterling pudiera comprar, robar o encontrar por otros medios. «Si ahí fuera hay un dato, lo quiero», afirmaba en una cita literal.

El *software* que creó, la primera versión del sistema de procesamiento de datos Atalaya, fue revolucionario en su momento, un salto exponencial que dejaba muy atrás al célebre programa SQL (pronunciado *sequel*, según había descubierto Sachs). En cuestión de minutos, Atalaya decidía a qué clientes merecía la pena abordar y cómo persuadirles, y a qué clientes había que desestimar (sus nombres, no obstante, podían venderse a otras empresas para sus propios fines).

La empresa creció como un monstruo en una película de ciencia ficción. Sterling le cambió el nombre por SSD, trasladó su sede a Manhattan y comenzó a adquirir empresas más pequeñas del sector de la información para engrosar su imperio. Aunque había cosechado mala fama entre las asociaciones dedicadas a la defensa del derecho a la privacidad, en SSD nunca había habido un escándalo al estilo Enron, ni siquiera por asomo. Los empleados tenían que ganarse el sueldo (nadie recibía bonificaciones escandalosamente elevadas, como en Wall Street), pero si la empresa obtenía beneficios, ellos también. SSD ofrecía facilidades de pago en gastos de enseñanza y compra de viviendas, prácticas para hijos de empleados y un año de baja por maternidad o paternidad. La empresa era conocida por la familiaridad con que se trataba a los empleados, y Sterling alentaba la contratación de cónyuges, padres e hijos. Todos los meses patrocinaba retiros para la motivación y el fortalecimiento del espíritu de equipo entre sus empleados.

El consejero delegado era muy discreto respecto a su vida privada, pero Sachs supo que no bebía ni fumaba y que nadie le había oído jamás pronunciar una palabra malsonante. Vivía modestamente, tenía un sueldo sorprendentemente bajo y mantenía el grueso de su fortuna en acciones de SSD. Rehuía a la alta sociedad neoyorquina y no tenía coches potentes, ni avión privado. A pesar del respeto que se profesaba a la unidad familiar entre los empleados de su empresa, se había divorciado dos veces y actualmente estaba soltero. No se sabía de reclamaciones de paternidad acerca de hijos engendrados durante su juventud, y aunque tenía varias casas, procuraba mantener en secreto su ubicación. Quizá porque conocía el poder de los datos, Andrew Sterling también advertía sus peligros.

Llegaron al final de un largo pasillo y entraron en un despacho exterior donde los dos asistentes de Sterling tenían sus mesas, ambas repletas de montones de papel perfectamente ordenados, carpetas y documentos impresos. En aquel momento sólo estaba presente uno de los asistentes, un joven guapo, vestido con un traje de aspecto clásico. En la placa de su nombre se leía «Martin Coyle». Su zona era la más ordenada: a Sachs le hizo gracia comprobar que hasta los muchos libros que había a su espalda estaban colocados por tamaños, de mayor a menor.

—Andrew. —Saludó a su jefe con una inclinación de cabeza e hizo caso omiso de los dos policías tan pronto notó que no iba a presentárselos—. Te he dejado los mensajes en el ordenador.

—Gracias. —Sterling miró la otra mesa—. ¿Jeremy se va a ocupar de lo del restaurante para la comida con la prensa?

—Lo ha hecho esta mañana. Ha ido a llevar unos papeles al bufete. Sobre ese otro asunto.

A Sachs le sorprendió que Sterling tuviera dos asistentes personales: al parecer, uno para el trabajo de dentro y otro para gestiones fuera de la oficina. En el Departamento de Policía de Nueva York los detectives, cuando tenían ayuda, se repartían el trabajo.

Entraron en el despacho de Sterling, que no era mucho más grande que los demás que Sachs había visto en la empresa. Sus paredes estaban desprovistas de decoración. Pese al logotipo de SSD, con su atalaya y su ventana de *voyeur*, el ventanal estaba tapado con una cortina que impedía ver el que sin duda sería un panorama magnífico de la ciudad. Un escalofrío de claustrofobia recorrió a Sachs.

Sterling se sentó en una silla de madera sencilla, no en un trono de piel giratorio. Les indicó que tomaran asiento en sillas parecidas, aunque almohadilladas. Detrás de él había estantes bajos repletos de libros, colocados curiosamente con los lomos mirando hacia arriba, no hacia fuera. Quienes visitaban su despacho no podían ver qué le gustaba leer a menos que pasaran a su lado y se agacharan a mirar o sacaran un volumen.

El consejero delegado señaló una jarra y media docena de vasos puestos del revés.

—Es agua, pero si les apetece un té o un café, puedo pedir que se los acerquen.

¿Que se los *acerquen*? Sachs pensó que nunca había oído a nadie emplear esa expresión.

—No, gracias.

Pulaski negó con la cabeza.

—Disculpen un momento. —Sterling levantó el teléfono y marcó—. ¿Andy? Me has llamado.

La detective dedujo por su tono que se trataba de alguien cercano, aunque estaba claro que era una llamada de trabajo acerca de algún problema por resolver. Sterling, sin embargo, hablaba desapasionadamente.

—Ah. Pues tendrás que hacerlo, creo. Necesitamos esas cifras. Ya sabes que no van a quedarse de brazos cruzados. Moverán ficha en cualquier momento... Muy bien.

Colgó y notó que Sachs lo observaba atentamente.

—Mi hijo trabaja en la empresa. —Señaló una fotografía que había sobre su mesa. En ella aparecía con un joven delgado y guapo que se parecía a él. Estaban en alguna excursión para empleados, quizás en uno de aquellos retiros para fomentar el espíritu corporativo, y llevaban sendas camisetas de SSD. Se hallaban el uno junto al otro, pero no había contacto físico entre ellos. Ninguno de los dos sonreía.

Así pues, una duda acerca de su vida privada había obtenido respuesta.

—Bien —dijo, fijando sus ojos verdes en Sachs—, ¿de qué se trata? Han mencionado un crimen.

Ella explicó:

—Ha habido varios asesinatos en la ciudad en los últimos meses y creemos que alguien podría estar utilizando información procedente de su sistema informático para acercarse a las víctimas, matarlas y servirse luego de esa información para culpar de los crímenes a personas inocentes.

El hombre que lo sabe todo...

—¿Información? —Su preocupación pareció sincera. Pero también estaba perplejo—. No sé muy bien cómo podría pasar eso, pero cuénteme más.

—Bueno, el asesino sabía exactamente qué productos utilizaban las víctimas y dejaba restos de ellos como pruebas materiales en casa de una persona inocente para relacionarla con los crímenes.

De cuando en cuando, Sterling fruncía las cejas por encima de sus ojos de color esmeralda. Pareció sinceramente preocupado cuando Sachs le explicó los pormenores del robo del cuadro y las monedas y las dos agresiones sexuales.

—Eso es terrible. —Impresionado por la noticia, apartó los ojos de ella—. ¿Violaciones?

Sachs asintió, muy seria, y procedió a explicarle que SSD parecía ser la única empresa de la zona que tenía acceso a toda la información utilizada por el asesino.

Sterling se frotó la cara y asintió lentamente con la cabeza.

—Entiendo que estén preocupados, pero ¿no es más fácil que el asesino haya seguido a sus víctimas para averiguar qué compraban? ¿O incluso que haya *hackeado* sus ordenadores, abierto sus buzones o entrado en sus casas, y anotado su número de matrícula en la calle?

—Pero verá, el problema es ése: podría hacerlo, pero tendría que hacer todas esas cosas para conseguir la información que necesitaba. Ha habido cuatro crímenes como mínimo. Creemos que probablemente haya habido más. Y eso supone información actualizada de las cuatro víctimas y de los cuatro hombres a los que inculpó. La manera más eficaz de conseguir esa información sería a través de una empresa de minería de datos.

Sterling esbozó una sonrisa, una mueca sutil.

Sachs arrugó el ceño y ladeó la cabeza.

—No es que esa expresión, «minería de datos», tenga nada de malo —explicó Andrew Sterling—. La ha popularizado la prensa y ahora se ve por todas partes.

Veinte millones de referencias en el buscador...

—Pero yo prefiero llamar a SSD «proveedor de servicios de conocimiento» o KSP. Como un proveedor de servicios de Internet.

Sachs tuvo una sensación extraña: Sterling parecía casi dolido por lo que había dicho. Sintió el impulso de decirle que no volvería a hacerlo.

El consejero delegado alisó un montón de papeles que había sobre su ordenada mesa. Sachs pensó al principio que estaban en blanco, pero luego advirtió que estaban todos boca abajo.

—Bien, créanme, si alguien de SSD está involucrado, me interesa tanto como a ustedes averiguarlo. Esto podría hacernos quedar muy mal, y últimamente ni la prensa ni el Congreso trata bien a los proveedores de servicios de conocimiento.

—En primer lugar —dijo Sachs—, el asesino habría comprado la mayoría de esos productos con dinero en efectivo, estamos casi seguros.

Sterling asintió.

—No querrá dejar pistas.

—Exacto. Pero los zapatos tuvo que comprarlos por correo o a través de Internet. ¿Disponen de un listado de personas que hayan comprado zapatos de estas marcas y de esos números en la zona de Nueva York? —Le entregó una lista con los datos de los zapatos Alton, Bass y Sure-Track—. La misma persona los habrá comprado todos.

—¿En qué lapso de tiempo?

—Tres meses.

Sterling hizo una llamada. Mantuvo una breve conversación y apenas un minuto después estaba mirando la pantalla de su ordenador. La giró para que Sachs pudiera verla, pero ella no entendió lo que veía: filas de códigos e información sobre productos.

El consejero delegado sacudió la cabeza.

—Se han vendido aproximadamente ochocientos Alton, mil doscientos Bass y doscientos Sure-Track, pero ninguna persona ha comprado los tres modelos. Ni siquiera dos.

Rhyme sospechaba que el asesino, si se había servido de información procedente de SSD, habría borrado su rastro, pero confiaban en que aquella pista diera resultados. Mientras Amelia miraba fijamente los dígitos, se preguntó si el asesino habría empleado las técnicas de usurpación de identidad que había perfeccionado con Robert Jorgensen para pedir los zapatos.

—Lo lamento.

Ella hizo un gesto de asentimiento.

Sterling quitó la capucha a un viejo bolígrafo de plata y se acercó un bloque de hojas. Escribió con letra precisa varias notas que Sachs no pudo leer, se quedó mirándolas y asintió para sí mismo.

—Pensarán, imagino, que el problema es un intruso, un empleado, uno de nuestros clientes o un pirata informático, ¿me equivoco?

Ron Pulaski miró a Sachs y contestó:

—Exacto.

—Muy bien. Vamos a llegar al fondo de este asunto. —Consultó su reloj Seiko—. Quiero que estén presentes algunas otras personas. Puede que tarden unos minutos. Nuestros Círculos Espirituales son los lunes por la mañana, sobre esta hora.

—¿Círculos Espirituales? —preguntó Pulaski.

—Reuniones de equipo para fomentar la motivación, dirigidas por los jefes de grupo. Acabarán pronto. Empezamos a las ocho en punto, pero algunas duran un poco más que otras, dependiendo de quién las dirija. —Añadió—: Orden: intercomunicador, Martin.

Sachs se rió para sus adentros. Sterling utilizaba el mismo sistema de reconocimiento de voz que Lincoln Rhyme.

—¿Sí, Andrew? —La voz surgió de una cajita metálica que había sobre la mesa.

—Quiero que vengan Tom, el de seguridad, y Sam. ¿Están en los Círculos Espirituales?

—No, pero Sam está en Washington, lleva allí toda la semana. No volverá hasta el viernes. Mark, su ayudante, sí está.

—Que venga él, entonces.

—Sí, señor.

—Orden: intercomunicador, desconectar. —Dirigiéndose a Sachs dijo—: Sólo será un momento.

Ella supuso que, cuando Andrew Sterling te llamaba, te presentabas sin perder un instante. El consejero delegado tomó unas cuantas notas más. Mientras escribía, Sachs contempló el logotipo de la empresa que había en la pared. Cuando Sterling dejó de escribir, le dijo:

—Siento curiosidad. La torre y la ventana, ¿qué significan?

—En un plano, sólo hacen referencia a la observación de datos. Pero tienen también otro significado. —Sonrió, satisfecho de poder dar aquella explicación—. ¿Conocen el concepto sociológico de la ventana rota?

—No.

—Yo lo descubrí hace años y se me quedó grabado. El quid de la cuestión es que, para mejorar la sociedad, hay que centrarse en las cosas pequeñas. Si ésas se controlan, o se arreglan, los cambios mayores vendrán por sí solos. Tomemos, por ejemplo, los barrios con un alto índice de criminalidad. Se pueden desperdiciar millones en aumentar el número de patrullas policiales y cámaras de seguridad, pero si las calles siguen pareciendo destartaladas y peligrosas, esos barrios seguirán estando destartalados y siendo peligrosos. En lugar de invertir millones de dólares, se pueden gastar miles en arreglar las ventanas, en pintar, en limpiar los portales. Puede que parezca una operación cosmética, pero la gente lo notará. Se enorgullecerá del lugar donde vive. Empezará a denunciar a los individuos a los que considera peligrosos y que no cuidan sus casas. Como sin duda sabrán, es lo que inspiró la política de prevención contra la delincuencia en Nueva York durante la década de 1990, y funcionó.

—¿Andrew? —dijo la voz de Martin a través del intercomunicador—. Tom y Mark están aquí.

Sterling ordenó:

—Diles que pasen. —Colocó el papel en el que había estado tomando notas justo delante de sí y dedicó a Sachs una sonrisa desabrida—. Veamos si alguien ha estado mirando por nuestra ventana.

19

Sonó el timbre y Thom hizo entrar a un hombre de poco más de treinta años, con el cabello castaño revuelto, vaqueros y una camiseta del cómico Weird Al Yankovic bajo una astrosa americana marrón.

Hoy en día no se puede uno dedicar a las ciencias forenses sin saber manejar un ordenador, pero tanto Rhyme como Cooper reconocían sus limitaciones en ese campo. Al hacerse evidente que el caso 522 tenía ramificaciones informáticas, Sellitto había pedido la colaboración de la Unidad de Delitos Informáticos de la policía de Nueva York, un grupo de élite formado por treinta y dos detectives y personal de apoyo.

Rodney Szarnek entró en la habitación, miró el monitor más cercano y dijo «Hola» como si hablara con el aparato. Del mismo modo, cuando miró hacia Rhyme no manifestó interés alguno por su estado físico, sino que se fijó en la unidad de control ambiental inalámbrica sujeta al brazo de su silla de ruedas. Pareció impresionado.

—¿Hoy tenías el día libre? —preguntó Sellitto, mirando el atuendo del joven. Su tono dejaba claro que no le parecía bien. Rhyme sabía que el detective pertenecía a la vieja escuela: los agentes de policía debían vestir apropiadamente.

—¿Mi día libre? —contestó Szarnek sin percatarse del reproche—. No. ¿Por qué iba a tener un día libre?

—Era simple curiosidad.

—Ya. Bueno, ¿qué es lo que pasa?

—Que necesitamos una trampa.

La idea de Lincoln Rhyme de entrar en SSD y preguntar sin más por una asesino no era tan ingenua como parecía. Al ver en la página web de la empresa que la división PublicSure de SSD prestaba apoyo a cuerpos policiales, había tenido la corazonada de que entre sus clientes se encontraba el Departamento de Policía de Nueva York. Si así era, entonces el asesino podía tener acceso a los archivos del cuerpo. Una llamada reveló rápidamente que, en efecto, el departamento era cliente de la empresa. El *software* de PublicSure y los consultores de SSD proporcionaban servicios de gestión de datos a la ciudad, entre ellos el procesamiento de la información sobre casos delictivos, expedientes y archivos. Si un agente que patrullaba por las calles necesitaba hacer una comprobación o un detective nuevo en un caso de homicidio tenía que consultar el expediente, PublicSure permitía que la información llegara a su mesa, al ordenador de su coche patrulla o incluso a su agenda electrónica o a su teléfono móvil en cuestión de minutos.

Al enviar a Sachs y a Pulaski a la empresa para preguntar quién podía tener acceso a los ficheros de datos acerca de las víctimas y los inculpados, 522 podía enterarse de que andaban tras su pista e intentar entrar en el sistema del Departamento de Policía a través de PublicSure para echar una ojeada a los informes. Si lo hacía, quizá pudieran descubrir quién había accedido a los archivos.

Rhyme le explicó la situación a Szarnek, que asintió sagazmente con la cabeza, como si montar trampas como aquélla fuera para él el pan de cada día. Pareció sorprendido, en cambio, al saber con qué compañía podía estar relacionado el asesino.

—¿SSD? La mayor empresa de minería de datos del mundo. Lo saben todo de cada hijo de vecino.

—¿Crees que será problema?

Su pose de *geek* despreocupado se difuminó un tanto y contestó en voz baja:

—Espero que no.

Y se puso a trabajar en su trampa, explicándoles lo que iba haciendo. Eliminó de los archivos todos los pormenores del caso que no querían que supiera 522 y transfirió manualmente la información sensible a un ordenador que no tenía acceso a Internet. Luego puso un programa de seguimiento visual de ruta provisto de una alarma delante del archivo titulado «Violación/homicidio de Myra Weinburg», en el servidor del Departamento de Policía de Nueva York, y añadió subcarpetas para tentar al asesino con títulos como «Paradero de sospechosos», «Análisis forense» y «Testigos». Contenían únicamente notas de carácter general sobre procedimientos de inspección forense. Si alguien accedía a ellas, ya fuera ilegalmente o a través de canales autorizados, Szarnek recibiría al instante la notificación de su dirección IP y su ubicación física. De ese modo podrían verificar de inmediato si quien estaba revisando el expediente era un policía con justificación legítima para consultarlo o una persona ajena al cuerpo. En este último caso, Szarnek avisaría a Rhyme o a Sellitto, que ordenarían a un equipo de la Unidad de Emergencias que se presentara en la dirección del sospechoso sin perder un instante. Szarnek incluyó además gran cantidad de material de archivo con información pública sobre

SSD, encriptada con el fin de asegurarse de que el asesino pasara mucho tiempo dentro del sistema descifrando los datos. De esa forman tendrían mayores posibilidades de encontrarlo.

—¿Cuánto tiempo tardarás?

—Quince o veinte minutos.

—Bien. Cuando acabes, también quiero que compruebes si alguien de fuera puede haber entrado en su sistema.

—¿*Hackear* SSD?

—Ajá.

—Eh... Tendrán cortafuegos en los cortafuegos de los cortafuegos.

—Aun así necesitamos saberlo.

—Pero si uno de los suyos es el asesino, supongo que no querrás que llame a la empresa y me coordine con ellos.

—No.

El semblante de Szarnek se nubló.

—Entonces tendré que intentar entrar por la fuerza, supongo.

—¿Puedes hacerlo legalmente?

—Sí y no. Sólo voy a poner a prueba los cortafuegos. No es delito si no entro de verdad en su sistema y hago que se desplome causando un revuelo mediático que acabaría con todos nosotros en la cárcel. O algo peor —añadió en tono agorero.

—Muy bien, pero primero quiero la trampa. Cuanto antes. —Rhyme miró el reloj. Sachs y Pulaski ya estaban difundiendo la noticia del caso en la Roca Gris.

Szarnek sacó de su maletín un pesado ordenador portátil y lo colocó sobre una mesa cercana.

—¿Hay alguna posibilidad de que me tome un...? Ah, gracias.

Thom acababa de llevar una cafetera y varias tazas.

—Justo lo que iba a pedir. Con mucha azúcar y sin leche. Un *geek* siempre es un *geek*, aunque sea un poli. Nunca le he cogido el tranquillo a esa cosa llamada «sueño». —Añadió mucha azúcar a su café, lo removió y se bebió la mitad mientras Thom seguía allí parado. El asistente volvió a llenarle la taza—. Gracias. Bueno, ¿qué tenemos aquí? —Estaba mirando el ordenador frente al que estaba sentado Cooper—. Buah.

—¿Buah?

—¿Usáis un módem por cable de uno coma cinco megas por segundo? ¿Os habéis enterado de que ahora fabrican pantallas de ordenador en color y de que hay una cosa llamada «Internet»?

—Muy gracioso —refunfuñó Rhyme.

—Recuérdamelo cuando acabe el caso. Revisaremos el cableado y haremos algunos ajustes en la LAN. Y te pondremos ethernet rápida.

Weird Al, ethernet, LAN...

Szarnek se puso unas gafas de cristal tintado, enchufó su ordenador a varios puertos del ordenador de Rhyme y comenzó a aporrear las teclas. El criminalista advirtió que varias teclas estaban borradas y que el ratón táctil estaba manchado de sudor. El teclado parecía estar espolvoreado con migas.

La mirada que Sellitto le lanzó a Rhyme decía a las claras: «Tiene que haber de todo».

El primero de los dos hombres que se reunieron con ellos en el despacho de Andrew Sterling era delgado, de mediana edad y rostro inescrutable. Parecía un policía retirado. El otro, más joven y cauteloso, era un ejecutivo júnior en estado puro. Se parecía al hermano rubio de esa telecomedia, *Frazier*.

Respecto al primero, Tom O'Day, Sachs casi dio en el blanco: no había sido policía, pero sí agente del FBI, y ahora dirigía el servicio de seguridad de SSD. El otro era Mark Whitcomb, el subdirector del departamento de autorregulación de la empresa.

Sterling explicó:

—Tom y los chicos de seguridad se aseguran de que nadie de fuera nos cause ningún daño. El departamento de Mark se asegura de que nosotros no causamos ningún daño al público en general. Nos movemos en un campo de minas. Estoy seguro de que las averiguaciones que han hecho sobre nuestra empresa les han dejado claro que estamos sujetos a centenares de leyes estatales y federales sobre privacidad: la Ley Graham-Leach-Bliley sobre mal uso de la información personal e ingeniería social, la Ley de Información Crediticia, la Ley de Portabilidad y Responsabilidad Civil de los Seguros Sanitarios, la Ley de Protección de la Privacidad de los Conductores... Y también un montón de leyes estatales. El departamento de autorregulación se asegura de que sabemos cuáles son las reglas y de que nos movemos dentro de sus límites.

Bien, pensó Sachs. Serían perfectos para difundir la noticia acerca de la investigación y animar al asesino a husmear la trampa que lo aguardaba en el servidor de la policía de Nueva York.

Mientras garabateaba en un cuadernito amarillo, Mark Whitcomb comentó:

—Queremos asegurarnos de que cuando Michael Moore haga una película sobre las empresas de procesamiento de datos no seremos los principales protagonistas.

—No lo digas ni en broma —dijo Sterling riendo, aunque se le notaba la preocupación en la cara. Luego preguntó a Sachs—: ¿Puedo contarles lo que me ha dicho?

—Claro, por favor.

Sterling les hizo un resumen muy claro de la situación. Había retenido toda la información que le había dado Sachs, hasta el nombre de las marcas concretas que les habían servido como pistas.

Whitcomb frunció el ceño mientras escuchaba. O'Day escuchó en silencio, sin sonreír. La detective estaba convencida de que la reserva de los agentes del FBI no era una conducta aprendida, sino un rasgo congénito.

Sterling dijo con firmeza:

—Así que ése es el problema que encaramos. Si hay alguna posibilidad de que SSD esté implicada, quiero saberlo y quiero soluciones. Hemos identificado cuatro orígenes posibles del problema: *hackers*, intrusos, empleados y clientes. ¿Qué opináis?

O'Day, el exagente del FBI, le dijo a Sachs:

—Bien, hablemos primero de los *hackers*. Tenemos los mejores cortafuegos del sector. Mejores que los de Microsoft y Sun. Para temas de seguridad en Internet, utilizamos los servicios de ICS, en Boston. Le aseguro que somos como un pato en una caseta de feria: todos los *hackers* del mundo quieren introducirse en nuestro sistema. Y nadie lo ha conseguido desde que nos trasladamos a Nueva York hace cinco años. Ha habido un par de personas que han logrado entrar en nuestros servidores administrativos durante diez o quince minutos, pero no ha habido ni una sola violación de la seguridad en innerCircle, y eso es lo que tendría que haber hecho su sospechoso para conseguir la información que necesitaba para sus crímenes. Y no podría conseguirla introduciéndose en uno solo de nuestros servidores. Necesitaría tres o cuatro servidores distintos, como mínimo.

Sterling añadió:

—En cuanto a un posible intruso procedente del exterior, eso también es del todo imposible. Disponemos del mismo perímetro de seguridad que la Agencia Nacional de Seguridad. Hay quince guardias que trabajan a jornada completa y veinte a media jornada. Además, ninguna visita puede acercarse a los servidores de innerCircle. Anotamos el nombre de todo el que nos visita y no dejamos que nadie circule a su aire por el edificio, ni siquiera a nuestros clientes.

Sachs y Pulaski habían sido escoltados hasta el vestíbulo del rascacielos por uno de aquellos guardias: un joven muy serio que no había relajado en lo más mínimo su vigilancia sobre ellos por el hecho de ser agentes de policía.

O'Day agregó:

—Tuvimos un incidente hace unos tres años, pero desde entonces nada. —Miró a Sterling—. El reportero.

El consejero delegado asintió con un gesto.

—Un periodista muy osado de uno de esos periódicos gratuitos. Estaba escribiendo un artículo sobre usurpación de identidades y llegó a la conclusión de que éramos el diablo en persona. En Axciom y Choicepoint tuvieron el buen criterio de no dejarle entrar en sus sedes. Yo creo en la libertad de prensa, así que hablé con él... Fue al aseo y dijo que se había perdido. Volvió aquí, tan campante. Pero había algo raro. Nuestra gente de seguridad registró su maletín y encontró una cámara. Tenía fotografías de planes de negocio protegidos por el secreto industrial y hasta códigos de acceso.

—No sólo perdió su trabajo —comentó O'Day—, sino que fue procesado por allanamiento. Pasó seis meses en una prisión estatal. Y, que yo sepa, no ha vuelto a tener empleo estable como periodista desde entonces.

Sterling bajó un poco la cabeza y le dijo a Sachs:

—Nos tomamos la seguridad muy, muy en serio.

Un joven apareció en la puerta. La detective pensó al principio que era Martin, el asistente, pero enseguida se dio cuenta de que sólo se debía a que tenían una complexión parecida y ambos vestían traje oscuro.

—Andrew, siento interrumpir.

—Ah, Jeremy.

Así que aquél era el otro asistente. Miró el uniforme de Pulaski y luego a Sachs. Después, como había sucedido con Martin, al darse cuenta de que no iban a presentarle, ignoró a todos los presentes salvo a su jefe.

—Carpenter —dijo Sterling—. Necesito verlo hoy mismo.

—Sí, Andrew.

Después de que se marchara, Sachs preguntó:

—¿Y los empleados? ¿Han tenido problemas disciplinarios con alguno?

Sterling contestó:

—Llevamos a cabo comprobaciones muy rigurosas sobre los antecedentes de nuestros empleados. No permito que se contrate a nadie que haya tenido problemas con la ley, más allá de multas de tráfico. Y la comprobación de antecedentes es una de nuestras especialidades. Pero aunque un empleado quisiera introducirse en innerCircle, le sería imposible robar ningún dato. Mark, cuéntale lo de los rediles.

—Claro, Andrew. —Y añadió dirigiéndose a Sachs—: Tenemos cortafuegos de cemento.

—No tengo conocimientos técnicos de informática —repuso ella.

Whitcomb se rió.

—No, no, es una tecnología muy primitiva. De cemento, literalmente. Como el de las paredes y los suelos. Dividimos los datos cuando los recibimos y los almacenamos en lugares separados físicamente. Lo entenderá mejor si le explico cómo funciona SSD. Comenzamos con la premisa de que los datos son nuestro activo principal. Si alguien se apoderara de la información almacenada en innerCircle, nos quedaríamos fuera del negocio en una semana. Así que lo primero es «proteger nuestros activos», como decimos aquí. Ahora bien, ¿de dónde proceden todos esos datos? De miles de fuentes: empresas de tarjetas de crédito, bancos, archivos gubernamentales, establecimientos minoristas, operaciones *online*, secretarías de juzgados, departamentos de tráfico, hospitales, aseguradoras... Consideramos cada hecho que genera datos como una transacción, entre comillas. Puede ser una llamada a un número ochocientos, el registro de un coche, una reclamación de seguros, la presentación de una demanda judicial, un nacimiento, una boda, una compra, una devolución, una queja... En su profesión, una transacción podría ser una violación, un atraco, un asesinato... Cualquier delito. Y también la apertura del expediente de un caso, la selección de un jurado, un juicio, una condena...

»Cuando nos llegan datos de una transacción —prosiguió Whitcomb—, van primero al centro de admisión, donde son evaluados. Por razones de seguridad seguimos una política de enmascaramiento de datos: eliminamos el nombre de la persona y lo reemplazamos por un código.

—¿El número de la Seguridad Social?

Un destello de emoción animó el semblante de Sterling.

—Ah, no. Ésos se crearon únicamente para las cuentas de pensiones del Estado. Hace siglos. Se convirtieron en números identificativos sólo de chiripa. Son muy imprecisos, muy fáciles de sustraer o de comprar. Son peligrosos, como tener una pistola cargada en casa con el seguro quitado. Nuestro código es un número de dieciséis dígitos. El noventa y ocho por ciento de los estadounidenses adultos tienen su código de SSD. Ahora a cada niño cuyo nacimiento se registra en cualquier punto de Norteamérica se le asigna automáticamente un código.

—¿Por qué dieciséis dígitos? —quiso saber Pulaski.

—Porque eso nos deja mucho margen —respondió Sterling—. No tenemos que preocuparnos por quedarnos sin números. Podemos asignar casi un quintillón de códigos. La Tierra se quedará sin espacio para vivir antes de que SSD se quede sin números. Los códigos hacen que nuestro sistema sea mucho más seguro, y es mucho más rápido procesar datos de ese modo que utilizando un nombre o el número de la Seguridad Social. Además, emplear un código neutraliza el elemento humano y elimina posibles prejuicios. Psicológicamente, tenemos opiniones acerca de Adolf, Britney, Saquilla o Diego antes siquiera de conocerlos, simplemente por sus nombres. Utilizar un número elimina ese sesgo. Y mejora la eficiencia. Continúa, por favor, Mark.

—Claro, Andrew. Una vez sustituido el nombre por su código, el centro de admisión evalúa la transacción, decide adónde pertenece y lo envía a una o más de tres áreas distintas: nuestros rediles de datos. El redil A es donde almacenamos datos acerca de estilos de vida personal. El redil B es financiero. Eso incluye historial salarial, operaciones bancarias, informes crediticios, seguros... El redil C lo componen los archivos y registros públicos y administrativos.

Sterling volvió a tomar la palabra:

—A continuación se limpian los datos. Se eliminan las impurezas y se uniformizan los datos. Por ejemplo, en algunos formularios su sexo se designa con una «M». En otros, como «mujer». A veces es un uno o un cero. Hay que ser coherente. También eliminamos el ruido: los datos impuros. A veces por erróneos, a veces por demasiados detalles o por demasiado pocos. El ruido es una forma de contaminación y la contaminación hay que eliminarla. —Lo dijo con firmeza: otro arrebato de emoción—. Seguidamente, los datos limpios se almacenan en uno de nuestros rediles hasta que un cliente necesita un adivino.

—¿Qué es eso? —preguntó Pulaski.

Sterling explicó:

—En la década de 1970, las bases de datos informáticas daban a las empresas un análisis de su actividad pasada. En los noventa, los datos mostraban cómo les iba en cualquier momento dado. Lo cual era más útil. Ahora podemos predecir qué van a hacer los consumidores y aconsejar a nuestros clientes para que saquen partido de ello.

—Entonces no se limitan a predecir el futuro —comentó Sachs—. Intentan cambiarlo.

—Exacto. Pero ¿para qué acudir si no a un adivino?

Sus ojos tenían una expresión serena, casi divertida. Sachs, en cambio, se sentía inquieta. Estaba pensando en su encontronazo del día anterior con el agente del FBI, en Brooklyn. Era como si 522 hubiera hecho lo que acababa de explicar Sterling: predecir un tiroteo entre ellos.

El consejero delegado indicó a Whitcomb que continuara.

—Muy bien, así que los datos, que ya no contienen nombres sino sólo números, entran en esos tres rediles situados en plantas distintas y en zonas de seguridad separadas. Un empleado del redil de archivos públicos no puede acceder a los datos del redil de estilo de vida o del redil financiero. Y nadie en ninguno de los rediles de datos puede acceder a la información del centro de admisión y relacionar el nombre y la dirección de un sujeto con su código de dieciséis dígitos.

Sterling añadió:

—A eso se refería Tom al decir que un *hacker* tendría que entrar en todos los rediles de datos por separado.

—Y mantenemos una vigilancia constante —agregó O'Day—. Si una persona no autorizada intentara entrar físicamente en un redil, lo sabríamos al instante. Esa persona sería despedida en el acto y probablemente detenida. Además, no se puede descargar nada de los ordenadores de los rediles: no hay puertos. Y si alguien consiguiera colarse en un servidor y conectar algún dispositivo, no podría sacarlo. Se registra a todo el mundo: a todos los empleados, a los ejecutivos, a los guardias de seguridad, al personal contra incendios, a los conserjes... Hasta a Andrew. Tenemos detectores de metales y material denso en todas las entradas y salidas de los rediles de datos y el centro de admisión. Incluso en las salidas de emergencia.

Whitcomb retomó el hilo:

—Y un generador de campo magnético por el que hay que pasar. Borra todos los datos digitales de cualquier soporte que lleve uno: iPod, teléfono o disco duro. No, nadie sale de esas salas con un solo kilobyte de información encima.

Sachs comentó:

—Entonces, sustraer los datos de esos rediles sería casi imposible, tanto para un *hacker* de fuera, como para un intruso o un empleado de dentro.

Sterling asintió con la cabeza.

—Los datos son nuestro único activo. Los guardamos religiosamente.

—¿Qué hay de la otra posibilidad: alguien que trabaje para un cliente?

—Como les decía Tom, por el modo en que actúa ese individuo, tendría que tener acceso a los dosieres de innerCircle de cada una de las víctimas y de las personas detenidas por sus crímenes.

—Exacto.

Sterling levantó las manos como un profesor.

—Pero los clientes no tienen acceso a los dosieres. De todos modos, no los querrían. innerCircle contiene datos sin procesar que no les servirían de nada. Lo que les interesa es nuestro análisis de los datos. Los clientes se conectan a Atalaya, nuestro sistema propio de gestión de bases de datos, y a otros programas como Xpectation o FORT. Los propios programas buscan en innerCircle, localizan los datos relevantes y les dan forma útil. Si prefieren pensar en la analogía con la minería, Atalaya rebusca entre toneladas de tierra y roca y encuentra pepitas de oro.

Sachs observó:

—Pero si un cliente comprara cierto número de listas de correo, pongamos por caso, podría dar con datos suficientes acerca de una de nuestras víctimas como para cometer los crímenes, ¿no es así? —Señaló con un gesto la lista de pruebas materiales que le había mostrado a Sterling poco antes—. Por ejemplo, el criminal podría conseguir listados de todas aquellas personas que hayan comprado esa espuma de afeitar, y preservativos, y cinta aislante, y zapatillas de deporte, y así sucesivamente.

Sterling levantó una ceja.

—Mmm. Sería un trabajo ingente, pero en teoría es posible... Muy bien. Conseguiré una lista de todos nuestros clientes que hayan comprado cualquier dato que incluya los nombres de sus víctimas en los últimos... ¿tres meses, digamos? No, quizá seis.

—Eso nos sería muy útil. —Sachs hurgó en su maletín, mucho menos ordenado que la mesa de Sterling, y le pasó una lista de las víctimas y los inculpados.

—El contrato que firmamos con nuestros clientes nos da derecho a compartir información sobre ellos. No habrá problemas legales, pero tardaremos horas en confeccionar la lista.

—Gracias. Ahora, una última pregunta sobre sus empleados... Aunque no se les permita entrar en los rediles, ¿podrían descargarse un dosier en la oficina?

Sterling movió la cabeza arriba y abajo, aparentemente impresionado por su pregunta, a pesar de que daba a entender que un trabajador de SSD podía ser el asesino.

—La mayoría de los empleados no pueden. Le repito que tenemos que proteger nuestros datos. Pero algunos de nosotros tenemos lo que llamamos «permiso de acceso total».

Whitcomb sonrió.

—Sí, pero fíjate en quiénes son, Andrew.

—Si hay un problema en la empresa, debemos tener en cuenta todas las posibilidades.

Whitcomb dijo a Sachs y Pulaski:

—El caso es que los empleados con acceso total son personas muy veteranas dentro de la empresa. Llevan años trabajando aquí. Y somos como una familia. Hacemos fiestas, tenemos nuestros retiros motivacionales...

Sterling lo interrumpió levantando una mano y dijo:

—Tenemos que llegar al fondo de este asunto, Mark. Quiero solucionar el problema cueste lo que cueste. Quiero respuestas.

—¿Quién tiene derecho de acceso total? —inquirió Sachs.

Sterling se encogió de hombros.

—Yo estoy autorizado. Nuestro jefe de ventas, el jefe de operaciones técnicas... El director de recursos humanos también podría sacar un dosier, supongo, aunque estoy seguro de que nunca lo ha hecho. Y el jefe de Mark, el director de nuestro departamento de autorregulación. —Le dio los nombres.

La detective miró a Whitcomb, que negó con la cabeza.

—Yo no tengo acceso.

O'Day tampoco lo tenía.

—¿Y sus asistentes? —le preguntó Sachs a Sterling, refiriéndose a Jeremy y Martin.

—No. Y en cuanto a la gente de mantenimiento, los técnicos, los subalternos no pueden extraer un dosier, pero tenemos dos jefes de servicio que sí podrían. Uno del turno de día y otro del turno de noche. —Le dio también sus nombres.

La detective echó una ojeada a la lista.

—Hay una forma fácil de saber si son o no inocentes.

—¿Cuál?

—Sabemos dónde estaba el asesino el domingo por la tarde. Si tienen coartada, quedarán libres de sospecha. Permítame entrevistarlos. Ahora mismo, si puede ser.

—Muy bien —dijo Sterling y la miró con aprobación por su sugerencia: una «solución» sencilla para uno de sus «problemas».

Sachs se dio cuenta entonces de una cosa: cada vez que la miraba, fijaba la vista en sus ojos. A diferencia de muchos hombres, o más bien de la mayoría, Sterling no había mirado ni una sola vez su cuerpo, no había hecho el más mínimo intento de coquetear con ella. Se preguntó cuáles serían sus preferencias en la cama—. ¿Podría ver el sistema de seguridad de los rediles de datos? —inquirió.

—Claro. Pero deje su busca, su teléfono y su agenda electrónica fuera. Y cualquier lápiz de memoria. Si no, se borrarán todos los datos. Además, la registrarán al salir.

—De acuerdo.

Sterling hizo una seña a O'Day, que salió al pasillo y regresó con el severo guardia de seguridad que les había acompañado hasta allí desde el enorme vestíbulo de abajo.

Sterling le imprimió un pase, lo firmó y se lo entregó al guardia, que la condujo de vuelta a los pasillos.

Sachs se alegró de que el consejero delegado no hubiera puesto objeciones. Tenía un motivo ulterior para querer ver los rediles en persona. No sólo podría extender aún más la noticia de la investigación con la esperanza de que el asesino picara el anzuelo, sino que podría interrogar al guardia acerca de las medidas de seguridad para verificar lo que le habían dicho Sterling, O'Day y Whitcomb.

El guardia, sin embargo, permaneció prácticamente mudo, como un niño al que sus padres hubieran dicho que no debía hablar con desconocidos.

Cruzaron puertas, recorrieron pasillos, bajaron por una escalera y subieron por otra. Sachs tardó poco en desorientarse por completo. Sus músculos se estremecieron. Los espacios eran cada vez más estrechos, oscuros y sofocantes. Comenzó a manifestarse su claustrofobia: si a lo largo y ancho de la Roca Gris las ventanas eran angostas, allí, en las proximidades de los rediles de datos, eran inexistentes. Respiró hondo. No le sirvió de nada.

Miró el nombre de la placa del guardia.

—Dígame una cosa, John.

—¿Sí, señora?

—¿Qué pasa con las ventanas? O son muy pequeñas o no hay ninguna.

—A Andrew le preocupa que alguien intente fotografiar información desde el exterior. Como contraseñas de acceso o planes de negocio.

—¿En serio? ¿Podría hacerse?

—No lo sé. Nos han dicho que a veces echemos un vistazo, que observemos los miradores cercanos, las ventanas de los edificios que dan a la empresa... Nunca hemos visto nada sospechoso, pero Andrew quiere que sigamos haciéndolo.

Los rediles de datos eran lugares lúgubres, identificados por un código de colores: estilo de vida personal, en azul; financiero, en rojo; administrativo, en verde. Las salas eran enormes, pero ello no alivió su claustrofobia. Los techos eran muy bajos, las estancias oscuras y los pasillos entre hileras de ordenadores, estrechos. Un zumbido constante llenaba el aire, una nota grave como un gruñido. El aire acondicionado funcionaba a toda máquina, dado el número de ordenadores y la electricidad que consumían, pero el ambiente resultaba cargado y sofocante.

En cuanto a los ordenadores, Sachs no había visto tantos juntos en toda su vida. Eran grandes cajas blancas y curiosamente no se identificaban por números o letras, sino por calcomanías que representaban a personajes de dibujos animados como Spiderman, Batman, el Correcaminos y Mickey Mouse.

—¿Bob Esponja? —preguntó, señalando uno.

John esbozó su primera sonrisa.

—Es otra medida de seguridad que se le ocurrió a Andrew. Tenemos gente que se dedica a buscar en Internet a cualquiera que esté hablando sobre SSD o innerCircle. Si encuentran alguna referencia a la empresa y al nombre de un personaje de dibujos animados, como el Coyote o Superman, podría significar que a esa persona le interesan demasiado nuestros ordenadores. Los nombres de los personajes destacan más que si sólo los identificáramos por un número.

—Muy ingenioso —comentó Sachs mientras se decía que era irónico que Sterling prefiriera llamar a la gente por un número y a sus ordenadores por un nombre.

Entraron en el centro de admisión, pintado de un gris severo. Era más pequeño que los rediles de datos y disparó más aún su claustrofobia. Al igual que en los rediles, los únicos adornos visibles eran el logotipo de la torre vigía y la ventana iluminada, y una gran fotografía de Andrew Sterling posando con una sonrisa. Debajo se leía: «¡Eres el Número Uno!»

Quizá se refería a su cuota de mercado o a un premio que había ganado la empresa. O quizá fuera un eslogan sobre la importancia de los empleados. A Sachs, en todo caso, le pareció de mal agüero, como si uno encabezara una lista en la que no quería estar.

Respiró más deprisa a medida que crecía su sensación de encierro.

—Crispa un poco los nervios, ¿verdad? —preguntó el guardia.

Ella le dedicó una sonrisa.

—Un poco.

—Hacemos nuestras rondas, pero nadie pasa más tiempo del debido en los rediles.

Ahora que por fin había roto el hielo y conseguido que John no respondiera únicamente con monosílabos, le preguntó por la seguridad para comprobar si Sterling y los demás habían sido sinceros.

Al parecer, así era. John confirmó lo que le había dicho el consejero delegado: ninguno de los ordenadores o de los puestos de trabajo de las salas tenía puertos o conexiones para descargar datos, sólo teclados y monitores. Y las habitaciones estaban absolutamente blindadas: las señales inalámbricas no podían atravesar sus muros. Le explicó, además, lo que le habían dicho Sterling y Whitcomb acerca de que los datos de cada redil no servían de nada sin los datos de los otros dos y del centro de admisión. Los monitores de los ordenadores no tenían medidas de seguridad especiales, pero para entrar en los rediles se necesitaba una tarjeta de identificación, una contraseña de acceso y un escáner biométrico o, al parecer, un fornido guardia de seguridad que vigilara cada uno de tus gestos (que era lo que había estado haciendo John sin demasiada sutileza).

También fuera de los rediles las medidas de seguridad eran muy estrictas, como le habían dicho los ejecutivos. Tanto ella como el guardia fueron registrados exhaustivamente cuando salieron de cada sala y tuvieron que pasar por un detector de metales y un grueso marco llamado «unidad de borrado de datos». La máquina advertía: «El paso por este sistema borra de manera permanente todo dato digital contenido en ordenadores, discos duros, teléfonos móviles y otros dispositivos informáticos».

Cuando regresaban al despacho de Sterling, John le dijo que, que él supiera, nadie se había colado nunca en SSD. Aun así, O'Day les hacía efectuar simulacros con regularidad para impedir la entrada de intrusos. Como la mayoría de los guardias, John no llevaba pistola, pero Sterling exigía que hubiera al menos dos guardias armados en el edificio en todo momento.

De vuelta en el despacho del consejero delegado, encontró a Pulaski sentado en un enorme sillón de piel, cerca de la mesa de Martin. A pesar de que no era bajo, parecía empequeñecido por el sillón, como un alumno al que hubieran mandado al despacho del director. En su ausencia, el joven agente había tomado la iniciativa de informarse acerca del jefe del departamento de autorregulación, Samuel Brockton, el jefe de Whitcomb que tenía acceso total. Se encontraba en Washington D. C. y el registro de su hotel demostraba que la víspera se hallaba almorzando en el comedor en el momento del asesinato. Sachs tomó nota de ello y miró luego la lista de autorizados con acceso total.

Andrew Sterling, presidente y consejero delegado.

Sean Cassel, director de ventas y márquetin.

Wayne Gillespie, director de operaciones técnicas.

Samuel Brockton, director del departamento de autorregulación. Coartada: el registro del hotel confirma su presencia en Washington.

Peter Arlonzo-Kemper, director de recursos humanos.

Steven Shraeder, encargado del servicio técnico y de mantenimiento, turno de día.

Faruk Mameda, encargado del servicio técnico y de mantenimiento, turno de noche.

Le dijo a Sterling:

—Me gustaría entrevistarles lo antes posible.

El consejero delegado llamó a su asistente y supo que, excepto Brockton, estaban todos en Nueva York, aunque Shraeder se estaba ocupando de una incidencia técnica en el centro de admisión y Mameda no llegaría hasta las tres de la tarde. Pidió a Martin que les hiciera subir para las entrevistas y que buscara una sala de reuniones vacía.

Ordenó al intercomunicador que se desconectara y dijo:

—Muy bien, detective. Ahora todo depende de usted. Vaya a despejar las dudas sobre nosotros... o a encontrar a su asesino.

20

Rodney Szarnek, el joven agente de pelo alborotado, había colocado ya su ratonera y estaba disfrutando intentando introducirse en los servidores principales de SSD. Movía la rodilla y silbaba de cuando en cuando. Esto irritaba a Rhyme, que a pesar de ello dejaba al chico en paz. A fin de cuentas, él hablaba sólo cuando inspeccionaba la escena de un crimen o sopesaba posibles formas de abordar un caso.

Tiene que haber de todo...

Sonó el timbre. Era una agente del laboratorio forense de Queens con un regalo: una prueba material de uno de los casos anteriores: el arma del crimen, un cuchillo empleado en el robo de monedas que había terminado en homicidio. Las demás pruebas se hallaban «almacenadas en alguna parte». Se habían solicitado, pero nadie sabía decirles cuándo las localizarían o si podrían hacerlo.

Rhyme y Cooper firmaron el impreso de cadena de custodia. Incluso después del juicio había que seguir el protocolo.

—Qué raro. Faltan casi todas las demás pruebas —comentó Rhyme, aunque se daba cuenta de que, por ser un arma, el cuchillo se habría guardado en un lugar cerrado con llave, en el almacén del laboratorio, en vez de archivarse con las pruebas que no entrañaban peligro de muerte.

Miró el esquema del caso.

—Encontraron parte de ese polvo en el mango del cuchillo. Veamos si podemos descubrir qué es. Pero, primero, ¿cuál es la historia del cuchillo?

Cooper obtuvo la información acerca del fabricante a través de la base de datos de armas de la policía de Nueva York.

—Fabricado en China, se vende al por mayor a miles de establecimientos minoristas. Es barato, así que podemos dar por sentado que el asesino lo pagó en efectivo.

—No, no esperaba gran cosa. Pasemos al polvo.

Cooper se enfundó los guantes y abrió la bolsa. Pasó el brochín por el mango del cuchillo, cuya hoja estaba teñida de marrón oscuro por la sangre de la víctima, y cayeron restos de polvo blanco sobre el papel de examen.

El polvo fascinaba a Rhyme. En ciencias forenses, el término «polvo» hace referencia a partículas sólidas de menos de quinientos micrómetros de tamaño y compuestas por fibras de ropa o tapicería, caspa humana o animal, fragmentos de plantas e insectos, pedazos de excrementos secos, tierra o múltiples productos químicos. Algunos tipos son aerosoles; otros se posan rápidamente sobre las superficies. El polvo puede causar problemas de salud (como el ennegrecimiento de los pulmones), puede ser peligrosamente volátil (el polvo de harina de los elevadores de cereal, por ejemplo) y puede afectar al clima.

Desde un punto de vista forense, gracias a la electricidad estática y a otras propiedades adhesivas, el polvo pasa a menudo del criminal a la escena del crimen o viceversa, de ahí que sea una herramienta extremadamente útil para la policía. Cuando dirigía la división de Ciencias Forenses del Departamento de Policía de Nueva York, Rhyme había creado una extensa base de datos sobre polvo recogido en los cinco distritos de la ciudad y en diversas partes de Nueva Jersey y Connecticut.

El mango del cuchillo tenía adheridas pequeñas cantidades de polvo y Mel Cooper consiguió recoger suficiente para pasar una muestra por el cromatógrafo de gases-espectómetro de masas, que descompone las sustancias en sus partes constitutivas e identifica cada uno de sus componentes. Ello llevó cierto tiempo. No fue culpa suya; sus manos, sorprendentemente grandes y musculosas para un hombre tan delgado, se movían con rapidez y eficacia. Eran las máquinas las que funcionaban despacio al obrar su magia metódica. Mientras esperaban los resultados, hizo varios análisis químicos adicionales sobre otra muestra de polvo para revelar materiales que quizá no encontrara el cromatógrafo.

Los resultados estuvieron listos por fin y Mel Cooper fue explicando el análisis combinado mientras escribía los datos en la pizarra.

—Bueno, Lincoln. Tenemos vermiculita, yeso, espuma sintética, fragmentos de vidrio, partículas de pintura, fibras de lana mineral, fibras de vidrio, granos de calcita, fibras de papel, granos de cuarzo, tejido de combustión a baja temperatura, raspaduras de metal, asbesto, crisolita y algunos compuestos químicos. Parecen ser hidrocarburos policíclicos aromáticos, parafina, alqueno, nafteno, octanos, bifenilos policlorados, dibenzodioxinas, que no se ven muy a menudo, y dibenzofuranos. Ah, y algo de difenil éter brominado.

—Las Torres Gemelas —dijo Rhyme

—¿Sí?

—Sí.

El polvo del derrumbe de las Torres Gemelas en 2001 había causado problemas de salud entre las personas que trabajaban en las inmediaciones de la Zona Cero, y últimamente aparecían en las noticias diversas variantes de su composición. Rhyme estaba familiarizado con sus componentes.

—Entonces, ¿está en el centro?

—Posiblemente —dijo Rhyme—. Pero ese polvo puede encontrarse en los cinco distritos. Vamos a ponerle un signo de interrogación de momento. —Hizo una mueca—. Así que nuestro perfil es por ahora el siguiente: un hombre que podría ser blanco o de etnia de piel clara, que podría coleccionar monedas o al que quizá le guste el arte. Y su vivienda o lugar de trabajo podría estar en el centro. Podría tener hijos, podría fumar. —Miró el cuchillo guiñando los ojos—. Déjame verlo de cerca.

Cooper le llevó el arma y Rhyme observó cada milímetro del mango. Su cuerpo fallaba, pero su vista seguía siendo tan aguda como la de un adolescente.

—Ahí. ¿Qué es eso?

—¿Dónde?

—Entre el mango y la hoja.

Era un minúscula mota de algo de color claro.

—¿Puedes ver eso? —susurró el técnico—. Yo no he visto nada. —Lo sacó sirviéndose de una aguja y lo colocó en un portaobjetos. Lo miró a través del microscopio. Empezó con aumentos bajos, de entre 4 y 24, que suelen ser suficientes a menos que se necesite la magia de un microscopio electrónico de barrido—. Parece una miga de comida. Algo cocinado. De tinte naranja. El espectro sugiere grasa. Puede que comida basura. Como Doritos. O patatas fritas.

—No hay suficiente para pasarlo por el cromatógrafo.

—No, imposible —confirmó Cooper.

—No iba a colocar algo tan pequeño en casa de su chivo expiatorio. Es otra pista auténtica sobre 522.

¿Qué demonios era? ¿Algo que había comido el día del asesinato?

—Quiero probarlo.

—¿Qué? Está manchado de sangre.

—El mango, no la hoja. Justo donde está esa mota. Quiero saber qué es.

—No hay suficiente para probarlo. ¿Esa pintita? Si apenas se ve. Yo no la he visto.

—No, el cuchillo. Quizás encuentre algún sabor o alguna especia que nos diga algo.

—No se puede chupar el arma de un crimen, Lincoln.

—¿Y eso dónde lo pone, Mel? No recuerdo haberlo leído. ¡Necesitamos información sobre ese tipo!

—Bueno, está bien. —El técnico sostuvo el cuchillo junto a su cara y el criminalista se inclinó hacia delante y acercó la lengua al lugar donde habían encontrado la mota.

—¡Santo Dios! —Echó bruscamente la cabeza hacia atrás.

—¿Qué pasa? —preguntó Cooper alarmado.

—¡Tráeme un poco de agua!

Cooper soltó el cuchillo sobre la mesa de examen y corrió a llamar a Thom mientras Rhyme escupía en el suelo. Le ardía la boca.

El ayudante llegó corriendo.

—¿Qué pasa?

—Madre mía, cómo pica. ¡He pedido agua! Acabo de comerme un poco de salsa picante.

—¿Salsa picante? ¿Tabasco o algo así?

—¡No sé qué era!

—Pues entonces no te conviene tomar agua. Mejor leche o yogur.

—¡Pues tráeme un poco!

Thom regresó con un recipiente de yogur y le dio varias cucharadas. Para su sorpresa, el picor desapareció de inmediato.

—¡Uf! Cómo picaba... Bueno, Mel, hemos descubierto una cosa más... quizás. A nuestro chico le gustan los aperitivos con salsa. En fin, supondremos que era un aperitivo con salsa picante. Ponlo en la pizarra.

Mientras Cooper escribía, Rhyme miró el reloj y gruñó:

—¿Dónde diablos está Sachs?

El técnico pareció desconcertado.

—Pues en SSD.

—Eso ya lo sé. Lo que quiero decir es que por qué demonios no ha vuelto ya. ¡Y, Thom, quiero más yogur!

Perfil del sni 522

- Varón.
- Posiblemente fuma o vive/trabaja con alguien que fuma, o cerca de un lugar donde hay tabaco.
- Tiene hijos o vive/trabaja cerca de ellos o cerca de un lugar con juguetes.
- ¿Le interesan el arte, las monedas?
- Probablemente blanco o de etnia de piel clara.
- Complexión media.
- Fuerte: capaz de estrangular a sus víctimas.
- Tiene acceso a dispositivos de ocultamiento de voz.

- Posiblemente con conocimientos de informática: conoce OurWorld. ¿También otras redes sociales?
- Se lleva trofeos de sus víctimas. ¿Sádico?
- Parte de su casa o lugar de trabajo es oscura y húmeda.
- ¿Vive en el centro de Manhattan o cerca?
- Come aperitivos/salsa picante.

PRUEBAS MATERIALES NO FALSIFICADAS

- Cartón viejo.
- Pelo de muñeca, nailon 6 BASF B35.
- Tabaco de cigarrillos Tareyton.
- Tabaco viejo, no de marca Tareyton, sino de marca desconocida.
- Restos de hongo *Stachybotrys chartarum*.
- Polvo del atentado a las Torres Gemelas. Posiblemente indica que vive o trabaja en el centro de Manhattan.
- Aperitivos con salsa picante.

21

La sala de reuniones a la que condujeron a Sachs y Pulaski era tan minimalista como el despacho de Sterling. La detective se dijo que «de estilo austero» sería un buen modo de describir todo el edificio.

El propio Sterling les acompañó a la sala y les indicó dos sillas bajo el logotipo de la ventana en lo alto de la atalaya. Luego dijo:

—No espero ningún trato de favor. Puesto que tengo derechos de acceso total, yo también soy sospechoso. Pero tengo una coartada para ayer: estuve todo el día en Long Island. Lo hago muy a menudo: visito las grandes superficies y los clubes de compras privados para ver qué compra la gente, cómo compra y a qué hora del día. Siempre estoy buscando formas de mejorar nuestra eficacia, y no hay forma de hacerlo si no se conocen las necesidades de nuestros clientes.

—¿Quién lo acompañó?

—Nadie. Nunca le digo a nadie quién soy. Quiero ver las tiendas tal y como funcionan de verdad. Con sus defectos y todo. Pero el registro del telepeaje de mi coche demostrará que pasé por el peaje del túnel de Midtown a eso de las nueve de la mañana en dirección este y que volví a pasar a eso de las cinco y media. Pueden consultarlo en el Departamento de Tráfico. —Les dio su número de matrícula—. Ah, y ayer llamé a mi hijo. Tomó el tren a Westchester para ir a hacer senderismo a un parque natural. Iba solo y quería saber qué tal le había ido. Lo llamé sobre las dos de la tarde. Los registros telefónicos mostrarán una llamada desde mi casa en los Hamptons. O pueden echar un vistazo a la lista de llamadas entrantes de su móvil. Ahí estará la fecha y la hora. Su extensión es la siete, uno, ocho, siete.

Sachs tomó nota y anotó también el número de teléfono de la casa de veraneo de Sterling. Le dio las gracias y entonces llegó Jeremy, el asistente «exterior», y le dijo algo en voz baja a su jefe.

—Tengo que atender un asunto. Si necesitan algo, lo que sea, avísenme.

Unos minutos después llegó el primero de los sospechosos: Sean Cassel, director de ventas y márquetin. A Sachs le sorprendió que fuera tan joven, tenía unos treinta y cinco años, pero en realidad había visto a muy pocas personas en la empresa que superaran los cuarenta años. Quizá los datos fueran el nuevo Silicon Valley, un mundo de emprendedores jovencísimos.

Cassel, guapo, de facciones clásicas y cara alargada, parecía muy atlético: tenía los brazos fuertes y los hombros anchos. Llevaba el «uniforme» de SSD; en su caso, un traje azul marino. La camisa blanca era impecable y llevaba los puños abrochados con pesados gemelos de oro. La corbata amarilla era de seda gruesa. Tenía el cabello rizado, la piel rosada y miraba con fijeza a Sachs a través de las gafas. Ella ignoraba que Dolce & Gabbana fabricaran gafas.

—Hola.

—Hola. Soy la detective Sachs y éste es el agente Pulaski. Tome asiento. —Le estrechó la mano y advirtió que Cassel se la apretaba con fuerza y con menos apresuramiento que a Pulaski.

—Entonces, ¿es usted policía? —El director de ventas no parecía sentir el más mínimo interés por el patrullero.

—Así es. ¿Quiere ver mi identificación?

—No, está bien así.

—Bien, sólo estamos recabando información sobre algunos empleados de la empresa. ¿Conoce usted a Myra Weinburg?

—No. ¿Debería conocerla?

—Es la víctima de un asesinato.

—Ah. —Un destello de pesar y su apariencia de modernidad se desvaneció momentáneamente—. He oído algo sobre que se había cometido un delito, pero no sabía que se tratara de un asesinato. Lo siento. ¿Trabajaba aquí?

—No, pero es posible que la persona que la mató haya tenido acceso a la información de los ordenadores de su empresa. Sé que usted tiene acceso total a innerCircle. ¿Cabe la posibilidad de que alguien que trabaje para usted haya extraído algún dosier individual?

Cassel sacudió la cabeza.

—Para llegar a un armario se necesitan tres contraseñas. O una comprobación biométrica y una contraseña.

—¿A un armario?

Cassel vaciló.

—Así es como llamamos a los dosieres. En el negocio de los servicios de conocimiento usamos un lenguaje muy taquigráfico.

Como secretos en un armario, dedujo Sachs.

—Pero nadie puede haberse hecho con mi código de acceso. Todos tenemos mucho cuidado de mantenerlo en secreto. Andrew insiste en ello. —Cassel se quitó las gafas y les sacó brillo con un paño negro que apareció como por arte de magia en su mano—. Ha despedido a empleados que han utilizado la contraseña de otros, hasta con su permiso. Los ha despedido en el acto. —Se concentró en la tarea de limpiar sus gafas. Luego levantó la vista—. Pero seamos sinceros. Lo que de verdad les interesa no son las contraseñas, sino las coartadas. ¿Me equivoco?

—También nos gustaría saber eso. ¿Dónde estuvo usted entre las doce del mediodía y las cuatro de la tarde de ayer?

—Estuve corriendo. Me estoy entrenando para un minitriatlón. Usted también parece correr. Parece muy deportista.

Si quedarse quieta abriendo agujeros en blancos fijos a ocho y quince metros es hacer deporte, entonces sí.

—¿Hay alguien que pueda corroborarlo?

—¿Que es usted deportista? A mí me parece bastante obvio.

Sonríe. A veces era mejor seguirles la corriente. Pulaski se removió (lo cual notó Cassel con cierto regocijo), pero no dijo nada. Sachs no necesitaba que nadie defendiera su honor.

El director de ventas miró de reojo al agente uniformado y añadió:

—No, me temo que no. Una amiga se quedó a dormir en casa, pero se fue sobre las nueve y media. ¿Soy sospechoso?

—En este momento sólo estamos recabando información —respondió Pulaski.

—¿De veras? —Su tono sonó condescendiente, como si estuviera hablando con un niño—. Sólo los hechos, señora. Sólo los hechos.

Una cita de una vieja serie de televisión. Sachs no recordó cuál.

Le preguntó dónde había estado en el momento de los otros asesinatos: el del numismático, la violación anterior y la muerte de la dueña del Prescott. Cassel volvió a ponerse las gafas y le dijo que no se acordaba. Parecía completamente relajado.

—¿Con qué frecuencia entra en los rediles de datos?

—Puede que una vez por semana.

—¿Saca alguna información?

Frunció ligeramente el ceño.

—Bueno..., no se puede. El sistema de seguridad no lo permite.

—¿Y con qué frecuencia descarga dosieres?

—No sé si lo he hecho alguna vez. Son solamente datos sin procesar. Con demasiadas adherencias para serme de utilidad.

—De acuerdo. Bueno, le agradezco su tiempo. Creo que con eso basta por ahora.

La sonrisa coqueta se desvaneció.

—Entonces, ¿hay algún problema? ¿Debo preocuparme?

—Sólo estamos haciendo pesquisas preliminares.

—Ah, conque no quieren desvelar nada. —Una mirada a Pulaski—. Son ustedes una tumba, ¿verdad, sargento Friday?

Ah, ésa era, pensó Sachs. *Dragnet*. La vieja serie de policías que había visto con su padre en una reposición, hacía años.

Cuando se marchó Cassel, entró otro empleado. Wayne Gillespie, el responsable de la vertiente técnica de la empresa: el *software* y el *hardware*. No encajaba exactamente con la idea que Sachs tenía de un *geek*. Al principio, al menos. Estaba bronceado y en buena forma y llevaba una pulsera cara, de plata o de platino. Le estrechó la mano con firmeza. Pero al examinarlo detenidamente llegó a la conclusión de que a fin de cuentas era el típico obseso de la informática: alguien a quien su madre vestía para las fotografías de la escuela. Bajo y delgado, llevaba un traje arrugado y una corbata mal anudada. Sus zapatos estaban arañados, sus uñas mordisqueadas y no del todo limpias. Le habría venido bien un corte de pelo. Era como si estuviera representando el papel de ejecutivo, pero prefiriera infinitamente encerrarse en una habitación a oscuras con su ordenador.

A diferencia de Cassel, Gillespie estaba nervioso. Sus manos se movían constantemente, jugueteando con los tres aparatos electrónicos que llevaba en el cinturón: una Blackberry, una PDA y un sofisticado teléfono móvil. Evitaba mirarla a los ojos y ni se le pasaba por la cabeza ponerse a coquetear, aunque, al igual que el director de ventas, no llevaba anillo de casado. Tal vez Sterling prefería a hombres solteros para los puestos de responsabilidad de la empresa. Príncipes leales, en lugar de duques ambiciosos.

Sachs tuvo la impresión de que Gillespie sabía menos que Cassel acerca de su presencia allí y se puso en guardia cuando le describió los crímenes.

—Qué interesante. Sí, qué interesante. Está tocando el piano, afanando datos para cometer crímenes.

—¿Que está qué?

Gillespie golpeteó entre sí los dedos de las manos con energía nerviosa.

—Buscando datos, quiero decir. Recogiéndolos.

No dijo nada acerca de que hubiera muerto gente. ¿Estaba actuando? El verdadero asesino se habría fingido horrorizado y apesadumbrado.

Sachs le preguntó qué había hecho el domingo. Gillespie tampoco tenía coartada, pero se lanzó a contarles una larga historia acerca de un código que estaba intentando depurar de errores en casa y de un juego de rol por ordenador en el que estaba compitiendo.

—Entonces, ¿habrá quedado registrado que ayer estuvo conectado a Internet?

Una vacilación.

—Bueno, sólo estuve practicando, ¿sabe? No me conecté. Miré y de pronto era muy tarde. Te entra tal cuelgue que es como si todo lo demás no existiera.

—¿Cuelgue?

Gillespie se dio cuenta de que estaba hablando en un idioma extranjero.

—Como si estuvieras encerrado, quiero decir. Te enfrascas en el juego. Y es como si el resto de tu vida se esfumara.

También él afirmó no conocer a Myra Weinburg. Y le aseguró que nadie podría haberse apoderado de sus códigos de acceso.

—En cuanto a robarme las contraseñas, imposible: son todas cifras de dieciséis dígitos elegidas al azar. Nunca las he apuntado. Por suerte tengo buena memoria.

Gillespie estaba constantemente «dentro del sistema» a través de su ordenador.

—Porque es mi trabajo —añadió a la defensiva, pero arrugó el entrecejo, desconcertado, cuando Sachs le preguntó por la descarga de dosieres individuales—. Pero eso no tiene sentido. Leer todo lo que compró fulanito la semana pasada en el supermercado de su barrio... Por favor... Tengo cosas mejores que hacer.

También reconoció que pasaba mucho tiempo en los rediles de datos, «poniendo a punto las cajas». Sachs tuvo la impresión de que le gustaba estar allí, que se encontraba cómodo en aquel lugar del que ella había sentido una necesidad imperiosa de escapar.

Tampoco él se acordaba de dónde había estado en el momento de los otros asesinatos. La detective le dio las gracias y Gillespie se marchó. Antes de salir por la puerta, se sacó la PDA del bolsillo y tecleó un mensaje con los pulgares. Sachs habría tardado más en escribirlo usando todos los dedos.

Mientras esperaban a que llegara el siguiente sospechoso con acceso total, le preguntó a Pulaski:

—¿Qué impresión tienes?

—Bueno, no me gusta Cassel.

—En eso estamos de acuerdo.

—Pero parece demasiado odioso para ser Cinco Dos Dos. Demasiado *yuppie*, ¿sabe? Si pudiera matar a alguien con su ego, entonces sí. No habría ni que pensarlo. En cuanto a Gillespie... No estoy tan seguro. Ha intentado parecer sorprendido por la muerte de Myra, pero no estoy seguro de que haya sido sincero. Y esa actitud suya... ¿«Tocar el piano» y «cuelgue»? ¿Sabe qué son? Expresiones callejeras. «Tocar el piano» significa buscar *crack*, buscar con los dedos, por todas partes. Frenético, ya sabe. Y estar «con el cuelgue» significa estar drogado con caballo o con un tranquilizante. Así es como hablan los niñatos de los barrios bien cuando van a comprar droga a los camellos de Harlem o del Bronx y quieren hacerse los guays.

—¿Crees que se droga?

—Bueno, parecía muy nervioso. Pero ¿quiere saber cuál es mi impresión?

—Te la he preguntado.

—No es a las drogas a lo que es adicto, es a esto. —El joven agente señaló a su alrededor—. A los datos.

Sachs reflexionó sobre ello y estuvo de acuerdo. El ambiente que reinaba en SSD era embriagador, pero no en un sentido positivo, sino nebuloso y desconcertante. Como hallarse bajo los efectos de un calmante.

En la puerta apareció otro hombre. Era el director de recursos humanos, un afroamericano joven, elegante, de piel clara. Peter Arlonzo-Kemper explicó que rara vez entraba en los rediles de datos, pero que tenía permiso para hacerlo con el fin de reunirse con los empleados en sus puestos de trabajo. Se conectaba a innerCircle esporádicamente para cuestiones relacionadas con el personal, pero sólo con intención de revisar datos sobre empleados de la empresa, nunca de personas ajenas a ella.

Así pues, tenía acceso a los «armarios», pese a lo que les había dicho Sterling sobre él.

El hombre, serio y reconcentrado, compuso una sonrisa y respondió con voz monocorde, cambiando frecuentemente de tema, siempre con intención de darles a entender que Sterling (al que, había notado Sachs, todo el mundo llamaba «Andrew») era el «jefe más amable y considerado que pudiera pedirse». A nadie se le ocurriría traicionarlo a él ni a los ideales de SSD, fueran cuales fuesen. Le parecía inconcebible que pudiera haber un criminal en los sacrosantos salones de la compañía.

Su admiración resultaba tediosa.

Cuando Sachs consiguió que dejara a un lado su respeto reverencial por Sterling, les explicó que el domingo había estado con su mujer todo el día (era, pues, el único empleado casado con el que había hablado la detective), y que el día del asesinato de Alice Sanderson había estado vaciando la casa de su madre, recientemente fallecida, en el Bronx. Había estado solo, pero imaginaba que podría encontrar a alguien que lo hubiera visto. No recordaba dónde había estado en el momento de los otros asesinatos.

Al terminar las entrevistas, el guardia los condujo de vuelta al despacho exterior de Sterling. El consejero delegado estaba reunido con un hombre más o menos de su edad, corpulento y con el cabello rubio oscuro muy repeinado. Estaba arrellanado en una de las rígidas sillas de madera. No era un empleado de SSD: llevaba un polo y una americana. Sterling levantó la vista, y al ver a Sachs puso fin a la reunión y se levantó para acompañar a la salida a su visitante.

La detective miró lo que sostenía el desconocido, un montón de papeles con el encabezamiento «Almacenes Asociados» en la primera página. Al parecer, el nombre de su empresa.

—Martin, ¿puedes llamar un taxi para el señor Carpenter?

—Sí, Andrew.

—Estamos juntos en esto, ¿verdad, Bob?

—Sí, Andrew. —Carpenter, que se cernía sobre él, estrechó sombríamente la mano del consejero delegado, dio media vuelta y se marchó. Un guardia de seguridad lo condujo por el pasillo.

Los agentes acompañaron a Sterling a su despacho.

—¿Qué han descubierto? —preguntó.

—Nada concluyente. Algunas personas tienen coartadas y otras no. Vamos a seguir investigando, a ver si las pruebas materiales o los testigos nos conducen a alguna parte. Me estaba preguntando una cosa. ¿Podría facilitarme una copia de un dosier? El de Arthur Rhyme.

—¿Quién?

—Es uno de los nombres de la lista. Un hombre al que creemos que se ha detenido por error.

—Naturalmente. —Sterling se sentó a su mesa, acercó el pulgar a un lector que había junto al teclado y estuvo tecleando unos segundos. Se detuvo con los ojos fijos en la pantalla. Luego volvió a teclear y la impresora comenzó a expedir un documento. Le pasó a Sachs la treintena de páginas del «armario» de Arthur Rhyme.

Bueno, ha sido fácil, pensó ella. Señaló el ordenador con la cabeza.

—¿Su búsqueda queda registrada?

—¿Registrada? Pues no. No archivamos nuestras descargas internas. —Miró de nuevo sus notas—. Le diré a Martin que prepare la lista de clientes. Puede que tarde dos o tres horas.

Cuando salieron al despacho exterior, entró Sean Cassel.

—¿Qué es eso de una lista de clientes, Andrew? ¿Vas a dársela?

—Así es, Sean.

—¿Por qué de clientes?

Pulaski dijo:

—Creemos que alguien que trabaja para un cliente de SSD ha podido obtener información que luego ha utilizado en los crímenes.

—Eso es lo que piensan, obviamente —replicó Cassel, burlón—. Pero ¿por qué? Ningún cliente tiene acceso directo a innerCircle. No pueden descargar armarios.

—Pero pueden haber comprado listas de correo que contengan esa información —repuso Pulaski.

—¿Listas de correo? ¿Tiene idea de cuántas veces tendría que introducirse un cliente en el sistema para reunir toda la información de la que están hablando? Sería un trabajo a tiempo completo. Piénsenlo.

Pulaski se sonrojó y bajó la mirada.

—Bueno...

Mark Whitcomb, del departamento de autorregulación, estaba de pie junto a la mesa de Martin.

—Sean, no sabe cómo funciona el negocio.

—Bueno, Mark, yo creo que se trata más bien de una cuestión de lógica, ¿no te parece? Cada cliente tendría que comprar centenares de listas de correo. Y hay probablemente trescientos o cuatrocientos que han estado en los armarios de los dieciséis que les interesan.

—¿Los dieciséis? —preguntó Sachs.

—Significa «gente». —Señaló con un gesto vago hacia las estrechas ventanas, dando a entender, presumiblemente, la humanidad de fuera de la Roca Gris—. Procede del código que utilizamos.

Más jerga. Armarios, dieciséis, tocar el piano... Había algo de altivo, incluso de desdeñoso, en aquellas expresiones.

Sterling dijo tranquilamente:

—Tenemos que hacer todo lo posible por descubrir la verdad.

Cassel meneó la cabeza.

—No es un cliente, Andrew. Nadie se atrevería a usar nuestros datos para cometer un crimen. Sería un suicidio.

—Sean, si SSD está implicada en esto, tenemos que saberlo.

—Muy bien. Lo que tú creas más conveniente. —Sean Cassel ignoró a Pulaski, dedicó una sonrisa fría e indiferente a Sachs y se marchó.

La detective le dijo a Sterling:

—Recogeremos esa lista de clientes cuando volvamos para entrevistar a los encargados de mantenimiento técnico.

Mientras el consejero delegado daba instrucciones a Martin, Sachs oyó que Mark Whitcomb le decía en voz baja a Pulaski:

—No le haga caso a Cassel. Gillespie y él... son los chicos de oro de este negocio. Jóvenes emprendedores, ¿sabe? Yo soy un estorbo. Y usted también.

—No hay problema —contestó el joven ambiguamente, aunque la detective notó que se lo agradecía. Tenía de todo menos confianza en sí mismo, pensó.

Whitcomb se marchó y los dos policías se despidieron de Sterling.

El consejero delegado tocó ligeramente a Sachs en el brazo.

—Quería decirle una cosa, detective.

Ella se volvió hacia él. Con los brazos estirados junto a los costados y los pies separados, Sterling levantaba hacia ella sus intensos ojos verdes. Era imposible apartar la vista de su mirada hipnótica y reconcentrada.

—No voy a negar que estoy en el negocio de los servicios de conocimiento para ganar dinero. Pero también para mejorar nuestra sociedad. Piense en lo que hacemos. Piense en los niños que van a tener ropa decente y regalos de Navidad bonitos por primera vez debido al dinero que se ahorran sus padres gracias a SSD. O en los matrimonios jóvenes que pueden encontrar un banco que les dé una hipoteca para su primera casa porque SSD puede predecir que, en efecto, pagarán el crédito. O en los usurpadores de identidad a los que se atrapa porque nuestros algoritmos descubren una anomalía en las pautas de gasto de su tarjeta de crédito. O en las etiquetas RFID de la pulsera o el reloj de un chaval gracias a las cuales los padres saben dónde está su hijo cada minuto del día. En los váteres inteligentes que diagnostican la diabetes cuando uno ni siquiera sabe que tiene riesgo de padecerla.

»Y piense en su trabajo, detective. Pongamos que están investigando un asesinato. Hay restos de cocaína en un cuchillo, el arma del delito. Nuestro programa PublicSure puede decirles qué personas con antecedentes por posesión de cocaína han utilizado un cuchillo en la comisión de un delito en cualquier momento de los últimos veinte años, en cualquier área geográfica que prefiera, y si eran zurdos o diestros y cuál es su número de pie. Antes incluso de que pregunten, sus huellas dactilares aparecen en la pantalla, junto con sus fotografías y datos de su modus operandi, rasgos distintivos, disfraces que han empleado en el pasado, pautas de voz peculiares y una docena de características más.

»También podemos decirles quién ha comprado un cuchillo de esa marca en concreto, o incluso ese mismo cuchillo. Y posiblemente sabemos también dónde estaba el comprador en el momento de producirse el delito y dónde está ahora. Si el sistema no puede encontrarlo, puede decirles la probabilidad porcentual de que esté en casa de un cómplice conocido y mostrarles las huellas dactilares y los rasgos característicos de dicho cómplice. Y todo ese aluvión de datos les llega en la friolera de veinte segundos, aproximadamente.

»Nuestra sociedad necesita ayuda, detective. ¿Se acuerda de las ventanas rotas? Pues SSD está aquí para ayudar. —Sonrió—. Era una broma, pero hablando en serio: le estoy pidiendo que sean discretos en la investigación. Haré todo lo que pueda, sobre todo si parece que es alguien de SSD. Pero si empiezan a circular rumores sobre fallos de seguridad, nuestros competidores y nuestros críticos se abalanzarán sobre nosotros. Con saña. Eso podría dañar gravemente la labor de SSD, nuestro afán de arreglar tantas ventanas como podamos y mejorar esta sociedad. ¿Estamos de acuerdo?

De pronto, Amelia Sachs se sintió mal por lo engañoso de su misión: plantar las semillas necesarias para animar al asesino a caer en la trampa sin decírselo a Sterling. Tuvo que hacer un esfuerzo por sostenerle la mirada al decir:

—Creo que estamos completamente de acuerdo.

—Estupendo. Bueno, Martin, acompaña a nuestros visitantes hasta la salida, por favor.

22

—¿Ventanas rotas?

Sachs estaba contándole a Rhyme lo del logotipo de SSD.

—Me gusta.

—¿Sí?

—Sí. Piénsalo. Es una metáfora de lo que hacemos aquí. Encontramos pequeños fragmentos de pruebas que nos conducen a la gran respuesta.

Sellitto señaló con la cabeza a Rodney Szarnek, que estaba sentado en la esquina, silbando todavía, ajeno a todo salvo a su ordenador.

—El chaval de la camiseta ya tiene la trampa lista. Y está intentando introducirse en su sistema. ¿Ha habido suerte, agente? —preguntó.

—Eh... Esos tipos saben lo que se hacen, pero yo tengo un buen montón de ases en la manga.

Sachs les dijo que el jefe de seguridad no creía que nadie pudiera introducirse ilegalmente en innerCircle.

—Eso hace el juego aún más dulce —comentó Szarnek. Se acabó otro café y siguió silbando suavemente.

Sachs les habló entonces de Sterling, de la empresa y de cómo funcionaba el proceso de búsqueda y criba de datos. Pese a lo que les había explicado Thom la víspera y a sus pesquisas preliminares, a Rhyme le sorprendió la importancia del sector.

—¿Parecía sospechoso ese tal Sterling? —preguntó Sellitto.

Rhyme soltó un gruñido. La pregunta le parecía absurda.

—No. Se ha mostrado dispuesto a cooperar. Y por suerte para nosotros es un verdadero creyente: los datos son su dios. Quiere erradicar cualquier cosa que ponga en peligro a su empresa.

Les describió a continuación las fuertes medidas de seguridad de la empresa, el número reducido de personas que tenía acceso a los tres rediles de datos y que era imposible sustraer datos incluso si alguien conseguía entrar en ellos.

—Tuvieron un intruso, un periodista que sólo buscaba material para un reportaje, ni siquiera quería robar secretos corporativos. Cumplió condena y su carrera se ha terminado.

—Conque es vengativo, ¿eh?

Sachs se quedó pensándolo.

—No. Yo diría que es protector. En cuanto a sus empleados, he entrevistado a la mayoría de los que tienen acceso a los dosieres. Hay un par que no tienen coartada para ayer por la tarde. Ah, y he preguntado si archivan las descargas, pero no. Y van a facilitarnos un listado de clientes que han comprado datos sobre las víctimas y los chivos expiatorios.

—Pero lo importante es que les has hecho saber que se está llevando a cabo una investigación y les has dado a todos el nombre de Myra Weinburg.

—Exacto.

Sachs sacó un documento de su maletín. El dosier de Arthur, explicó.

—He pensado que podía ser útil, aunque sólo sea porque quizá te interese ver a qué se dedica tu primo. —Quitó la grapa y colocó el dosier en el atril de lectura que Rhyme tenía a su lado: un aparato que pasaba las páginas a medida que leía.

El criminalista miró el documento. Luego volvió a fijar la vista en los esquemas de las pizarras.

—¿No quieres echarle un vistazo? —preguntó Sachs.

—Puede que luego.

Ella volvió a hurgar en su maletín.

—Aquí está la lista de empleados de SSD que tienen acceso a los dosieres. «Armarios», los llaman.

—¿Porque en ellos guardan sus secretos?

—Exacto. Pulaski está comprobando sus coartadas. Tenemos que volver a hablar con los dos encargados de mantenimiento técnico, pero esto es lo que tenemos de momento. —Escribió en una pizarra los nombres de los empleados y algunos comentarios.

Andrew Sterling, presidente y consejero delegado. Coartada: estuvo en Long Island. Pendiente de verificar.

Sean Cassel, director de ventas y márquetin. Sin coartada.

Wayne Gillespie, director de operaciones técnicas. Sin coartada.

Samuel Brockton, director del departamento de autorregulación. Coartada: el registro del hotel confirma su presencia en Washington.

Peter Arlonzo-Kemper, director de recursos humanos. Coartada: su esposa. Pendiente de verificar.

Steven Shraeder, encargado del servicio técnico y de mantenimiento, turno de día. Pendiente de entrevistar.

Faruk Mameda, encargado del servicio técnico y de mantenimiento, turno
de noche. Pendiente de entrevistar.
¿Cliente de SSD? A la espera del listado de Sterling.

—¡Mel! —llamó Rhyme—. Búscalos en el NCIC y en la base de datos del departamento.

Cooper pasó los nombres a través del NCIC, el Centro Nacional de Información sobre Delincuencia y por su equivalente dentro del Departamento de Policía de Nueva York, así como el Programa de Detención de Criminales Violentos del Departamento de Justicia.

—Espera, puede que aquí haya una coincidencia.

—¿Cuál? —preguntó Sachs acercándose.

—Arlonzo Kemper. Un centro de internamiento para menores en Pensilvania. Una agresión, hace veinticinco años. El expediente sigue cerrado.

—La edad coincide. Tiene unos treinta y cinco años. Y es de piel clara. —Sachs señaló el esquema del perfil de 522.

—Pues vamos a abrir el expediente. O al menos a averiguar si se trata de la misma persona.

—Veré qué puedo hacer. —Cooper pulsó algunas teclas.

—¿Alguna referencia a los demás? —Rhyme indicó con la cabeza la lista de sospechosos.

—No, ninguna. Sólo él.

Cooper llevó a cabo varias búsquedas en bases de datos estatales y federales y consultó diversas asociaciones profesionales. Finalmente se encogió de hombros.

—Fue a la Universidad de California-Hastings. No encuentro ningún vínculo con Pensilvania. Parece un tipo solitario: aparte de los datos sobre sus estudios universitarios, sólo figura en la Asociación Nacional de Profesionales de Recursos Humanos. Formó parte del grupo de trabajo sobre tecnología hace dos años, pero desde entonces no ha hecho gran cosa. Vale, esto es lo que tienen sobre su detención cuando era menor de edad. Agredió a otro chico en una casa de internamiento... Ah.

—¿Ah qué?

—No es él. No tiene guión. El nombre es distinto. El detenido se llama Arlonzo de nombre y Kemper de apellido. —Miró el esquema—. El nuestro se llama Peter y de apellido Arlonzo-Kemper. Lo he copiado mal. Si hubiera puesto el guión, no habría aparecido. Lo siento.

—No es el peor de los pecados. —Rhyme se encogió de hombros. Daba qué pensar respecto a la naturaleza de los datos, se dijo. Parecían haber encontrado un sospechoso, y hasta la caracterización que había hecho Cooper de él sugería que era el asesino *(Parece un tipo solitario)*. Era, sin embargo, una pista totalmente errónea, surgida de un error minúsculo: la falta de un solo guión. Podrían haber cargado contra aquel hombre (y haber desperdiciado recursos) si Cooper no se hubiera dado cuenta del error.

Sachs se sentó junto a Rhyme que, al ver su mirada, preguntó:

—¿Qué ocurre?

—Tiene gracia, pero ahora que estoy aquí tengo la sensación de que se ha roto una especie de hechizo. Creo que quiero una opinión externa. Sobre SSD. Estando allí he perdido la perspectiva. Es un sitio que te desorienta.

—¿Y eso? —quiso saber Sellitto.

—¿Habéis estado alguna vez en Las Vegas?

Sellitto había estado con su exmujer. Rhyme soltó una breve carcajada.

—Las Vegas, donde la única cuestión es cuánto vas perdiendo. ¿Y por qué iba a querer tirar así mi dinero?

Sachs prosiguió diciendo:

—Bueno, es como un casino. Lo de fuera no existe. Las ventanas son pequeñas, o no hay. No hay conversaciones junto al dispensador del agua, nadie se ríe. Todo el mundo está totalmente centrado en su trabajo. Es como estar en otro mundo.

—Y quieres que alguien de fuera te dé su opinión —dijo Sellitto.

—Sí.

—¿Un periodista? —sugirió Rhyme. Peter Hoddins, la pareja de Thom, había sido periodista en el *New York Times* y se dedicaba ahora a escribir libros de ensayo sobre temas políticos y sociales. Seguramente conocería a gente de la sección de economía que conociera el sector de la minería de datos.

Pero ella negó con la cabeza.

—No, alguien que haya tenido contacto de primera mano con ellos. Un antiguo empleado, quizá.

—Bien. Lon, ¿puedes llamar a alguien de Desempleo?

—Claro. —El detective llamó al Departamento de Desempleo del estado de Nueva York. Después de diez minutos pasando de una oficina a otra dio con el nombre de un antiguo subdirector técnico de SSD. Había trabajado para la empresa durante unos años, pero lo habían despedido hacía año y medio. Se llamaba Calvin Geddes y vivía en Manhattan. Sellitto anotó sus datos y le pasó la nota a Sachs, que llamó a Geddes y quedó en encontrarse con él una hora después.

Rhyme no puso objeciones. En cualquier investigación hay que cubrir la mayor cantidad de terreno posible. Pero las pistas como la de Geddes o la comprobación de coartadas que estaba haciendo Pulaski eran para él como imágenes vistas en el reflejo de una ventana opaca: espejismos de la verdad, pero no la verdad misma. Eran únicamente los indicios materiales, por escasos que fuesen, los que contenían la verdadera respuesta a la pregunta de quién era el asesino. Así pues, él regresó a las pruebas.

Aparta...

Arthur Rhyme había dejado de acobardarse delante de los latinos, que de todos modos le ignoraban. Y sabía que aquel grandullón negro que le había dicho «que te jodan» no era ningún peligro.

Era el blanco de los tatuajes el que lo molestaba. Aquel «pellizquero» (así llamaban, por lo visto, a los adictos a la metanfetamina) le daba mucho miedo. Mick, se llamaba. Le temblaban las manos, se rascaba la piel amoratada y sus ojos blancos y fantasmales brincaban como burbujas de agua hirviendo. Hablaba en susurros consigo mismo.

Arthur había intentado esquivarlo todo el día anterior, y por la noche, mientras yacía despierto, entre accesos de depresión, había pasado mucho tiempo deseando que Mick se marchara, que fuera ese día a juicio y que desapareciera de su vida para siempre.

Pero no había tenido suerte. Esa mañana había vuelto y parecía no separarse de él. No dejaba de mirarlo.

—Tú y yo —murmuró una vez, y Arthur sintió un escalofrío que lo recorrió hasta la rabadilla.

Hasta los latinos parecían rehuir a Mick. Quizás en la cárcel hubiera que seguir ciertos protocolos. Reglas tácitas respecto a lo que estaba bien y mal. Gente como aquel yonqui flaco y tatuado podía no seguir esas normas, y allí todo el mundo parecía saberlo.

Aquí todo el mundo lo sabe todo. Menos tú. Tú no sabes una mierda.

Una vez se rió, miró a Arthur como si lo reconociera y comenzó a levantarse, pero luego pareció olvidar lo que se disponía a hacer, se sentó otra vez y comenzó a arañarse el pulgar con la uña.

—Tú, el de Jersey. —Una voz junto a su oído.

Arthur se sobresaltó.

El negro grandullón se le había acercado por la espalda. Se sentó a su lado. El banco crujió.

—Antwon. Antwon Johnson.

¿Debía cerrar el puño y golpear con él el de Johnson? *No seas idiota, joder*, se dijo, y se limitó a inclinar la cabeza.

—Arthur...

—Ya lo sé. —Johnson miró a Mick y añadió—: Ese pellizquero la ha cagado. No te metas cristal, es un mierda. Te jode la vida para siempre. —Pasado un momento dijo—. Entonces, ¿eres un cerebrito?

—Algo así.

—¿Cómo que «algo así»? ¿Qué coño quieres decir?

No juegues.

—Soy licenciado en Física. Y en química. Fui al MIT.

—¿Al Mit?

—Es una universidad.

—¿Buena?

—Muy buena.

—Entonces, ¿sabes cosas de ciencias? ¿Química y física y todo eso?

Aquel interrogatorio no se parecía en absoluto al de los dos latinos, los que habían intentado extorsionarle. Johnson parecía de verdad interesado.

—Algunas cosas, sí.

Entonces el grandullón preguntó:

—Entonces sabrás hacer bombas. Una bien gorda, para volar esa puta pared.

—Bueno... —El corazón volvió a latirle con violencia, más fuerte que antes—. Yo...

Antwon Johnson se rió.

—Me estaba cachodeando de ti, tío.

—Yo...

—Me... estaba... cachondeando de ti.

—Ah. —Arthur se rió y se preguntó si le estallaría el corazón en ese momento o si esperaría a hacerlo más tarde. No tenía todos los genes de su padre, pero ¿estaría incluido en el paquete su deficiencia cardíaca?

Mick masculló algo para sí mismo y se concentró en su codo derecho, que se rascó hasta dejarlo en carne viva.

Johnson y Arthur estuvieron observándolo.

Pellizquero...

Johnson dijo entonces:

—Oye, tú, Jersey, deja que te pregunte una cosa.

—Claro.

—Mi madre es muy religiosa, ¿sabes lo que te digo? Me decía que la Biblia tenía razón. Que toda esta mierda era exactamente como estaba escrito ahí. Vale, pero oye, digo yo, ¿dónde están los dinosaurios en la Biblia? Dios creó al hombre y a la mujer y la Tierra y los ríos y los burros y las serpientes y tal. Pero ¿por qué no pone que Dios creó a los dinosaurios? Porque yo he visto sus esqueletos, ¿sabes? Así que existieron. Así que, ¿cuál es la puta verdad, tío?

Arthur Rhyme miró a Mick. Después, al clavo incrustado en la pared. Le sudaban las manos y pensó que, de todas las cosas que podían ocurrirle en prisión, iban a matarlo por adoptar una postura científica frente al creacionismo.

Pero ¿qué cojones?

Dijo:

—Iría contra todas las leyes conocidas de la ciencia, leyes que han reconocido todas las civilizaciones avanzadas del planeta, que la Tierra tuviera solamente seis mil años de antigüedad. Sería como si a ti te crecieran alas y salieras volando por esa ventana de ahí.

Johnson arrugó el ceño.

Soy hombre muerto.

Su interlocutor fijó en él una mirada intensa. Luego asintió con la cabeza.

—Lo sabía, joder. No tenía sentido, seis mil años. Joder.

—Puedo darte el título de un libro que leí sobre eso. Hay un escritor, Richard Dawkins, que...

—No quiero leer ningún puto libro. Te creo, Señor Jersey.

Arthur sintió el impulso de entrechocar su puño con él, pero se refrenó.

—¿Qué va a decir tu madre cuando se lo digas? —preguntó.

Su cara redonda y negra se contrajo, llena de perplejidad.

—No voy a decírselo. Sería una gilipollez. Cuando discutes con tu madre, nunca ganas.

O con tu padre, se dijo Arthur.

Johnson se puso serio de repente.

—Tú —dijo—, dicen por ahí que te han trincado por algo que no has hecho.

—Claro que sí.

—¿Y aun así te han metido en la trena?

—Sí.

—¿Qué cojones ha pasado?

—Ojalá lo supiera. No he parado de darle vueltas desde que me detuvieron. Sólo pienso en eso. En cómo se las ha arreglado.

—¿Quién?

—El verdadero asesino.

—Tío, como en *El fugitivo*. O como O. J. Simpson.

—La policía encontró un montón de pruebas que me relacionaban con el crimen. El verdadero asesino lo sabía todo sobre mí, no sé cómo. Mi coche, dónde vivía, mis horarios. Sabía qué cosas compraba... y las puso allí, como pruebas. Estoy seguro de que fue eso lo que pasó.

Antwon Johnson se quedó pensando. Luego se echó a reír.

—Tío, ése es el problema.

—¿Cuál?

—Que te comprabas esas cosas. Deberías haberlas mangado. Así nadie sabe nada de ti.

23

Otro vestíbulo.

Pero muy distinto del de SSD.

Amelia Sachs nunca había visto tanto desorden. Quizá sí, cuando trabajaba en patrullas y respondía a algún aviso por una riña doméstica entre drogatas, en Hell's Kitchen. Pero hasta esa gente, o mucha de ella, tenía dignidad: hacían un esfuerzo. Aquel sitio le ponía los pelos de punta. La asociación sin ánimo de lucro Privacidad Ya, ubicada en una antigua fábrica de pianos en el distrito de Chelsea, se llevaba el premio a la mugre.

Montones de papeles impresos, libros (muchos de ellos de derecho, o amarillentos reglamentos administrativos), periódicos y revistas. Y cajas de cartón que contenían más de lo mismo. Guías de teléfono. Boletines oficiales.

Y polvo. Polvo a toneladas.

Una recepcionista con vaqueros azules y un jersey astroso aporreaba con furia el teclado de un ordenador viejo mientras hablaba en voz baja por un teléfono con el manos libres conectado. Personas apresuradas con vaqueros y camisetas o pantalones de pana y arrugadas camisas de faena entraban en el despacho desde el pasillo, cambiaban unas carpetas por otras o recogían notitas con mensajes telefónicos y desaparecían.

Las paredes estaban repletas de carteles y letreros pobremente impresos.

¡¡¡LIBREROS, QUEMAD LOS RECIBOS DE VUESTROS CLIENTES ANTES DE QUE EL GOBIERNO QUEME SUS LIBROS!!!

En un rectángulo de cartulina arrugada se leía la famosa cita de *1984*, la novela de George Orwell, como una sociedad totalitaria:

El Gran Hermano te vigila.

Y en un lugar prominente, sobre la pared desconchada, enfrente de Sachs:

GUÍA DEL MILICIANO EN LA GUERRA POR LA PRIVACIDAD

- Jamás des tu número de la Seguridad Social.
- Jamás des tu número de teléfono.
- Antes de ir a comprar, únete a los grupos de trueque de tarjetas de fidelidad.
- Nunca te ofrezcas voluntario para encuestas.
- Objeta siempre que puedas.
- No rellenes tarjetas de registro de productos.
- No rellenes tarjetas de «garantía». No las necesitas para la garantía. ¡Son herramientas de recogida de información!
- Recuerda: el arma más peligrosa de los nazis era la información.
- Mantente fuera de la «red» todo lo posible.

Sachs estaba digiriendo aquella información cuando se abrió una puerta arañada y un hombre bajo y de mirada vehemente se acercó a ella, le estrechó la mano y la condujo a su despacho, que estaba aún más desordenado que el vestíbulo.

Calvin Geddes, el exempleado de SSD, trabajaba ahora para aquella asociación pro derecho a la privacidad.

—Me pasé al lado oscuro —dijo, sonriendo. Había abandonado el código de vestimenta de SSD, tan clásico, y llevaba una camisa de botones amarilla sin corbata, vaqueros y zapatillas deportivas.

Pero su sonrisa cordial se borró rápidamente cuando Sachs le habló de los asesinatos.

—Sí —susurró con una mirada dura y concentrada—. Sabía que pasaría algo así. No tenía ninguna duda.

Geddes le explicó que tenía formación técnica y había trabajado en la primera empresa de Sterling, la predecesora de SSD, en Silicon Valley, programando para ellos. Después se había mudado a Nueva York y había llevado una vida muy agradable mientras SSD proseguía su camino fulgurante hacia el éxito.

Después, las cosas se habían agriado.

—Tuvimos problemas. En aquel entonces no encriptábamos los datos y fuimos los responsables de algunos casos graves de usurpación de identidad. Varias personas se suicidaron. Y un par de acosadores se registraron como clientes, pero sólo para obtener información de innerCircle. Dos de las mujeres a las que buscaban fueron agredidas, una estuvo a punto de morir. Después, varios padres que estaban batallando por la custodia de sus hijos utilizaron nuestros datos para encontrar a sus excónyuges y secuestrar a los niños. Fue muy duro. Me sentía como el tío que ayudó a inventar la bomba atómica y luego se arrepintió. Intenté que se pusieran más controles, pero eso equivalía a no creer en, y cito textualmente, la «visión SSD», según mi jefe.

—¿Sterling?

—En última instancia, sí. Pero en realidad no fue él quien me despidió. Andrew nunca se ensucia las manos. Las cosas desagradables, las delega. Así puede presentarse como el jefe más amable y maravilloso del mundo. Y, en un terreno más práctico, hay menos pruebas contra él si otros le hacen el trabajo sucio. En fin, que cuando me marché me uní a Privacidad Ya.

La asociación era como EPIC, el Centro de Información sobre Privacidad Electrónica, le explicó Geddes. Denunciaba los riesgos que entrañaban para la privacidad de los ciudadanos ciertas prácticas de las instituciones administrativas, empresariales y financieras, proveedores informáticos, compañías telefónicas y corredores y procesadores de datos comerciales. Ejercía presión sobre Washington, demandaba al gobierno acogiéndose a la Ley de Libertad de Información para averiguar qué había tras los programas de vigilancia y a las empresas privadas que incumplían las leyes de privacidad y derecho a la intimidad.

Sachs no le habló de la trampa preparada por Rodney Szarnek, pero le explicó a grandes rasgos que estaban buscando a clientes y empleados de SSD que hubieran podido reunir dosieres.

—La seguridad parece muy estricta, pero eso fue lo que nos dijeron Sterling y su gente. Quería una opinión externa.

—Estoy encantado de ayudar.

—Mark Whitcomb nos habló de los cortafuegos de cemento y de cómo mantenían separados los datos.

—¿Quién es Whitcomb?

—Trabaja en el departamento de autorregulación.

—No me suena ese departamento. Será nuevo.

Sachs explicó:

—Es como una oficina de defensa del consumidor dentro de la propia empresa. Para asegurarse de que cumplen la normativa.

Geddes pareció complacido, pero añadió:

—Seguro que no ha salido sin más del bondadoso corazón de Andrew Sterling. Es probable que tuvieran demasiadas demandas y hayan querido hacerse los buenos ante la opinión pública y el Congreso. Sterling nunca va a ceder ni un milímetro si no tiene que hacerlo. Pero respecto a los rediles de datos, eso es verdad. Sterling trata los datos como si fueran el Santo Grial. ¿Y colarse en el sistema? Seguramente es imposible. Y nadie podría entrar allí físicamente y robar datos.

—Me dijo que hay muy pocos empleados que puedan conectarse a inner-Circle y extraer dosieres. ¿Es cierto, que usted sepa?

—Sí, claro. Algunos tienen que estar autorizados, pero nadie más. Yo nunca tuve acceso. Y estuve allí desde el principio.

—¿Se le ocurre alguna idea? ¿Quizás algún empleado con un pasado problemático o violento?

—Han pasado varios años, y nadie me pareció nunca especialmente peligroso. Pero tengo que decir que, a pesar de que a Sterling le gusta aparentar que forman una familia feliz, nunca llegué a conocer de verdad a ninguno de mis compañeros de trabajo.

—¿Qué me dice de estas personas? —Le enseñó la lista de sospechosos.

Geddes le echó un vistazo.

—Trabajé con Gillespie. Y conocí a Cassel. No me caía bien ninguno de los dos. La minería de datos está en auge, como Silicon Valley en la década de 1990, y ellos están metidos en eso hasta el cuello. Son muy ambiciosos. A los demás no les conozco, lo siento. —La observó atentamente—. Entonces, ¿ha estado allí? —preguntó con una sonrisa despreocupada—. ¿Qué le ha parecido Andrew?

Se le agolparon las ideas cuando intentó formular un breve resumen de sus impresiones. Por fin dijo:

—Decidido, educado, inquisitivo y listo, pero... —su voz se apagó.

—Pero en realidad no lo conoce.

—Exacto.

—Porque muestra su gran cara de piedra. En todos los años que trabajé para él, no llegué a conocerlo verdaderamente. Nadie lo conoce. Insondable. Me encanta esa palabra. Así es Andrew. Yo siempre andaba buscando pistas. ¿Notó algo extraño en sus estanterías?

—No se veían los lomos de los libros.

—Exactamente. Yo les eché un vistazo una vez. ¿Y adivina qué? No eran sobre ordenadores, sobre privacidad, sobre datos o sobre economía. Eran sobre todo libros de historia, de filosofía, de política: el Imperio romano, los emperadores chinos, Franklin Roosevelt, John Kennedy, Stalin, Idi Amín, Kruschev... Leía mucho sobre los nazis. Nadie utilizaba la información como ellos, y Andrew no vacilaba en decírtelo. La primera vez que se emplearon sistemáticamente los ordenadores para seguir la pista de los grupos étnicos. Así fue cómo consolidaron su poder. Sterling está haciendo lo mismo en el mundo empresarial. ¿Se ha fijado en el nombre de la empresa, SSD? Corre el rumor de que lo eligió a propósito: SS, por el ejército de élite nazi, y SD por su cuerpo de seguridad y espionaje. ¿Sabe qué dicen sus competidores que significa? «Vendemos almas por dólares»*. —Geddes se rió amargamente.

»En fin, no me malinterprete. Andrew no odia a los judíos. Ni a ningún otro grupo. La política, la nacionalidad, la religión y la raza no significan nada para él. Una vez le oí decir: «Los datos no tienen fronteras». En el siglo veintiuno el poder reside en la información, no en el petróleo, ni en la geografía. Y Andrew Sterling quiere ser el hombre más poderoso de la Tierra. Estoy seguro de que le soltó el discurso de los atributos divinos de la minería de datos.

—¿Salvarnos de la diabetes, ayudarnos a pagar la casa y los regalos navideños y resolver casos para la policía?

—Ése. Y es todo cierto. Pero dígame si por obtener esos beneficios merece la pena que alguien sepa cada detalle de tu vida. Puede que a usted no le importe, con tal de ahorrarse unos pavos. Pero ¿de veras quiere que un láser de Consumer Choice escanee sus pupilas en un cine y grabe su reacción ante los anuncios que pasan antes de la película? ¿Quiere que la etiqueta RFID de la llave de su coche este disponible para que la policía sepa que la semana pasada condujo a ciento sesenta por hora cuando en el itinerario que seguía sólo había carreteras con un límite de cincuenta por hora? ¿Quiere que unos extraños sepan qué clase de bragas lleva su hija? ¿O cuándo exactamente practica el sexo?

—¿Qué?

—Bueno, innerCircle sabe que esta tarde compró preservativos y lubricante y que su marido cogió el tren de las seis y cuarto para volver a casa. Sabe que tiene usted la tarde libre porque su hijo ha ido a ver el partido de los Mets y su hija se está comprando ropa en la tienda de Gap en el Village. Sabe que a las siete y dieciocho puso el canal porno de su televisión por cable. Y que a las diez menos cuarto pidió comida china por teléfono para una agradable cena poscoital. Toda esa información está ahí.

»SSD sabe si sus hijos se han adaptado mal al colegio y cuándo deben enviarle publicidad directa sobre profesores particulares y servicios de psicología infantil. Sabe si su marido tiene problemas en la cama y cuándo mandarle folletos discretos acerca de tratamientos contra la disfunción eréctil. Y cuándo

---

* SSD, *Selling Souls for Dollars.* (N. de la T.)

su historial familiar, sus pautas de compra y sus bajas en el trabajo la sitúan en un perfil previo al suicidio...

—Pero eso es bueno. De ese modo puede ayudarte un psicólogo.

Geddes se rió con frialdad.

—Se equivoca. Porque aconsejar a suicidas en potencia no es rentable. SSD manda la información a funerarias locales y a psicólogos especializados en duelos que pueden tener a toda la familia por clientes, no sólo a una persona deprimida que se pega un tiro. Y, por cierto, fue un negocio muy rentable.

Sachs estaba impresionada.

—¿Ha oído hablar de la «adhesión»?

—No.

—SSD ha creado una red basada solamente en usted. Llámelo «el mundo de la detective Sachs». Usted es el centro de la rueda y los radios van a sus parejas, cónyuges, padres, vecinos, compañeros de trabajo, a cualquiera que pueda ayudar a SSD a recabar datos y a beneficiarse de ese conocimiento. Cualquier persona con la que tenga relación está «adherida» a usted. Y todas y cada una de esas personas son también el centro de otra rueda y hay docenas de otras personas adheridas a ellas.

Sus ojos brillaron al asaltarle otra idea.

—¿Sabe algo de los metadatos?

—¿Qué es eso?

—Datos sobre datos. Cada documento que crea o almacena un ordenador, cartas, ficheros, informes, hojas de cálculo, informes jurídicos, páginas web, correos electrónicos, listas de la compra... Todos están cargados de datos ocultos. Quién los creó, dónde se mandan, todos los cambios que se han hecho y quién y cuándo los hizo. Todo está grabado ahí, segundo a segundo. Escribe usted un informe para su jefe y por hacer una broma empieza diciendo «Estimado Capullo», luego lo borra y lo escribe correctamente. Bien, pues lo de «estimado capullo» sigue ahí.

—¿En serio?

—Claro que sí. El tamaño de un documento típico de procesador de texto es mucho mayor que el texto del documento propiamente dicho. ¿Qué es lo demás? Metadatos. El programa de gestión de datos Atalaya tiene robots informáticos especializados en encontrar y almacenar los metadatos de todos los documentos que recoge el sistema. Lo llamábamos el Departamento Sombra, porque los metadatos son como una sombra de los datos principales. Y por lo general es mucho más reveladora.

Dieciséis, rediles, armarios, sombra... Aquél era un mundo totalmente nuevo para Amelia Sachs.

Geddes disfrutaba teniendo una oyente receptiva. Se inclinó hacia delante.

—¿Sabe que SSD tiene una división educativa?

Sachs recordó el organigrama del folleto que había descargado Mel Cooper.

—Sí, EduServe.

—Pero Sterling no le habló de ella, ¿verdad?

—No.

—Porque no quiere que se sepa que su función principal es recabar todos los datos posibles acerca de los niños. Empezando desde la guardería. Lo que compran, lo que ven, las páginas web a las que van, sus notas, sus historiales médicos desde el colegio... Y ésa es una información muy muy valiosa para los establecimientos comerciales. Pero en mi opinión lo que da más miedo de EduServe es que los consejos escolares pueden acudir a SSD para que su *software* prediga el futuro de sus estudiantes y por tanto puedan orientarles hacia uno u otro programa educativo, siempre por el bien de la comunidad, o de la sociedad, si quiere ponerse orwelliana al respecto. Teniendo en cuenta el origen social de Billy, creemos que debería hacer formación profesional. Suzy debería ser médica, pero especializada en salud pública... Controle a los niños y controlará el futuro. Otro elemento de la filosofía de Adolf Hitler, por cierto. —Se rió—. En fin, se acabó el sermón. Pero ¿comprende usted por qué no pude soportarlo más?

Geddes frunció entonces el ceño.

—Sólo pensar en su situación... Una vez tuvimos un incidente en SSD. Hace años, antes de que la empresa se trasladara a Nueva York. Hubo una muerte. Probablemente fue sólo una coincidencia, pero...

—No, cuénteme.

—Al principio encargábamos buena parte de la recolección de datos concretos a rapiñadores.

—¿A qué?

—A empresas o individuos que proporcionan datos. Una gente muy rara. Son un poco como los exploradores antiguos: prospectores, podría decirse. Verá, los datos ejercen una extraña atracción. Se puede uno volver adicto a su búsqueda. Nunca se descubre lo suficiente. Por más que recojan, siempre quieren más. Y esos tipos están siempre buscando nuevas formas de reunirlos. Son competitivos, implacables. Así fue cómo empezó Sean Cassel en el negocio. Era un rapiñador de datos.

»El caso es que había un rapiñador asombroso. Trabajaba para una empresa pequeña. Creo que se llamaba Rocky Mountain Data, en Colorado. ¿Cómo se llamaba él? —Geddes entornó los ojos—. Puede que Gordon no sé qué. O puede que ése fuera su apellido. El caso es que nos enteramos de que no le hacía ninguna gracia que SSD fuera a absorber su empresa. Corre el rumor de que reunió todos los datos que pudo sobre la empresa y el propio Sterling: cambió las tornas. Pensaba que quizás estaba intentando sacar trapos sucios y chantajear a Sterling para impedir la absorción. ¿Conoce a Andy Sterling? ¿Andrew hijo? Trabaja en la empresa.

Ella asintió.

—Oímos rumores de que Sterling lo había abandonado hacía años y que el chico le había seguido la pista. Pero también oímos que quizás era otro hijo al que había abandonado. Puede que de su primera mujer o de una novia. Algo que quería mantener en secreto. Pensamos que quizá Gordon estaba buscando esa clase de basura.

»En fin, que mientras Sterling y otras personas estaban allí, negociando la compra de Rocky Mountain, ese tal Gordon murió. En un accidente de algún tipo, creo. Es lo único que oí. Yo no estaba allí. Estaba en Silicon Valley, escribiendo códigos.

—¿Y la absorción siguió adelante?

—Sí. Andrew siempre consigue lo que quiere. Ahora, permítame lanzar una idea acerca de su asesino. Es el propio Andrew Sterling.

—Tiene una coartada.

—¿Sí? Bueno, no olvide que es el rey de la información. Si controlas los datos, puedes cambiarlos. ¿Han comprobado su coartada con verdadero cuidado?

—Estamos en ello.

—Pues, aunque la confirme, tiene hombres que trabajan para él y que hacen todo lo que quiere. Y me refiero a todo. Recuerde que el trabajo sucio se lo hacen otros.

—Pero es multimillonario. ¿Qué interés puede tener en robar monedas o un cuadro y luego matar a la víctima?

—¿Qué interés? —Geddes levantó la voz como si fuera un profesor hablando con una alumna que no se está enterando de la lección—. Lo que le interesa es ser la persona más poderosa del mundo. Quiere que su pequeña colección incluya a todos los habitantes del planeta. Y le interesan especialmente las fuerzas de la ley y los clientes institucionales. Cuantos más delitos se resuelvan utilizando innerCircle, más cuerpos de policía, aquí y en el extranjero, se apuntarán a él. La primera tarea de Hitler al llegar al poder fue reforzar todos los cuerpos policiales de Alemania. ¿Cuál fue nuestro gran problema en Irak? Que desmantelamos el ejército y la policía, en vez de servirnos de ellos. Andrew no comete ese tipo de errores.

Se rió.

—Cree que estoy chiflado, ¿verdad? Pero convivo continuamente con estas cosas. Recuerde, no es paranoia si de veras hay alguien ahí fuera vigilando todo lo que haces cada minuto del día. Y eso, en resumen, es SSD.

24

Mientras aguardaba el regreso de Sachs, Lincoln Rhyme escuchó distraídamente las explicaciones de Lon Sellitto acerca de por qué las pruebas de los casos anteriores (la violación y el robo de monedas) no habían podido localizarse.

—Y eso es raro de cojones.

Rhyme estuvo de acuerdo, pero, olvidándose al instante de la procaz afirmación del detective, volvió a fijar la atención en el dosier de SSD sobre su primo, colocado a su lado, en el atril de lectura automatizado. Intentaba ignorarlo, pero el documento lo atraía como un imán a una aguja. Echando un vistazo a las páginas se dijo que quizá, como había sugerido Sachs, pudieran hallar algo útil allí dentro. Después reconoció que, sencillamente, tenía curiosidad.

STRATEGIC SYSTEMS DATACORP.
DOSIERES DE INNERCICLE®

Arthur Robert Rhyme
Número de sújeto SSD: 3480-9021-4966-2083

Estilo de vida
Dosier 1A. Preferencias de productos de consumo
Dosier 1B. Preferencias de servicios de consumo
Dosier 1C. Viajes
Dosier 1D. Sanidad
Dosier 1E. Preferencias de ocio

Financiero/académico/profesional
Dosier 2A. Historial académico
Dosier 2B. Historial de empleo e ingresos
Dosier 2C. Historial de crédito / situación actual y calificación crediticia
Dosier 2D. Preferencias de productos y servicios empresariales

Administrativo/jurídico

Dosier 3A. Registro civil

Dosier 3B. Censo electoral

Dosier 3C. Historial jurídico

Dosier 3D. Historial delictivo

Dosier 3E. Cumplimiento de la normativa

Dosier 3F. Inmigración y nacionalización

Ordenando al atril que fuera pasando las hojas, Rhyme echó un vistazo al denso documento de treinta páginas. Algunos apartados estaban llenos de datos, otros casi vacíos. La información sobre el censo electoral estaba expurgada, y partes de los historiales de crédito y cumplimiento de la normativa remitían a otros ficheros, seguramente debido a que la legislación limitaba el acceso a dichos datos.

Se detuvo en la extensa lista de productos de consumo que compraban Arthur y su familia (a cuyos miembros se denominaba con la inquietante expresión de «sujetos adheridos»). No cabía duda de que cualquier persona que hubiera leído el dosier sabría lo suficiente sobre sus hábitos de consumo y sobre dónde compraba como para poder implicarlo en el asesinato de Alice Sanderson.

Rhyme descubrió que Arthur había pertenecido a un club de campo del que se había dado de baja hacía un par de años, presumiblemente porque perdió su trabajo. Se fijó en los paquetes vacacionales que había comprado y le sorprendió que se hubiera aficionado al esquí. Además, o él o uno de sus hijos debía de tener problemas de sobrepeso porque alguien de la familia se había apuntado a un programa dietético. La familia entera era, además, miembro de un gimnasio. Vio una compra de joyas a plazos en torno a la época navideña, efectuada en una joyería de un centro comercial de Nueva Jersey. Gemas pequeñas montadas en un engarce voluminoso, se dijo el criminalista: un regalo de consolación hasta que llegaran mejores tiempos.

Al ver una de las entradas, se echó a reír. Igual que a él, a Arthur parecía gustarle el buen whisky: de hecho, su nueva marca favorita era Glenmorangie.

Sus coches eran un Prius y un Cherokee.

La sonrisa del criminalista se borró, sin embargo, al acordarse de otro vehículo. Estaba pensando en el Corvette rojo de Arthur, el coche que le regalaron sus padres cuando cumplió diecisiete años, el coche en el que Arthur se había ido a Boston para estudiar en el MIT.

Pensó en sus respectivas partidas hacia la universidad. Para Arthur fue un momento trascendental, y para su padre también. Henry Rhyme estaba entusiasmado por que su hijo hubiera sido admitido en una facultad tan prestigiosa. Pero los planes de los primos (compartir casa, rivalizar por las chicas, eclipsar a los otros cerebritos) se fueron a pique. Lincoln, al que no aceptaron en el MIT, se marchó a la Universidad de Illinois-Champagne/Urbana, que le ofrecía una beca completa (y que en aquel entonces gozaba de cierto renombre por estar ubicada en la ciudad donde nació HAL, el ordenador narcisista de la película de Stanley Kubrick *2001, una odisea en el espacio*).

Teddy y Anne estaban encantados de que su hijo fuera a estudiar en una universidad de su estado natal, y lo mismo podía decirse de su tío. Henry le dijo a su sobrino que confiaba en que fuera a menudo a Chicago para seguir ayudándolo con sus investigaciones y quizás incluso en sus clases, de vez en cuando.

—Siento que Arthur y tú no vayáis a estar juntos —le dijo su tío—. Pero os veréis en verano y en vacaciones. Y estoy seguro de que tu padre y yo podremos hacer alguna que otra escapada a Boston para que os veáis.

—Estaría bien —había respondido Lincoln.

Pero se había callado que, aunque estaba hecho polvo por no haber sido aceptado en el MIT, su rechazo tenía una parte buena, y era que no quería volver a ver a su primo mientras viviera.

Y todo por el Corvette rojo.

El incidente había tenido lugar poco después de la cena de Nochebuena en la que ganó aquel trozo histórico de cemento, un gélido día de febrero, el mes que, con sol o con nubes, en Chicago es el más implacable del año. Lincoln iba a competir en un concurso de ciencias de la Universidad Northwestern de Evanston. Le preguntó a Adrianna si quería acompañarlo, pensando que tal vez después se atrevería a pedirle que se casara con él.

Pero ella no podía: iba a ir a comprar con su madre a los grandes almacenes Marshall Field's, en el centro de Chicago, atraída por las rebajas. Lincoln se llevó una desilusión, pero no le dio más importancia y se concentró en el concurso. Quedó el primero del grupo de los mayores y luego él y sus amigos recogieron sus proyectos y salieron fuera. Con los dedos azules por el frío y el aliento formando nubes de vapor a su alrededor en medio del aire cortante, cargaron las cosas en la panza del autobús y corrieron hacia la puerta.

Fue entonces cuando alguien gritó:

—¡Eh, mirad! ¡Menudo cochazo!

Un Corvette rojo estaba cruzando el campus.

Su primo Arthur iba al volante. Lo cual no era raro: su familia vivía cerca de allí. Lo que sorprendió a Lincoln, en cambio, fue que la chica que iba sentada a su lado parecía Adrianna.

¿Sí? ¿No?

No podía estar seguro.

La ropa coincidía: una chaqueta de cuero marrón y un sombrero de piel que parecía idéntico al que el propio Lincoln le había regalado por Navidad.

—Venga, Linc, mueve el culo, que tenemos que cerrar la puerta.

Lincoln, sin embargo, se quedó donde estaba, mirando fijamente el coche que dobló derrapando la esquina de la calle blanca y gris.

¿Podía haberle mentido Adrianna? ¿La chica con la que estaba pensando en casarse? Parecía imposible. ¿Y, además, engañándolo con Arthur?

Formado en ciencias, Lincoln procedió a analizar meticulosamente los datos con objetividad.

Hecho número uno: Arthur y Adrianna se conocían. Su primo la había conocido unos meses antes, en el despacho del orientador del instituto de Lincoln, donde ella trabajaba después de clase. Era muy fácil que hubieran intercambiado sus números de teléfono.

Hecho número dos: Arthur, comprendió de pronto Lincoln, había dejado de preguntarle por ella. Era extraño. Solían pasar mucho tiempo hablando de chicas, y últimamente Art no había mencionado a Adrianna ni una sola vez.

Qué sospechoso.

Hecho número tres: tras pensarlo bien, llegó a la conclusión de que Adie se había mostrado esquiva al negarse a acompañarlo a la feria de ciencias. (Y él no le había dicho que iba a celebrarse en Evanston, lo que significaba que no habría dudado en circular por sus calles cuadriculadas en compañía de Art.) Los celos se apoderaron de él. ¡Por Dios que iba a darle un pedazo del Stagg Field! ¡Una astilla de la sagrada cruz de la ciencia moderna! Se acordó de otras veces en que Adie se había negado a verlo en circunstancias que, vistas en retrospectiva, parecían un tanto extrañas. Contó tres o cuatro.

Aun así, se resistía a creerlo. Avanzó trabajosamente entre la nieve hasta una cabina telefónica, llamó a su casa y preguntó por ella.

—Lo siento, Lincoln, ha salido con unos amigos —le dijo su madre.

Unos *amigos*...

—Ah. Probaré a llamarla más tarde. Oiga, señora Waleska, ¿al final han ido hoy a Marshall Field, a las rebajas?

—No, son la semana que viene. Tengo que preparar la cena, Lincoln. Abrígate bien. Fuera hace un frío horroroso.

—Sí, es verdad. —Lo sabía de buena tinta: estaba en una cabina abierta, con el mentón temblando y sin deseo alguno de recoger de entre la nieve los sesenta céntimos que se le habían caído de la mano temblorosa después de que intentara repetidamente meter las monedas por la ranura.

—¡Por Dios, Lincoln, sube al autobús!

Más tarde, esa noche, llamó a Adriana y durante un rato consiguió mantener con ella una conversación normal antes de preguntarle qué tal le había ido el día. Ella le contó que había disfrutado yendo de compras con su madre, pero que había una aglomeración espantosa. Locuaz y parlanchina, le dio demasiadas explicaciones. Parecía culpable de todas todas.

Pero aun así Lincoln necesitaba pruebas.

Así que mantuvo las apariencias. La siguiente vez que Art fue de visita, dejó a su primo en el cuarto de juegos de abajo, salió a hurtadillas con un rodillo para recoger pelos de perro (del mismo tipo de los que usaban ahora los equipos forenses en la escena de un crimen) y recogió pruebas materiales del asiento delantero del Corvette.

Lo metió todo en una bolsa de plástico y, cuando volvió a ver a Adrianna, recogió varias muestras de pelo de su gorro de piel y su abrigo. Se sintió envilecido, abrasado por la vergüenza y la humillación, pero eso no le impidió comparar las hebras que había recogido en uno de los microscopios compuestos del instituto. Eran idénticas: tanto el pelo del sombrero como las fibras sintéticas del abrigo.

La chica con la que estaba pensando en casarse había estado engañándolo.

Y por la cantidad de fibras que había en el coche de Art llegó a la conclusión de que se había subido a él más de una vez.

Finalmente, una semana después, los vio en el coche. Ya no le quedó ninguna duda.

No se retiró de la liza cortésmente, ni hecho una furia. Sencillamente, se retiró. Sin ánimos para una confrontación, dejó que su relación con Adrianna fuera diluyéndose. Las pocas veces que salieron estuvieron marcadas por la rigidez y salpicadas de incómodos silencios. Para consternación de Lincoln, ella parecía enfadada por su creciente indiferencia. Maldita sea, ¿acaso creía que podía tenerlo todo? Parecía enfadada con él a pesar de que era ella quien lo estaba engañando.

También se distanció de su primo. Su excusa fueron los exámenes finales, las competiciones de atletismo y aquel golpe de suerte disfrazado de infortunio: no haber sido admitido en el MIT.

Siguieron viéndose de tarde en tarde (compromisos familiares, ceremonias de graduación), pero entre ellos todo había cambiado radicalmente. Y de Adrianna no dijeron ni una sola palabra. Al menos hasta muchos años después.

Toda mi vida cambió. De no ser por ti, todo habría sido distinto...

Rhyme sintió que le palpitaban las sienes. No podía sentir frío en las palmas de las manos, pero dedujo que las tenía sudorosas. Sus dolorosas cavilaciones se vieron interrumpidas, sin embargo, cuando Amelia Sachs cruzó por fin la puerta.

—¿Alguna novedad? —preguntó.

Mala señal. Si hubiera sacado algo en claro de su conversación con Calvin Geddes, lo habría dicho enseguida.

—No —reconoció Rhyme—. Todavía estamos esperando noticias de Ron sobre las coartadas y nadie ha picado en la ratonera de Rodney.

Sachs aceptó el café que le ofreció Thom y cogió medio sándwich de pavo de una bandeja.

—El de ensalada de atún está mejor —comentó Lon Sellitto—. La ha hecho él.

—Con éste me vale. —Se sentó junto a Rhyme y le ofreció un bocado.

Pero el criminalista no tenía apetito y sacudió la cabeza.

—¿Qué tal le va a tu primo? —preguntó ella, lanzando una ojeada al dosier abierto en el atril.

—¿A mi primo?

—¿Qué tal le va en el centro de detención? Tiene que ser bastante duro para él.

—No he tenido ocasión de hablar con él.

—Seguramente está demasiado avergonzado para ponerse en contacto contigo. Deberías llamarlo.

—Lo haré. ¿Qué te ha dicho Geddes?

Sachs reconoció que no había obtenido grandes revelaciones de su encuentro con Geddes.

—Ha sido principalmente una conferencia acerca del deterioro de la privacidad. —Le dio algunos de los datos más alarmantes: la recogida diaria de datos personales, las intrusiones, el peligro de EduServe, la inmortalidad de los datos, el registro de metadatos en los archivos de los ordenadores...

—¿Algo que a nosotros pueda sernos de utilidad? —preguntó Rhyme con sorna.

—Dos cosas. Primero, no está convencido de que Sterling sea inocente.

—Dijiste que tenía una coartada —señaló Lon Sellitto mientras cogía otro sándwich.

—Puede que no haya sido él en persona. Quizás esté sirviéndose de un tercero.

—¿Por qué? Es el consejero delegado de una gran empresa. ¿Qué podría salir ganando?

—Cuantos más delitos haya, más necesita la sociedad a SSD para que la proteja. Geddes afirma que Sterling quiere poder. Lo llamó «el Napoleón de los datos».

—Así que contrató a un asesino a sueldo para que rompiera ventanas y él pudiera intervenir y arreglarlas. —Rhyme hizo un gesto de asentimiento, un tanto impresionado por la idea—. Sólo que le ha salido el tiro por la culata. No imaginó que nos daríamos cuenta de que las bases de datos de SSD estaban detrás de los crímenes. Muy bien. Ponlo en la lista de sospechosos. Un sujeto no identificado a sueldo de Sterling.

—Bueno, Geddes también me ha dicho que hace unos años SSD compró una empresa de datos de Colorado. Su rapiñador principal (así es como llaman a los recolectores de datos) murió repentinamente.

—¿Algún nexo entre Sterling y su muerte?

—Ni idea. Pero merece la pena comprobarlo. Voy a hacer unas cuantas llamadas.

Sonó el timbre y Thom fue a abrir. Entró Ron Pulaski. Estaba sudoroso y muy serio. Rhyme sentía a veces el impulso de decirle que no se tomara las cosas tan a pecho, pero dado que él mismo era incapaz de hacerlo, suponía que una sugerencia semejante sonaría hipócrita.

El novato les explicó que había verificado casi todas las coartadas para el domingo.

—He hablado con la gente del telepeaje y han confirmado que Sterling pasó por el túnel de Midtown a la hora que dijo. He intentado hablar con su hijo para ver si su padre lo había llamado desde Long Island, para asegurarme. Pero había salido.

»Otra cosa —prosiguió Pulaski—. El director de recursos humanos... Su única coartada era su mujer. Ella lo ha respaldado, pero se comportaba como un ratoncillo asustado. Y hablaba igual que su marido: "SSD es el mejor sitio del mundo y bla, bla, bla".

Rhyme, que en cualquier caso no se fiaba de los testigos, no le dio demasiada importancia. Una cosa que había aprendido de Kathryn Dance, la experta en kinesia y lenguaje corporal de la Oficina de Investigación de California, era que la gente a menudo parecía culpable cuando hablaba con la policía, incluso si le estaba contando la pura verdad.

Sachs se acercó a la lista de sospechosos y la actualizó.

Andrew Sterling, presidente y consejero delegado. Coartada verificada: es-
tuvo en Long Island. A la espera de la confirmación de su hijo.
Sean Cassel, director de ventas y márquetin. Sin coartada.
Wayne Gillespie, director de operaciones técnicas. Sin coartada.
Samuel Brockton, director del departamento de autorregulación. Coarta-
da: el registro del hotel confirma su presencia en Washington.
Peter Arlonzo-Kemper, director de recursos humanos. Coartada: su esposa.
Verificada por ella (¿sesgada?).
Steven Shraeder, encargado del servicio técnico y de mantenimiento, turno
de día. Pendiente de entrevistar.
Faruk Mameda, encargado del servicio técnico y de mantenimiento, turno
de noche. Pendiente de entrevistar.
¿Cliente de SSD? A la espera del listado de Sterling.
¿SNI reclutado por Andrew Sterling?

La detective consultó su reloj.

—Ron, Mameda ya habrá llegado. ¿Podrías volver a SSD y hablar con él y con Shraeder? A ver dónde estaban ayer a la hora del asesinato de Myra Weinburg. Y el asistente de Sterling debería tener ya preparada la lista de clientes. Si no, quédate en su despacho hasta que la tenga. Hazte el importante. O, mejor aún, hazte el impaciente.

—¿Volver a SSD?

—Eso es.

Rhyme advirtió que por alguna razón no quería regresar allí.

—Claro. Pero deja que llame a Jenny para ver cómo van las cosas por casa. —Sacó su móvil y marcó un número de la agenda.

El criminalista dedujo de parte de la conversación que estaba hablando con su hijo pequeño y luego, cuando adoptó un tono aún más infantil, con su hija, una bebé. Desconectó.

Fue entonces cuando sonó su propio móvil. En la pantalla aparecía el prefijo 44.

Ah, estupendo.

—Orden: responder al teléfono.

—¿Detective Rhyme?

—Inspectora Longhurst.

—Sé que está trabajando en ese otro caso, pero he pensado que quizá le interese conocer las novedades.

—Naturalmente. Adelante, por favor. ¿Cómo está el reverendo Good-light?

—Está bien, aunque un poco asustado. Insiste en que en el piso franco no entre ningún agente ni ningún guardia de seguridad nuevo. Sólo se fía de los que llevaban semanas con él.

—Es lógico.

—Tengo a un agente controlando a todo el que se acerca. Antes pertenecía a un regimiento de fuerzas especiales. Son los mejores en ese campo. Bien, hemos registrado el piso franco de Oldham de arriba abajo. Quería contarle lo que hemos encontrado. Limaduras de cobre y plomo, compatibles con balas fresadas o de punta roma. Unos cuantos granos de pólvora. Y rastros muy escasos de mercurio. Mi experto en balística dice que podría estar fabricando una bala de punta hueca.

—Sí, es cierto. Con mercurio líquido en el núcleo. Causa heridas espantosas.

—También encontraron algo de grasa de la que se emplea para lubricar la caja de los rifles. Y en el lavabo había restos de tinte para cabello. Y varias fibras de color gris oscuro: algodón bastante grueso, con almidón para ropa. Según nuestras bases de datos, coincidente con el tejido que se utiliza en la confección de uniformes.

—¿Creen que puede haber dejado esas pistas a propósito?

—Nuestros técnicos forenses dicen que no. Los restos eran minúsculos.

Un francotirador rubio, de uniforme...

—Hemos tenido otro incidente que ha hecho saltar las alarmas por aquí: un intento de allanamiento en una organización no gubernamental sin ánimo de lucro, cerca de Piccadilly. Ha sido en las oficinas de la Agencia de Ayuda al Este de África, el grupo del reverendo Goodlight. Llegaron los guardias y el intruso escapó. Tiró a la alcantarilla la ganzúa que había usado para abrir la puerta, pero tuvimos suerte y un tipo que pasaba por la calle vio dónde la tiraba. En fin que, resumiendo, nuestra gente la encontró y hemos descubierto restos de tierra en la ganzúa. Contenía un tipo de lúpulo que crece exclusivamente en Warwickshire. Había sido procesado para la fabricación de *bitter*.

—¿De *bitter*? ¿La variedad de cerveza, quiere decir?

—Sí, en efecto. Da la casualidad de que aquí, en Scotland Yard, tenemos una base de datos de bebidas alcohólicas. Y de sus ingredientes.

Igual que la mía, se dijo Rhyme.

—¿De veras?

—La organicé yo misma —repuso la inspectora.

—Excelente. ¿Y?

—La única fábrica que utiliza ese lúpulo está cerca de Birmingham. Bien,

225

tenemos una imagen de la persona que intentó entrar en la organización no gubernamental, grabada por las cámaras de seguridad, y debido al lúpulo se me ocurrió revisar las cámaras de seguridad de Birmingham. En efecto, la misma persona llegó a la estación de New Street varias horas después y se bajó del tren con una mochila de gran tamaño. Pero me temo que la perdimos entre el gentío.

Rhyme se quedó pensándolo. La gran pregunta era: ¿había sido depositado el lúpulo en la ganzúa para despistar a la policía? Era la clase de cosa de la que sólo podía hacerse una idea examinando en persona el lugar de los hechos o teniendo en sus manos la prueba. Ahora, en cambio, tenía que conformarse con lo que Sachs denominaba «un pálpito».

¿Era una pista falsa o no?

Tomó una decisión.

—Inspectora, no me lo creo. Creo que Logan está jugando a un doble juego. Lo ha hecho otras veces. Quiere que nos centremos en Birmingham mientras él sigue adelante con el atentado de Londres.

—Me alegra que lo diga, detective. También yo me inclino por esa hipótesis.

—Deberíamos seguirle la corriente. ¿Dónde se encuentran los miembros del equipo?

—Danny Krueger está en Londres, con su gente. Y también el agente del FBI. El agente francés y el de la Interpol estaban verificando pistas en Oxford y Surrey. Pero no han sacado nada en claro.

—Yo que usted los llevaría a todos a Birmingham. Inmediatamente. De manera sutil, pero evidente.

La inspectora se echó a reír.

—Para cerciorarnos de que Logan cree que hemos picado el anzuelo.

—Exacto. Quiero que piense que estamos convencidos de que tenemos la ocasión de atraparlo allí. Y mande también a un equipo de las fuerzas especiales. Que hagan un poco de ruido, que parezca que los está retirando de la zona de Londres.

—Cuando en realidad estaremos reforzando la vigilancia allí.

—En efecto. Y dígales que disparará desde lejos. Y que irá teñido de rubio y vestido de uniforme gris.

—Estupendo, detective. Enseguida me pongo con ello.

—Manténgame informado.

—Saludos.

Rhyme ordenó al teléfono que se desconectara en el instante en que una voz se dejaba oír desde el otro lado de la habitación.

—Eh... En resumidas cuentas, vuestros amigos de SSD son muy buenos en lo suyo. No he podido ni empezar a hackearles el sistema. —Era Rodney Szarnek. Rhyme se había olvidado de él.

Se levantó para ir a reunirse con los policías.

—innerCircle es más seguro que Fort Knox. Y también Atalaya, su sistema de gestión de bases de datos. Dudo mucho que alguien pueda entrar sin tener una enorme colección de supercomputadoras, y ésas no se encuentran en cualquier tienda de informática.

—¿Pero? —Rhyme notó que parecía preocupado.

—Bueno, el sistema tiene unas medidas de seguridad que no había visto nunca. Muy robustas. Y tengo que decir que dan bastante miedo. He usado una identidad anónima y he ido borrando mis huellas a medida que avanzaba. ¿Y qué ha pasado? Pues que su programa de seguridad ha entrado en mi sistema y ha intentado identificarme por lo que había en el espacio libre.

—¿Y qué significa eso exactamente, Rodney? —El criminalista intentaba conservar la paciencia—. ¿Espacio libre?

Les explicó que en el espacio vacío de los discos duros pueden encontrarse fragmentos de datos, incluso de datos borrados. A menudo podía reconstruirse el *software* hasta darle de nuevo forma legible. El sistema de seguridad de SSD sabía que Szarnek había borrado su rastro, así que se había introducido dentro de su ordenador para leer los datos del espacio vacío y averiguar quién era.

—Es increíble. Porque me he dado cuenta, que si no... —Se encogió de hombros y se consoló bebiendo su café.

Rhyme tuvo una idea. Cuanto más la sopesaba, más le gustaba. Contempló la flaca figura de Szarnek.

—Oye, Rodney, ¿qué te parecería hacer de poli de verdad para variar?

Su fachada de *geek* despreocupado desapareció de repente.

—No creo que esté preparado para eso, ¿sabes?

Sellitto acabó de masticar lo que quedaba de su sándwich.

—No habrás vivido de veras hasta que una bala rompa la barrera del sonido junto a tu oreja.

—Espera, espera, espera... Yo sólo disparo en los juegos de rol y...

—Bueno, el que correría peligro no serías tú —le dijo Rhyme al informático mientras deslizaba la mirada hacia Ron Pulaski, que estaba cerrando su teléfono.

—¿Qué pasa? —preguntó el novato con el ceño fruncido.

25

—¿Necesita algo más, agente?

Sentado en la sala de reuniones de SSD, Ron Pulaski contempló la cara inexpresiva de Jeremy Mills, el segundo asistente de Sterling. El asistente «externo», recordó el joven policía.

—No, nada, gracias. Pero ¿podría preguntarle al señor Sterling por unos archivos que iba a reunir para nosotros? Un listado de clientes. Creo que se estaba ocupando Martin.

—Se lo diré encantado a Andrew en cuanto salga de su reunión. —El asistente, un joven ancho de espaldas, recorrió la sala indicándole los interruptores del aire acondicionado y la luz, como el botones que había acompañado a Pulaski y a Jenny a su elegante habitación en su luna de miel.

Lo cual le recordó de nuevo cuánto se parecía Jenny a Myra, la mujer a la que habían violado y asesinado el día anterior. La caída de su pelo, aquella sonrisa ligeramente torcida que le encantaba, el...

—¿Agente?

Pulaski levantó la vista, comprendiendo que se había despistado.

—Disculpe.

El asistente lo observó mientras señalaba un pequeño frigorífico.

—En la nevera hay agua mineral y refrescos.

—Gracias. No quiero nada.

Presta atención, se dijo, enfadado. *Olvídate de Jenny. Olvídate de los niños. Hay vidas en juego. Amelia cree que puedes ocuparte de las entrevistas. Así que hazlo.*

¿Estás con nosotros, novato? Te necesito aquí.

—Si quiere hacer una llamada, puede usar éste. Marque el nueve para llamar al exterior. O puede simplemente pulsar este botón y decir el número. Se activa con la voz. —Señaló el móvil de Pulaski—. Seguramente no funcionará bien aquí. Hay muchas barreras, ¿sabe? Por seguridad.

—¿De veras? Muy bien. —El agente intentó hacer memoria. ¿Había visto a alguna persona usando un móvil o una Blackberry en el edificio? No se acordaba.

—Les diré a esos empleados que vengan. Si está preparado.

—Eso sería estupendo.

El joven se alejó por el pasillo. Pulaski sacó su cuaderno del maletín. Echó un vistazo a los nombres de los empleados a los que tenía que entrevistar.

Steven Shraeder, encargado del servicio técnico y de mantenimiento, turno de día.

Faruk Mameda, encargado del servicio técnico y de mantenimiento, turno de noche.

Se levantó y se asomó al pasillo. Cerca de allí, un conserje estaba vaciando papeleras. Recordaba haberlo visto el día anterior haciendo lo mismo. Era como si Sterling temiera que una papelera rebosante diera mala fama a la empresa. El conserje, un hombre robusto, miró con indiferencia su uniforme y siguió con su tarea, que llevaba a cabo metódicamente. Al mirar más allá por el impecable corredor, el joven policía vio a un guardia de seguridad en pie y alerta. Ni siquiera podía llegar al aseo sin pasar por delante de él. Regresó a su asiento para esperar a los dos hombres de la lista de sospechosos.

Faruk Mameda fue el primero, un joven de ascendencia árabe, dedujo Pulaski. Era muy guapo, de semblante solemne y seguro de sí mismo. Le sostenía la mirada con facilidad. Explicó a Pulaski que antes había trabajado en una pequeña empresa que SSD había comprado cinco o seis años atrás. Su trabajo consistía en supervisar al personal del servicio técnico. Era soltero, sin hijos y prefería trabajar de noche.

Al policía le sorprendió que no tuviera ni rastro de acento extranjero. Preguntó a Mameda si había oído algo acerca de la investigación. El joven aseguró que no conocía los detalles, lo cual podía ser cierto puesto que tenía turno de noche y acababa de llegar al trabajo. Lo único que sabía era que Andrew Sterling le había llamado para decirle que hablara con la policía sobre un crimen.

Frunció el ceño cuando el agente de policía le explicó:

—Ha habido varios asesinatos últimamente. Creemos que el asesino se sirvió de información extraída de SSD para planear los crímenes.

—¿De información?

—Sobre las idas y venidas de las víctimas y algunos productos que compraban.

Curiosamente, la siguiente pregunte de Mameda fue:

—¿Están hablando con todos los empleados?

¿Qué debía decir y qué no? Era algo que Pulaski nunca sabía. Amelia decía siempre que era importante engrasar el engranaje de la entrevista, mantener la conversación en marcha, pero sin dar demasiadas pistas. Él estaba convencido de que después de la herida en la cabeza su criterio había empeorado y se ponía nervioso cuando tenía que decidir qué debía decir a los testigos y los sospechosos.

—No, no a todos.

—Sólo a algunos que son sospechosos. O que ustedes han decidido de antemano que lo son. —El empleado había tensado la mandíbula y parecía de pronto a la defensiva—. Entiendo. Claro. Pasa mucho hoy en día.

—La persona que nos interesa es un varón con pleno acceso a innerCircle y Atalaya. Estamos hablando con todas aquellas personas que encajan en esa descripción. —Pulaski creyó adivinar qué preocupaba a Mameda—. No tiene nada que ver con su nacionalidad.

Su intento de tranquilizarlo erró el blanco.

—Estupendo, porque soy de nacionalidad estadounidense —replicó Mameda—. Soy ciudadano de los Estados Unidos. Igual que usted. Bueno, supongo que lo es. Aunque quizá no. A fin de cuentas, hay muy pocas personas en este país que tengan aquí sus orígenes.

—Lo lamento.

Mameda se encogió de hombros.

—En esta vida hay que acostumbrarse a algunas cosas. Es una lástima. El país de la libertad es también el país de los prejuicios. Yo... —Su voz se apagó cuando miró más allá de Pulaski, por encima de él, como si hubiera alguien a su espalda.

El policía se volvió ligeramente. No había nadie. Mameda dijo:

—Andrew dijo que quería cooperación total. Así que estoy cooperando. ¿Podría preguntarme lo que quiere saber, por favor? Tengo una noche muy ocupada.

—Los dosieres de la gente... ¿Armarios, los llaman?

—Sí, armarios.

—¿Alguna vez se descarga alguno?

—¿Para qué iba a descargarme un dosier? Andrew no lo consentiría.

Aquello era interesante: la ira de Andrew Sterling era la primera arma de disuasión. No la policía, ni los tribunales.

—Entonces, ¿nunca se ha descargado ninguno?

—No, nunca. Si hay algún fallo de programación o los datos están corrompidos, o hay un problema de interfaz, puede que mire parte de las entradas o los encabezamientos, pero ya está. Lo justo para descubrir cuál es el problema y ponerle un parche o depurar de errores el código.

—¿Podría haber averiguado alguien sus códigos de acceso, haberse introducido en innerCircle y haber descargado dosieres de esa manera?

Mameda se quedó callado un momento.

—Los míos, no. No los tengo escritos.

—¿Y va con frecuencia a los rediles de datos o al centro de admisión?

—Sí, claro. Es mi trabajo. Reparar los ordenadores. Asegurarme de que los datos fluyen sin problemas.

—¿Puede decirme dónde estuvo el domingo por la tarde, entre las doce y las cuatro de la tarde?

—Ah. —Una inclinación de cabeza—. Así que de eso se trata. ¿Estuve en la escena del crimen?

A Pulaski le costaba mirar los ojos oscuros y furiosos de su interlocutor.

Mameda puso las manos sobre la mesa como si fuera a levantarse enfurecido y a salir de la habitación. Pero se recostó en la silla y dijo:

—Por la mañana desayuné con unos amigos. Son de la mezquita —añadió—. Me imagino que le interesará saberlo.

—Yo...

—Después pasé el resto del día solo. Fui al cine.

—¿Solo?

—Tengo pocas distracciones. Suelo ir solo. Era una película de Jafar Panahi, el realizador iraní. ¿Ha visto...? —Su boca se tensó—. Es igual.

—¿Conserva el resguardo de la entrada?

—No. Después me fui un rato de compras. Llegué a casa a las seis, creo. Llamé para ver si me necesitaban aquí, pero las cajas funcionaban perfectamente, así que estuve cenando con un amigo.

—¿Compró algo por la tarde con una tarjeta de crédito?

Mameda se encrespó.

—Estuve viendo escaparates. Compré un café y un sándwich. Pagué en efectivo... —Se inclinó hacia delante y susurró con aspereza—: No creo que le esté haciendo a todo el mundo todas estas preguntas. Sé lo que piensan de nosotros. Piensan que tratamos a las mujeres como a animales. No puedo creer que vayan a acusarme de violar a alguien. Es una barbaridad. ¡Y usted me está ofendiendo!

Pulaski tuvo que hacer un esfuerzo para mirarlo a los ojos al decir:

—Bien, señor, estamos preguntando a todas las personas que tienen acceso a innerCircle por lo que hicieron ayer. Incluido el señor Sterling. Sólo estamos haciendo nuestro trabajo.

Mameda se calmó un poco, pero volvió a ofuscarse cuando Pulaski le preguntó dónde se hallaba en el momento de los otros asesinatos.

—No tengo ni idea. —Se negó a decir nada más y con una hosca inclinación de cabeza se puso en pie y salió.

Pulaski intentó deducir qué acababa de pasar. ¿Mameda se comportaba como si fuera culpable o inocente? No podía saberlo. Sobre todo, se sentía sobrepasado.

Piensa más, esfuérzate, se dijo.

Shraeder, el otro empleado al que debía entrevistar, era todo lo opuesto a Mameda: un puro *geek*. Era desgarbado, llevaba la ropa grande y arrugada y tenía manchas de tinta en las manos. Los cristales de sus enormes gafas estaban sucios. Decididamente, no encajaba en el molde de la empresa. Si Mameda se había puesto a la defensiva, Shraeder parecía ajeno a todo. Se disculpó por llegar tarde (lo cual no era cierto) y explicó que había estado limpiando de errores un parche. A continuación se explayó dándole detalles como si el policía tuviera un título en ciencias informáticas, y Pulaski tuvo que volver a centrar la conversación.

Cuando le habló de los asesinatos, Shraeder lo escuchó sorprendido (o fingió estarlo), moviendo los dedos como si pulsara un teclado imaginario. Se mostró impresionado por la noticia y, en respuesta a las preguntas del joven agente, dijo que visitaba con frecuencia los rediles de datos y que podía descargar dosieres, aunque nunca lo había hecho. Se mostró convencido, además, de que nadie podía haber accedido a sus contraseñas.

En cuanto al domingo, tenía una coartada: había llegado a la oficina en torno a la una de la tarde para hacer el seguimiento de un problema técnico grave que había surgido el viernes y que de nuevo intentó explicarle al agente antes de que éste le atajara. El joven se acercó al ordenador que había en un rincón de la sala de reuniones, pulsó algunas teclas y giró el monitor hacia el policía. Era su registro de asistencia. Pulaski echó un vistazo a las anotaciones correspondientes al domingo. En efecto, había fichado a las 12:58 y no se había marchado hasta pasadas las cinco.

Puesto que Shraeder había estado en la oficina a la hora del asesinato de Myra Weinburg, Pulaski no se molestó en preguntarle por los otros crímenes.

—Creo que eso es todo. Gracias.

Shraeder se marchó y el policía se recostó en su silla y se quedó mirando por la estrecha ventana. Le sudaban las manos y notaba un nudo en el estómago. Sacó su móvil de la funda. Jeremy, el huraño asistente de Sterling, tenía razón. No había cobertura.

—Hola, ¿qué hay?

Pulaski se sobresaltó. Sofocando un gemido de sorpresa, levantó los ojos y vio a Mark Whitcomb en la puerta. Llevaba varias carpetas amarillas bajo el brazo y dos tazas de café en las manos. Levantó una ceja. A su lado había un hombre algo mayor que él, con el pelo prematuramente encanecido. El agente dedujo que debía de ser otro empleado de SSD, puesto que vestía el uniforme de la empresa: una elegante camisa blanca y traje oscuro.

¿De qué iba aquello? Se esforzó por componer una sonrisa despreocupada y les indicó con un gesto que entraran.

—Ron, quería presentarle a mi jefe, Sam Brockton.

Se estrecharon la mano. Brockton observó con detenimiento a Pulaski y dijo con una sonrisa irónica:

—¿Así que fue usted quien les dijo a las camareras del hotel Watergate de Washington que me siguieran la pista?

—Me temo que sí.

—Por lo menos estoy libre de sospechas —comentó Brockton—. Si en el departamento de autorregulación podemos hacer algo por ayudarles, avise a Mark. Ya me ha puesto al corriente de lo que pasa.

—Se lo agradezco.

—Buena suerte. —Brockton se marchó dejando allí a Whitcomb, que le ofreció un café.

—¿Para mí? Gracias.

—¿Qué tal van las cosas? —preguntó Whitcomb.

—Van.

El ejecutivo se rió y se apartó un mechón de pelo rubio de la frente.

—Son ustedes tan esquivos como nosotros.

—Supongo que sí. Pero puedo afirmar que todo el mundo ha estado dispuesto a cooperar.

—Bien. ¿Ha terminado?

—Estaba esperando una cosa del señor Sterling.

Se puso azúcar en el café. Lo removió con nerviosismo, en exceso, y luego se detuvo.

Whitcomb levantó su taza, acercándola a Pulaski como si brindara. Miró hacia fuera, el día despejado, el cielo azul, el verde intenso y el marrón de la ciudad.

—Nunca me han gustado estas ventanas tan pequeñas. En mitad de Nueva York y sin vistas.

—Me lo estaba preguntando. ¿A qué se debe?

—A Andrew le preocupa la seguridad. Que alguien haga fotografías desde fuera.

—¿En serio?

—No es del todo paranoia —afirmó Whitcomb—. La minería de datos mueve mucho dinero. Cantidades enormes.

—Imagino que sí. —Pulaski se preguntó qué clase de secretos podían verse a través de una ventana situada cuatro o cinco manzanas más allá, la distancia a la que estaba el edificio más cercano de aquella altura.

—¿Vive en la ciudad? —preguntó Whitcomb.

—Sí. En Queens.

—Yo ahora vivo en Long Island, pero crecí en Astoria. Cerca de Ditmars Boulevard. Al lado de la estación de tren.

—Vaya, yo vivo a tres calles de allí.

—¿En serio? ¿Va a la iglesia de Saint Tim?

—A Saint Agnes. He estado un par de veces en Saint Tim, pero a Jenny no le gustan los sermones. Te echan demasiada culpa encima.

Whitcomb se rió.

—El padre Albright.

—Uf, sí, ése.

—Mi hermano, que es policía en Filadelfia, dice que si quieres que un asesino confiese, lo único que hay que hacer es encerrarlo en una habitación con el padre Albright. Cinco minutos y lo confiesa todo.

—¿Su hermano es policía? —preguntó Pulaski, riendo.

—Pertenece a Narcóticos.

—¿Es detective?

—Sí.

—Mi hermano está en patrullas —dijo Pulaski—, en la Comisaría Seis, en el Village.

—Tiene gracia. Los hermanos de los dos... Entonces, ¿ingresaron juntos en el cuerpo?

—Sí, la verdad es que lo hemos hecho casi todo juntos. Somos gemelos.

—Qué interesante. Mi hermano es tres años mayor que yo. Y mucho más grandullón. Yo podría aprobar las pruebas físicas, quizá, pero no me gustaría tener que reducir a un atracador.

—No nos dedicamos mucho a eso. Se trata sobre todo de razonar con los malos. Seguramente lo mismo que hacen ustedes en el departamento de autorregulación.

Whitcomb se rió.

—Sí, tiene razón.

—Supongo que...

—¡Eh, mira quién está aquí! ¡El sargento Friday!

A Pulaski le dio un vuelco el corazón cuando levantó los ojos y vio al guapo y elegante Sean Cassel y a su colega, el relamido director técnico Wayne Gillespie, que se sumó al grupo diciendo:

—¿De vuelta para recabar más hechos, señora? Sólo los hechos. —Hizo un saludo militar.

Quizá porque había estado hablando con Whitcomb de la iglesia, aquel instante lo retrotrajo al instituto católico donde su hermano y él habían librado una guerra perpetua con los chicos de Forest Hills, más ricos, más listos, mejor vestidos. Y de un ingenio rápido y cruel. («¡Eh, pero si son los hermanos mutantes!») Una pesadilla. Pulaski se preguntaba a veces si se había hecho policía por el respeto que le reportarían el uniforme y la pistola.

Whitcomb tensó los labios.

—Hola, Mark —dijo Gillespie.

—¿Cómo va eso, sargento? —preguntó Cassel al policía.

Pulaski había sido objeto de miradas de inquina y de insultos en la calle, había esquivado escupitajos y piedras y a veces no los había esquivado del todo bien, pero ninguna de esas cosas lo afectaba tanto como las palabras hirientes lanzadas así, con aquel aire risueño y juguetón. Tan juguetón como un tiburón retozando con su presa antes de devorarla. Buscando al sargento Friday en Google, en su Blackberry, había descubierto que era un personaje de una vieja serie de televisión llamada *Dragnet*. Aunque Friday era el protagonista, se le consideraba un «carca», lo que al parecer quería decir un tipo formal, alguien extremadamente insulso y aburrido.

Le habían ardido las orejas al leer aquello en la pantallita y caer en la cuenta de que Cassel había tenido intención de insultarlo.

—Aquí tiene. —Cassel le pasó un CD en un estuche—. Espero que le sirva, sargento.

—¿Qué es esto?

—El listado de clientes que han descargado información sobre sus víctimas. Lo quería usted, ¿recuerda?

—Ah. Esperaba al señor Sterling.

—Bueno, Andrew es un hombre muy ocupado. Me ha pedido que se lo entregue.

—Bien, gracias.

—Tiene trabajo para rato —comentó Gillespie—. Hay más de trescientos clientes en esta zona. Y ninguno de ellos se descargó menos de doscientas listas de correo.

—Lo que yo decía —dijo Cassel—. Se le van a quemar las pestañas. Bueno, ¿no va a darnos unas insignias de latón como premio?

La gente a la que interrogaba el sargento Friday solía burlarse de él...

Pulaski sonreía, aunque no quería hacerlo.

—Venga, chicos.

—Tranquilo, Whitcomb —contestó Cassel—. Sólo estamos bromeando un poco. Madre mía, no seas tan estirado.

—¿Qué estás haciendo aquí abajo, Mark? —preguntó Gillespie—. ¿No deberías estar buscando más leyes que hayamos infringido?

Whitcomb levantó los ojos al cielo y esbozó una sonrisa amarga, pero Pulaski notó que él también se sentía avergonzado... y dolido.

—¿Les importa que le eche un vistazo aquí? —preguntó el policía—. ¿Por si acaso tengo alguna duda?

—Adelante. —Cassel lo acompañó al ordenador del rincón y entró en el sistema. Puso el CD en la bandeja, lo cargó y retrocedió cuando se sentó Pulaski. En el monitor apareció un mensaje preguntándole qué quería hacer. Azorado, se halló ante distintas opciones. No reconoció ninguna.

Cassel se inclinó sobre su hombro.

—¿No va a abrirlo?

—Claro. Pero no sé qué programa es el mejor.

—No tiene muchas alternativas —repuso Cassel, riendo como si fuera evidente—. Excel.

—¿Excel? —preguntó Pulaski. Sabía que tenía las orejas encarnadas. Lo odiaba. Lo odiaba, sencillamente.

—La hoja de cálculo —dijo Whitcomb amablemente, aunque a Pulaski no le sirvió de ninguna ayuda.

—¿No conoce Excel? —Gillespie se inclinó hacia delante y tecleó tan deprisa que sus dedos formaban un borrón al moverse.

Se abrió el programa y apareció una cuadrícula que contenía nombres, direcciones, fechas y horas.

—Habrá visto hojas de cálculo alguna vez, ¿no?

—Claro.

—¿Pero no de Excel? —Gillespie levantó las cejas, sorprendido.

—No. Otras. —Pulaski se detestó a sí mismo por seguirles el juego. *Cállate de una vez y ponte a trabajar.*

—¿Otras? ¿De veras? —preguntó Cassel—. Qué interesante.

—Todo suyo, sargento Friday. Buena suerte.

—Se escribe E-X-C-E-L —añadió Gillespie—. Bueno, puede verlo en la pantalla. Quizá le convenga echarle un vistazo. Es fácil de aprender. Quiero decir que un chaval de instituto podría manejarlo.

—Lo miraré.

Se marcharon los dos.

—Como le decía antes —comentó Whitcomb—, por aquí casi nadie les traga, pero la empresa no podría funcionar sin ellos. Son unos genios.

—Y sin duda no dejan de hacérselo notar a todo el mundo.

—Tiene razón. Bueno, lo dejo con su trabajo. ¿Está bien aquí?

—Me las arreglaré.

—Si algún día vuelve a venir a este nido de serpientes —dijo Whitcomb—, pásese a saludarme.

—De acuerdo.

—O podemos vernos en Astoria. Para tomar un café. ¿Le gusta la comida griega?

—Me encanta.

Pulaski se imaginó una salida agradable con Whitcomb. Después de sufrir la herida en la cabeza, había empezado a dudar de que la gente siguiera disfrutando de su compañía y había dejado que algunas de sus amistades se enfriaran. Le apetecía volver a quedar con un amigo, tomar una cerveza, ver quizás una película de acción, esas cosas que a Jenny no le gustaba hacer.

Bien, ya lo pensaría más adelante... cuando hubiera terminado la investigación, naturalmente.

Después de que Whitcomb se marchara, echó un vistazo a su alrededor. No había nadie cerca. Aun así, se acordó de que Mameda había mirado con nerviosismo detrás de él, por encima de su hombro. Pensó en el reportaje que había visto hacía poco con Jenny sobre un casino de Las Vegas: las cámaras de seguridad, aquellos «ojos del cielo», estaban por todas partes. Se acordó también del guardia de seguridad del pasillo y del periodista cuya vida se había visto arruinada porque se había atrevido a espiar a SSD.

Bien, Ron Pulaski confiaba en que no hubiera vigilancia en aquella sala, porque su misión entrañaba algo mucho más arriesgado que recoger un CD y entrevistar a dos sospechosos: Lincoln Rhyme lo había enviado allí para que se colara en el que posiblemente era el sistema informático más seguro de Nueva York.

26

Mientras bebía un café fuerte y dulce en la cafetería del otro lado de la calle, enfrente de la Roca Gris, Miguel Abrera, de treinta y nueve años, hojeaba un folleto que había recibido hacía poco por correo. Era un nuevo ejemplo de los extraños sucesos que había experimentado últimamente. La mayoría eran cosas simplemente raras o molestas. Aquello, en cambio, era preocupante.

Volvió a hojear el folleto. Luego lo cerró y se recostó en la silla, echando una mirada a su reloj. Todavía disponía de diez minutos antes de volver al trabajo.

Miguel era «especialista de mantenimiento», como lo llamaban en SSD, pero él le decía a todo el mundo que era conserje. Fuera cual fuese el título, las tareas que hacía eran las de un conserje. Su trabajo le gustaba, y lo hacía bien. ¿Por qué tenía que avergonzarse de su nombre?

Podría haberse tomado el descanso en el edificio, pero el café gratis que ofrecía la empresa era un asco, y ni siquiera te daban leche de verdad o crema. Además, no era muy hablador y prefería pasar el rato leyendo el periódico y tomando un café a solas. (Echaba de menos fumar, en cambio. Había jurado dejar de fumar en la sala de urgencias del hospital, y aunque Dios no había cumplido su parte del trato, había renunciado al tabaco de todos modos.)

Cuando levantó la vista, vio que otro empleado de la empresa entraba en la cafetería: Tony Petron, un conserje veterano que trabajaba en el pasillo de dirección. Se saludaron con una inclinación de cabeza y Miguel se inquietó al pensar que quizá quisiera sentarse con él. Pero Petron fue a sentarse en el rincón, solo, para leer los correos electrónicos o los mensajes de su móvil y Miguel miró de nuevo el folleto, que iba dirigido a él personalmente. Después, mientras seguía bebiendo su café dulce, se puso a pensar en las otras cosas extrañas que le habían pasado últimamente.

Como lo de sus horarios. En SSD, sólo había que pasar por el torniquete y la tarjeta de identificación se encargaba de decirle al ordenador cuándo entrabas y cuándo salías. En cambio, un par de veces en los últimos meses, había visto errores en sus registros de entradas y salidas. Él siempre trabajaba cuarenta horas semanales y siempre le pagaban por cuarenta horas. Pero de vez en cuando, al mirar por casualidad sus horas de entrada y de salida, había visto que estaban equivocadas. Decían que entraba antes de su hora y que se marchaba también antes. O que no iba a trabajar un día entre semana y trabajaba un sábado. Pero no era cierto. Había hablado con su supervisor al respecto. El hombre se había encogido de hombros.

—Puede que el programa tenga algún error. Mientras no te ponga menos horas, no hay problema.

Y luego estaba el asunto de sus extractos bancarios. Hacía un mes, había visto con estupor que su saldo era diez mil dólares más alto de lo que debía ser, pero cuando había ido a la sucursal a que corrigieran el error, el saldo volvía a ser el auténtico. Y le había pasado ya tres veces. Uno de los ingresos equivocados ascendía a 70.000 dólares.

Y eso no era todo. Últimamente había recibido una llamada de una empresa acerca de una solicitud de hipoteca. Sólo que él no había pedido ninguna hipoteca. Su casa era de alquiler. Su mujer y él habían tenido la ilusión de comprar algo, pero después de que ella y su hijo pequeño murieran en el accidente de coche, no había tenido ánimos para pensar en comprarse una casa.

Preocupado, había consultado su historial de crédito. Pero en él no figuraba ninguna solicitud de hipoteca. No había notado nada raro, salvo que su solvencia crediticia había subido de manera significativa. Eso también resultaba chocante. Aunque, naturalmente, de aquel error no se había quejado.

Pero ninguna de esas cosas le preocupaba tanto como aquel folleto.

Estimado señor Abrera:

Como sin duda sabe, en diversos momentos de nuestras vidas pasamos por experiencias traumáticas y sufrimos pérdidas difíciles de superar. Es comprensible que en momentos así cueste seguir adelante. A veces incluso se llega a pensar que el peso del dolor es demasiado grande y se considera la posibilidad de tomar medidas drásticas y desafortunadas.

En Servicios de Ayuda Psicológica al Superviviente conocemos los obstáculos que afrontan personas como usted, que han sufrido una pérdida traumática. Nuestro personal especializado puede ayudarlo a superar momentos difíciles combinando la intervención médica con la terapia de grupo e individual para devolverle la serenidad y recordarle que, en efecto, merece la pena seguir viviendo.

Miguel Abrera nunca había pensado en suicidarse, ni siquiera en sus momentos más bajos, justo después del accidente, hacía año y medio. Le resultaba inconcebible quitarse la vida.

Haber recibido aquel folleto era de por sí preocupante, pero lo que realmente le inquietaba eran dos cosas: primero, que se lo hubieran mandado directamente a su nueva dirección, en vez de reenviárselo desde la antigua. Ni sus psicólogos ni nadie en el hospital donde habían fallecido su mujer y su hijo sabían que se había mudado hacía un mes.

Y, segundo, el párrafo final:

Ahora que ha dado el paso fundamental de recurrir a nuestros especialistas, nos gustaría concertar una sesión de evaluación sin coste alguno en el momento más conveniente para usted. No lo deje para más adelante, Miguel. ¡Nosotros podemos ayudarlo!

Él no había dado ningún paso para ponerse en contacto con aquel servicio.

¿De dónde habían sacado su nombre?

Bien, seguramente sería una extraña concatenación de coincidencias. Tendría que pensar en ello más tarde. Era hora de volver a SSD. Andrew Sterling era el jefe más amable y considerado que podía pedirse, pero a Miguel no le cabía duda de que los rumores eran ciertos: revisaba las horas de entrada y salida de todos los empleados personalmente.

A solas en la sala de reuniones de SSD, Ron Pulaski miró la pantalla del teléfono móvil mientras se paseaba frenético por la habitación, siguiendo (pensó) el dibujo de una cuadrícula como si inspeccionara la escena de un crimen. Tal y como le había dicho Jeremy, no había cobertura. Tendría que utilizar la línea fija. ¿Estaría vigilada?

De pronto cobró conciencia de que, a pesar de que había accedido a ayudar a Lincoln Rhyme en aquel asunto, corría grave peligro de perder lo que para él era lo más importante de su vida después de su familia: su trabajo como agente del Departamento de Policía de Nueva York. Pensó en lo poderoso que era Andrew Sterling. Si se las había ingeniado para arruinarle la vida a un periodista de un diario importante, un joven agente de policía no tendría ni la más mínima posibilidad de salir victorioso frente al consejero delegado de SSD. Si lo descubrían, sería detenido. Su carrera se habría acabado. ¿Qué le diría a su hermano? ¿Qué les diría a sus padres?

Estaba furioso con Lincoln Rhyme. ¿Por qué diablos no se había opuesto al plan de robar los datos? No tenía por qué hacer aquello. *Sí, claro, detective, lo que usted diga.*

Era una perfecta locura.

Luego, sin embargo, se acordó del cadáver de Myra Weinburg, que tanto se parecía a Jenny, de sus ojos mirando hacia arriba, de su pelo rozándole la frente. Y se descubrió inclinándose hacia delante, sujetando el teléfono bajo la barbilla y marcando el nueve para llamar al exterior.

—Aquí Rhyme.

—Detective, soy yo.

—Pulaski —bramó el criminalista—, ¿dónde demonios te has metido? ¿Y desde dónde llamas? Es un número bloqueado.

—Hasta ahora no me he quedado solo —replicó Pulaski—. Y mi móvil aquí no funciona.

—Bueno, vamos a ponernos en marcha.

—Estoy delante de un ordenador.

—Muy bien, te paso con Rodney Szarnek.

El objeto del robo era aquello de lo que Lincoln Rhyme había oído hablar a su gurú informático: el espacio vacío del disco duro de un ordenador. Sterling aseguraba que en los ordenadores no quedaba constancia de qué empleados descargaban dosieres. Pero cuando Szarnek les había hablado de los datos que flotaban en el éter del sistema informático de SSD, Rhyme había preguntado si entre ellos podía haber información acerca de quién había descargado archivos.

Szarnek opinaba que era muy posible. Afirmaba que introducirse en innerCircle sería imposible (ya lo había intentado), pero que tenía que haber un servidor mucho más pequeño que se encargaba de las operaciones administrativas, como las descargas y el horario de los empleados. Si Pulaski podía meterse en el sistema, él podría guiarlo para que extrajera datos del espacio vacío. Después los reconstruiría y vería si algún empleado había descargado dosieres de las víctimas y de los inculpados.

—Vale —dijo Szarnek al ponerse al teléfono—. ¿Estás dentro del sistema?

—Estoy leyendo un CD que me han dado.

—Eh... Eso significa que sólo te han dado acceso pasivo. Eso tenemos que mejorarlo. —Le ordenó teclear diversas órdenes incomprensibles para él.

—Me dice que no tengo autorización para hacer esto.

—Voy a intentar darte acceso. —Le dio una serie de órdenes aún más confusas. Pulaski se equivocó varias veces y comenzó a ponerse colorado. Estaba furioso consigo mismo por equivocarse de letra o por darle a la barra invertida, en vez de a la normal.

La herida en la cabeza...

—¿No puedo usar el ratón y buscar lo que se supone que tengo que encontrar?

Szarnek le explicó que el sistema operativo era Unix, no los más amables que fabricaban Windows o Apple. Había que teclear largas órdenes y escribirlas con toda precisión.

—Ah.

Pero finalmente la máquina respondió dándole acceso, y Pulaski sintió un enorme arrebato de orgullo.

—Ahora conecta el disco duro —dijo Szarnek.

El joven policía se sacó del bolsillo un disco duro portátil de ochenta gigabytes y lo conectó al puerto USB del ordenador. Siguiendo las instrucciones de Szarnek, cargó un programa que convertiría el espacio vacío del servidor en archivos separados, los comprimiría y los grabaría en el disco duro portátil.

Dependiendo del tamaño del espacio sin uso, la operación podía llevar unos minutos o varias horas.

Se abrió una ventanita y el programa informó a Pulaski de que estaba «trabajando».

El agente se recostó en la silla y estuvo echando una ojeada a la información del CD, que seguía apareciendo en la pantalla. Pero los datos sobre los clientes eran en su mayoría un galimatías para él. El nombre del cliente de SSD saltaba a la vista, lo mismo que su dirección, su número de teléfono y los nombres de las personas autorizadas para acceder al sistema, pero la mayor parte de la información estaba en archivos .rar o .zip que al parecer contenían listas de correo comprimidas. Bajó hasta el final del documento: 1.120 páginas.

Madre mía... Tardarían muchísimo tiempo en analizar todos aquellos datos y descubrir si algún cliente había recopilado información sobre las víctimas y...

Sus cavilaciones se vieron interrumpidas por unas voces que se acercaban por el pasillo.

Ay, no, ahora no. Cogió con cuidado el pequeño disco duro, que zumbaba suavemente, y se lo guardó en el bolsillo del pantalón. Emitía una especie de chasquido, muy leve, pero Pulaski estaba seguro de que se oía desde el otro lado de la habitación. El cable USB se veía claramente.

Las voces estaban cada vez más cerca.

Una era la de Sean Cassel.

Más cerca aún... *¡Marchaos, por favor!*

En la pantalla apareció otra ventanita: *Trabajando...*

Mierda, pensó Pulaski, y corrió un poco la silla hacia delante. El enchufe y la ventanita se verían a las claras si alguien entraba en la sala, aunque sólo avanzara dos pasos.

De pronto asomó una cabeza por la puerta.

—Hola, sargento Friday —dijo Cassel—. ¿Qué tal va eso?

El policía se tensó. Cassel iba a ver el disco duro. Tenía que verlo.

—Bien, gracias. —Movió la pierna delante del puerto USB para tapar el cable y el enchufe. El gesto le pareció demasiado obvio.

—¿Qué le está pareciendo el Excel?

—Bien. Me gusta mucho.

—Excelente. Es el mejor. Y además se pueden exportar los archivos. ¿Maneja mucho el Power Point?

—No, no mucho.

—Bueno, puede que algún día lo maneje, sargento. Cuando sea jefe de policía. Y el Excel es estupendo para controlar los gastos domésticos. Así podría mantenerse al día de sus inversiones. Ah, y además tiene algunos juegos. Le gustarían.

Pulaski sonrió mientras su cabeza latía con tanta fuerza como zumbaba el disco duro.

Cassel le guiñó un ojo y desapareció.

Si el Excel trae juegos, yo me como el disco, hijo de puta arrogante.

Se secó las palmas de las manos en los pantalones que Jenny le había planchado esa mañana, como hacía todas las mañanas o la noche anterior, si tenía que salir muy temprano o de madrugada.

Por favor, Dios mío, no dejes que pierda mi trabajo, rogó. Se acordó del día en que su hermano gemelo y él habían hecho el examen para ingresar en el cuerpo de policía.

Y del día en que se habían graduado. Y de la ceremonia de jura del puesto, de su madre llorando, de cómo se habían mirado su padre y él. Eran algunos de los mejores momentos de su vida.

¿Iría a perder todo eso? *Maldita sea.* De acuerdo, Rhyme es un tipo brillante y a nadie le importaba más que a él atrapar a un asesino, pero ¿infringir así la ley? Qué demonios, Rhyme estaba en su casa, sentado en su silla mientras otros le servían. A él no le pasaría nada.

¿Por qué tenía que ser él el cordero sacrificial?

Aun así, se concentró en su tarea furtiva. *Vamos, vamos*, le pedía al programa de recogida de datos. Pero el programa seguía funcionando lentamente y se limitaba a asegurarle que estaba en ello. No aparecía ninguna barra que fuera rellenándose, ni ninguna cuenta atrás como en las películas.

Trabajando...

—¿Qué ha sido eso, Pulaski? —preguntó Rhyme.

—Unos empleados. Se han ido.

—¿Cómo va eso?

—Bien, creo.

—¿Crees?

—Está... —Apareció otro mensaje en la pantalla: *Completado. ¿Quiere crear un archivo nuevo?*

—Vale, ya ha acabado. Me pide crear un archivo.

Szarnek se puso al teléfono.

—Éste es el momento crítico. Haz exactamente lo que te diga. —Le dio instrucciones sobre cómo crear los archivos, comprimirlos y trasladarlos al disco duro portátil. Con las mano temblorosas, Pulaski hizo lo que pedía. Estaba cubierto en sudor. En apenas unos minutos concluyó su tarea.

—Ahora vas a tener que borrar tu rastro y dejarlo todo como estaba, para asegurarnos de que nadie haga lo que acabas de hacer tú y te descubra.

Szarnek le hizo entrar en los ficheros de registro y teclear varias órdenes. Por fin concluyó el proceso.

—Ya está.

—Muy bien, largo de ahí, novato —dijo Rhyme en tono apremiante.

Pulaski colgó, desconectó el disco duro, volvió a guardárselo en el bolsillo y salió del sistema. Se levantó y, al salir al pasillo, parpadeó con sorpresa al ver que el guardia de seguridad se había acercado. Se dio cuenta de que era el mismo que había acompañado a Amelia a los rediles de datos, caminando justo detrás de ella como si estuviera conduciendo a una cleptómana al despacho del director de la tienda para esperar allí a la policía.

¿Habría visto algo?

—Agente Pulaski, voy a acompañarlo al despacho de Andrew. —No sonreía y sus ojos no dejaban traslucir nada.

Condujo al policía por el pasillo. Con cada paso que daba, el disco duro le rozaba la pierna. Parecía estar al rojo vivo. Volvió a mirar al techo. Eran planchas acústicas: no se veían las puñeteras cámaras.

La paranoia llenaba los pasillos, más radiante aún que la blanquísima iluminación.

Cuando llegaron, Sterling le indicó con una seña que entrara en el despacho mientras pasaba varias hojas de papel en las que estaba trabajando.

—Agente, ¿tiene ya lo que necesita?

—Sí, lo tengo. —Pulaski levantó el CD con la lista de clientes como un niño aplicado en la escuela.

—Ah, muy bien. —Los ojos verdes claros del consejero delegado lo recorrieron de los pies a la cabeza—. ¿Y qué tal va la investigación?

—Va bien. —Fue lo primero que se le vino a la cabeza. Se sintió como un idiota. ¿Qué habría dicho Amelia Sachs? No tenía ni idea.

—¿De veras? ¿Había algo interesante en la lista de clientes?

—Sólo le he echado un vistazo para asegurarme de que podíamos leerla sin problemas. Volveremos a examinarla en el laboratorio.

—El laboratorio. ¿En Queens? ¿Es ahí donde trabajan?

—Allí hacemos parte del trabajo, sí, pero también en otros sitios.

Sterling no respondió a su evasiva, se limitó a esbozar una sonrisa afable. Era diez o doce centímetros más bajo que Pulaski, pero el joven se sintió como si fuera él quien tuviera que levantar la vista para mirarlo. Sterling lo acompañó al despacho exterior.

—Bien, si surge algo más, avísennos. Apoyamos su labor al cien por cien.

—Gracias.

—Martin, haz esas gestiones de las que hablamos antes y luego acompaña abajo al agente Pulaski.

—Puedo salir solo.

—Él le acompañará. Que pase una buena noche. —Sterling regresó a su despacho. La puerta se cerró.

—Sólo serán un par de minutos —dijo Martin. Levantó el teléfono y se volvió ligeramente para que no le oyera.

Pulaski se acercó a la puerta y miró a un lado y otro del pasillo. Alguien salió de un despacho. Estaba hablando en voz baja por el móvil. Al parecer, en aquella parte del edificio los móviles funcionaban bien. Miró al policía entornando los ojos, se despidió rápidamente de su interlocutor y cerró el teléfono.

—Disculpe, ¿el agente Pulaski?

Asintió con la cabeza.

—Soy Andy Sterling.

Claro, el hijo del señor Sterling.

Los ojos oscuros del joven se clavaron con aplomo en los del agente. Su apretón de manos pareció, en cambio, indeciso.

—Creo que me ha llamado. Y mi padre me ha dejado un mensaje diciéndome que tenía que hablar con usted.

—Sí, así es. ¿Tiene un minuto?

—¿Qué necesita saber?

—Estamos preguntando a ciertas personas sobre sus movimientos, el domingo por la tarde.

—Fui a hacer senderismo a Westchester. Fui hasta allí en coche, llegué sobre mediodía y volví a...

—No, no, no es usted quien nos interesa. Sólo necesito comprobar dónde estuvo su padre. Dijo que lo llamó sobre las dos desde Long Island.

—Pues sí, así fue. Pero no cogí la llamada. No quise interrumpir la caminata. —Bajó la voz—. A Andrew le cuesta separar los negocios del placer, pensé que querría que viniera a la oficina y no me apetecía que me fastidiara el día libre. Le devolví la llamada después, sobre las tres y media.

—¿Le importa que eche un vistazo a su teléfono?

—No, en absoluto. —Abrió el teléfono y desplegó la lista de llamadas entrantes. Había hecho y recibido varias llamadas el domingo por la mañana, pero por la tarde sólo aparecía una, procedente del número que le había dado Sachs, el de la casa de Sterling en Long Island.

—Muy bien. Con eso basta. Se lo agradezco.

El joven pareció preocupado.

—Es terrible, por lo que he oído. ¿Han violado y asesinado a alguien?

—Así es.

—¿Están cerca de atrapar al culpable?

—Tenemos varias pistas.

—Qué bien. A la gente así habría que ponerla en fila y fusilarla.

—Gracias por su tiempo.

Cuando el joven se alejó, apareció Martin y miró la espalda en retirada de Andy.

—Si me acompaña, agente Pulaski. —Con una sonrisa que muy bien podría haber sido una mueca de desaprobación, echó a andar hacia el ascensor.

Pulaski se sentía consumido por una especie de energía nerviosa. El disco duro ocupaba por completo sus pensamientos. Estaba seguro de que cualquiera podía verlo silueteado en su bolsillo. Comenzó a hablar sin ton ni son.

—Entonces, Martin..., ¿lleva mucho tiempo en la empresa?

—Sí.

—¿También es informático?

Una sonrisa distinta, tan poco significativa como la otra.

—No, qué va.

Echaron a andar por el pasillo, blanco y negro, estéril. Pulaski detestaba estar allí. Se sentía asfixiado, claustrofóbico. Quería salir a la calle, quería estar en Queens, en el sur del Bronx. Ni siquiera el peligro le importaba. Quería marcharse de allí, bajar la cabeza y echar a correr.

Un hormigueo de pánico.

El periodista no sólo perdió su trabajo, sino que fue procesado por allanamiento. Pasó seis meses en prisión.

También estaba desorientado. Iban por un camino distinto al que había seguido para llegar al despacho de Sterling. Martin dobló una esquina y cruzó una puerta gruesa.

El patrullero dudó al ver lo que había delante: un puesto de control con tres guardias de seguridad muy serios, además de un detector de metales y una unidad de rayos equis. Aquello no eran los rediles de datos, de modo que no había sistema de borrado de datos como en otras partes del edificio, pero no podría pasar de contrabando el disco duro portátil sin que lo detectaran. Cuando había estado allí antes con Amelia Sachs, no habían pasado por ningún puesto de seguridad como aquél. Ni siquiera había visto uno parecido.

—Creo que la última vez no pasamos por uno de éstos —le dijo al asistente, intentando aparentar despreocupación.

—Eso depende de si una persona ha estado a solas dentro del edificio en algún momento —explicó Martin—. Un ordenador se encarga de evaluarlo y nos lo hace saber. —Sonrió—. No se lo tome como algo personal.

—Ya. No, en absoluto.

El corazón le latía con violencia. Tenía las palmas de las manos húmedas. *¡No, no!* No podía perder su trabajo. Era tan importante para él...

¿Qué demonios había hecho al acceder a aquello? Se dijo a sí mismo que intentaba detener al hombre que había asesinado a aquella mujer que tanto se parecía a Jenny. Un hombre odioso que no tenía reparos en matar si ello le convenía.

Aun así, se dijo, *esto no está bien.*

¿Qué dirían sus padres cuando les confesara que le habían detenido por robar datos? ¿Y su hermano?

—¿Lleva encima algún dispositivo informático, señor?

Pulaski le enseñó el CD. El guardia examinó el estuche. Llamó a un número utilizando una tecla de marcado rápido. Se tensó ligeramente y a continuación habló en voz baja. Metió el disco en el ordenador del puesto de control y echó un vistazo a la pantalla. Por lo visto, el CD aparecía en un listado de dispositivos autorizados. Aun así, el guardia lo pasó por la unidad de rayos equis y observó atentamente la imagen del estuche y el disco que contenía. La cinta transportadora llevó el CD hasta el otro lado del detector de metales.

Pulaski hizo amago de avanzar, pero un tercer guardia lo detuvo.

—Perdone, señor. Por favor, vacíe sus bolsillos y ponga aquí todo lo metálico.

—Soy policía —repuso Pulaski intentando parecer divertido.

El guardia contestó:

—Su departamento ha aceptado ceñirse a nuestras normas de seguridad, puesto que somos contratistas de la administración. Las normas se aplican a todo el mundo. Puede llamar a su supervisor para comprobarlo si lo desea.

Pulaski estaba atrapado.

Martin seguía observándolo atentamente.

—Póngalo todo en la cinta, por favor.

Vamos, piensa, se dijo Pulaski a sí mismo, rabioso. *Tiene que ocurrírsete algo.*

¡Piensa!

Tienes que echarle cara para salir de ésta.

No puedo. No soy lo bastante listo.

Claro que sí. ¿Qué haría Amelia Sachs? ¿Y Lincoln Rhyme?

Se giró, se puso en cuclillas y pasó unos segundos desatándose con esmero los zapatos, tirando lentamente de los cordones. Se puso de pie, colocó los zapatos bruñidos en la cinta y puso sus armas, la munición, las esposas, la radio, monedas, varios bolígrafos y el teléfono en una bandeja de plástico.

Cuando comenzó a pasar por el arco, éste detectó la presencia del disco duro y saltó con un agudo pitido.

—¿Lleva algo más encima?

Pulaski tragó saliva, meneó la cabeza y se palpó los bolsillos.

—No, nada.

—Tendremos que pasarle el detector de mano.

Salió. El segundo guardia le pasó el detector manual por el cuerpo y se detuvo a la altura de su pecho. El aparato lanzó un pitido ensordecedor.

El patrullero se echó a reír.

—Vaya, lo siento. —Se desabrochó un botón de la camisa y enseñó el chaleco antibalas—. El interior es una placa metálica. Lo había olvidado. Lo para todo, menos una bala de rifle encamisada.

—Ni una Desert Eagle, seguramente —comentó el guardia.

—Bueno, si quiere que le dé mi opinión, una pistola del calibre cincuenta es antinatural —bromeó Pulaski, y por fin consiguió hacer sonreír a los guardias. Comenzó a quitarse la camisa.

—No pasa nada. No creo que sea necesario hacer que se desnude, agente.

Pulaski se abrochó la camisa con manos temblorosas, justo por encima del lugar donde reposaba el disco duro: entre su camiseta interior y el chaleco antibalas. Se lo había metido allí al agacharse para quitarse los zapatos.

Recogió sus cosas.

Martin, que había rodeado el detector de metales, lo condujo a través de otra puerta. Llegaron al vestíbulo principal, una estancia enorme y severa, revestida de mármol gris en el que se veía grabada una versión gigantesca del logotipo de la torre vigía y la ventana.

—Que tenga un buen día, agente Pulaski —dijo Martin al dar media vuelta.

Pulaski siguió avanzando hacia las grandes puertas de cristal mientras intentaba controlar el temblor de sus manos. Por primera vez reparó en las numerosas cámaras de televisión que vigilaban el vestíbulo. Tuvo la impresión de que eran buitres posados apaciblemente en la pared, aguardando a que una presa herida dejara escapar un gemido y se desplomara.

27

Ni siquiera oyendo la voz de Judy, cuya familiaridad lo reconfortaba hasta el punto de hacerle llorar, Arthur Rhyme podía dejar de pensar en aquel tipo blanco lleno de tatuajes, Mick, el esperpento adicto a la metanfetamina.

Hablaba solo sin parar, se metía las manos en los pantalones cada cinco minutos y parecía fijar sus ojos en él con la misma frecuencia.

—Cariño, ¿estás ahí?

—Perdona.

—Tengo que decirte una cosa —dijo Judy.

Sobre el abogado, sobre el dinero, sobre los niños. Fuera lo que fuese, sería demasiado para él. Estaba a punto de estallar.

—Adelante —susurró, resignado.

—Fui a ver a Lincoln.

—¿Qué?

—Tenía que hacerlo... Tú no pareces creer al abogado, Art. Esto no va a arreglarse por sí solo.

—Pero... te dije que no lo llamaras.

—Bueno, esto afecta a toda la familia, Art. No se trata sólo de lo que tú quieres. Estamos yo y los niños. Deberíamos haberlo hecho antes.

—No quiero que intervenga. No, vuelve a llamarlo y dile que gracias, pero que estamos bien.

—¿Bien? —balbuceó Judy Rhyme—. ¿Estás loco?

A veces creía que su esposa era más fuerte que él. Y seguramente también más lista. Se había puesto furiosa cuando había renunciado a Princeton porque no le ofrecieron el puesto de profesor titular. Dijo que se estaba comportando como un niño con una rabieta. Ojalá le hubiera hecho caso.

Judy continuó balbuceando:

—Tienes la idea de que John Grisham se va a presentar en el juicio en el último momento y va a salvarte. Pero eso no va a pasar. Dios mío, Art, deberías estar agradecido por que haga algo.

—Y lo estoy —replicó rápidamente: las palabras se le escaparon a todo correr, como ardillas—. Es sólo que...

—¿Qué? Lincoln estuvo a punto de morir, tiene todo el cuerpo paraliza-do y ahora vive en una silla de ruedas. Y lo ha dejado todo para demostrar que eres inocente. ¿Se puede saber en qué estás pensando? ¿Es que quieres que tus hijos crezcan con su padre en prisión por asesinato?

—Claro que no. —Se preguntó de nuevo si Judy creía de veras que no conocía a Alice Sanderson, la mujer asesinada. No pensaba que la había mata-do, desde luego, pero sin duda se estaría preguntando si había tenido amantes.

—Tengo fe en el sistema, Judy. —Dios, qué inane sonaba aquello...

—Pues Lincoln es el sistema, Art. Deberías llamarlo para darle las gracias.

Titubeó. Luego preguntó:

—¿Qué ha dicho?

—Hablé con él ayer mismo. Llamó para preguntarme por tus zapatos. Algo relacionado con las pruebas. Pero no he vuelto a saber de él.

—¿Fuiste a verlo o sólo llamaste?

—Fui a su casa. Vive en Central Park West. Su casa es muy bonita.

Se le vinieron a la mente una docena de recuerdos de su primo en rápida sucesión.

—¿Qué aspecto tiene? —preguntó.

—Lo creas o no, está casi igual que cuando lo vimos en Boston. Bueno, no, la verdad es que ahora parece estar en mejor forma.

—¿Y no puede andar?

—No puede moverse. Sólo mueve la cabeza y los hombros.

—¿Y su exmujer? ¿Siguen viéndose Blaine y él?

—No, Lincoln tiene otra pareja. Una policía. Es muy guapa. Alta, peli-rroja. La verdad es que me llevé una sorpresa. Supongo que no debería, pero me la llevé.

¿Alta y pelirroja? Arthur pensó enseguida en Adrianna e intentó hacer a un lado aquel recuerdo. Pero se negaba a marcharse.

Dime por qué, Arthur. Dime por qué lo hiciste.

Un gruñido de Mick. Otra vez tenía las manos metidas en los pantalones. Sus ojos odiosos volaron hacia Arthur.

—Lo siento, cariño. Gracias por llamar a Lincoln.

Sintió de pronto un aliento caliente en el cuello.

—Tú, suelta el teléfono.

Había un latino detrás de él.

—Suelta el teléfono.

—Judy, tengo que dejarte. Aquí sólo hay un teléfono. Ya he gastado mi tiempo.

—Te quiero, Art.

—Te...

El latino dio un paso adelante y Arthur colgó y regresó a su banco en un rincón de la zona de detención. Se sentó mirando el suelo delante de sí, aquella marca en forma de riñón. La miró fijamente.

Pero el suelo estropeado no consiguió retener su atención. Estaba pensando en el pasado. Otros recuerdos se sumaron a los de Adrianna y su primo Lincoln: la casa familiar en la ribera norte del lago; la de Lincoln, en los barrios residenciales de la zona oeste; Henry, aquel rey severo que tenía por padre; su hermano Robert; y la tímida e inteligente Marie.

Pensó también en Teddy, el padre de Lincoln. (Había una historia interesante detrás de su mote: su nombre de pila no era Theodore; Arthur sabía por qué lo llamaban así, pero, curiosamente, no creía que Lincoln lo supiera.) Siempre le había caído bien el tío Teddy. Un hombre afable, un poco tímido, un poco taciturno, pero ¿quién no lo sería viviendo a la sombra de un hermano mayor como Henry Rhyme? A veces, cuando Lincoln no estaba, Arthur iba a casa de Teddy y Anne, y en la salita de la familia, recubierta de paneles de madera, tío y sobrino veían una película antigua o hablaban sobre historia americana.

La mancha del suelo tomó la forma de Irlanda. Pareció moverse mientras Arthur la miraba con los ojos fijos, deseando estar muy lejos de allí, desaparecer por un agujero mágico y regresar a la vida de fuera.

Sintió una desesperación total. Y comprendió lo ingenuo que había sido. No había salidas mágicas de aquel atolladero, ni tampoco prácticas. Sabía que Lincoln era brillante. Había leído todos los artículos que encontraba sobre él en la prensa. Hasta alguno de sus escritos científicos: *Efectos biológicos de ciertos materiales de nanopartículas...*

Comprendió de pronto, sin embargo, que su primo no podía hacer nada por él. Su caso no tenía remedio, iba a pasar el resto de su vida en la cárcel.

No, el papel de Lincoln encajaba a la perfección en aquel drama. Su primo (el familiar al que había estado más unido durante su infancia, su hermano adoptivo) debía estar presente en su caída.

Con una sonrisa amarga en la cara, levantó la vista de aquella mancha en el suelo. Y se dio cuenta de que había cambiado algo.

Qué extraño. El ala de detención estaba de pronto desierta.

¿Adónde había ido todo el mundo?

Oyó entonces unos pasos que se aproximaban.

Alarmado, miró hacia arriba y vio que alguien se acercaba a él a toda prisa arrastrando los pies. Su amigo Antwon Johnson. Una mirada fría.

Arthur comprendió entonces. ¡Alguien iba a atacarlo por la espalda! Mick, claro.

Y Johnson venía en su auxilio.

Se levantó de un salto, se giró, tan asustado que tenía ganas de llorar. Buscó al yonqui, pero...

No. Allí no había nadie.

Fue entonces cuando sintió que Antwon Johnson le pasaba la horca por el cuello. Parecía casera, hecha con una camiseta hecha jirones y retorcida para formar una cuerda.

—¡No! ¿Qué...? —Sintió que el hombretón lo levantaba, que lo arrancaba del banco y lo arrastraba hasta la pared de la que sobresalía aquel clavo, el que había visto antes a dos metros del suelo. Gimió y comenzó a patalear.

—Chist. —Johnson recorrió con la mirada el entrante desierto de la sala.

Arthur siguió forcejeando, pero era como luchar contra un bloque de madera, contra un saco de cemento. Golpeó con los puños inútilmente el cuello y los brazos de Johnson y sintió entonces que lo levantaba del suelo. El negro lo alzó y colgó la horca casera del clavo. Soltó a Arthur, se apartó y se quedó mirando cómo se retorcía y pataleaba intentando liberarse.

¿Por qué, por qué, por qué?, intentaba preguntar Arthur, pero de sus labios sólo salían escupitajos de saliva. Johnson lo miraba con curiosidad. Sin ira, sin un brillo sádico en la mirada. Lo observaba sencillamente con tibio interés.

Y mientras su cuerpo temblaba y su vista se volvía borrosa, Arthur comprendió que todo había sido una trampa, que Johnson lo había salvado de los latinos por un único motivo: lo quería para él.

—Nnnnnn....

¿Por qué?

El negro mantuvo las manos junto a los costados y se inclinó hacia él.

—Te estoy haciendo un favor, hombre —susurró—. Joder, tú mismo te ahorcarías dentro de un mes o dos. No estás hecho para estar aquí. Venga, deja de resistirte. Tranquilízate, tira la toalla, ¿sabes lo que te digo?

Pulaski regresó de su misión en SSD con el disco duro gris, liso y brillante.

—Buen trabajo, novato —dijo Rhyme.

Sachs le guiñó un ojo.

—Tu primera operación secreta.

El joven policía hizo una mueca.

—No me ha parecido una misión. Más bien me parece un delito.

—Estoy seguro de que podemos encontrar motivos fundados si buscamos con atención —comentó Sellitto para tranquilizarlo.

Rhyme le dijo a Rodney Szarnek:

—Adelante.

El informático enchufó el disco duro al puerto USB de su desvencijado portátil y se puso a teclear con golpes firmes y certeros mientras miraba la pantalla.

—Bueno, bueno...

—¿Tienes un nombre? —preguntó Rhyme—. ¿Alguien de SSD que haya descargado los dosieres?

—¿Qué? —Szarnek soltó una risa—. No va así. Tardará un rato. Tengo que cargarlo en el servidor de Delitos Informáticos y luego...

—¿Cuánto vas a tardar? —gruñó Rhyme.

Szarnek pestañeó de nuevo como si se percatara por primera vez de que el criminalista estaba discapacitado.

—Depende del nivel de fragmentación, de la antigüedad de los archivos, de su ubicación, de su partición y después...

—Vale, vale, vale. Haz lo que puedas.

—¿Qué más has averiguado? —preguntó Sellitto.

Pulaski les habló de sus entrevistas con los otros dos técnicos que tenían acceso a todos los rediles de datos. Añadió que había hablado con Andy Sterling, cuyo teléfono móvil confirmaba que su padre lo había llamado desde Long Island a la hora del asesinato. Su coartada se sostenía. Thom puso al día los datos de los sospechosos.

Andrew Sterling, presidente y consejero delegado. Coartada verificada: estuvo en Long Island. Confirmada por su hijo.

Sean Cassel, director de ventas y márquetin. Sin coartada.

Wayne Gillespie, director de operaciones técnicas. Sin coartada.

Samuel Brockton, director del departamento de autorregulación. Coartada: el registro del hotel confirma su presencia en Washington.

Peter Arlonzo-Kemper, director de recursos humanos. Coartada: su esposa. Verificada por ella (¿sesgada?).

Steven Shraeder, encargado del servicio técnico y de mantenimiento, turno de día. Coartada: estuvo en la oficina, según su ficha horaria.

Faruk Mameda, encargado del servicio técnico y de mantenimiento, turno de noche. Sin coartada.

¿Cliente de SSD? Listado proporcionado por Sterling.

¿SNI reclutado por Andrew Sterling?

Así pues, todas las personas de SSD que tenían acceso a innerCircle estaban ya al corriente de la investigación, y sin embargo el robot informático colocado en el fichero «Homicidio de Myra Weinburg» de la Policía de Nueva York no había informado de un solo intento de entrar en el sistema. ¿Estaba siendo cauto 522? ¿O acaso la trampa estaba fuera de lugar? ¿La hipótesis de que el asesino estaba relacionado con SSD estaba completamente equivocada? A Rhyme se le pasó por la cabeza que se habían dejado fascinar hasta tal punto por el poder de Sterling y su empresa que habían descuidado a otros posibles sospechosos.

Pulaski sacó un CD.

—Aquí están los clientes. Le eché un vistazo rápido. Hay unos trescientos cincuenta.

—Uf. —Rhyme hizo una mueca.

Szarnek cargó el disco y lo abrió con una hoja de cálculo. El criminalista echó una ojeada a los datos en la pantalla plana de su ordenador: casi mil páginas abarrotadas de texto.

—Ruido —dijo Sachs. Les explicó lo que le había dicho Sterling sobre los datos que resultaban inservibles por estar corrompidos, por ser demasiado escasos o demasiado prolijos.

El técnico rebuscó entre aquel alud de información: qué clientes habían comprado determinadas listas de datos recabados y procesados por SSD. Demasiada información. Pero entonces Rhyme tuvo una idea.

—¿Muestra la fecha y la hora a la que se descargaron los datos?

Szarnek examinó la pantalla.

—Sí.

—Vamos a averiguar quién descargó información justo antes de los crímenes.

—Muy bien, Linc —comentó Sellitto—. Cinco Dos Dos querrá que los datos estén lo más actualizados que sea posible.

Szarnek se quedó pensando.

—Creo que puedo crear un robot para extraer esa información. Puede que tarde un rato, pero sí, se puede hacer. Decidme cuándo fueron exactamente los crímenes.

—Eso está hecho. ¿Mel?

—Claro. —El técnico forense comenzó a compilar los datos del robo de las monedas, el robo del cuadro y las dos violaciones.

—Oye, ¿estás usando ese programa, el Excel? —le preguntó Pulaski a Szarnek.

—Sí.

—¿Qué es exactamente?

—Una hoja de cálculo básica. Se usa sobre todo para llevar el control de ventas y hacer cuentas. Pero ahora la gente la usa para un montón de cosas.

—¿Yo podría aprender a manejarlo?

—Claro. Puedes hacer un curso. En la New School o en Learning Annex, por ejemplo.

—Debería haberme puesto con ello ya. Voy a mirar esas academias.

Rhyme creyó comprender de pronto la reticencia de Pulaski a regresar a SSD.

—No te estreses por eso, novato —le dijo.

—¿Y eso, señor?

—Recuerda que la gente te toca las narices de mil maneras distintas. No des por sentado que ellos tienen razón y tú no sólo porque saben algo que tú ignoras. La cuestión es: ¿necesitas conocer ese programa para hacer mejor tu trabajo? Si es así, apréndelo. Si no, es una distracción y al diablo con ello.

El joven agente se rió.

—De acuerdo. Gracias.

Rodney Szarnek sacó el CD y el disco duro portátil, recogió su ordenador y se fue a la Unidad de Delitos Informáticos para seguir trabajando desde allí.

Cuando se marchó, Rhyme miró a Sachs, que estaba al teléfono, intentando recabar información sobre el «rapiñador» de datos que había muerto en Colorado unos años antes. No oía lo que decía, pero saltaba a la vista que estaba consiguiendo información relevante. Tenía la cabeza echada hacia delante, los labios húmedos y se tiraba ligeramente de un mechón de pelo. Sus ojos tenían una mirada intensa y reconcentrada. Era una pose extremadamente erótica.

Esto es ridículo, se dijo Rhyme. *Concéntrate en el dichoso caso.*

Sólo lo consiguió a medias.

Sachs colgó el teléfono.

—He conseguido algo de la Policía del Estado de Colorado. Ese rapiñador de datos se llamaba P. J. Gordon. Peter James. Un buen día se fue a montar en bici por el monte y no regresó. Encontraron su bici al fondo de un barranco, destrozada. Estaba junto a un río muy profundo. El cadáver apareció a unos treinta kilómetros río abajo, un mes después aproximadamente. Los análisis de ADN dieron positivo.

—¿Hubo investigación?

—No mucha. En esa zona se matan un montón de chicos con bicis, esquís y motos de nieve. Se consideró un accidente. Pero quedaron pendientes un par de interrogantes. Por de pronto, al parecer Gordon había intentado introducirse en los servidores de SSD en California, no en la base de datos, sino en los ficheros de la propia empresa y en los archivos personales de algunos empleados. Nadie sabe si consiguió entrar o no. He intentado encontrar a otras personas de su empresa, Rocky Mountain Data, para averiguar algo más. Pero ya no queda nadie. Parece que Sterling compró la compañía, se hizo con sus bases de datos y despidió a todo el mundo.

—¿Podemos llamar a alguien para preguntar por él?

—La policía del estado no encontró a ningún familiar.

Rhyme asintió lentamente con la cabeza.

—Muy bien, es una hipótesis interesante, si me permites emplear tu calificativo predilecto de esta semana, Mel. Ese tal Gordon está haciendo su propia cala en los archivos de SSD y descubre algo sobre Cinco Dos Dos. Cinco Dos Dos se da cuenta de que está en un aprieto, de que están a punto de descubrirlo. Entonces mata a Gordon y hace que parezca un accidente. Sachs, ¿la policía de Colorado guarda algún expediente del caso?

Ella suspiró.

—Está archivado. Van a buscarlo.

—Bien, quiero averiguar quién de SSD trabajaba ya en la empresa en esa época, cuando murió Gordon.

Pulaski llamó a Mark Whitcomb a SSD. Pasada media hora, Whitcomb volvió a llamarlo. Una conversación con recursos humanos desveló que en aquellas fechas trabajaban ya en la empresa docenas de empleados que seguían en ella, entre ellos Sean Cassel, Wayne Gillespie, Mameda y Shraeder, así como Martin, uno de los asistentes personales de Sterling.

Tanta gente significaba que el asunto de Peter Gordon no era una pista fiable. Rhyme confiaba, sin embargo, en que si conseguían el expediente completo de la Policía de Colorado, tal vez pudieran encontrar alguna pista que les condujera hasta alguno de los sospechosos.

Estaba mirando la lista cuando sonó el teléfono de Sellitto. El detective cogió la llamada. El criminalista vio que se ponía tenso.

—¿Cómo? —dijo bruscamente, mirando a Rhyme—. No jodas. ¿Qué ha pasado? Llámame en cuanto lo sepas.

Colgó. Apretó los labios y frunció fugazmente el ceño.

—Lo siento, Linc. Es tu primo. Le han atacado en el centro de detención. Han intentado matarlo.

Sachs se acercó a Rhyme y posó una mano en su hombro. Él notó su preocupación en aquel gesto.

—¿Cómo está?

—El director va a volver a llamarme, Linc. Está en la clínica de urgencias de allí. Todavía no saben nada.

28

—Hola.

Pam Willoughby sonrió al entrar en el vestíbulo de la casa, cuya puerta le había abierto Thom. Dijo hola a todos los presentes, que la saludaron con una sonrisa a pesar de las terribles noticias acerca de Arthur Rhyme. Thom le preguntó qué tal le habían ido las clases.

—Genial. Estupendamente. —Luego bajó la voz y preguntó—: Amelia, ¿tienes un minuto?

Sachs miró a Rhyme, que señaló a la niña con la cabeza como diciendo: *No podemos hacer nada respecto a Art hasta que sepamos algo más. Adelante.*

Salió al pasillo con Pam. Es curioso lo de los jóvenes, pensó: se les nota todo en la cara. Sus estados de ánimo, al menos, aunque no siempre los motivos que hay detrás. En lo tocante a Pam, Sachs deseaba a veces tener la habilidad de Kathryn Dance para descubrir cómo se sentía la muchacha y qué estaba pensando. Esa tarde, en cambio, su felicidad se veía a la legua.

—Sé que estás ocupada —le dijo.

—No pasa nada.

Entraron en el salón, al otro lado del vestíbulo de la casa.

—¿Y bien? —Sachs sonrió con aire cómplice.

—Bueno, he hecho lo que me dijiste, ¿sabes? Le he preguntado directamente a Stuart por la otra chica.

—¿Y?

—Es sólo que antes salían juntos, antes de que me conociera. Incluso me habló de ella hace un tiempo. Se encontraron por la calle y estuvieron hablando, nada más. Ella es muy acaparadora, ¿sabes? Ya era así cuando salían juntos, por eso entre otras cosa no quiso seguir con ella. Cuando los vio Emily, estaba intentando abrazarlo y él intentaba escabullirse. Nada más. Va todo genial.

—Oye, felicidades. Entonces, ¿definitivamente no hay enemigo a la vista?

—Así es. Además, tiene que ser cierto, porque Stuart no podría salir con ella. Podría perder su trabajo y... —se interrumpió de pronto.

A Sachs no le hacía falta ser policía para darse cuenta de que se había ido de la lengua sin querer.

—¿Perder su trabajo? ¿Qué trabajo?

—Bueno, ya sabes.

—No exactamente, Pam. ¿Por qué iba a perder su trabajo?

La chica se sonrojó y se quedó mirando la alfombra oriental que había a sus pies.

—Como ella está en su clase este año...

—¿Es profesor?

—Sí.

—¿De tu instituto?

—Este año no. Está en el Jefferson. Yo lo tuve el año pasado. Así que no importa que nos...

—Espera, Pam... —Sachs hizo memoria—. Me dijiste que estaba en el instituto.

—Te dije que lo había conocido en el instituto.

—¿Y lo del club de poesía?

—Bueno...

—Es el monitor —dijo la detective con una mueca—. Y el entrenador de fútbol, no un jugador.

—No te mentí exactamente.

Lo primero es no dejarse llevar por el pánico, se dijo Sachs. *No serviría de nada*.

—Bueno, Pam, eso es... —*¿Qué demonios es?* Tenía tantas preguntas... Hizo la primordial—: ¿Cuántos años tiene?

—No lo sé. No es tan mayor. —La chica levantó los ojos. Tenían una mirada dura.

Sachs la había visto en actitud desafiante, enfurruñada y decidida. Pero nunca la había visto así: atrapada y a la defensiva, casi feroz.

—¿Pam?

—Creo que cuarenta y uno o algo así.

La regla de no dejarse llevar por el pánico empezó a desmoronarse.

¿Qué demonios debía hacer? Sí, Amelia Sachs siempre había querido tener hijos, alentada por los recuerdos maravillosos que tenía de su padre, pero no había dedicado mucho tiempo a pensar en la ardua labor de la paternidad.

«*Sé razonable*», ésa *es la directriz*, se dijo. Pero en aquel momento era tan efectiva como el «No te dejes llevar por el pánico».

—Bueno, Pam...

—Sé lo que vas a decir. Pero no se trata de *eso*.

Sachs no estaba tan segura. Hombres y mujeres juntos... Hasta cierto punto, siempre se trataba de *eso*. Pero no podía pararse a pensar en el aspecto sexual del problema. Sólo alimentaría el pánico y destruiría su capacidad de razonar.

—Stuart es distinto. Conectamos... Quiero decir que con los chicos del instituto siempre es lo mismo, deportes o videojuegos. Es tan aburrido...

—Pam, hay muchos chicos que leen poesía y que van al teatro. ¿No hay ningún chico en el club de poesía?

—No es lo mismo... No le cuento a todo el mundo lo que me pasó, lo de mi madre y todo eso. Pero a Stuart se lo conté y lo entendió. Él también lo ha pasado muy mal. Su padre murió cuando él tenía mi edad. Tuvo que pagarse los estudios trabajando en dos o tres sitios a la vez.

—No es buena idea, cariño. Hay problemas que tú ahora ni siquiera puedes imaginar.

—Es muy bueno conmigo. Me encanta estar con él. ¿No es eso lo más importante?

—Es parte de ello, pero no lo es todo.

Pam cruzó los brazos con aire desafiante.

—Y aunque no te dé clase ahora, de todos modos puede meterse en un buen lío. —Por alguna razón, al decir aquello Sachs sintió que ya había perdido la batalla.

—Dice que merece la pena correr ese riesgo.

No hacía falta ser Freud para deducirlo: una chica cuyo padre había muerto cuando ella era pequeña y cuya madre y cuyo padrastro eran terroristas... estaba abocada a enamorarse de un hombre mayor y considerado.

—Vamos, Amelia, no voy a casarme con él. Sólo estamos saliendo.

—Entonces, ¿por qué no te das un tiempo? Un mes. Sal con un par de chicos más. A ver qué pasa. —*Es patético*, se dijo Sachs. Sus argumentos sonaban a escaramuza de retaguardia.

Pam frunció el ceño exageradamente.

—¿Y para qué voy a hacer eso? Yo no voy por ahí intentando enganchar a un tío sólo por tener a alguien como todas las chicas de mi clase.

—Cariño, sé que sientes algo por él, pero tienes que esperar un tiempo. No quiero que sufras. Hay un montón de chicos maravillosos por ahí. Te convienen más, serás más feliz con ellos a largo plazo.

—No voy a cortar con él. Lo quiero. Y él a mí. —Recogió sus libros y dijo con frialdad—: Mejor me voy. Tengo deberes. —Se dirigió a la puerta, pero luego se detuvo y se volvió hacia ella—. Cuando tú te hiciste pareja del señor Rhyme —susurró—, ¿no te dijo todo el mundo que era una idiotez? ¿Que podías encontrar a alguien que no fuera en silla de ruedas? ¿Que había montones de «chicos maravillosos» por ahí? Apuesto a que sí.

Le sostuvo la mirada un momento, luego dio media vuelta y se marchó, cerrando la puerta a su espalda.

Sachs se dijo que sí, en efecto, alguien le había dicho eso mismo, prácticamente con esas mismas palabras.

¿Y quién, sino su propia madre?

Miguel Abrera, 5465-9842-4591-0243, el «especialista de mantenimiento», como se dice en la jerga de la empresa, ha salido del trabajo a su hora de siempre, en torno a las cinco de la tarde. Acaba de salir del vagón de metro, cerca de donde vive, en Queens, y yo voy justo detrás de él, camino de su casa.

Intento mantener la calma, pero no es fácil.

Ellos (la policía) están muy cerca, ¡muy cerca de mí! Y eso no había pasado nunca. En los años y años que llevo recogiendo datos han sido muchos los dieciséis muertos, las vidas arruinadas, la gente en prisión por mi causa, y nadie nunca se había acercado tanto. Desde que me enteré de las sospechas de la policía, he mantenido las apariencias, estoy seguro. Aun así, he estado analizando la situación como un loco, revisando los datos, buscando la pepita de oro que me diga qué saben Ellos y qué no. Hasta qué punto corro peligro. Pero no encuentro la respuesta.

¡Los datos tienen demasiado ruido!

Contaminación...

Estoy repasando cómo me he comportado últimamente. He tenido cuidado. Los datos pueden volverse en tu contra, desde luego. Pueden clavarte a la red como una mariposa *Morpho menelaus* azul en un tablero de terciopelo, con el aroma a almendras del cianuro. Pero los que sabemos de estas cosas también podemos servirnos de los datos para protegernos. Los datos pueden borrarse, pueden manipularse, pueden alterarse. Podemos añadir ruido a propósito. Podemos colocar el Conjunto de Datos A junto al Conjunto de Datos X de tal modo que dé la sensación de que A y X son mucho más parecidos de lo que en realidad son. O mucho más dispares.

Podemos hacer trampa de la manera más tonta. Los RFID, por ejemplo. Metes un transpondedor de telepeaje en la maleta de otra persona y parece que tu coche ha estado en diez sitios distintos durante el fin de semana, cuando en realidad no ha salido de tu garaje en todo ese tiempo. O piensa en lo fácil que es meter tu tarjeta de empleado en un sobre y enviarla a la oficina, donde pasará cuatro horas hasta que le pidas a alguien que recoja el paquete y te lo lleve a un restaurante del centro. Perdón, se me olvidó recogerlo. Gracias. La comida corre de mi cuenta... ¿Y qué muestran los datos? Pues que estabas matándote a trabajar en la oficina cuando en realidad a esas horas estabas limpiando tu navaja junto a un cadáver todavía caliente. El hecho de que nadie te viera en tu mesa es irrelevante. Aquí están mis registros de entrada y salida, agente... Nos fiamos de los datos, no del ojo humano. Hay docenas de trucos más que he perfeccionado.

Y ahora tengo que recurrir a una de las medidas más extremas.

Delante de mí, Miguel 5465 se detiene y mira hacia el interior de un bar. Tengo la seguridad de que no bebe casi nunca y, si entra a tomarse una cerveza, el horario se me descabalará un poco, pero eso no arruinará mis planes para esta tarde. Al final decide no tomarse esa cerveza y sigue caminando por la calle con la cabeza ladeada. La verdad es que lamento que no se haya dado ese gustazo, teniendo en cuenta que le queda menos de una hora de vida.

29

Por fin alguien del centro de detención llamó a Lon Sellitto.

El detective asintió con la cabeza mientras escuchaba.

—Gracias. —Desconectó la llamada—. Arthur va a recuperarse. Está herido, pero no es grave.

—Menos mal —susurró Sachs.

—¿Cómo ha sido? —quiso saber Rhyme.

—No lo saben. El agresor es un tal Antwon Johnson. Está cumpliendo condena federal por secuestro y otros cargos de jurisdicción estatal. Lo trasladaron a Tombs para un juicio relacionado con delitos estatales. Al parecer se le fue la olla e intentó que pareciera que Arthur se había colgado. Al principio lo negó, luego aseguró que tu primo quería morir y que le había pedido ayuda.

—¿Los guardias lo encontraron a tiempo?

—No. Es muy raro. Otro preso fue detrás de Johnson. Mick Gallenta. Ha estado dos veces en prisión por posesión de cristal y caballo. Es la mitad de grande que Johnson, pero se le echó encima, lo dejó fuera de combate y bajó a Arthur de la pared. Estuvo a punto de armarse un motín.

Sonó el teléfono y Rhyme vio el prefijo 201.

Judy Rhyme.

Cogió la llamada.

—¿Te has enterado, Lincoln? —Su voz sonaba temblorosa.

—Sí, me he enterado.

—¿Por qué han hecho eso? ¿Por qué?

—La cárcel es la cárcel. Es otro mundo.

—Pero sólo está en prisión preventiva. En un centro de detención. Podría entenderlo si estuviera en prisión con asesinos condenados, pero la mayoría de esa gente está a la espera de juicio, ¿no?

—Así es.

—¿Por qué iba nadie a arriesgarse a una condena mayor por intentar matar a otro detenido?

—No lo sé, Judy. No tiene sentido. ¿Has hablado con él?

—Le dejaron hacer una llamada. No puede hablar muy bien. Tiene daña-da la garganta. Pero no es grave. Van a tenerlo allí un día o dos.

—Bien —dijo Rhyme—. Escucha, Judy, quería reunir más información antes de llamarte, pero estoy casi seguro de que vamos a poder demostrar que Arthur es inocente. Parece que hay otra persona detrás de este asunto. Ayer mató a otra mujer y creo que podemos vincularlo con el asesinato de Alice Sanderson.

—¡No! ¿Me lo dices de veras? ¿Quién coño es, Lincoln? —Ya no andaba con pies de plomo, ya no escogía cuidadosamente sus palabras ni se preocupa-ba por los exabruptos. Judy Rhyme se había endurecido en las últimas veinti-cuatro horas.

—Eso estamos intentando averiguar. —Miró a Sachs y añadió—: Y no parece que Arthur tenga ninguna relación con la víctima. Ninguna en abso-luto.

—¿Estás...? —Se le quebró la voz—. ¿Estás seguro de eso?

Sachs se identificó y dijo:

—Así es, Judy.

La oyeron tomar aire.

—¿Debo llamar al abogado?

—No puede hacer nada. Tal y como están las cosas en este momento, Arthur sigue imputado.

—¿Puedo llamar a Art para decírselo?

Rhyme titubeó.

—Sí, claro.

—Ha preguntado por ti, Lincoln. En la clínica.

—¿Sí?

Sintió que Amelia Sachs lo miraba.

—Sí. Ha dicho que, pase lo que pase, gracias por ayudarlo.

Todo habría sido distinto...

—Tengo que colgar, Judy. Tenemos mucho que hacer. Te avisaremos con lo que sepamos.

—Gracias, Lincoln. Y a todos los demás. Que Dios os bendiga.

Una vacilación.

—Adiós, Judy.

Rhyme no se molestó en usar el mando de voz. Desconectó con el dedo índice de la mano derecha. Controlaba mejor el anular izquierdo, pero el de-recho se movía veloz como una serpiente.

Miguel 5465 ha sobrevivido a una tragedia y es un trabajador responsable. Visita regularmente a su hermana y a su cuñado en Long Island. Manda dinero por Western Union a su madre y a su otra hermana, que viven en México. Es un hombre recto. Una vez, un año después de la muerte de su mujer y su hijo, sacó cuatrocientos dólares, una suma sin duda importante para él, en un cajero de una zona de Brooklyn conocida por sus prostitutas. El conserje, sin embargo, se arrepintió. El dinero volvió a su cuenta al día siguiente. Fue una injusticia que tuviera que pagar los dos dólares y medio de comisión del cajero.

Sé mucho más sobre Miguel 5465, mucho más que sobre la mayoría de los dieciséis de la base de datos, porque es uno de mis chivos expiatorios.

Y ahora necesito uno urgentemente.

Llevo un año preparándolo para asumir mi puesto. Cuando muera, la policía, siempre tan diligente, empezará a juntar las piezas del rompecabezas. ¡Vaya, hemos descubierto al asesino-violador-ladrón de monedas y cuadros! Ha confesado en su nota de suicidio: la muerte de su familia lo sumió en la desesperación y lo empujó al asesinato. Y en una caja, en su bolsillo, había una uña de una de las víctimas, Myra Weinburg.

Y mira qué más tenemos aquí: sumas de dinero que pasaban por su cuenta y se evaporaban de forma inexplicable. Miguel 5465 solicitó una hipoteca importante para comprar una casa en Long Island, con un anticipo de medio millón de dólares, a pesar de que su salario ascendía a 46.000 dólares anuales. Entraba en páginas web de tratantes de arte y había preguntado por los cuadros de Prescott. En el sótano de su edificio hay un paquete de cinco cervezas Miller, condones Trojan, espuma de afeitar Edge y una fotografía del dominio de Myra Weinburg en OurWorld. También hay varios libros escondidos sobre piratería informática y lápices de memoria con programas de pirateo de códigos de acceso. Había estado deprimido y la semana pasada incluso llamó a un servicio de ayuda psicológica para suicidas potenciales y pidió que le mandaran un folleto.

Y luego está el registro de sus horarios de trabajo, que revela que estaba fuera de la oficina cuando sucedieron los crímenes.

Pan comido.

Llevo en el bolsillo su nota de suicidio, una falsificación pasable de su letra, de las copias de sus cheques cancelados y sus solicitudes de préstamo, convenientemente escaneados y obscenamente disponibles en Internet. Está escrita en un papel similar al que compró hace un mes en el supermercado de su barrio y la tinta es del mismo tipo de bolígrafos de los que tiene una docena.

Y como lo último que le interesa a la policía es una investigación exhaustiva que afecte a su principal contratista de datos, SSD, ahí acabará la cuestión. Miguel 5465 morirá. Caso cerrado. Y yo volveré a mi armario, revisaré los errores que he cometido y me esforzaré por ser más listo de aquí en adelante.

Pero ¿acaso no es una lección vital que todos debemos aprender?

En cuanto al suicidio propiamente dicho, he buscado en Google Earth y he usado un programa de predicción básico, que me ha dado una idea de cómo llegará Miguel 5465 a casa desde la estación de metro al salir del trabajo. Lo más probable es que atraviese un pequeño parque urbano que hay en Queens, justo al lado de la autopista. El molesto ruido del tráfico y el ambiente contaminado por el humo de los coches hacen que el parque esté casi siempre desierto. Me acercaré a él por detrás rápidamente (no quiero que me reconozca y se ponga en guardia) y le daré media docena de golpes en la cabeza con la tubería de hierro rellena de balines. Luego le meteré en el bolsillo la nota y la caja con la uña, lo llevaré a rastras hasta la barandilla y lo arrojaré a la carretera, quince metros más abajo.

Miguel 5465 camina despacio, mirando los escaparates. Yo voy nueve o diez metros por detrás de él, con la cabeza gacha, absorto en mi música, como decenas de otros trabajadores que regresan a casa a esta hora, aunque mi iPod está apagado (música no colecciono).

El parque está a una manzana de distancia. Voy a...

Pero espera, pasa algo raro. No gira hacia el parque. Se para en una tienda coreana, compra unas flores y se aleja de la calle comercial, en dirección a un barrio desierto.

Estoy procesando la información, pasando su comportamiento por mi base de conocimientos. La predicción ha fallado.

¿Una novia? ¿Un familiar?

¿Cómo demonios es posible que haya algo en su vida que yo no sepa?

Ruido en los datos. ¡Lo detesto!

No, no, esto no va bien. Flores para una novia, eso no encaja en el perfil de un asesino suicida.

Miguel 5465 sigue por la acera. El aire está impregnado del olor primaveral a hierba recién cortada, a lilas y a pis de perro.

Ah, ya lo tengo. Me relajo.

El conserje cruza la puerta de un cementerio.

Claro, la mujer y el niño muertos. Vamos bien. La predicción se sostiene. Sólo será un breve retraso. De todos modos tendrá que pasar por el parque para volver a casa. Puede que esto sea aún mejor, una última visita a su esposa. Perdóname por haber violado y asesinado en tu ausencia, cariño.

Lo sigo a distancia prudencial, con mis cómodos zapatos de suela de goma, sin hacer ningún ruido.

Va derecho a una tumba doble. Se persigna y se arrodilla para rezar. Luego deja las flores junto a otros cuatro ramos, todos ellos marchitos en distinto grado. ¿Por qué sus visitas al cementerio no aparecen en el casillero?

Claro, porque paga las flores en metálico.

Se levanta y empieza a alejarse.

Empiezo a seguirlo, respiro hondo.

Y entonces:

—Disculpe, señor.

Me quedo helado. Me giro lentamente hacia el guarda del cementerio que se ha dirigido a mí. Se ha acercado en silencio, pisando sobre la alfombra de hierba corta y húmeda. Y mira de mi cara a mi mano derecha, que me guardo en el bolsillo. Puede que haya visto el guante de tela beis que llevo puesto, o puede que no.

—Hola —le digo.

—Lo he visto allí, en los arbustos.

¿Cómo respondo a eso?

—¿En los arbustos?

Su mirada me hace saber que vela celosamente por sus amigos muertos.

—¿Puedo preguntarle a quién ha venido a visitar?

Lleva su nombre en la parte delantera del mono, pero no puedo verlo con claridad. ¿Stony? ¿Qué clase de nombre es ése? Me lleno de furia. Esto es culpa de Ellos... ¡De Ellos, de la gente que va a por mí! Han hecho que me descuide. ¡Estoy aturdido por todo ese ruido, por toda esta contaminación! Los odio, los odios, los...

Consigo poner una sonrisa compungida.

—Soy amigo de Miguel.

—Ah. ¿Conocía a Carmela y a Juan?

—Sí, exacto.

Stony (¿o es Stanley?) se está preguntando por qué sigo aquí si Miguel 5465 ya se ha ido. Cambia de postura. Sí, es Stony... Acerca la mano al radio-transmisor que lleva en la cadera. No recuerdo los nombres de la tumba. Me pregunto si la mujer de Miguel se llamaba Rosa y su hijo José y acabo de caer en una trampa.

La astucia de los demás es tan tediosa...

Stony mira su radio y cuando levanta la vista el cuchillo está ya a medio camino de su pecho. Uno, dos, tres golpes, con el mango bien agarrado: si no tienes cuidado puedes romperte un dedo, lo sé por experiencia. Es muy doloroso.

Pero el guarda resiste más de lo que esperaba. Se lanza hacia delante y me agarra del cuello con la mano, en lugar de llevarse la mano a las heridas. Luchamos, empujándonos, agarrándonos el uno al otro y tirando, una danza macabra entre las tumbas, hasta que su mano cae y se desploma de espaldas sobre el camino, una franja sinuosa de asfalto que lleva a la oficina del cementerio. Agarra el transmisor en el mismo momento en que la hoja de mi cuchillo toca su cuello.

Zas, zas, dos tajos silenciosos abren la arteria carótida o la vena yugular, o ambas, y lanzan al cielo un asombroso torrente de sangre.

Lo esquivo.

—¡No, no! ¿Por qué? —Se echa mano de la herida y me deja el campo libre para hacerle lo mismo al otro lado del cuello. Una puñalada y luego otra, no puedo parar. Es innecesario, pero estoy como loco, furioso con Ellos por haber hecho que me desviara de mi camino. Me han obligado a utilizar a Miguel 5465 como chivo expiatorio. Y ahora me han distraído. Me he descuidado.

Más puñaladas... Luego me retiro y en treinta segundos, tras un par de espeluznantes pataleos, queda inconsciente. Treinta segundos después la vida se convierte en muerte.

Sólo puedo quedarme allí, embotado por esta pesadilla, jadeando por el esfuerzo. Me encorvo y me siento como un animal desgraciado.

La policía (Ellos) sabrá que he sido yo, desde luego. Todos los datos están ahí. La muerte ha tenido lugar junto a la tumba de la familia de un empleado de SSD y, tras el forcejeo con el guarda del cementerio, estoy seguro de que la policía, que es tan astuta, encontrará vínculos con los otros crímenes. No tengo tiempo de ponerme a limpiar.

Comprenderán que he seguido a Miguel 5465 para simular su suicidio y que el guarda me ha interrumpido.

Entonces oigo un ruido procedente del radiotransmisor. Alguien pregunta por Stony. La voz no parece alarmada. Es una simple pregunta. Pero como no responde pronto vendrán en su busca.

Me doy la vuelta y me marchó rápidamente, como si fuera un deudo abrumado por la pena y aturdido por lo que me depara el futuro.

Pero eso, claro, es justamente lo que soy.

30

Otro asesinato.

Y no había ninguna duda de que era obra de 522.

Rhyme y Sellitto recibían notificación inmediata de todos los homicidios que se cometían en Nueva York. Cuando llegó la llamada de la Oficina de Detectives, sólo hicieron falta un par de preguntas para descubrir que la víctima, el guarda de un cementerio, había sido asesinado junto a la tumba de la esposa y el hijo de un empleado de SSD, con toda probabilidad por un hombre que había seguido a dicho empleado hasta allí.

Demasiadas coincidencias, naturalmente.

El empleado, un conserje, no era sospechoso. Estaba hablando con otro visitante a la entrada del cementerio cuando oyeron los gritos del guarda.

—Muy bien. —Rhyme hizo un gesto de asentimiento—. ¿Estás bien, Pulaski?

—Sí, señor.

—Llama a alguien de SSD, a ver si puedes averiguar dónde han estado todos los sospechosos de nuestra lista estas últimas dos horas.

—De acuerdo. —Otra sonrisa estoica. Estaba claro que aquel sitio no le gustaba ni pizca.

—Y Sachs...

—Yo me encargo de inspeccionar el lugar del asesinato en el cementerio. —Ya se disponía a marcharse.

Cuando Sachs y Pulaski se marcharon, Rhyme llamó a Rodney Szarnek a la Unidad de Delitos Informáticos de la Policía de Nueva York. Le explicó lo del último asesinato y dijo:

—Deduzco que estará ansioso por saber qué hemos descubierto. ¿No ha entrado nadie en la trampa?

—Nadie de fuera del departamento. Sólo ha habido una búsqueda. Alguien del despacho del capitán Malloy, de la Casa Grande. Estuvo leyendo los archivos unos veinte minutos y luego se desconectó.

¿Malloy? Rhyme se rió para sus adentros. Sellitto había mantenido informado al capitán, como le había ordenado, pero al parecer Malloy no podía sacudirse su prurito de investigador y estaba reuniendo toda la información que podía, quizá con intención de ofrecerles alguna sugerencia. Rhyme tendría que llamarlo para contarle lo de la trampa y decirle que los archivos cebo no contenían ninguna información útil.

El informático dijo:

—He dado por sentado que podían ver los archivos, por eso no te he llamado.

—No tiene importancia. —Rhyme desconectó. Estuvo largo rato mirando los esquemas de las pruebas—. Lon, tengo una idea.

—¿Cuál? —preguntó Sellitto.

—Nuestro chico va siempre un paso por delante de nosotros. Hemos estado tratando todo este asunto como si fuera un asesino corriente. Pero no lo es.

El hombre que todo lo sabe...

—Quiero probar algo un poco distinto. Y quiero ayuda.

—¿De quién?

—De los mandamases.

—Eso es muy vago. ¿De quién exactamente?

—De Malloy. Y de alguien del ayuntamiento.

—¿Del ayuntamiento? ¿Para qué, joder? ¿Por qué crees que van a molestarse siquiera en cogerte la llamada?

—Porque tienen que hacerlo.

—¿Ésa es una razón?

—Tienes que convencerlos, Lon. Necesitamos sacarle ventaja a ese tipo. Y tú puedes hacerlo.

—¿Hacer qué exactamente?

—Creo que necesitamos un experto.

—¿De qué clase?

—Un experto en informática.

—Tenemos a Rodney.

—Rodney no es precisamente lo que tengo en mente.

Lo habían matado a puñaladas.

Con eficacia, sí, pero también de forma gratuita: clavándole primero la hoja en el pecho y asestándole después múltiples cuchilladas con ensañamiento, furiosamente, dedujo Sachs. Aquél era otro aspecto de 522. Había visto heridas como aquéllas en otros casos: los cortes, enérgicos y mal dirigidos, sugerían que el asesino había perdido el control.

Eso era bueno para los investigadores. Los criminales que se dejan dominar por sus emociones son descuidados. Son menos discretos y dejan más pruebas que los que practican el autocontrol. Pero, como había descubierto Amelia Sachs durante su época de patrullera, ello tiene una pega, y es que son también mucho más peligrosos. Las personas tan enloquecidas y peligrosas como 522 no distinguían entre sus víctimas intencionadas, los transeúntes inocentes y la policía.

Cualquier amenaza, cualquier contratiempo, tenían que resolverlo de manera inmediata y tajante. Y al diablo con la lógica.

A la luz desabrida de las lámparas halógenas que había montado el equipo de inspección forense y que bañaban el cementerio con un resplandor irreal, Sachs contempló a la víctima, que yacía de espaldas, con los pies separados debido a los pataleos de sus últimos estertores. Una enorme mancha de sangre en forma de coma se alejaba del cuerpo, impregnando el asfalto del cementerio de Forest Hills y una franja de hierba.

Los agentes que se habían encargado de entrevistar a las gentes del vecindario no habían encontrado ningún testigo, y Miguel Abrera, el conserje de SSD, no había podido añadir nada nuevo. Estaba profundamente impresionado por haber sido el objetivo potencial de un asesino y porque su amigo hubiera muerto. Durante sus frecuentes visitas a las tumbas de su mujer y su hijo, había llegado a conocer bastante bien al guarda del cementerio. Esa noche había experimentado la vaga sensación de que alguien lo había seguido desde el metro y hasta se había parado a mirar el escaparate de un bar, por si veía reflejado detrás de él a un posible atracador. Pero el truco no había funcionado, no había visto a nadie y había seguido caminando hasta el cementerio.

Enfundada en su mono blanco, Sachs indicó a dos agentes del laboratorio forense principal, situado en Queens, que hicieran fotografías y lo grabaran todo. Inspeccionó el cadáver y comenzó a recorrer la cuadrícula. Puso especial esmero. Era una escena importante. El asesinato había sido rápido y violento. Saltaba a la vista que el guarda había sorprendido a 522 y que habían luchado, lo que significaba que había más posibilidades de encontrar alguna prueba que les revelara nuevas pistas sobre el asesino y su residencia o lugar de trabajo.

Comenzó a recorrer la cuadrícula caminando por la escena del crimen paso a paso en una dirección y girando luego para inspeccionar de nuevo la misma zona en perpendicular.

A medio camino se paró bruscamente.

Un ruido.

Estaba segura de que era un chirrido metálico. ¿Una bala al alojarse en la recámara de un arma? ¿Una navaja abriéndose?

Miró a su alrededor rápidamente, pero sólo vio el cementerio envuelto en el ocaso. Amelia Sachs no creía en fantasmas, y normalmente los camposantos como aquél le parecían lugares apacibles, incluso reconfortantes. Ahora, sin embargo, apretó los dientes y comenzaron a sudarle las manos dentro de los guantes de látex.

Acababa de volverse hacia el cadáver cuando contuvo una exclamación de sorpresa al ver un destello allí cerca.

¿Era una farola vista a través de los arbustos?

¿O era 522 que se acercaba, cuchillo en mano?

Sin control...

No pudo evitar pensar que ya había intentado matarla una vez (la trampa que le había tendido con el agente federal, cerca de la casa de DeLeon Williams) y había fallado. Tal vez estuviera decidido a acabar lo que había empezado.

Regresó a su tarea, pero cuando casi había acabado de recoger pruebas, se estremeció. Otra vez movimiento, ahora al otro extremo de las luces, pero dentro del cementerio, cerrado por los agentes de patrullas. Guiñó los ojos para escudriñar entre el resplandor. ¿Había sido la brisa al agitar un árbol? ¿O un animal?

Su padre, un policía de pura cepa y una fuente inagotable de sabiduría callejera, le había dicho una vez: «Olvídate de los muertos, Amie, no pueden hacerte daño. Preocúpate de los que los mataron».

Aquel consejo era como un eco de la premisa de Rhyme: «Busca con cuidado, pero vigila tus espaldas».

Amelia Sachs no creía en un sexto sentido, al menos no como la gente solía pensar en lo sobrenatural. Para ella, el mundo natural era tan asombroso y nuestros sentidos y procesos mentales tan complejos y potentes que no necesitábamos facultades sobrehumanas para llegar a las deducciones más sutiles e intuitivas.

Estaba segura de que allí había alguien.

Salió del perímetro de la escena del crimen y se sujetó la Glock a la cadera. Tocó un par de veces la empuñadura para tenerla bien situada, por si necesitaba sacarla rápidamente. Regresó a la cuadrícula, acabó de recoger las pruebas y se volvió bruscamente hacia el lugar donde creía haber visto movimiento poco antes.

Las luces eran cegadoras, pero supo sin ninguna duda que había un hombre allí, entre las sombras del edificio, observándola desde la parte de atrás del crematorio. Quizá fuera un empleado, pero no iba a arriesgarse. Con la mano en la pistola, avanzó seis metros. Su mono blanco era como una diana en medio de la luz mortecina, pero decidió no perder tiempo quitándoselo.

Sacó su Glock y avanzó entre los arbustos, moviendo las piernas artríticas en una dolorosa carrera hacia la figura. Entonces se detuvo e hizo una mueca al ver el muelle de carga del crematorio, donde había visto al intruso. Tensó la boca, enfadada consigo misma. El hombre, una silueta recortada contra la luz de una farola, fuera del cementerio, era un policía. Vio el perfil de su gorra de patrullero y reconoció la postura aburrida y encorvada de un agente montando guardia. Gritó:

—¿Agente? ¿Ha visto a alguien por aquí?

—No, detective Sachs —respondió el hombre—. Claro que no.

—Gracias.

Acabó con las pruebas y dejó la escena del crimen en manos del forense de guardia.

Regresó a su coche, abrió el maletero y comenzó a quitarse el mono blanco. Estaba charlando con los otros agentes de la brigada de inspección forense de Queens. También ellos se habían quitado sus monos. Uno de ellos frunció el ceño y buscó a su alrededor algo que había perdido.

—¿Has perdido algo? —preguntó Sachs.

El hombre frunció las cejas.

—Sí. Estaba aquí mismo. Mi gorra.

Sachs se quedó paralizada.

—¿Qué?

—No está.

Mierda. Arrojó su mono al maletero y corrió en busca del sargento de la comisaría local, que era el supervisor inmediato en la escena del crimen.

—¿Ha ordenado a alguien vigilar el muelle de carga? —preguntó casi sin aliento.

—¿Allí? En absoluto. No me he molestado. Teníamos toda la zona acordonada y...

Maldita sea.

Girándose, echó a correr hacia el muelle de carga con la Glock en la mano.

—¡Estaba aquí! —les gritó a los agentes que había cerca—. ¡Junto al crematorio! ¡Deprisa!

Se detuvo al llegar al antiguo edificio de ladrillo rojo y vio que la verja que daba a la calle estaba abierta. Un rápido registro de la zona no reveló ningún indicio del asesino. Salió a la calle y miró rápidamente a derecha e izquierda. Tráfico y espectadores curiosos, decenas de ellos, pero del sospechoso ni rastro.

Sachs regresó al muelle de carga y no se sorprendió al encontrar la gorra del agente tirada en el suelo, allí cerca. Estaba junto a una cartel que decía «DEPOSITEN AQUÍ LOS ATAÚDES». Recogió la gorra, la guardó en una bolsa de pruebas y regresó junto a los demás agentes. Ella y un sargento de la comisaría local mandaron a varios policías por el vecindario por si alguien había visto al sospechoso. Después, regresó a su coche. Naturalmente, 522 estaría ya muy lejos, pero aun así no podía sacudirse un intenso desasosiego, debido sobre todo a que el asesino no había intentado escapar cuando la vio caminar hacia el crematorio, sino que había seguido tranquilamente en su sitio.

Aunque lo que más la llenaba de estupor era el recuerdo de su voz despreocupada llamándola por su nombre.

—¿Van a hacerlo? —preguntó Rhyme bruscamente tan pronto Lon Sellitto cruzó la puerta, de regreso de su misión en el centro. Había ido a hablar con el capitán Malloy y el teniente de alcalde Ron Scott sobre lo que el criminalista llamaba el «Plan Experto».

—No les ha hecho mucha gracia. Es caro y además...

—Tonterías. Ponme con alguien al teléfono.

—Espera, espera. Van a hacerlo. Ya están haciendo los preparativos. Sólo digo que han aceptado a regañadientes.

—Deberías haberme dicho desde el principio que han aceptado. Me trae sin cuidado cuánto protesten.

—Joe Malloy me llamará para darme los detalles.

A eso de las nueve y media de la noche se abrió la puerta y entró Amelia Sachs llevando las pruebas que había recogido en el lugar donde había sido asesinado el guarda del cementerio.

—Estaba allí —dijo.

Rhyme no la entendió.

—Cinco Dos Dos. En el cementerio. Estaba observándonos.

—No jodas —dijo Sellitto.

—Se marchó antes de que me diera cuenta. —Sostuvo en alto una gorra de patrullero y les explicó que había estado observándola disfrazado de policía.

—¿Para qué cojones ha hecho eso?

—Para reunir información —contestó Rhyme en voz baja—. Cuanto más sabe, más poder tiene y más vulnerables somos nosotros.

—¿Preguntasteis a la gente? —quiso saber Sellitto.

—Se encargó un equipo de la comisaría del distrito. Nadie vio nada.

—Él lo sabe todo. Y nosotros no sabemos nada.

Sachs vació la caja mientras Rhyme miraba ávidamente cada bolsa de pruebas que sacaba.

—Lucharon. Es posible que haya buenos restos materiales.

—Ojalá.

—He hablado con Abrera, el conserje. Dice que este último mes ha notado cosas extrañas. Sus registros de entrada y salida del trabajo estaban alterados y en su cuenta han aparecido ingresos que él no había hecho.

—Como Jorgensen —sugirió Mel Cooper—. ¿Usurpación de identidad?

—No, no —dijo Rhyme—. Me apostaría algo a que Cinco Dos Dos estaba preparándolo todo para que ese hombre cargara con las culpas. Tal vez un suicidio. Si dejaba una nota en el cuerpo... ¿La tumba era de su mujer y su hijo?

—Exacto.

—Claro. Está desesperado, va a matarse. Confiesa todos los crímenes en su nota de suicidio y cerramos el caso. Pero el guarda del cementerio lo sorprendió con las manos en la masa. Y ahora Cinco Dos Dos está en un aprieto. No puede volver a intentarlo. Ahora estamos en guardia, no podrá engañarnos con un falso suicidio. Tendrá que intentar otra cosa. Pero ¿qué?

Cooper había empezado a inspeccionar las pruebas.

—En la gorra no hay pelos, ningún resto material... Pero ¿sabéis lo que tengo? Un trozo de adhesivo. Pero genérico. No puedo concretar su origen.

—Eliminó los restos con cinta adhesiva o con un rodillo antes de dejar la gorra —dijo Rhyme con una mueca. Ya nada de lo que hacía 522 le sorprendía.

El técnico anunció entonces:

—Del otro sitio, de cerca de la tumba, tengo una fibra. Es similar a la cuerda que utilizó en el crimen anterior.

—Bien. ¿Qué contiene?

Cooper preparó la muestra y la examinó. Un rato después dijo:

—Vale, tengo dos cosas. Lo más corriente es naftalina en un medio cristalino inerte.

—Bolas antipolillas —declaró Rhyme. Aquella sustancia figuraba entre las pruebas de un caso de envenenamiento que había investigado años antes—. Pero serán antiguas. —Explicó que el uso de la naftalina se había abandonado casi por completo en favor de materiales menos peligrosos—. O —añadió— puede que proceda del extranjero. En muchos países la normativa de seguridad sobre productos de consumo es menos exigente.

—También hay otra cosa. —Cooper señaló la pantalla del ordenador. La fórmula de la sustancia que mostraba era Na ($C_6H_{11}NHSO_2O$) —. Y está ligada con lecitina, cera de carnaúba y ácido cítrico.

—¿Qué diablos es eso? —balbució Rhyme.

El técnico consultó otra base de datos.

—Ciclamato de sodio.

—Ah, un edulcorante artificial, ¿no?

—Eso es —contestó Cooper mientras seguía leyendo—. Prohibido por la Agencia de Fármacos y Alimentos hace treinta años. Hay quien sigue recusando la prohibición, pero no se han vuelto a fabricar productos que lo contengan desde los años setenta.

La mente de Rhyme dio entonces varios saltos, imitando el movimiento de sus ojos, que saltaban de un punto a otro de los esquemas de las pruebas.

—Cartón viejo. Moho. Tabaco seco. ¿Pelo de muñeca? ¿Refresco de hace décadas? ¿Y cajas de bolsas de naftalina? ¿Qué demonios se trae entre manos? ¿Es que vive cerca de una tienda de antigüedades? ¿O encima de una?

Prosiguieron con el análisis: restos microscópicos de sesquisulfuro de fósforo, el ingrediente principal de las cerillas; más polvo del World Trade Center; y hojas de dieffenbachia, también llamada «lotería». Una planta doméstica muy común.

Los demás restos materiales incluían fibras de papel de cuaderno amarillo, seguramente de dos tipos distintos, a juzgar por la variación del tono de los tintes. No eran, sin embargo, lo bastante característicos como para concretar su origen. Había, además, restos de aquella sustancia picante que había encontrado Rhyme en el cuchillo empleado para asesinar al coleccionista de monedas, esta vez en cantidad suficiente para examinar el granulado y el color.

—Es pimienta de cayena —anunció Cooper.

Sellitto refunfuñó:

—Antes, con eso se podía situar al sospechoso en un barrio latino. Ahora se puede comprar salsa picante en cualquier sitio. Desde los supermercados a los Seven Elevens.

Sólo había una pista más: una pisada en la tierra de una tumba recién excavada, cerca del lugar del asesinato. Sachs dedujo que era de 522 porque parecía haberla dejado alguien que hubiera ido corriendo desde esa zona hacia la salida del cementerio.

Al cotejar la huella electrostática con la base de datos de pisadas de calzado, descubrieron que los zapatos de 522 eran unos Skechers del número 45, muy gastados, una marca práctica, pero no especialmente elegante, y de un modelo que solían usar trabajadores y senderistas.

Mientras Sachs atendía una llamada, Rhyme le dijo a Thom que anotara los datos en la pizarra a medida que se los fuera dictando. Después se quedó mirando la información. Era mucho más abundante que cuando habían empezado y sin embargo no les llevaba a ninguna parte.

PERFIL DEL SNI 522

- Varón.
- Posiblemente fuma o vive/trabaja con alguien que fuma, o cerca de un lugar donde hay tabaco.
- Tiene hijos o vive/trabaja cerca de ellos o cerca de un lugar con juguetes.
- ¿Le interesan el arte, las monedas?
- Probablemente blanco o de etnia de piel clara.
- Complexión media.
- Fuerte: capaz de estrangular a sus víctimas.
- Tiene acceso a dispositivos de ocultamiento de voz.
- Posiblemente con conocimientos de informática: conoce OurWorld. ¿También otras redes sociales?
- Se lleva trofeos de sus víctimas. ¿Sádico?
- Parte de su casa o lugar de trabajo es oscura y húmeda.
- ¿Vive en el centro de Manhattan o cerca?
- Come aperitivos/salsa picante.
- ¿Vive cerca de una tienda de antigüedades?
- Calza zapatos cómodos, marca Skechers, del número 45.

PRUEBAS MATERIALES NO FALSIFICADAS

- Cartón viejo.
- Pelo de muñeca, nailon 6 BASF B35
- Tabaco de cigarrillos Tareyton.
- Tabaco viejo, no de marca Tareyton, sino de marca desconocida.
- Restos de hongo *Stachybotrys chartarum*.
- Polvo del atentado a las Torres Gemelas. Posiblemente indica que vive o trabaja en el centro de Manhattan.
- Aperitivos con salsa picante/pimienta de cayena.
- Fibra de cuerda con:
  - Restos de refresco *light* edulcorado con ciclamato (antiguo o procedente del extranjero).
  - Bolas antipolillas de naftalina (antiguas o procedentes del extranjero).
- Hojas de lotería (planta de interior).
- Restos de dos cuadernos distintos, de color amarillo.
- Pisada de zapato cómodo Skechers del número 45.

31

—Te agradezco que me hayas hecho un hueco, Mark.

Whitcomb, el subdirector del departamento de autorregulación, sonrió afablemente. Pulaski dedujo que debía de encantarle su trabajo si estaba trabajando todavía a esas horas: eran más de las nueve y media. Claro que él también estaba todavía de servicio, se dijo.

—¿Otro asesinato? ¿Y ha sido el mismo tipo?

—Estamos casi seguros de que sí.

El joven arrugó el ceño.

—Lo siento. Dios mío. ¿Cuándo ha sido?

—Hace unas tres horas.

Estaban en el despacho de Whitcomb, mucho más acogedor que el de Sterling. Y más desordenado, lo que lo hacía tanto más confortable. Whitcomb dejó a un lado el cuaderno en el que estaba haciendo anotaciones y le indicó una silla. Pulaski se sentó y reparó en las fotografías familiares que tenía sobre la mesa y en los bonitos cuadros que adornaban las paredes junto con diversos diplomas y certificados profesionales. Había mirado de un lado a otro por los pasillos desiertos y se alegraba enormemente de que Cassel y Gillespie, los matones del colegio, no estuvieran por allí.

—Oye, ¿ésa es tu mujer?

—Mi hermana. —Whitcomb le dedicó una sonrisa, pero Pulaski había visto otras veces aquella expresión. Parecía decir: «Es un tema doloroso». ¿Habría muerto su hermana?

No, se trataba de la otra respuesta.

—Estoy divorciado. Tengo muchísimo trabajo aquí. Cuesta tener una familia. —El joven movió el brazo, refiriéndose a SSD, dedujo Pulaski—. Pero es un trabajo importante. Importante de verdad.

—Seguro que sí.

Tras intentar en vano hablar con Andrew Sterling, había llamado a Whitcomb, que había accedido a reunirse con él y entregarle los registros horarios de ese día, para ver cuál de los sospechosos estaba fuera de la oficina a la hora del asesinato del guarda.

—Tengo café.

Pulaski reparó en que tenía una bandeja de plata sobre la mesa con dos tazas de porcelana.

—Me he acordado de cómo te gusta.

—Gracias.

El hombre delgado sirvió el café.

El agente probó un sorbo. Estaba bueno. Estaba deseando que llegara el día en que mejorara su economía y pudiera permitirse una cafetera eléctrica. Le encantaba el café.

—¿Todos los días trabajas hasta tan tarde?

—Muy a menudo. La normativa gubernamental es muy dura en cualquier sector, pero en el de la información el problema es que nadie está seguro de qué es lo que quiere. Por ejemplo, los estados pueden recaudar un montón de dinero vendiendo datos de permisos de conducción. En algunos sitios los ciudadanos ponen el grito en el cielo y se prohíbe esa práctica. Pero en otros estados está totalmente aceptada.

»En algunos lugares, si te *hackean* la empresa, tienes que notificar a tus clientes qué información han robado, sean los datos del tipo que sean. En otros estados sólo hay que decirles si es información financiera. Y en algunos no hay que decirles nada. Es un lío. Pero tenemos que estar siempre alerta.

Al pensar en el robo de datos, Pulaski sintió una punzada de mala conciencia por haber sustraído los datos del espacio vacío del ordenador de SSD. Whitcomb había estado con él más o menos a la hora en que había descargado los archivos. ¿Se metería en un lío si se enteraba Sterling?

—Bueno, aquí tienes. —Le pasó unas veinte páginas de registros horarios pertenecientes a ese día.

Pulaski las hojeó, comparando los nombres con el de su lista de sospechosos. Se fijó primero en la hora a la que había salido Miguel Abrera de trabajar: poco después de las cinco de la tarde. Luego le dio un vuelco el corazón cuando su mirada se posó por casualidad en el nombre de Sterling: el consejero delegado se había marchado segundos después que Miguel, como si estuviera siguiendo al conserje... Enseguida, sin embargo, se dio cuenta de que había cometido un error: era Andy Sterling, el hijo, quien había salido de trabajar a esa hora. Su padre se había marchado antes, sobre las cuatro, y había regresado hacía apenas media hora, seguramente después de una cena de trabajo y de tomar unas copas.

De nuevo se enfadó consigo mismo por haber leído mal la hoja. Y había estado a punto de llamar a Lincoln Rhyme al ver que las dos horas de salida estaban tan próximas. Qué vergüenza habría pasado. *Piensa mejor*, se dijo, enfadado.

En cuanto a los otros sospechosos, Faruk Mameda, el altanero técnico del turno de noche, había estado en SSD a la hora del asesinato. Los registros relativos a Wayne Gillespie, el director de operaciones técnicas, revelaban que se había marchado media hora antes que Abrera y que había vuelto a la oficina a las seis y se había quedado un par de horas. Pulaski sintió una mezquina desilusión por que aquello pareciera eliminar al matón de la lista de sospechosos. Todos los demás se habían marchado con tiempo suficiente de seguir a Miguel hasta el cementerio o de llegar antes que él y esperarlo allí. De hecho, la mayoría de los empleados estaban a esa hora fuera de la oficina. Sean Cassel, vio Pulaski, había estado fuera casi toda la tarde, pero había vuelto hacía media hora.

—¿Sirve de algo? —preguntó Whitcomb.

—Un poco. ¿Te importa que me lo quede?

—No, adelante.

—Gracias. —Dobló las hojas y se las guardó en el bolsillo.

—Ah, he hablado con mi hermano. Viene el mes próximo. No sé si te apetecerá, pero se me ha ocurrido que a lo mejor te interesa conocerlo. A tu hermano y a ti, quizá. Podríais contaros historias de polis. —Whitcomb sonrió azorado, como si aquello fuera lo último que podía apetecerle a un agente de policía. Que no lo era, podría haberle dicho Pulaski. A los polis les encantaban las historias de polis.

—Ya sabes —añadió—. Si el caso está ya resuelto para entonces. O ¿cómo decís vosotros?

—Cerrado.

—Como en *The Closer*, esa serie de la tele, claro... Si está cerrado. Seguramente no te puedes tomar una cerveza con un sospechoso.

—Tú no eres sospechoso, Mark —contestó Pulaski, riendo—. Pero sí, seguramente es mejor esperar. Veré si mi hermano puede venir.

—Mark —dijo una voz suave detrás de ellos.

Pulaski se volvió y vio a Andrew Sterling, pantalones de vestir negros y una camisa blanca con las mangas enrolladas. Una sonrisa amable.

—Agente Pulaski, está aquí tan a menudo que debería ponerlo en nómina.

Una sonrisa avergonzada.

—Lo he llamado, pero ha saltado el buzón de voz.

—¿En serio? —El consejero delegado arrugó el entrecejo. Luego sus ojos verdes se enfocaron—. Claro. Hoy Martin se ha ido temprano. ¿Podemos ayudarlo en algo?

El policía estaba a punto de hablarle de los registros horarios cuando Whitcomb se le adelantó:

—Ron me estaba diciendo que ha habido otro asesinato.

—No, ¿de veras? ¿Ha sido la misma persona?

Pulaski comprendió que había cometido un error. Saltarse a Andrew Sterling era una estupidez. A fin de cuentas, no creía que fuera el culpable o que intentara ocultar algo. Sólo había querido conseguir la información lo antes posible... y, francamente, también evitar encontrarse con Cassel o Gillespie, lo cual podría haber sucedido si hubiera ido a pedir los registros horarios al pasillo de dirección.

De pronto, sin embargo, cayó en la cuenta de que había conseguido información sobre SSD de una fuente que no era el propio Sterling: un pecado, cuando no directamente un crimen.

Se preguntó si el empresario notaba su malestar.

—Creemos que sí —dijo—. Al parecer, el asesino tenía en principio intención de asesinar a un empleado de esta empresa, pero acabó matando a un transeúnte.

—¿A qué empleado?

—A Miguel Abrera.

Sterling reconoció el nombre de inmediato.

—De mantenimiento, sí. ¿Se encuentra bien?

—Sí. Un poco impresionado, pero está bien.

—¿Por qué quería matarlo a él? ¿Creen ustedes que sabe algo?

—No puedo decírselo —contestó Pulaski.

—¿Cuándo ha ocurrido?

—Sobre las seis o las seis y media de esta tarde.

Alrededor de los ojos de Sterling aparecieron leves arrugas cuando entornó los párpados.

—Tengo una idea. Lo que debería hacer es consultar los registros de entrada y salida de los sospechosos, agente. Así reduciría la lista de los que tienen coartada.

—Yo...

—Yo me ocupo, Andrew —se apresuró a decir Whitcomb, sentándose ante su ordenador—. Las sacaré de recursos humanos. No tardaré mucho —añadió dirigiéndose a Pulaski.

—Bien —dijo Sterling—. Y avíseme con lo que encuentre.

—Sí, Andrew.

El consejero delegado se acercó y miró a los ojos a Pulaski. Le estrechó la mano con firmeza.

—Buenas noches, agente.

Después de que se marchara, Pulaski dijo:

—Gracias. Debería habérselo pedido a él primero.

—Sí, deberías. He dado por sentado que lo habías hecho. Lo único que no soporta Andrew es que le oculten cosas. Si tiene la información, aunque sean malas noticias, está contento. Tú has visto su lado razonable. El lado no razonable no parece muy distinto, pero lo es, te lo aseguro.

—No te meterás en un lío, ¿verdad?

Una risa.

—Mientras no se entere de que he sacado los registros horarios una hora antes de que lo sugiriera...

Mientras caminaba hacia el ascensor acompañado por Whitcomb, Pulaski miró hacia atrás. Allí, al fondo del pasillo, estaba Andrew Sterling hablando con Sean Cassel. Tenían las cabezas agachadas y el director de ventas asentía. Al agente se le aceleró el corazón. Después, Sterling se alejó. Cassel se volvió y, mientras limpiaba sus gafas con el pañito negro, lo miró directamente. Sonrió a modo de saludo. Su expresión, advirtió el policía, dejaba claro que no le sorprendía lo más mínimo verlo allí.

Se oyó el tintineo que anunciaba la llegada del ascensor y Whitcomb le indicó que entrara.

En el laboratorio de Rhyme sonó el teléfono. Ron Pulaski informó de lo que había descubierto en SSD acerca de las idas y venidas de los sospechosos. Sachs anotó la información en el esquema de sospechosos.

Sólo dos de ellos estaban en la oficina a la hora del asesinato: Mameda y Gillespie.

—Así pues, podría ser cualquier de los otros cinco —masculló Rhyme.

—El edificio estaba prácticamente vacío —comentó el joven agente—. Había pocas personas trabajando a esa hora.

—No hace falta que estén allí —señaló Sachs—. Los ordenadores hacen todo el trabajo.

Rhyme le dijo a Pulaski que se fuera a casa con su familia. Se recostó en el reposacabezas de la silla y miró fijamente la pizarra.

Andrew Sterling, presidente y consejero delegado. Coartada verificada: estuvo en Long Island. Confirmada por su hijo.
Sean Cassel, director de ventas y márquetin. Sin coartada.
Wayne Gillespie, director de operaciones técnicas. Sin coartada.

Coartada para el asesinato del guarda: estaba en la oficina, según los registros horarios de la empresa.

Samuel Brockton, director del departamento de autorregulación. Coartada: el registro del hotel confirma su presencia en Washington.

Peter Arlonzo-Kemper, director de recursos humanos. Coartada: su esposa. Verificada por ella (¿sesgada?).

Steven Shraeder, encargado del servicio técnico y de mantenimiento, turno de día. Coartada: estuvo en la oficina, según su ficha horaria.

Faruk Mameda, encargado del servicio técnico y de mantenimiento, turno de noche. Sin coartada. Coartada para el asesinato del guarda: estuvo en la oficina, según los registros horarios de la empresa.

¿Cliente de SSD? A la espera del listado de la Unidad de Delitos Informáticos.

¿SNI reclutado por Andrew Sterling?

Pero ¿era 522 uno de ellos?, se preguntó Rhyme nuevamente. Pensó en lo que había dicho Sachs sobre el concepto de «ruido» en la minería de datos. ¿Eran aquellos nombres simple ruido? ¿Distracciones para desviarlos de la verdad?

Hizo girar en redondo su TDX y volvió a mirar de frente las pizarras. Había algo que no encajaba. Pero ¿qué era?

—Lincoln...

—Chist.

Algo que había leído o de lo que había oído hablar. No, un caso de hacía años. Pero se le escapaba. Resultaba frustrante. Como intentar rascarse un picor en la oreja.

Se dio cuenta de que Cooper estaba mirándolo. También eso le molestó. Cerró los ojos.

Casi...

¡Sí!

—¿Qué pasa?

Al parecer había hablado en voz alta.

—Creo que ya lo tengo. Thom, tú sigues la cultura popular, ¿no?

—¿Se puede saber qué quieres decir con eso?

—Lees periódicos y revistas. Miras los anuncios. ¿Todavía se fabrican cigarrillos Tareyton?

—Yo no fumo. Nunca he fumado.

—Antes luchar que apagarlo —anunció Sellitto.

—¿Qué?

284

—Ése era el anuncio en los años sesenta. Gente con un ojo morado.

—No lo recuerdo.

—Mi padre solía fumar esa marca.

—¿Todavía se fabrica? Es lo que estoy preguntando.

—No lo sé. Pero no se ve mucho.

—Exacto. Y el otro tabaco que encontramos también era viejo. Así que, fume o no, cabe suponer que colecciona cigarrillos.

—Cigarrillos. ¿Qué clase de coleccionista es ése?

—No, no sólo cigarrillos. Ese refresco antiguo con edulcorante artificial. Quizá latas o botellas. Y bolas de naftalina, cerillas, pelo de muñeca... Y el moho, *Stachybotrys chartarum*, y el polvo de las Torres Gemelas. No creo que signifique que vive en el centro. Creo que sencillamente hace años que no limpia... —Una risa amarga—. ¿Y con qué otra cosa que colecciona nos las hemos visto últimamente? Con datos. Cinco Dos Dos es un coleccionista obsesivo... Creo que es un acumulador.

—¿Un qué?

—Acumula cosas. Nunca tira nada. Por eso todo es tan viejo.

—Sí, creo que he oído hablar de eso —comentó Sellitto—. Es muy raro. Y da grima.

Rhyme había inspeccionado una vez el lugar donde había muerto un acumulador compulsivo, aplastado por un montón de libros. O, mejor dicho, había quedado inmovilizado y había tardado dos días en morir a causa de las lesiones internas. Había descrito la causa de la muerte como «desagradable». No había estudiado a fondo aquel trastorno, pero sabía que en Nueva York había un grupo de trabajo especializado en ayudar a los acumuladores de cosas a recibir tratamiento psicológico y a protegerlos a ellos y a sus vecinos de las consecuencias de su comportamiento compulsivo.

—Vamos a llamar a nuestro psicólogo de referencia.

—¿A Terry Dobyns?

—Puede que conozca a alguien del grupo que trabaja con los acumuladores. Decidle que lo mire. Y que venga en persona.

—¿A estas horas? —preguntó Cooper—. Son más de las diez.

Rhyme ni siquiera se molestó en pronunciar la sentencia que remachaba el día: «Nosotros no estamos durmiendo. ¿Por qué iban a dormir los demás?» Le bastó con una mirada para hacerse entender.

32

Lincoln Rhyme había recobrado fuerzas.

Thom había vuelto a preparar algo de comer y, aunque el criminalista por lo general no disfrutaba especialmente de la comida, le habían gustado los sándwiches de pollo hechos con pan casero que preparaba su asistente.

—Es la receta de James Beard —había dicho Thom, pero aquella referencia al afamado cocinero y escritor culinario no le dijo nada a Rhyme.

Sellitto había engullido un sándwich y se había llevado otro al marcharse a casa («Están aún mejor que los de atún», había aseverado) y Mel Cooper había pedido la receta del pan para Gretta.

Sachs estaba sentada delante del ordenador, enviando unos correos electrónicos. Rhyme iba a preguntarle qué hacía cuando sonó el timbre.

Un momento después, Thom hizo entrar en el laboratorio a Terry Dobyns, el psicólogo de la policía de Nueva York al que Rhyme conocía desde hacía años. Estaba un poco más calvo y tenía algo más de barriga que cuando se habían conocido, durante el amargo periodo que siguió al accidente que lo dejó paralizado, cuando Dobyns se había pasado horas seguidas sentado junto a él. Seguía teniendo, sin embargo, los mismos ojos bondadosos y perspicaces que recordaba Rhyme y una sonrisa tranquilizadora y comprensiva. El criminalista era escéptico respecto a los perfiles psicológicos, prefería la ciencia forense, pero tenía que reconocer que Dobyns había ofrecido de cuando en cuando hipótesis brillantes y muy útiles respecto a los criminales a los que él perseguía.

Dobyns saludó a todo el mundo, aceptó el café de Thom y declinó la comida. Se sentó en un taburete junto a la silla de ruedas de Rhyme.

—Está bien pensado lo del acumulador. Creo que tienes razón. Y primero déjame decirte que he hablado con la gente del grupo de trabajo y que han buscando entre los acumuladores conocidos que hay en la ciudad. No hay muchos y lo más probable es que no sea ninguno de ellos. He descartado a las mujeres, puesto que me habéis dicho lo de las violaciones. De los hombres, la mayoría son mayores o están discapacitados. Los únicos dos que encajan en el perfil viven en Staten Island y en el Bronx y estaban con trabajadores sociales o con miembros de su familia a la hora del asesinato del domingo.

Rhyme no se sorprendió: 522 era demasiado listo para no borrar su rastro, pero había confiado en que hubiera al menos una pequeña pista y le irritó hallarse de nuevo ante un callejón sin salida.

Dobyns no pudo evitar sonreír. Habían tratado de aquel asunto hacía años. Rhyme nunca se había sentido a gusto expresando su rabia o su frustración personales. En lo profesional, en cambio, siempre se le había dado de maravilla.

—Pero puedo daros algunas ideas que tal vez os ayuden. Bien, permitidme que os hable de los acumuladores. Es una variedad de trastorno obsesivo-compulsivo. Se da cuando un sujeto se halla ante conflictos o tensiones que le superan emocionalmente. Concentrarse en un solo comportamiento es mucho más sencillo que afrontar el problema subyacente. Lavarse las manos y contar son síntomas de trastorno obsesivo-compulsivo. Y también lo es amontonar cosas.

»Ahora bien, es raro que alguien que acumula cosas obsesivamente sea peligroso per se. Hay ciertos riesgos para la salud: plagas de animales e insectos, moho y riesgo de incendio. Pero, fundamentalmente, los acumuladores sólo quieren que les dejen en paz. Si pudieran, vivirían rodeados por su colección de cosas y nunca saldrían de casa.

»Vuestro amigo, en fin, es un tipo raro. Una mezcla de narcisismo, comportamiento antisocial y afán de amontonar cosas provocado por un trastorno obsesivo-compulsivo. Si quiere algo, por ejemplo monedas coleccionables o cuadros, o gratificación sexual, tiene que conseguirlo. Sin lugar a dudas. Matar no supone nada para él si de ese modo consigue lo que quiere y al mismo tiempo puede proteger su colección. De hecho, yo llegaría al extremo de afirmar que matar lo tranquiliza. Los seres humanos le producen estrés. Lo decepcionan, lo dejan en la estacada. Pero los objetos inanimados, los periódicos, las cajas de puros, los caramelos, incluso los cadáveres, ésos los puede uno guardar en su guarida. Nunca te traicionan. Imagino que no estaréis interesados en los factores relativos a su infancia que pueden haber forjado su personalidad.

—Pues no, la verdad, Terry —contestó Sachs, y sonrió a Rhyme, que estaba negando con la cabeza.

—En primer lugar, va a necesitar espacio. Espacio a montones. Y teniendo en cuenta el precio de la vivienda en esta zona, o es muy ingenioso o muy rico. Los acumuladores tienden a vivir en casas aisladas, grandes y viejas, o en casas de pueblo. Nunca alquilan. No soportan la idea de que el casero tenga derecho a entrar en su vivienda. Y las ventanas estarán pintadas de negro o tapadas. Tiene que mantener fuera el mundo exterior.

—¿Cuánto espacio? —preguntó Sachs.

—Habitaciones, habitaciones y más habitaciones.

—Algunos de los empleados de SSD deben de tener mucho dinero —comentó Rhyme—. La gente de dirección.

—Bueno, dado que vuestro amigo se desenvuelve tan bien, tiene que llevar una doble vida. Vamos a llamarlas la vida «secreta» y la «fachada». Necesita manejarse en el mundo real para aumentar su colección y mantenerla. Así que guardará las apariencias. Seguramente parte de su casa parecerá normal, o puede que tenga una segunda casa. Preferiría vivir en su guarida secreta, claro, pero si lo hiciera, si sólo viviera en ella, la gente empezaría a sospechar. Así que también tendrá una vivienda similar a la que tendría cualquier persona de su estatus socioeconómico. Puede que las dos viviendas se comuniquen o estén cerca la una de la otra. El piso de abajo podría ser normal y en el de arriba tendría su colección. O en el sótano, quizás.

»En cuanto a su personalidad, en su vida de cara a la galería desempeñará un papel casi opuesto a como es en realidad. Pongamos que la auténtica personalidad de Cinco Dos Dos es taimada y mezquina. Pues en público parecerá comedido, tranquilo, maduro y cortés.

—¿Podría parecer un hombre de negocios?

—Es fácil que así sea. Y hará su papel muy bien. Porque tiene que hacerlo. Eso lo pone furioso, lo llena de resentimiento, pero sabe que, si no lo hace, su colección podría correr peligro, y eso es sencillamente inaceptable para él.

Dobyns echó un vistazo a los esquemas con los datos. Hizo un gesto de asentimiento.

—Bien, veo que tenéis dudas respecto a si tiene hijos. Dudo mucho que los tenga. Lo más probable es que coleccione juguetes. Eso también estaría relacionado con su infancia. Estará soltero, además. Es raro encontrar a un acumulador casado. Su obsesión por coleccionar es demasiado intensa. No querrá compartir su tiempo ni su espacio con otra persona y, francamente, le costará encontrar una pareja lo bastante dependiente como para soportarlo.

»En cuanto al tabaco y las cerillas... Acumula cigarrillos y librillos de cerillas, pero dudo mucho que fume. La mayoría de los acumuladores tienen montones inmensos de periódicos y revistas, objetos inflamables. Este asesino no es tonto. No se arriesgaría a provocar un incendio porque podría destruir su colección. O al menos desvelar su secreto cuando llegaran los bomberos. Y probablemente no tiene particular interés en la numismática ni en el arte. Está obsesionado con coleccionar por el solo hecho de coleccionar. Lo que colecciona es secundario.

—Entonces, ¿es probable que no viva cerca de una tienda de antigüedades?

Dobyns soltó una risa.

—Eso es justamente lo que parecerá su guarida. Pero, naturalmente, sin clientes. Bien, no se me ocurre mucho más, salvo deciros lo peligroso que es. Por lo que me habéis contado, ya habéis interferido en sus planes varias veces. Eso lo pone furioso. Matará a cualquiera que ponga en peligro su botín, lo matará sin pensárselo dos veces. No me cansaré de repetíroslo.

Dieron las gracias a Dobyns. El psicólogo les deseó buena suerte y se marchó. Sachs actualizó los datos del asesino basándose en lo que les había dicho.

PERFIL DEL SNI 522

- Varón.
- Probablemente no fuma.
- Probablemente no tiene ni pareja ni hijos.
- Probablemente blanco o de etnia de piel clara.
- Complexión media.
- Fuerte: capaz de estrangular a sus víctimas.
- Tiene acceso a dispositivos de ocultamiento de voz.
- Posiblemente con conocimientos de informática: conoce OurWorld. ¿También otras redes sociales?
- Se lleva trofeos de sus víctimas. ¿Sádico?
- Parte de su casa o lugar de trabajo es oscura y húmeda.
- ¿Vive en el centro de Manhattan o cerca?
- Come aperitivos/salsa picante.
- Calza zapatos cómodos, marca Skechers, del número 45.
- Acumulador. Sufre un trastorno obsesivo-compulsivo.
- Tendrá una vida «secreta» y una «fachada».
- Su personalidad pública será opuesta a su verdadero yo.
- Vivienda: no alquila, tendrá dos espacios separados, uno normal y uno secreto.
- Las ventanas estarán cubiertas o pintadas.
- Se pondrá violento cuando su colección o su guarida estén en peligro.

—¿Ha sido de ayuda? —preguntó Cooper.

Rhyme sólo pudo encogerse de hombros.

—¿Qué opinas tú, Sachs? ¿Podría ser alguna de las personas con las que hablaste en SSD?

Ella se encogió de hombros.

—Yo diría que Gillespie es el que más se le aproxima. Parecía simplemente raro. Pero Cassel fue el que me pareció más astuto en cuestión de apariencias. Arlonzo-Kemper está casado, lo que lo elimina de la competición, según Terry. Y a los técnicos no los vi. Los entrevistó Ron.

Con un gorjeo electrónico, se abrió en la pantalla la ventana del identificador de llamadas. Era Lon Sellitto. El detective había vuelto a casa, pero al parecer seguía trabajando en el Plan Experto que había ideado con Rhyme poco antes.

—Orden: contestar al teléfono. Lon, ¿cómo va eso?

—Está todo preparado, Linc.

—¿En qué punto estamos?

—Pon las noticias de las once y te enterarás. Yo me voy a la cama.

Rhyme desconectó y encendió el televisor que había en un rincón del laboratorio.

Mel Cooper dijo buenas noches. Estaba guardando sus cosas en el maletín cuando su ordenador emitió un tintineo. Miró la pantalla.

—Amelia, aquí tienes un correo.

Ella se acercó y se sentó.

—¿Es de la Policía del Estado de Colorado, sobre Gordon? —preguntó Rhyme.

Sachs no dijo nada, pero el criminalista notó que levantaba una ceja mientras leía el extenso documento. Metió un dedo entre su pelo largo y rojo, recogido en una coleta, y se rascó el cuero cabelludo.

—¿Qué es?

—Tengo que irme —dijo, y se puso en pie rápidamente.

—¿Qué ocurre, Sachs?

—No es sobre el caso. Llámame si me necesitas.

Y sin más salió por la puerta, dejando tras de sí una nube de misterio tan sutil como el aroma del jabón de lavanda que era desde hacía poco tiempo su favorito.

El caso 522 avanzaba rápidamente.

Pero los policías siempre tenían que conjugar sus investigaciones con otros aspectos de sus vidas, a menudo haciendo malabarismos para conseguirlo.

Por ese motivo aguardaba Sachs, inquieta, delante de una pulcra casa de Brooklyn, no muy lejos de la suya. Hacía una noche agradable. Una brisa delicada, con olor a lilas y a mantillo, bailaba a su alrededor. Apetecía sentarse en el bordillo de la acera o en las gradas de una puerta, en vez de hacer lo que ella se disponía a hacer.

Lo que tenía que hacer.

Dios, odio esto.

Pam Willoughby apareció en la puerta. Llevaba un chándal y el pelo recogido en una coleta. Estaba hablando con otra de las niñas que vivían en el hogar de acogida, otra adolescente. Sus rostros tenían esa expresión conspiradora y al mismo tiempo ingenua que las jovencitas llevan como si fuera maquillaje. Dos perros retozaban a sus pies: *Jackson*, el minúsculo habanero, y *Cosmic Cowboy*, un briard mucho más grande, pero igual de juguetón que vivía con la familia de acogida de Pam.

La policía quedaba allí de vez en cuando con la chica y luego iban a ver una película, a Starbucks o a tomar un helado. La cara de Pam solía iluminarse cuando veía a Sachs.

Esa noche no fue así.

La detective salió del coche y se apoyó contra el capó caliente. Pam cogió a *Jackson* en brazos y se reunió con ella mientras la otra chica la saludaba con la mano y volvía a entrar en la casa con *Cosmic Cowboy*.

—Perdona que venga tan tarde.

—No pasa nada. —La muchacha tenía una actitud cautelosa.

—¿Qué tal los deberes?

—Los deberes son deberes. Unos están bien y otros son un rollo.

Cierto: lo mismo podía decir la propia Sachs.

Acarició al perrillo, al que Pam abrazaba celosamente. Solía comportarse así con sus cosas. Siempre se negaba a que otra persona le llevara la mochila o las bolsas de la compra. Sachs suponía que le habían quitado tantas cosas que se aferraba con todas sus fuerzas a todo lo que podía.

—Bueno, ¿qué pasa?

No se le ocurrió ningún modo de abordar el tema con suavidad.

—He hablado con tu amigo.

—¿Con qué amigo? —preguntó Pam.

—Con Stuart.

—¿Qué?

Sobre su cara angustiada caía la luz fragmentada por las hojas de un gingko.

—Tenía que hacerlo.

—No, no tenías que hacerlo.

—Pam, estaba preocupada por ti. Tengo un amigo en el departamento que se dedica a hacer comprobaciones de seguridad sobre personas y le he pedido que se informara sobre él.

—¡No!

—Quería ver si estaba ocultando algo.

—¡No tenías derecho a hacer eso!

—Tienes razón, pero lo he hecho de todos modos. Y acabo de recibir un correo de mi amigo. —Sintió que los músculos de su estómago se le contraían. Enfrentarse a asesinos, conducir a 270 por hora, eso no era nada. Ahora, en cambio, sentía una agitación profunda.

—¿Y qué pasa? ¿Es un puto asesino? —le espetó Pam—. ¿Un asesino en serie? ¿Un terrorista?

Sachs titubeó. Quería tocar el brazo de la muchacha. Pero no lo hizo.

—No, cariño, pero... está casado.

En medio de la luz moteada, la vio pestañear.

—¿Está... casado?

—Lo siento. Su mujer también es profesora. En un colegio privado, en Long Island. Y tiene dos hijos.

—¡No! Te equivocas.

Sachs vio que tenía la mano libre tan apretada que sin duda se le habían agarrotado los músculos. La ira inundó sus ojos, pero apenas había sorpresa en ellos. La detective se preguntó si estaría reviviendo ciertos recuerdos. Tal vez Stuart le había dicho que no tenía teléfono en casa, sólo un móvil. O quizá le había pedido que usara una cuenta de correo específica, no la que utilizaba para otros asuntos.

Y mi casa es un desastre. Me daría vergüenza que la vieras. Soy profesor, ¿sabes? Somos un poco distraídos... Tengo que buscarme una asistenta.

—Es un error —balbució Pam—. Tienes que haberte confundido con otro.

—Acabo de ir a verlo. Se lo he preguntado y me lo ha dicho.

—¡No es verdad! ¡Te lo estás inventando! —Sus ojos relampaguearon y una sonrisa fría cruzó su cara y fue a clavarse en el corazón de Sachs—. Estás haciendo lo mismo que hacía mi madre. Cuando no quería que hiciera algo, me mentía. Igual que tú ahora.

—Pam, yo nunca...

—¡Todo el mundo me quita cosas! ¡Tú no vas a quitarme esto! Lo quiero y él me quiere a mí, ¡y no vas a quitármelo! —Dio media vuelta y regresó hacia la casa con el perro firmemente agarrado bajo el brazo.

—¡Pam! —A Sachs se le quebró la voz—. No, cariño...

Antes de entrar, la chica lanzó una rápida mirada hacia atrás agitando el pelo, rígida como el hierro, y Amelia Sachs se alegró de que la luz de fondo le impidiera ver su rostro. No habría soportado ver el odio reflejado en ella.

La pifia del cementerio escuece todavía como una quemadura.

Miguel 5465 debería haber muerto. Debería estar pinchado con un alfiler en una tabla recubierta de terciopelo para que la policía lo examinara. Dirían «caso cerrado» y todo volvería a estar bien.

Pero no ha muerto. Esa mariposa se escapó. No puedo intentar de nuevo simular un suicidio. Han descubierto algo sobre mí. Han recabado ciertos datos...

Les odio, les odio, les odio...

Estoy al borde de coger mi navaja y salir a...

Cálmate. Cálmate. Pero con el paso de los años cada vez me cuesta más calmarme. He cancelado ciertas transacciones para esta noche (iba a celebrar el suicidio) y ahora me dirijo a mi Armario. Me ayuda rodearme de mis tesoros. Cruzo las habitaciones fragantes y me acerco varios objetos. Trofeos de diversas transacciones de este último año. Es tan agradable sentir la carne seca, las uñas y el pelo en la mejilla...

Pero estoy agotado. Me siento delante del cuadro de Harvey Prescott y levanto la mirada hacia él. La familia me devuelve la mirada. Como ocurre en la mayoría de sus retratos, sus ojos te siguen allá donde vayas.

Es reconfortante. E inquietante, también.

Quizás uno de los motivos por los que me gusta tanto su obra es que esa gente fue creada de la nada. No tienen recuerdos que los atormenten, que les pongan nerviosos, que les tengan en vela toda la noche y que los empujen a echarse a la calle, a coleccionar tesoros y trofeos.

Ah, los recuerdos...

Junio, cinco años. Padre me hace sentarme, guarda su cigarrillo sin encender y me explica que soy adoptado. «Te trajimos a casa porque te queríamos, te queríamos muchísimo y te queremos, aunque no seas hijo natural nuestro, lo entiendes, ¿verdad?» No exactamente, no. Lo miró con perplejidad. Madre retuerce entre las manos un pañuelo de papel húmedo. Farfulla que me quiere como si me hubiera parido. No, todavía más, aunque no entiendo por qué. Suena a mentira.

Padre se marcha a su otro trabajo. Madre va a ocuparse de los otros niños, me deja solo para que reflexione sobre ello. Siento que me han arrebatado algo, pero no sé qué. Miro por mi ventana. Esto es precioso. Montañas, verde, aire fresco. Pero prefiero mi habitación y allí es adonde voy.

Agosto, siete años. Padre y madre se han estado peleando. Lydia, la mayor de nosotros, está llorando. No te vayas, no te vayas, no te vayas... Yo, por mi parte, hago planes por si pasa lo peor, acumulo provisiones. Comida y peniques: la gente nunca echa de menos un penique. Nadie puede impedirme coleccionarlos: 134 dólares de cobre mate o reluciente. Los tengo escondidos en cajas, en mi armario...

Noviembre, siete años. Padre regresa de donde ha pasado un mes, «arañando ese dólar que se escapa», como dice tantas veces. (Lydia y yo sonreímos cuando lo dice.) Él pregunta dónde están los otros niños. Ella le dice que no podía ocuparse de todos.

—Haz cuentas. ¿En qué coño estás pensando? Coge el teléfono y llama al ayuntamiento.

—Tú no estabas aquí —grita ella.

Lydia y yo no sabemos cómo interpretar aquello, pero sabemos que eso no es bueno.

En mi armario hay 252 dólares, 33 latas de tomate, 18 de otras verduras y 12 de espaguetis. No es que me gusten los espaguetis de lata, pero los tengo. Eso es lo que importa.

Octubre, nueve años. Más asignaciones de niños. Ahora somos nueve. Ayudamos, Lydia y yo. Ella tiene catorce años y sabe ocuparse de los más pequeños. Le pide a padre que compre muñecas a las niñas porque ella nunca tuvo una y es importante, y él dice que cómo van a ganar dinero con el ayuntamiento si se lo gastan en chorradas.

Mayo, diez años. Vuelvo del colegio. Me ha costado un gran esfuerzo coger algunos de los peniques y comprarle una muñeca a Lydia. Tengo muchas ganas de ver cómo reacciona. Pero entonces veo que he cometido un error, he dejado la puerta del armario abierta. Padre está dentro, rompe las cajas para abrirlas. Los peniques yacen como soldados muertos en un campo de batalla. Se llena los bolsillos y se lleva las cajas.

—Lo robas, pues lo pierdes.

Lloro y le digo que me los he encontrado.

—Muy bien —dice, triunfante—. Yo también me los he encontrado, así que eso significa que ahora son míos. ¿Verdad, jovencito? ¿O vas a decirme que no? No puedes. Y, madre mía, aquí hay casi quinientos pavos. —Y se saca el cigarrillo de detrás de la oreja.

¿Quieres entender qué se siente cuando alguien te quita tus cosas, tus soldaditos, tus muñecas, tus peniques? Pues cierra la boca y tápate la nariz. Eso es lo que se siente, y no puedes aguantarlo mucho tiempo sin que pase algo terrible.

Octubre, once años. Lydia se ha ido. Sin dejar una nota. No se ha llevado la muñeca. Jason, de catorce años, viene a vivir con nosotros desde el reformatorio. Una noche se mete en mi cuarto. Quiere mi cama (la mía está seca, la suya no). Duermo en la suya. Todas las noches, durante un mes. Me quejo a padre. Me dice que cierre la boca. Necesitan el dinero y les dan una bonificación por los chavales con T.E. como Jason y... De pronto se calla. ¿Iba a referirse también a mí? No sé qué significa «T.E.». Entonces todavía no lo sé.

Enero, doce años. Destellos de luz roja. Madre está llorando, los otros niños de acogida también. La quemadura que tiene padre en el brazo duele, pero por suerte, dice el bombero, el gas para mecheros que había en el colchón no prende deprisa. Si fuera gasolina, habría muerto. Cuando se llevan a Jason, ojos oscuros bajo cejas oscuras, grita que no sabe cómo han llegado el gas y las cerillas a su cartera. ¡Que él no ha sido, no ha sido! Y tampoco colgó esas fotografías de personas quemadas vivas en su clase del colegio.

—¡Mira lo que has hecho! —le grita padre a madre.

—¡Tú querías la bonificación! —le responde ella chillando.

La bonificación por T.E..

Trastornos emocionales, ya lo he descubierto.

Recuerdos, recuerdos... ¡Ah, de algunas colecciones me desharía de buena gana, las dejaría en un contenedor si pudiera!

Sonrío a mi familia silenciosa, los Prescott. Luego vuelvo al problema que me ocupa: Ellos.

Ya estoy más tranquilo, el nerviosismo se ha embotado. Y confío en que, al igual que mi padre postrado, al igual que el angustiado Jason Stringfellow cuando se lo llevó la policía, al igual que los dieciséis chillando en el clímax de una transacción, aquellos que me persiguen (Ellos) estarán pronto muertos y convertidos en polvo. Y yo seguiré viviendo feliz con mi familia bidimensional y mis tesoros, aquí, en mi armario.

Mis soldados, mis datos, están a punto de entrar en batalla. Soy como Hitler en su búnker de Berlín ordenando a sus tropas de las Waffen-SS que salgan al encuentro de los invasores. Los datos son invencibles.

Veo ahora que son casi las once de la noche. La hora de las noticias. Necesito ver qué saben y qué no sobre la muerte en el cementerio. Pongo la televisión.

La cadena ha «conectado en directo» con el ayuntamiento. El teniente de alcalde, Ron Scott, un hombre de aspecto distinguido, está explicando que la policía ha creado un grupo de trabajo especial a fin de investigar una violación y un asesinato recientes, y el asesinato acaecido esta misma tarde en un cementerio de Queens que parece vinculado con el crimen anterior.

Scott presenta a Joseph Malloy, un inspector del Departamento de Policía de Nueva York que «les hablará del caso con más detalle».

Pero en realidad no lo hace. Enseña un retrato robot del asesino que se parece a mí tanto como a otros doscientos mil hombres más de la ciudad.

¿Blanco o de piel clara? Vamos, por favor.

Aconseja a la gente tener cuidado.

«Creemos que el homicida ha empleado técnicas de usurpación de identidad para acercarse a sus víctimas. Para ganarse su confianza.»

Desconfíen, añade, de cualquiera a quien no conozcan y que sin embargo tenga datos sobre sus compras, cuentas bancarias, planes vacacionales o infracciones de tráfico.

«Incluso cosas de poca importancia a las que normalmente no prestarían atención.»

De hecho, las autoridades municipales acaban de traer a un experto en seguridad y gestión de la información de la Universidad Carnegie Mellon. El doctor Carlton Soames va a pasar unos días ayudando a los investigadores y asesorándoles acerca del tema de la usurpación de identidad. Ése, creen, es el mejor modo de encontrar al asesino.

Soames tiene el pelo alborotado y parece el típico chaval de pueblo del Medio Oeste, pero con estudios. Una sonrisa torpe. El traje un poco torcido, las gafas un poco ahumadas, lo deduzco por su brillo asimétrico. ¿Y cuánto uso tiene ese anillo de casado? Mucho, me apostaría algo. Tiene pinta de haberse casado joven.

No dice nada, pero mira a la prensa y a la cámara como un animal asustado. El capitán Malloy continúa:

«En una época en la que están aumentando los casos de usurpación de identidad, con consecuencias cada vez más fulminantes...»

El calificativo, dicho irreflexivamente, resulta desafortunado.

«... nos tomamos muy en serio nuestra labor de proteger a los vecinos de esta ciudad.»

Los periodistas se lanzan enseguida a la refriega, acribillan al teniente de alcalde, al capitán y al tímido profesor con preguntas dignas de un tercer grado. Malloy, por lo general, contesta con evasivas. La expresión «en curso» es su escudo.

El teniente de alcalde Ron Scott afirma que la ciudad no es peligrosa y que se está haciendo todo lo necesario para proteger a sus habitantes. La conferencia de prensa acaba bruscamente.

Volvemos a las noticias normales, si es que puede llamárselas así. Horta-

lizas contaminadas en Texas; una mujer atrapada en la trasera de una camione-
ta, en una inundación en Misuri. El presidente tiene un resfriado.

Apago el televisor y me siento en mi Armario en penumbra, preguntán-
dome cuál es el mejor modo de procesar esta nueva transacción.

Se me ocurre una idea. Pero es tan obvia que soy escéptico. Y sin embargo (oh, sorpresa) sólo me hacen falta tres llamadas a hoteles cercanos al número uno de Police Plaza para averiguar dónde se aloja el doctor Carlton Soames.

CUARTA PARTE

AMELIA 7303

Martes, 24 de mayo

«No había, desde luego, modo alguno de saber si estabas siendo observado en cualquier momento dado. Sólo podía conjeturarse con qué frecuencia o procedimiento se conectaba la Policía del Pensamiento al cable de un individuo cualquiera. Cabía pensar, incluso, que vigilaban a todo el mundo constantemente.»

GEORGE ORWELL, *1984*

33

Amelia Sachs llegó temprano.

Pero Lincoln Rhyme se había despertado aún más temprano, incapaz de dormir a pierna suelta a causa de los planes que se estaban llevando a la práctica en esos momentos tanto allí como en Inglaterra. Había soñado con su primo Arthur y su tío Henry.

Sachs se reunió con él en la sala de ejercicios, donde Thom estaba volviendo a sentarlo en la silla TDX después de que hiciera ocho kilómetros en la bicicleta estática Electrologic. El pedaleo formaba parte de su plan de ejercicios regulares, a fin de mejorar su estado físico y mantener tonificados sus músculos a la espera del día en que podrían comenzar a funcionar de nuevo y sustituir a los mecanismos que ahora gobernaban su vida.

Tomó el relevo y Thom bajó a preparar el desayuno. Decía mucho de su relación el hecho de que Rhyme hubiera abandonado hacía tiempo su reticencia a que Sachs lo ayudara en su rutina matinal, que muchas personas habrían encontrado desagradable.

Como había pasado la noche en su casa de Brooklyn, Rhyme la puso al corriente de la situación. Pero enseguida notó que estaba distraída. Cuando le preguntó por qué, ella exhaló lentamente y le dijo:

—Es por Pam. —Y le explicó que el novio de la chica había resultado ser un exprofesor suyo. Y que además estaba casado.

—No... —Rhyme hizo una mueca—. Lo siento. Pobrecilla. —Su primer impulso fue amenazar al tal Stuart para que desapareciera de escena—. Llevas una insignia policial, Sachs. Enséñasela. Huirá despavorido. O puedo llamarlo yo, si quieres.

Ella, sin embargo, no creía que fuera el mejor modo de proceder.

—Me da miedo perderla si la presiono demasiado o si denuncio a ese hombre. Y si no hago nada, lo va a pasar fatal. Dios mío, ¿y si se queda embarazada? —Clavó una uña en su dedo pulgar. Se detuvo—. Sería distinto si yo hubiera sido su madre desde el principio. Sabría cómo afrontarlo.

—¿Sí? —preguntó Rhyme.

Sachs se quedó pensando y luego reconoció con una sonrisa:

—Bueno, puede que no. Esto de la paternidad... Los hijos deberían venir con un manual de instrucciones.

En el dormitorio, se encargó de darle el desayuno a Rhyme y desayunó ella también. Al igual que el salón y el laboratorio de abajo, aquel cuarto era mucho más acogedor que la primera vez que lo había visto Sachs, años atrás. En aquel entonces era un lugar inhóspito, cuyos únicos adornos eran algunos carteles de cuadros que, clavados del revés a la pared, habían servido como pizarras improvisadas para el primer caso en el que habían trabajado juntos. Ahora, esos mismos carteles volvían a estar del derecho y a ellos se habían añadido otras reproducciones de cuadros que a Rhyme le gustaban especialmente: paisajes impresionistas y melancólicas escenas urbanas de pintores como George Inness y Edward Hopper. Después de desayunar, Sachs se recostó en su asiento junto a la silla de ruedas y tomó la mano derecha de Rhyme, cuyo tacto y movimiento había recuperado el criminalista hacía poco tiempo, al menos parcialmente. Podía sentir las yemas de sus dedos, pero era una sensación extraña, un tanto alejada de la presión que habría sentido en el cuello o la cara, donde sus nervios funcionaban normalmente. Era como si la mano de Sachs fuera agua deslizándose sobre su piel. Ordenó a sus dedos cerrarse en torno a los de ella. Y sintió la presión de su respuesta. Silencio. Rhyme adivinó por su postura, sin embargo, que quería hablarle de Pam y, sin decir nada, esperó a que continuara. Estuvo contemplando a los halcones peregrinos del alféizar de la ventana: tensos, vigilantes, la hembra mayor que el macho. Sendos manojos de músculos siempre listos para actuar. Los halcones cazan de día, y tenían polluelos que alimentar.

—Rhyme...

—¿Qué? —preguntó.

—Todavía no lo has llamado, ¿verdad?

—¿A quién?

—A tu primo.

Ah, no se trataba de Pam. No se le había ocurrido que pudiera estar pensando en Arthur.

—No, no lo he llamado.

—¿Sabes una cosa? Ni siquiera sabía que tenías un primo.

—¿Nunca te he hablado de él?

—No. Me has hablado de tu tío Henry y de tu tía Paula, pero no de Arthur. ¿Por qué?

—Trabajamos demasiado. No tenemos tiempo para charlar. —Sonrió. Ella no.

¿Debía contárselo?, se preguntó Rhyme. No sentía el impulso de hacerlo porque la explicación apestaba a autocompasión. Y para Lincoln Rhyme eso era un veneno. Aun así, se merecía saber algo. Es lo que tiene el amor: en los rincones umbríos donde se encuentran las esferas de dos vidas distintas, ciertos fundamentos (el estado de ánimo, las predilecciones, los temores y la furia) no pueden esconderse. Ése es el acuerdo.

Así pues, se lo contó.

Le habló de Adrianna y Arthur, de aquel gélido día de invierno, cuando el concurso de ciencias, y de las mentiras de después, del vergonzante examen forense del Corvette y hasta de su hipotético regalo de compromiso: un pedazo de cemento de la era atómica. Sachs asintió con la cabeza y Rhyme se rió para sus adentros. Porque sabía que estaría pensando: ¿y es para tanto? Un poco de amor adolescente, una pizca de doblez y otra de desamor. Munición de pequeño calibre en el arsenal de las ofensas personales. ¿Cómo era posible que algo tan simple hubiera echado a perder una amistad tan profunda?

Erais como hermanos...

—Pero ¿no dijo Judy que Blaine y tú ibais a visitarlos de vez en cuando años después? Parecía que estaba todo arreglado.

—Sí, así es. Quiero decir que sólo fue un amor de instituto. Adrianna era muy guapa. Alta y pelirroja, por cierto.

Sachs se rió.

—Pero no valía la pena romper una amistad por eso.

—Así que hay algo más, ¿verdad?

Rhyme no dijo nada al principio. Luego explicó:

—Poco antes de mi accidente, fui a Boston. —Bebió un poco de café a través de una pajita—. Tenía que intervenir en un congreso internacional sobre ciencia forense. Estaba en el bar, después de dar mi conferencia y se me acercó una mujer. Era una profesora del MIT, ya jubilada. Le había llamado la atención mi apellido. Me dijo que había tenido un alumno del Medio Oeste en su clase, hacía años. Se llamaba Arthur Rhyme. Me preguntó si era familia mía.

»Le dije que era mi primo y me habló de una cosa muy interesante que había hecho Arthur. Con su solicitud de ingreso, presentó un artículo científico en vez de un simple trabajo de clase. Era brillante, me dijo la profesora. Original, bien documentado, riguroso... Y si quieres alabar a un científico, Sachs, no tienes más que decirle que su trabajo es "riguroso". —Se quedó callado un momento—. El caso es que la profesora animó a Arthur a desarrollarlo y a publicarlo en una revista científica. Pero él nunca lo hizo. La profesora no se había mantenido en contacto con él y quería saber si había seguido trabajando en ese campo de investigación.

»Sentí curiosidad. Le pregunté de qué trataba el artículo. Dio la casualidad de que se acordaba del título: *Efectos biológicos de ciertos materiales de nanopartículas.* Dicho sea de paso, Sachs, fui yo quien lo escribió.

—¿Tú?

—Era un trabajo que había escrito para presentarlo a un concurso de ciencia escolar. Quedó el segundo del estado. Era un trabajo bastante original, lo reconozco.

—¿Arthur te lo robó?

—Sí. —A pesar de los años transcurridos, la ira volvió a bullir dentro de él—. Pero la cosa no acaba ahí.

—Continúa.

—Después del congreso, no podía quitarme de la cabeza lo que me había dicho la profesora. Me puse en contacto con la secretaría del MIT. Guardaban en microficha todas las solicitudes de ingreso. Me enviaron una copia de la mía. Pero había algo que estaba mal. El impreso de solicitud era el que les había mandado, estaba firmado por mí. Pero todo lo que habían recibido del instituto, de la oficina del orientador, estaba cambiado. Arthur se hizo con mi expediente y lo alteró. Me puso notables donde tenía sobresalientes. Redactó cartas de recomendación falsas muy poco entusiastas. Sonaban a cartas tipo. Seguramente eran las que había recibido él de sus profesores. Y la recomendación de mi tío Henry no figuraba en el expediente.

—¿Arthur la quitó?

—Y cambió mi trabajo por la típica redacción con el tema «Por qué quiero ir al MIT». Incluso puso unas cuantas faltas de ortografía bien escogidas.

—Vaya, lo siento. —Le apretó la mano con más fuerza—. Y Adrianna trabajaba en la oficina del orientador, ¿no? Así que lo ayudó.

—No. Eso pensé al principio, pero conseguí dar con ella y la llamé. —Soltó una risa desabrida—. Hablamos de la vida, de nuestros matrimonios, de sus hijos, de nuestros respectivos trabajos. Y luego del pasado. Siempre se había preguntado por qué corté con ella como lo hice. Le dije que pensaba que había decidido salir con Arthur.

»Se sorprendió y me explicó que no, que sólo le había hecho un favor a mi primo ayudándolo con su solicitud de ingreso en la universidad. Arthur se pasó unas cuantas veces por su oficina sólo para hablar de las clases, para echar un vistazo a algunos ejemplos de trabajos de presentación y cartas de recomendación. Le contó que el orientador de su instituto era muy malo y que tenía muchísimas ganas de ingresar en una buena facultad. Le pidió que no se lo dijera a nadie, y menos a mí. Le daba vergüenza necesitar ayuda, así que quedaron un par de veces a escondidas. Todavía se sentía culpable por haber mentido por él.

—Y cuando ella se iba al cuarto de baño o a hacer una fotocopia, él saqueaba tu expediente.

—Eso es.

Pero si Arthur no le ha hecho daño a nadie en toda su vida. Es incapaz de hacerlo...

Te equivocas, Judy.

—¿Estás completamente seguro? —preguntó Sachs.

—Sí, porque justo después de hablar con ella llamé a Arthur.

Rhyme podía oír la conversación casi palabra por palabra.

—¿Por qué, Arthur? Dime por qué. —No había habido otro saludo, aparte de éste.

Un silencio. La respiración de Arthur.

Y aunque habían pasado años desde aquella traición, su primo había comprendido de inmediato a qué se refería. No se había interesado por saber cómo se había enterado Lincoln, ni había intentado negarlo, fingirse inocente o hacerse el desentendido.

Había reaccionado atacando.

—Muy bien, ¿quieres saber la respuesta, Lincoln? —le había espetado con ira—. Pues voy a decírtela. El premio de Navidad.

—¿El premio? —había preguntado Rhyme, estupefacto.

—El que te dio mi padre en el concurso de la cena de Nochebuena, cuando estábamos en el último curso del instituto.

—¿El cemento? ¿El del estadio Stagg Field? —Rhyme había arrugado el ceño, desconcertado—. ¿Qué quieres decir? Tiene que haber algo más, la causa no pudo ser un *souvenir* que sólo tiene importancia para un puñado de personas en el mundo.

—¡Me lo merecía yo! —había vociferado su primo, actuando como si la víctima fuera él—. Mi padre me puso Arthur en recuerdo del director del proyecto atómico. Yo sabía que guardaba aquel recuerdo. Sabía que iba a dármelo cuando me graduara en el instituto o en la universidad. ¡Iba a ser mi regalo de graduación! ¡Llevaba años deseándolo!

Rhyme se había quedado sin palabras. Allí estaban, dos hombres adultos hablando como niños acerca de un tebeo robado o una golosina.

—Se desprendió de algo que me importaba muchísimo. ¡Y te lo dio a ti! —A Arthur se le había quebrado la voz. ¿Estaba llorando?

—Yo sólo contesté a unas preguntas. Era un juego.

—¿Un juego? ¿Qué clase de juego era ése, joder? ¡Era Nochebuena! Deberíamos haber estado cantando villancicos o viendo *Qué bello es vivir*. Pero no, no, mi padre tenía que convertirlo todo en una puta clase. ¡Era bochornoso! Era aburrido. Pero nadie tenía cojones para decirle nada al gran profesor.

—Dios mío, Art, no fue culpa mía. Sólo fue un premio que gané. No te robé nada.

Una risa cruel.

—¿No? Bueno, Lincoln, ¿nunca se te ha ocurrido pensar que quizá sí me robaste algo?

—¿Qué?

—¡Piénsalo! Quizás... a mi padre. —Había hecho una pausa, respirando profundamente.

—¿De qué demonios estás hablando?

—¡Tú me lo robaste! ¿Te has preguntado alguna vez por qué nunca quise hacer atletismo en la universidad? ¡Porque tú eras el que más corría! ¿Y académicamente? Tú eras su hijo, no yo. Eras tú quien iba a sus clases en la Universidad de Chicago, tú quien lo ayudaba en sus investigaciones.

—Esto es una locura... También a ti te pedía que asistieras a sus clases. Me consta.

—Con una vez tuve suficiente. La emprendió conmigo, me acosó hasta que me dieron ganas de llorar.

—Tu padre sometía a examen a todo el mundo, Art. Por eso era tan brillante. Te hacía pensar, te azuzaba hasta que le dabas la respuesta correcta.

—Pero algunos nunca le dábamos la respuesta correcta. Yo era bueno, pero no era genial. Y el hijo de Henry Rhyme tenía que ser genial. Sin embargo, no importaba, porque te tenía a ti. Robert se marchó a Europa, Marie se fue a vivir a California. Y ni siquiera entonces se interesó por mí. ¡Era a ti a quien quería!

Su otro hijo...

—Yo no pedí ese papel. No intenté sabotearte.

—¿No? Ah, cuánta inocencia. ¿Acaso no le seguiste la corriente? Te pasabas accidentalmente por nuestra casa los fines de semana, hasta cuando yo no estaba. ¿No lo invitabas a ir a tus competiciones de atletismo? Claro que sí. Contéstame a una cosa, ¿a cuál de los dos preferías de verdad como padre, al tuyo o al mío? ¿Te halagó tu padre alguna vez? ¿Te animaba desde las gradas? ¿Te dedicó alguna vez esa mirada de aprobación con la ceja levantada?

—Todo eso son tonterías —había replicado Rhyme—. Tenías problemas con tu padre, ¿y qué hiciste? Me saboteaste a mí. Podría haber entrado en el MIT ¡y tú lo echaste a perder! Mi vida entera cambió. De no haber sido por ti, todo habría sido distinto.

—Bueno, yo puedo decir lo mismo, Lincoln. Puedo decir lo mismo...
—Una carcajada amarga—. ¿Lo intentaste alguna vez con tu padre? ¿Cómo crees que se sentía teniendo un hijo como tú, cien veces más listo que él? Te ibas constantemente porque preferías estar con tu tío. ¿Le diste alguna oportunidad a Teddy?

Al oír aquello, Rhyme había colgado el teléfono. Había sido la última vez que hablaron. Unos meses después, quedó paralítico mientras investigaba la escena de un crimen.

Todo habría sido distinto.

Cuando acabó su relato, Sachs dijo:

—Por eso no vino a verte después del accidente.

Rhyme asintió con un gesto.

—En aquel momento, mientras no podía hacer otra cosa que estar tendido en la cama, pensaba que si Art no hubiera cambiado mi solicitud de ingreso yo habría entrado en el MIT y quizás estaría trabajando en la Universidad de Boston, o habría ingresado en la policía de Boston, o habría venido a Nueva York tarde o temprano. Pero en cualquier caso seguramente no habría estado inspeccionando aquel lugar en el metro y... —Su voz se disolvió en el silencio.

—El efecto mariposa —comentó Sachs—. Una cosita del pasado cambia por completo el futuro.

Él asintió. Y supo que Sachs podía asimilar aquella información con piedad y comprensión y no hacer juicios de valor acerca de sus implicaciones de mayor alcance: ¿qué habría preferido Rhyme? ¿Poder caminar y llevar una vida normal, o ser un tullido y quizás un criminalista aún mejor precisamente por ello y, por supuesto, ser su pareja?

Así era Amelia Sachs.

Rhyme esbozó una sonrisa.

—Lo curioso, Sachs, es que...

—¿Que tenía parte de razón en lo que te dijo?

—Mi padre nunca parecía fijarse en mí. Desde luego nunca me retaba intelectualmente, como hacía mi tío. Es cierto que me sentía como el otro hijo del tío Henry. Y me gustaba.

Había llegado a darse cuenta de que quizás, inconscientemente, sí que había perseguido a Henry Rhyme, siempre tan enérgico y lleno de vida. Recordó de pronto, en rápida sucesión, una docena de veces en que se había sentido avergonzado por la timidez de su padre.

—Pero no es excusa para lo que hizo —comentó ella.

—No, no es excusa.

—Aun así... —comenzó a decir.

—¿Vas a decir que eso fue hace mucho tiempo, que es agua pasada y que hagamos borrón y cuenta nueva?

—Algo así —respondió con una sonrisa—. Judy dijo que había preguntado por ti. Te está tendiendo la mano. Perdónalo.

Erais como hermanos...

Rhyme paseó la mirada por la inerme topografía de su cuerpo paralizado. Luego volvió a fijarla en Sachs.

—Voy a demostrar que es inocente —dijo en voz baja—. Voy a sacarlo de la cárcel. Le devolveré su vida.

—No es lo mismo, Rhyme.

—Puede que no, pero es lo único que puedo hacer.

Sachs iba a decir algo, quizá con intención de insistir, pero la cuestión de Arthur Rhyme y su traición se desvaneció en cuanto sonó el teléfono y en la pantalla del ordenador apareció el número de Lon Sellitto.

—Orden: responder al teléfono. Lon, ¿dónde estás?

—Hola, Linc. Sólo quería que supieras que nuestro experto informático va para allá.

Ese tipo me suena, pensó el portero cuando lo saludó amablemente con la cabeza al salir del hotel Water Street.

Le devolvió el saludo.

El hombre, que iba hablando por el móvil, se detuvo junto a la puerta mientras la gente lo esquivaba. Estaba hablando con su mujer, dedujo el portero. Luego cambió de tono.

—Patty, cariño...

Una hija. Tras una breve conversación sobre un partido de fútbol, volvió a hablar con la esposa, en tono más adulto, pero aun así cariñoso.

El portero sabía que encajaba en cierta categoría. Llevaba quince años casado. Era un hombre fiel, estaba deseando llegar a casa, con una bolsa llena de regalos horteras, pero sinceros. No era como otros huéspedes, como esos ejecutivos que llegaban llevando su alianza de bodas y salían a cenar sin anillo en el dedo. O como las ejecutivas que entraban un poco achispadas en el ascensor, acompañadas por un compañero de trabajo cachas (ésas nunca se quitaban el anillo; no les hacía falta).

Lo que no sepa un portero... Yo podría escribir un libro.

Pero la duda seguía reconcomiéndolo: ¿por qué le sonaba tanto aquel tipo?

Entonces le oyó decir, riendo:

—¿Me viste? ¿También salió en las noticias allí? ¿Mamá también me vio? *Verlo... ¿Un famoso de la tele?*

Espera, espera. Casi lo tengo...

Ah, ya lo tengo. Anoche, viendo el telediario. Claro. Era un profesor, o un doctor o algo así. Sloane o Soames... Un experto en informática de alguna universidad de postín. Ese del que hablaba Ron Scott, el teniente de alcalde. Iba a ayudar a la policía con ese asesinato del domingo y con algún otro crimen.

Entonces el profesor se puso muy serio y dijo:

—Claro, cariño, no te preocupes. No va a pasarme nada. —Desconectó y miró a su alrededor.

—Oiga, señor —dijo el portero—. Lo vi en la tele.

El profesor sonrió tímidamente.

—¿Sí? —Pareció avergonzado por su interés—. ¿Haría el favor de decirme cómo llegar a Police Plaza?

—Está aquí al lado. A unas cinco manzanas. Junto al ayuntamiento. No tiene pérdida.

—Gracias.

—Buena suerte. —El portero vio acercarse una limusina, contento de haberse codeado fugazmente con un semifamoso. Podía contárselo a su mujer.

Entonces sintió un golpe casi doloroso en la espalda cuando otro hombre salió a toda prisa por la puerta del hotel, empujándolo. El tipo no miró atrás ni se disculpó.

Capullo, pensó el portero mientras lo miraba caminar deprisa y con la cabeza gacha en la misma dirección que el profesor. Pero no dijo nada. *Por muy maleducados que sean, hay que aguantarse.* Podían ser huéspedes, o amigos de huéspedes, o podían alojarse en el hotel dentro de una semana. O incluso podían ser ejecutivos de la oficina central, poniéndote a prueba.

Aguantar y callarse. Ésa era la norma.

El profesor de la tele y aquel gilipollas maleducado volaron de sus pensamientos cuando se adelantó para abrir la puerta de una limusina que acababa de parar delante del hotel. Vio de cerca un terso canalillo cuando la huésped salió del coche. Aquello era mejor que una propina, y de todos modos sabía (tenía la absoluta certeza) de que ella no iba a dársela.

Yo podría escribir un libro.

34

La muerte es muy sencilla.

Nunca he entendido por qué la gente la complica. El cine, por ejemplo. No soy fan de las películas de suspense, pero he visto unas cuantas. A veces salgo con una dieciséis para mantener a raya el aburrimiento, para guardar las apariencias o porque luego voy a matarla, y nos sentamos en un cine. Es más fácil que ir a cenar, no tienes que hablar tanto. Y veo la película y pienso: *¿Qué narices pasa en pantalla, que tienen que buscar formas tan retorcidas de matar?*

¿Para qué usar cables y dispositivos electrónicos, armas y argumentos complicados cuando puedes acercarte a alguien y matarlo a golpes con un martillo en treinta segundos?

Sencillo y eficaz.

Y, ojo, que nadie se engañe: la policía no es tonta (resulta irónico que muchos de ellos cuenten con la ayuda de SSD e innerCircle). Cuanto más complicado es el plan, más probabilidades hay de que haya testigos y de dejar algo que pueda servirles de pista para dar contigo.

Mis planes de hoy para el dieciséis al que voy siguiendo por las calles de la parte baja de Manhattan son la sencillez misma.

Ya me he olvidado del chasco de ayer en el cementerio y estoy eufórico. Tengo una misión y gracias a ella aumentaré una de mis colecciones.

Mientras sigo a mi objetivo voy sorteando dieciséis a derecha e izquierda. Vaya, fíjate en ellos... Se me acelera el pulso. Me palpita la cabeza al pensar que todos estos dieciséis son colecciones en sí mismos: colecciones de su pasado. Más información de la que podemos asimilar. El ADN no es, a fin de cuentas, más que una base de datos de nuestros cuerpos y nuestra historia genética que se remonta a miles de años atrás. Si pudiera volcarse eso en un disco duro, ¿cuántos datos podrían extraerse? Comparado con eso, innerCircle parecería un Commodore 64.

Es apabullante...

Pero volvamos a la tarea que me ocupa. Esquivo a una joven dieciséis, huelo el perfume que se ha puesto esta mañana en su piso de Staten Island o Brooklyn en un penoso intento de irradiar eficiencia, con el único resultado de parecer vulgarmente seductora. Me aproximo a mi objetivo sintiendo el roce reconfortante de la pistola pegada a mi piel. El conocimiento puede ser una forma de poder, pero hay otras casi igual de efectivas.

—Eh, profesor, hay movimiento por ahí.

—Ajá —contestó Roland Bell, cuya voz brotó de los altavoces de la furgoneta de vigilancia en la que aguardaban Lon Sellitto, Ron Pulaski y varios agentes de las fuerzas especiales.

Bell, un detective del Departamento de Policía de Nueva York que de vez en cuando colaboraba con Rhyme y Sellitto, iba recorriendo el trayecto entre el hotel Water Street y el número uno de Police Plaza. Había cambiado los vaqueros, la camisa y la americana que solía llevar por un traje arrugado, dado que estaba haciendo el papel del ficticio profesor Carlton Soames.

O, como había dicho con su acento de Carolina del Norte, «un cebo apestoso con su gancho y su cordel».

—¿A qué distancia? —susurró dirigiéndose al micrófono que llevaba en la solapa, tan invisible como el minúsculo auricular sujeto a su oreja.

—Detrás de ti, a unos quince metros.

—Mmm.

Bell se hallaba en el centro del Plan Experto de Lincoln Rhyme, basado en su creciente comprensión de 522.

—No va a caer en nuestra trampa informática, pero se muere por conseguir información, lo sé. Necesitamos una trampa distinta. Hay que convocar una conferencia de prensa para hacerlo salir a la luz. Que anuncien que hemos contratado a un experto y que algún policía de incógnito suba al escenario.

—Estás dando por sentado que ve la tele.

—Bueno, estará atento a los medios para ver cómo estamos manejando el caso, sobre todo después del incidente en el cementerio.

Sellitto y Rhyme habían contactado con alguien ajeno al caso: Roland Bell siempre estaba dispuesto a echarles una mano si no estaba ocupado en otra misión. Seguidamente, el criminalista había llamado a un amigo de la Universidad Carnegie Mellon, donde había dado conferencias un par de veces. Le había hablado de los crímenes de 522 y las autoridades de la universidad, renombrada por sus estudios en seguridad de alta tecnología, habían accedido a prestarles ayuda. Su *webmaster* había incluido al doctor Carlton Soames en la página de la universidad.

Rodney Szarnek había redactado un currículum falso para Soames, lo había enviado a decenas de páginas científicas y había creado una página web creíble para el propio Soames. Sellitto había reservado una habitación para el profesor en el hotel Water Street y convocado la conferencia de prensa y aguardaba ahora para ver si 522 se tragaba el cebo de aquella trampa.

Y al parecer así había sido.

Bell había salido del hotel Water Street hacía poco rato y se había detenido mientras fingía mantener una conversación telefónica. Había permanecido a plena vista el tiempo suficiente para asegurarse de que 522 advertía su presencia. El dispositivo de vigilancia mostraba que un hombre había abandonado precipitadamente el hotel justo después que Bell e iba siguiéndolo.

—¿Lo reconoces de SSD? ¿Es uno de los sospechosos de nuestra lista? —le preguntó Sellitto a Pulaski, que estaba sentado a su lado, mirando el monitor.

Más o menos a una manzana de Bell había cuatro agentes de paisano, dos de ellos pertrechados con cámaras de vídeo.

Pero en medio de las calles atestadas de gente costaba ver claramente la cara del asesino.

—Podría ser uno de los técnicos de mantenimiento. O casi parece el propio Andrew Sterling, qué raro. Bueno, no, puede que sea porque tiene unos andares parecidos. No estoy seguro, lo siento.

Sellitto, que sudaba copiosamente en el interior sofocante de la furgoneta, se secó la cara, se inclinó hacia delante y dijo al micrófono:

—Vale, profesor, Cinco Dos Dos está avanzando. A unos doce metros detrás de ti. Lleva traje oscuro y corbata oscura. Y un maletín. Su forma de andar sugiere que va armado.

La mayoría de los policías que han trabajado en las calles durante años son capaces de reconocer la diferencia de postura y forma de caminar de un sospechoso cuando lleva un arma.

—Entendido —respondió lacónicamente el agente, que llevaba dos pistolas y era capaz de manejarlas con ambas manos.

—Madre mía —masculló Sellitto—, espero que esto funcione. De acuerdo, Roland, adelante, gira a la derecha.

—Mmm.

Rhyme y Sellitto no creían que 522 fuera a disparar al profesor en la calle. ¿Qué conseguiría matándolo? El criminalista tenía la hipótesis de que la intención del asesino era secuestrar a Soames, averiguar qué sabía la policía y matarlo después, o quizás amenazarlo a él y a su familia para conseguir que saboteara la investigación. Así pues, el plan exigía que Roland Bell diera un rodeo y pasara por una zona desierta donde 522 pudiera abordarlo. Entonces lo detendrían. Sellito había encontrado un solar en obras que serviría para tal propósito. Había un largo tramo de acera, vallado para impedir el paso a los transeúntes, por el que podía atajarse para llegar al número uno de Police Plaza. Bell haría caso omiso de la señal de «prohibido el paso» y enfilaría la acera, donde tras recorrer diez o doce metros se perdería de vista. Al otro extremo de la acera aguardaba un equipo listo para intervenir cuando se acercara 522.

El detective cambió de dirección, sorteó la cinta que cortaba el paso y avanzó por la acera polvorienta mientras el estruendo de los martillos hidráulicos y las perforadoras, transmitido por el micrófono de Bell, retumbaba en el interior de la furgoneta.

—Te tenemos a la vista, Roland —dijo Sellitto cuando uno de los agentes sentados a su lado pulsó un interruptor y apareció en pantalla la imagen de otra cámara de vigilancia—. ¿Lo estás viendo, Linc?

—No, Lon, están poniendo *Bailando con los famosos*. Ahora van a salir Jane Fonda y Mickey Rooney.

—Se llama *Bailando con las estrellas*, Linc.

La voz de Rhyme resonó en la furgoneta.

—¿Girará Cinco Dos Dos? ¿O va a asustarse? Vamos, vamos...

Sellitto movió el ratón e hizo doble clic. En una pantalla segmentada apareció la imagen de una de las videocámaras del equipo de Búsqueda y Vigilancia. Mostraba un enfoque distinto: Bell, de espaldas, avanzaba por la acera alejándose de la cámara. El detective miraba con curiosidad el solar de la obra, como haría cualquier transeúnte. Un momento después apareció tras él 522, lejos todavía y mirando a su alrededor, aunque saltaba a la vista que no le interesaban los obreros: estaba atento a posibles testigos o a la aparición de la policía.

Entonces dudó, miró a su alrededor una vez más y comenzó a acortar la distancia.

—Muy bien, atento todo el mundo —ordenó Sellitto—. Se está acercando a ti, Roland. Dentro de unos cinco segundos te perderemos de vista, así que no te descuides. ¿Entendido?

—Sí —contestó tranquilamente el agente, como si contestara a un camarero que acabara de preguntarle si quería un vaso con su botella de Budweiser.

35

Roland Bell no estaba tan tranquilo como parecía.

Viudo y padre de dos hijos, tenía una bonita casa a las afueras y una novia en Carolina del Norte a la que estaba a punto de proponer matrimonio, y todos esos asuntos domésticos tendían a inclinar el fiel de la balanza hacia el lado negativo cuando te pedían que hicieras de cebo en una misión encubierta.

Aun así, Bell no podía evitar cumplir con su deber, y especialmente tratándose de un tipo como aquel 522, un violador y un asesino, una variedad criminal por la que sentía particular aborrecimiento. Y, a decir verdad, tampoco le molestaba la emoción trepidante de operaciones como aquélla.

«Todos encontramos nuestro nivel», solía decir su padre cuando él era pequeño, y en cuanto se había dado cuenta de que no se refería a una herramienta extraviada, Bell había abrazado aquella máxima como la piedra angular de su existencia.

Llevaba la chaqueta desabrochada y la mano preparada para sacar su pistola preferida, un ejemplo de las mejores armas italianas, y apuntar y disparar. Se alegraba de que Lon Sellitto se hubiera callado. Necesitaba oír acercarse a aquel tipo, y el golpeteo de la perforadora ya hacía bastante ruido. Aun así, concentrándose intensamente, oyó el arañar de unos zapatos por la acera, a su espalda.

Unos diez metros.

Sabía que el equipo de detención estaba delante de él, aunque no pudiera verlos ni ellos a él debido a la curva cerrada que describía la acera. El plan era que detuvieran a 522 en cuanto lo permitiera la situación y no hubiera peatones en peligro. Aquella parte de la acera todavía era visible desde una calle cercana y desde el solar en obras, y calculaban que el asesino no atacaría hasta que Bell estuviera más cerca de los agentes de la unidad táctica. Pero parecía estar avanzando más deprisa de lo que habían previsto.

Bell confió, sin embargo, en que esperara todavía unos minutos: si estallaba allí un tiroteo, podían correr peligro los trabajadores de la obra y algunos peatones.

El aspecto logístico de la detención se evaporó de su mente, sin embargo, cuando oyó dos cosas al mismo tiempo: el sonido de los pasos de 522 echando a correr hacia él y, lo que era mucho más alarmante, la alegre cháchara en español de dos mujeres, una de ellas empujando un carrito de bebé, que salieron de detrás del edificio situado junto a él. Los agentes de la unidad táctica habían cortado el acceso a la acera, pero al parecer nadie había avisado a los administradores de los edificios cuyas puertas traseras daban a ella.

Bell miró hacia atrás y vio que las mujeres caminaban entre él y 522, que lo miraba fijamente mientras corría hacia él. Llevaba en la mano una pistola.

—¡Tenemos problemas! Hay dos civiles en medio. ¡El sospechoso va armado! Repito, va armado. ¡Corred!

Bell echó mano de su Beretta, pero una de las mujeres gritó al ver a 522 y saltó hacia atrás, chocando con el policía, que cayó de rodillas. Su arma fue a parar a la acera. El asesino parpadeó, sorprendido, y se detuvo, preguntándose sin duda por qué un profesor universitario iba armado. Sin embargo se repuso enseguida y apuntó a Bell, que estaba echando mano de su otra pistola.

—¡No! —gritó el asesino—. ¡Ni lo intentes!

El agente no pudo hacer otra cosa que levantar las manos. Oyó decir a Sellitto:

—El primer equipo estará ahí en treinta segundos, Roland.

El asesino no dijo nada, se limitó a gruñir a las mujeres para que huyeran, cosa que hicieron. Después dio un paso adelante y apoyó la pistola en el pecho de Bell.

Treinta segundos, pensó el detective respirando trabajosamente.

Podrían haber sido una eternidad.

El capitán Joseph Malloy salió del aparcamiento del número uno de Police Plaza molesto por no haber tenido noticias de la operación en la que iba a participar el detective Roland Bell. Sabía que Sellitto y Rhyme estaban ansiosos por encontrar al asesino y había accedido a regañadientes a convocar aquella conferencia de prensa falsa, pero le parecía que era pasarse de la raya y temía que se armara un escándalo si fracasaba el plan.

Qué diablos, se armaría de todos modos si funcionaba. Una de las reglas elementales del gobierno municipal era no fastidiar a la prensa. Y menos aún en Nueva York.

Estaba metiendo la mano en el bolsillo para sacar su móvil cuando sintió que algo le tocaba la espalda. Un contacto insistente y enérgico. Una pistola.

No, no...

Se le desbocó el corazón.

Oyó entonces una voz tranquila.

—No se vuelva, capitán. Si se vuelve me verá la cara y por tanto morirá. ¿Entendido? —Sin saber por qué, a Malloy le sorprendió que su voz sonara tan cultivada.

—Espere...

—¿Entendido?

—Sí. No...

—En la próxima esquina va a girar a la derecha, hacia ese callejón, y a seguir andando.

—Pero...

—No llevo silenciador en la pistola, pero el cañón está tan cerca de su cuerpo que nadie sabrá de dónde viene el sonido y yo me habré marchado antes de que caiga usted al suelo. Además, la bala lo atravesará y con tanta gente estoy seguro de que dará a alguien más. Y usted no quiere que eso ocurra.

—¿Quién es usted?

—Ya sabe quién soy.

Joseph Malloy llevaba toda la vida en la policía y, desde que su esposa había muerto a manos de un atracador enloquecido por las drogas, su trabajo se había convertido en algo más que una profesión: era una obsesión. Podía formar parte de la plana mayor, podía dedicarse a tareas administrativas, pero seguía teniendo el instinto que años atrás había afinado en las calles del distrito centro-sur. Comprendió de inmediato.

—Cinco Dos Dos.

—¿Qué?

Calma. Mantén la calma. Si estás tranquilo, no pierdes el control.

—Es el hombre que mató a esa mujer el domingo y al guarda del cementerio ayer por la tarde.

—¿Cinco Dos Dos? ¿Qué quiere decir?

—Así es como lo llamamos internamente en el departamento. Sujeto no identificado cinco, dos, dos. —*Dale algunos datos. Haz que se relaje. Entabla conversación.*

El asesino soltó una risa fugaz.

—¿Un número? Qué interesante. Ahora, tuerza a la derecha.

Bueno, si quisiera matarte ya estarías muerto. Sólo necesita saber algo, o bien quiere secuestrarte para negociar con la policía. Relájate. Está claro que no va a matarte. No quiere que le veas la cara. Vale, ¿Lon Sellitto dijo que lo llamaban «el hombre que todo lo sabe»? Pues consigue información sobre él que puedas usar tú.

Quizá consigas salir de ésta a base de labia.

Quizá logres que baje la guardia y puedas acercarte a él lo bastante para matarlo con tus propias manos.

Joe Malloy era perfectamente capaz de hacerlo, tanto física como mentalmente.

Tras recorrer unos metros, 522 le pidió que se detuviera en el callejón. Le puso un gorro en la cabeza y se lo bajó para taparle los ojos. Bien. Un inmenso alivio. *Mientras no lo vea, seguiré vivo.* Le ató las manos con cinta aislante y lo cacheó. Poniéndole una mano con firmeza sobre el hombro, lo hizo avanzar y meterse en el maletero de un coche.

Un trayecto en coche en medio de un calor sofocante, el espacio reducido, las piernas dobladas. Un coche compacto. *De acuerdo, toma nota. No quema gasolina. Y tiene buena suspensión. Anotado. No huele a cuero. Anotado.* Malloy intentó llevar la cuenta de los cambios de dirección, pero era imposible. Prestó atención a los ruidos: el sonido del tráfico, un martillo neumático. Nada de raro en eso. Y gaviotas y la bocina de un barco. *¿De qué rayos va a servirte eso para saber dónde estás? Manhattan es una isla. ¡Consigue algo útil! Espera: la dirección asistida hace ruido. Eso sí sirve. Acuérdate.*

Veinte minutos después se detuvieron. Malloy oyó el ruido de una puerta de garaje al cerrarse, una puerta grande, con engranajes o juntas que chirriaban. Se sobresaltó cuando el maletero se abrió de repente y soltó un corto grito. Lo envolvió un aire fresco, pero de olor mohoso. Respiró ansiosamente, llenándose los pulmones de aire a través de la lana húmeda del gorro.

—Salga.

—Quería decirle algunas cosas. Soy capitán de...

—Sé quién es.

—Tengo mucho poder en el departamento. —Malloy se sintió satisfecho. Su voz sonaba firme. Parecía razonable—. Podemos llegar a un acuerdo.

—Venga aquí. —522 lo ayudó a salir del maletero.

Luego lo hizo sentarse.

—Estoy seguro de que tiene motivos de queja, pero yo puedo ayudarlo. Dígame por qué hace esto, por qué comete esos crímenes.

Silencio. ¿Qué iba a ocurrir? ¿Tendría ocasión de luchar?, se preguntó Malloy. ¿O tendría que seguir abriéndose paso por la mente de aquel hombre? Ya lo habrían echado en falta. Quizá Sellitto y Rhyme ya se habrían dado cuenta de lo ocurrido.

Entonces oyó un ruido.

¿Qué era?

Varios chasquidos, seguidos por una voz electrónica de timbre metálico. El asesino parecía estar probando una grabadora.

Después, otro ruido: uno metálico, como si estuviera recogiendo herramientas.

Y finalmente el inquietante chirrido del metal al arañar el cemento cuando el asesino arrastró su silla, acercándola tanto a la de Malloy que sus rodillas se tocaron.

36

Un cazarrecompensas.

Habían atrapado a un puñetero cazarrecompensas.

O, como puntualizó él mismo, a un «especialista en recuperación de fianzas».

—¿Cómo cojones ha pasado? —quiso saber Lincoln Rhyme.

—Estamos intentando averiguarlo —contestó Lon Sellitto, que aguardaba, sudoroso y polvoriento, junto a la obra. A su lado, con las esposas puestas, estaba sentado el hombre que había seguido a Roland Bell.

No estaba exactamente detenido. De hecho, no había hecho nada malo. Tenía licencia para portar armas y sólo había intentado efectuar la detención de un hombre al que creía un criminal perseguido por la justicia. Sellitto, sin embargo, estaba cabreado y había ordenado que lo esposaran.

Roland Bell estaba al teléfono, intentando averiguar si 522 había sido visto en algún lugar de aquella zona, pero de momento los equipos de detención no habían detectado a nadie que encajara con su somera descripción del asesino.

—Podría estar en Tombuctú —le dijo Bell a Sellitto al cerrar el teléfono.

—Miren... —comenzó a decir el cazarrecompensas desde el bordillo donde estaba sentado.

—Cállate —bramó el corpulento detective por tercera o cuarta vez, y retomó su conversación con Rhyme—. Ha seguido a Roland, se ha acercado a él y parecía que iba a liquidarlo, pero por lo visto sólo iba siguiendo a un tipo en busca y captura. Pensaba que Roland era un tal William Franklin. Se parecen, Franklin y Roland. El tal Franklin vive en Brooklyn, se saltó la fecha de un juicio por atraco a mano armada y posesión de armas. La empresa que le prestó el dinero para la fianza lleva seis meses detrás de él.

—Esto es obra de Cinco Dos Dos, ¿sabes? Ha encontrado a ese tal Franklin en el sistema y ha mandado al cazarrecompensas detrás de él para mantenernos distraídos.

—Lo sé, Linc.

—¿Alguien ha visto algo útil? ¿Había alguien vigilándonos?

—No. Roland acaba de hablar con todos los equipos.

Silencio. Luego Rhyme preguntó:

—¿Cómo ha sabido que era una trampa?

Aunque ésa no era la cuestión principal. En realidad, sólo había un interrogante para el que quisieran respuesta, y era: «¿qué diablos está tramando?»

¿Es que creen que soy idiota?

¿Pensaban que no iba a sospechar?

A estas alturas ya han oído hablar de los proveedores de servicios de conocimiento. Sobre cómo predecir el comportamiento de los dieciséis basándose en su conducta pasada y la de otros. Un concepto que forma parte de mi vida desde hace mucho, mucho tiempo. Debería formar parte de la vida de todo el mundo. ¿Cómo reaccionará tu vecino de al lado si haces tal cosa? ¿Cómo reaccionará si haces tal otra? ¿Cómo se comporta una mujer cuando la acompañas a un coche mientras te ríes? ¿Y cuando te quedas callado y hurgas en tu bolsillo en busca de algo?

He estudiado sus transacciones desde el momento en que empezaron a interesarse por mí. Las he clasificado, las he analizado. A veces han estado brillantes. Por ejemplo, esa trampa suya: informar de la investigación a clientes y empleados de SSD y esperar a que echara un vistazo a los ficheros del Departamento de Policía de Nueva York sobre el caso de Myra 9834. Estuve a punto de hacerlo, me faltó muy poco para dar al «Intro» y empezar la búsqueda, pero tuve la corazonada de que había algo raro. Ahora sé que tenía razón.

¿Y la conferencia de prensa? Ah, esa transacción olía a gato encerrado desde el principio. Pautas de conducta predecibles y asentadas que no encajaban. Porque ¿desde cuándo las autoridades municipales y la policía convocan a los periodistas a esas horas de la noche? Y la terna que se subió al estrado, saltaba a la vista que era una farsa.

Naturalmente, podía ser cierto: hasta los mejores algoritmos de lógica difusa y predicción de conducta se equivocan de vez en cuando. En todo caso me convenía asegurarme. No podía hablar con ninguno de Ellos directamente, ni siquiera de pasada.

Así que hice lo que se me da mejor.

Miré en los armarios, me asomé a los datos silenciados a través de mi ventana secreta. Averigüé más cosas acerca de los tipos que se habían subido al estrado en la conferencia de prensa: Rob Scott, el teniente de alcalde, y el capitán Malloy, el supervisor de la investigación que están llevando a cabo contra mí.

Y también sobre el otro, el profesor. El doctor Carlton Soames.

Salvo... que no era tal cosa.

Era un señuelo de la policía.

En el motor de búsqueda aparecían referencias a un tal profesor Soames, tanto en la página web de la Carnegie Mellon como en la suya personal. Su currículum estaba también convenientemente alojado en diversas páginas.

Pero sólo tardé unos segundos en descifrar el código de esos documentos y examinar los metadatos. Todo lo relativo al falso profesor había sido redactado y subido ayer mismo.

¿Es que creen que soy idiota?

Si hubiera tenido tiempo, podría haberme enterado de quién era el poli. Podría haber ido al archivo de la página web de la cadena de televisión, haber buscado la conferencia de prensa, congelado una imagen de la cara del tipo y hecho un escáner biométrico. Habría cotejado esa imagen con los archivos del Departamento de Tráfico de la zona y con las fotografías de personal de la policía y el FBI y habría dado con su verdadera identidad.

Pero habría sido un montón de trabajo, y además no me hacía falta. No me importaba quién fuera. Lo único que necesitaba era distraer a la policía y ganar tiempo para localizar al capitán Malloy. Ése sí era una fuente de información fiable sobre la operación.

Me fue fácil encontrar una orden de busca y captura en vigor de un tipo que guardaba cierto parecido con el policía que hacía el papel de Carlton Soames: un varón blanco de treinta y tantos años. Después sólo fue cuestión de llamar al prestamista, afirmar que era un conocido del prófugo y que lo había visto en el hotel Water Street. Describí la ropa que llevaba y colgué enseguida.

Mientras tanto, esperé en el aparcamiento, cerca de Police Plaza, donde el capitán Malloy aparca su Lexus de gama baja todas las mañanas entre las 07.48 y las 09.02 (el coche necesita hace tiempo un cambio de aceite y de neumáticos, según los datos del concesionario).

Sorprendí al enemigo a las 08.35 en punto.

Luego siguió el secuestro, el trayecto hasta el almacén del West Side y el uso juicioso del metal forjado para descargar la memoria de una base de datos admirablemente valerosa. Siento la satisfacción indecible y superior al placer sexual de saber que he completado una colección: las identidades de todos los dieciséis que van a por mí, de algunas de las personas vinculadas a Ellos y de cómo están llevando el caso.

Cierta información fue especialmente reveladora. (El apellido Rhyme, por ejemplo. Ésa es la clave de por qué me encuentro en este aprieto, ahora lo entiendo.)

Mis soldados emprenderán pronto la marcha, penetrarán en Polonia y en Renania...

Y, tal como esperaba, he conseguido una cosa para esa otra colección mía, una de mis favoritas, por cierto. Debería esperar a estar de vuelta en mi Armario, pero no puedo resistirme. Saco la grabadora y pulso el botón de rebobinado y luego el *play*.

Una feliz coincidencia: encuentro el instante exacto en que los gritos del capitán Malloy alcanzan un *crescendo*. Hasta a mí me dan escalofríos.

Despertó de un sueño inquieto, lleno de abruptas pesadillas. El nudo corredizo le había dejado la garganta dolorida por dentro y por fuera, pero lo peor era el picor de su boca reseca.

Arthur Rhyme recorrió con la mirada la habitación del hospital, oscura y sin ventanas. O, mejor dicho, la celda de la enfermería de los Tombs, no muy distinta a su propia celda o a aquella espantosa sala común donde había estado a punto de ser asesinado.

Entró un enfermero o un celador, examinó una cama vacía y anotó algo.

—Perdone —dijo con voz ronca—. ¿Puedo ver a un médico?

El hombre, un afroamericano corpulento, lo miró. Arthur sintió una oleada de pánico pensando que era Antwon Johnson que había robado un uniforme y se había colado allí con intención de acabar lo que había empezado.

Pero no, era otro. Aun así, sus ojos eran igual de fríos que los de Antwon y le dedicaron tan poca atención como a una mancha del suelo. Se marchó sin decir palabra.

Pasó media hora durante la cual Arthur se adormiló a ratos.

Después volvió a abrirse la puerta y levantó la mirada sobresaltado cuando entraron a otro paciente. Había tenido una apendicitis, dedujo. La operación había terminado y se estaba recuperando. Un celador lo ayudó a tumbarse en la cama. Le pasó un vaso.

—No te lo bebas. Enjuágate y escupe.

El hombre bebió.

—No, te estoy diciendo que...

El paciente vomitó.

—¡Joder! —El celador le arrojó un puñado de toallas de papel y se marchó.

El nuevo compañero de habitación de Arthur se quedó dormido agarrando las toallas.

Fue entonces cuando Arthur miró por la ventana de la puerta. Fuera había dos hombres, uno latino y el otro negro. Este último lo miró fijamente, con los ojos achicados, y le susurró algo al otro, que también miró un momento.

Había algo en su actitud y sus caras que le hizo comprender que su interés no obedecía a simple curiosidad por ver al preso al que había salvado Mick el pellizquero.

No, estaban memorizando su cara. ¿Para qué?

¿Ellos también querían matarlo?

Otra oleada de pánico. ¿Era sólo cuestión de tiempo que se salieran con la suya?

Cerró los ojos, pero luego decidió que no debía dormir. No se atrevía. Se acercarían a él cuando estuviera dormido, se le echarían encima si cerraba los ojos, si no permanecía atento a todo y a todos cada minuto del día.

Y ahora su angustia era absoluta. Judy le había dicho que Lincoln quizás había encontrado algo que podía demostrar su inocencia. Su mujer no sabía qué era, de modo que no tenía modo de deducir si su primo sólo estaba siendo optimista o si había descubierto alguna prueba concreta de que su detención había sido un error. Le enfurecía aquella vaga esperanza. Antes de hablar con su mujer, se había resignado a vivir en el infierno y a una muerte inminente.

Te estoy haciendo un favor, hombre. Joder, de todos modos te ahorcarías dentro de un mes o dos. Vamos, deja de resistirte...

Ahora, en cambio, al darse cuenta de que la libertad era posible, la resignación había cedido su lugar al pánico. Veía ante sí una esperanza que podían arrebatarle.

Su corazón comenzó a latir de nuevo frenéticamente.

Echó mano del botón de llamada. Lo pulsó una vez. Luego otra.

No hubo respuesta. Un momento después otros dos ojos aparecieron en la ventana. Pero no eran los de un médico. ¿Era uno de los reclusos que había visto antes? No lo sabía. El hombre lo miraba fijamente.

Luchando por dominar el miedo que recorría su columna como una corriente eléctrica, pulsó el botón otra vez y luego lo soltó.

Siguió sin haber respuesta.

Los ojos de la ventana pestañearon una vez y a continuación desaparecieron.

37

—Metadatos —dijo Rodney Szarnek por el manos libres desde el laboratorio de informática del Departamento de Policía de Nueva York.

Le estaba explicando a Lincoln Rhyme cómo era probable que 522 hubiera averiguado que su «experto» era en realidad un policía de incógnito.

Sachs, que estaba allí cerca con los brazos cruzados, pellizcándose la manga, le recordó lo que le había dicho Calvin Geddes, de Privacidad Ya.

—Son datos sobre datos. Insertos en los documentos.

—Exacto —confirmó Szarnek al oír su comentario—. Seguramente vio que el currículum lo creamos anoche.

—Mierda —murmuró Rhyme. *En fin, no se puede pensar en todo.* Y luego: *Pero tienes que hacerlo cuando te enfrentas a un hombre que lo sabe todo.* Y ahora el plan que podía haber servido para atraparlo se había venido abajo. Era la segunda vez que fallaban.

Y lo que era peor aún: habían mostrado sus cartas. Del mismo modo que ellos habían descubierto su estratagema del suicidio, él había descubierto cómo actuaban y ahora tenía una defensa contra futuras tácticas.

El conocimiento es poder...

Szarnek añadió:

—Le he pedido a alguien de la Carnegie Mellon que rastree las direcciones de todas las personas que visitaron sus páginas web esta mañana. Media docena de referencias tenían su origen en Nueva York, pero procedían de terminales públicos, sin rastro de los usuarios. Dos eran de servidores proxy europeos, y los conozco: no van a cooperar.

Naturalmente.

—Ahora tenemos alguna información procedente de los archivos de espacio vacío que sacó Ron de SSD. Está tardando un poco. Estaban... —Al parecer decidió evitarles la explicación técnica y añadió—: muy embarullados, pero ya hemos juntado varios fragmentos. Parece que en efecto alguien reunió dosieres y los descargó. Tenemos un *nym*, quiero decir un apodo o un nombre cifrado. *Corredor*. Eso es todo por ahora.

—¿Alguna idea de quién es? ¿Un empleado, un cliente, un pirata informático?

—No, ninguna. He llamado a un amigo del FBI para pedirle que lo buscaran en su base de datos de apodos conocidos y direcciones de correo electrónico. Han encontrado unos ochocientos *Corredores*, pero ninguno en el área metropolitana. Dentro de poco sabremos algo más.

Rhyme pidió a Thom que escribiera el nombre «Corredor» en la lista de sospechosos.

—Hablaremos con SSD, a ver si alguien reconoce ese nombre.

—¿Y el listado de clientes del CD?

—Tengo a una persona revisándolo manualmente. El código que escribí sólo nos ha servido hasta cierto punto. Hay demasiadas variables: productos de consumo distintos, bonos de transporte, tarjetas de telepeaje... La mayoría de las empresas se bajaron cierta información de las víctimas, pero estadísticamente de momento no destaca ningún sospechoso.

—Está bien.

Rhyme desconectó.

—Lo hemos intentado —dijo Sachs.

Intentarlo... Él levantó una ceja, un gesto que no significaba absolutamente nada.

Sonó el teléfono y en el identificador de llamadas apareció el nombre de Sellitto.

—Orden: responder... Lon, ¿alguna...?

—Linc.

Algo iba mal. A través del altavoz, su voz sonó hueca, temblorosa.

—¿Otra víctima?

Sellitto carraspeó.

—Esta vez ha sido uno de los nuestros.

Alarmado, Rhyme miró a Sachs, que se había inclinado involuntariamente hacia el teléfono y había descruzado los brazos.

—¿Quién? Dínoslo.

—Joe Malloy.

—No —musitó Sachs.

Rhyme cerró los ojos y apoyó la cabeza en el respaldo de su silla.

—Claro, por supuesto. Ésa era la trampa, Lon. Lo tenía todo planeado. —Bajó la voz—. ¿Se ha empleado a fondo?

—¿Qué quieres decir? —preguntó Sachs.

Rhyme contestó en voz baja:

—No se ha limitado a matar a Malloy, ¿verdad?

La voz temblorosa de Sellitto era penosa de escuchar.

—No, Linc, no.

—¿De qué estáis hablando? ¡Decídmelo! —gritó Sachs bruscamente.

Rhyme la miró a los ojos, dilatados por el espanto que sentían ambos.

—Lo preparó todo porque quería información. Y torturó a Joe para conseguirla.

—Dios mío.

—¿No es así, Lon?

El corpulento detective suspiró. Tosió.

—Sí. Ha sido horrible, la verdad. Ha utilizado varias herramientas. Y por la cantidad de sangre, parece que Joe aguantó bastante tiempo. El muy cabrón lo remató de un disparo.

Sachs tenía la cara roja de furia. Manoseaba la empuñadura de su Glock.

—¿Joe tenía hijos? —preguntó entre dientes.

Rhyme recordó que la esposa del capitán había sido asesinada hacía un par de años.

—Una hija en California —respondió Sellitto—. Ya la he llamado.

—¿Estás bien? —preguntó Sachs.

—No, no estoy bien. —Otra vez se le quebró la voz.

Rhyme pensó que nunca lo había visto tan afectado.

Oyó en su cabeza la voz de Joe Malloy al reprocharle que hubiera «olvidado» informar sobre el caso 522. El capitán, elevándose sobre cualquier posible gesto mezquino, les había respaldado a pesar de que el criminalista y Sellitto no habían sido sinceros con él.

La labor policial iba antes que el ego.

Y 522 lo había torturado y asesinado sencillamente porque necesitaba información. Maldita información...

Luego, sin embargo, Rhyme recurrió a la pétrea dureza que llevaba dentro. A ese desapasionamiento que, como afirmaban algunos, era señal de un espíritu estragado, pero que, según creía él, le permitía hacer mejor su trabajo. Dijo con firmeza:

—Bien, sabéis lo que quiere decir esto, ¿verdad?

—¿Qué? —preguntó Sachs.

—Que ha declarado la guerra.

—¿La guerra? —inquirió Sellitto.

—Nos la ha declarado a nosotros. No va a esconderse, no a va a huir. «Jodeos», nos está diciendo. Va a contraatacar y cree que puede salirse con la suya. ¿Matar a un mando policial? Sí, desde luego. Ha dibujado el frente de batalla. Y ahora lo sabe todo sobre nosotros.

—Puede que Joe no se lo dijera —dijo Sachs.

—No, se lo dijo. Hizo todo lo que pudo por aguantar, pero al final se lo dijo. —No quería ni imaginarse por lo que habría tenido que pasar el capitán mientras intentaba guardar silencio—. No ha sido culpa suya, pero ahora estamos todos en peligro.

—Tengo que hablar con los jefes —dijo Sellitto—. Quieren saber qué ha salido mal. El plan no les gustaba desde el principio.

—No me cabe duda de que no. ¿Dónde ha sido?

—En un almacén, en Chelsea.

—Un almacén... Perfecto para un acumulador. ¿Tenía alguna relación con él? ¿Trabaja allí? ¿Os acordáis de los cómodos zapatos que usa? ¿O sólo lo encontró hurgando entre los datos? Quiero saber todo lo antedicho.

—Lo comprobaré —dijo Cooper. Sellitto le dio la dirección del almacén.

—Y tenemos que inspeccionar el lugar del crimen. —Rhyme miraba a Sachs, que asintió con la cabeza.

Cuando el detective colgó, el criminalista preguntó:

—¿Dónde está Pulaski?

—Volviendo de la operación con Roland Bell.

—Vamos a llamar a SSD. Tenemos que averiguar dónde estaban todos nuestros sospechosos a la hora de la muerte de Malloy. Algunos debían de estar en la oficina. Quiero saber quién no estaba. Y quiero saber algo sobre ese *Corredor*. ¿Crees que Sterling cooperará?

—Sí, desde luego —respondió Sachs, recordando lo solícito que se había mostrado desde el principio de la investigación. Activó el manos libres e hizo la llamada.

Contestó uno de los asistentes y ella se identificó.

—Hola, detective Sachs. Soy Jeremy. ¿En qué puedo ayudarla?

—Necesito hablar con el señor Sterling.

—Lo siento, pero no está disponible.

—Es muy importante. Ha habido otro asesinato. Un oficial de policía.

—Sí, lo he oído en las noticias. Lo siento mucho. Espere un momento. Martin acaba de entrar.

Oyeron una conversación en voz baja. Después les llegó otra voz a través del teléfono.

—Detective Sachs, soy Martin. Siento lo de ese nuevo asesinato, pero el señor Sterling no está en la oficina.

—Es muy importante que hablemos con él.

—Le haré saber que es urgente —contestó con calma el asistente.

—¿Y Mark Whitcomb o Tom O'Day?

—Espere un momento, por favor.

Tras un largo silencio, volvieron a oír la voz del joven:

—Me temo que Mark también está fuera. Y Tom está en una reunión. Les he dejado un mensaje. Tengo otra llamada, detective Sachs. Tengo que dejarla. Y siento muchísimo lo de su capitán.

—«Tú, que cruzarás de orilla a orilla en años venideros, eres para mí y para mis cavilaciones mucho más de lo que imaginas.»

Sentada en un banco, mirando hacia el río East, Pam Willoughby sintió un vuelco en el corazón y comenzaron a sudarle las manos.

Miró hacia atrás y vio a Stuart Everett bañado por el sol que brillaba sobre Nueva Jersey. Camisa azul, vaqueros, americana, la bolsa de cuero colgada del hombro. Su cara juvenil, el mechón de pelo castaño sobre la frente, los labios finos a punto de romper en una sonrisa que a menudo nunca llegaba.

—Hola —dijo ella alegremente, y se enfadó consigo misma: quería hablar con aspereza.

—Hola. —Miró hacia el norte, hacia la base del puente de Brooklyn—. La calle Fulton.

—¿El poema? Lo sé. Es «Travesía en el ferri de Brooklyn».

De *Hojas de hierba*, la obra maestra de Walt Whitman. Después de que Stuart Everett mencionara el libro en clase, Pam se había comprado una edición cara pensando que así, de algún modo, estarían más unidos.

—No lo mandé leer en clase. ¿Y aun así lo conoces?

La joven no contestó.

—¿Puedo sentarme?

Ella asintió con un gesto.

Se quedaron callados. Pam olió su colonia. Se preguntó si se la habría comprado su mujer.

—Supongo que has hablado con tu amiga.

—Sí.

—Me cayó bien. Bueno, al principio, cuando llamó, pensé que iba a detenerme.

La expresión ceñuda de Pam se convirtió en sonrisa.

Stuart añadió:

—Estaba disgustada, pero eso está bien. Se preocupa por ti.

—Amelia es la mejor.

—No podía creer que fuera policía.

Es policía, y además investiga a mi novio. Vivir en la ignorancia no está tan mal, se dijo Pam. *Tener demasiada información es un asco.*

Stuart la cogió de la mano. Ella quiso apartarla, pero aquel impulso se desvaneció al instante.

—Mira, vamos a aclarar esta situación.

Pam mantuvo los ojos fijos en la distancia. Mirar los ojos castaños de Stuart, bajo aquellos párpados un poco caídos, sería una pésima idea. Contempló el río y el puerto, más allá. Todavía había ferris, pero el tráfico fluvial se componía en su mayor parte de barcos privados o cargueros. Se sentaba a menudo allí, junto al río, a observarlos. Obligada a vivir en la clandestinidad, en lo profundo de los bosques del Medio Oeste, con una madre trastornada y un hatajo de ultraderechistas fanáticos, había desarrollado una especie de fascinación por los ríos y los mares. Eran abiertos, libres y estaban en constante movimiento. Esa idea la reconfortaba.

—No he sido sincero, lo sé, pero mi relación con mi mujer no es lo que parece. Ya no me acuesto con ella. Hace mucho tiempo que no.

¿No era eso lo primero que decía un hombre en un momento como aquél?, se preguntó Pam. Ni siquiera había pensado en el sexo, sólo en el hecho de que estaba casado.

—No quería enamorarme de ti —continuó él—. Pensaba que seríamos amigos, pero resultaste ser distinta a todos los demás. Iluminaste algo dentro de mí. Eres preciosa, eso es evidente. Pero también eres, en fin, como Whitman. Nada convencional. Lírica. Una poeta a tu modo.

—Tienes hijos —dijo Pam sin poder remediarlo.

Una vacilación.

—Sí. Pero te gustarían. John tiene ocho años. Chiara está en el instituto. Tiene once. Son unos chicos maravillosos. Por eso seguimos juntos Mary y yo, es la única razón.

Su mujer se llamaba Mary. La chica se lo había estado preguntando.

Stuart le apretó la mano.

—Pam, no quiero separarme de ti.

Se inclinó hacia él, sintió el consuelo de su brazo rozando su cuerpo, olió su perfume seco y agradable, sin importarle quién le hubiera comprado la loción de afeitar. Pensó: *Seguramente iba a decírmelo tarde o temprano.*

—Iba a decírtelo dentro de una semana o así. Te lo juro. Estaba armándome de valor.

Ella sintió temblar su mano.

—Veo las caras de mis hijos y me digo que no puedo deshacer la familia.

Y luego llegas tú, la persona más increíble que he conocido nunca... Hace tanto tiempo que me siento solo...

—Pero ¿qué hay de las fiestas? —preguntó ella—. Yo quería que hiciéramos algo juntos en Acción de Gracias o en Navidad.

—Seguramente podré escaparme de una de ellas. Por lo menos, parte del día. Sólo tenemos que planearlo con tiempo. —Bajó la cabeza—. El caso es que no puedo vivir sin ti. Si tienes paciencia, encontraremos una solución.

Pam pensó en la única noche que habían pasado juntos. Una noche secreta de la que nadie sabía nada. En casa de Amelia Sachs, un día que su amiga se quedó a dormir con Lincoln Rhyme y tuvieron la casa para ellos solos. Fue mágico. Deseó que todas las noches de su vida pudieran ser como aquélla.

Apretó la mano de Stuart aún más fuerte.

—No puedo perderte —susurró él.

Se arrimó un poco más, sentado en el banco. Pam encontraba consuelo en cada centímetro cuadrado de contacto entre sus cuerpos. Incluso había escrito un poema sobre él en el que describía su mutua atracción como «gravitatoria»: una de las fuerzas fundamentales del universo.

Apoyó la cabeza en su hombro.

—Te prometo que no volveré a ocultarte nada. Pero, por favor... Tengo que seguir viéndote.

Pensó en los momentos maravillosos que había pasado, momentos que para cualquier otra persona parecerían tonterías, insignificancias.

Nada de eso.

El consuelo era como agua cálida sobre una herida: se llevaba el dolor.

Mientras habían estado en fuga, Pam y su madre habían vivido rodeadas de hombres mezquinos que les pegaban «por su bien» y que no dirigían la palabra a sus esposas o hijos, salvo para corregirles o mandarles callar.

Stuart ni siquiera pertenecía al mismo universo que aquellos monstruos.

—Dame sólo un poco más de tiempo —susurró él—. Todo se arreglará, te lo prometo. Seguiremos viéndonos como hasta ahora... Oye, tengo una idea. Sé que querías viajar. El mes que viene hay un congreso de poesía en Montreal. Podría pagarte el billete de avión, conseguirte una habitación. Podrías asistir a las conferencias. Y tendríamos las tardes libres.

—Te quiero. —Pam se inclinó hacia su cara—. Entiendo que no me lo hayas dicho, de verdad.

Él la abrazó con fuerza y la besó en el cuello.

—Pam, estoy tan...

De pronto, ella se apartó y apretó su mochila contra el pecho como un escudo.

—Pero no, Stuart.

—¿Qué?

Pam pensó que el corazón nunca le había latido tan deprisa.

—Llámame cuando te divorcies y entonces ya veremos. Pero hasta entonces, no. No puedo seguir viéndome contigo.

Había dicho lo que creía que diría Amelia Sachs en un momento como aquél. Pero ¿podía comportarse igual y no echarse a llorar? Amelia no lloraría. Ni pensarlo.

Compuso una sonrisa mientras se esforzaba por dominar el dolor. La angustia y la soledad acabaron en un instante con su sentimiento de bienestar. El calor se congeló, convertido en aristas de hielo.

—Pero, Pam, tú lo eres todo para mí.

—¿Y tú qué eres para mí, Stuart? No puedes serlo todo. Y no estoy dispuesta a conformarme con menos. —*Que no se te quiebre la voz*, se dijo—. Si te divorcias, volveré contigo. ¿Vas a divorciarte?

Él bajó sus ojos seductores.

—Sí —murmuró.

—¿Enseguida?

—Ahora mismo no puedo. Es complicado.

—No, Stuart, es muy sencillo. —Se levantó—. Por si no volvemos a vernos, te deseo lo mejor. —Comenzó a alejarse rápidamente, camino de la casa de Amelia, que estaba allí cerca.

Bien, quizás Amelia no lloraría, pero ella no podía seguir conteniendo el llanto. Caminó en línea recta por la acera con los ojos arrasados en lágrimas y, por miedo a flaquear, no se atrevió a mirar atrás ni a pensar en lo que había hecho.

Pensaba, en cambio, en una cosa acerca de su encuentro con Stuart que imaginaba que algún día le parecería divertida: *Qué frase de despedida tan chorra. Ojalá se me hubiera ocurrido algo mejor.*

38

Mel Cooper había fruncido el ceño.

—El almacén donde asesinó a Joe... Lo tiene alquilado una empresa propietaria de un periódico para almacenar el papel para reciclar, pero hace meses que no se utiliza cotidianamente. Lo raro es que no está claro quién es el dueño.

—¿Qué quieres decir?

—He revisado todos los documentos del registro. Está arrendado a una cadena de tres empresas y la propiedad es de una corporación de Delaware que a su vez pertenece a un par de empresas de Nueva York. El propietario final parece estar en Malasia.

522 lo sabía, y sabía también que no corría ningún riesgo torturando allí a su víctima. Pero ¿cómo lo había sabido? *Porque es el hombre que todo lo sabe.*

Sonó el teléfono del laboratorio y Rhyme miró la pantalla. *Con las malas noticias que hemos tenido en el caso de 522, por favor, que ésta sea buena.*

—Inspectora Longhurst.

—Detective Rhyme, sólo quería ponerle al día de las novedades. Por aquí las cosas están dando fruto. —Su voz denotaba una extraña excitación.

Le explicó que D'Estourne, el agente del equipo que pertenecía a los servicios de seguridad franceses, había hecho un viaje relámpago a Birmingham y contactado con unos argelinos pertenecientes a una comunidad musulmana de West Bromwich, a las afueras de la ciudad. Se había enterado de que un estadounidense encargó un pasaporte y la documentación de tránsito necesaria para viajar al norte de África y de allí a Singapur. Les adelantó una suma importante de dinero y ellos le prometieron tener listos los papeles mañana por la noche. Tenía previsto irse a Londres en cuanto los recogiera para acabar el trabajo.

—Estupendo —dijo Rhyme, sonriente—. Eso significa que Logan ya está allí, ¿no cree? En Londres.

—Estoy convencida de ello —contestó la inspectora—. Probando los ángulos de disparo para mañana, cuando nuestro doble se reúna con la gente del MI5 en el campo de tiro.

—Exacto.

Así pues, Richard Logan había encargado la documentación y pagado una suma importante por ella para que la operación se centrara en Birmingham mientras él se iba a Londres a concluir su misión: matar al reverendo Goodlight.

—¿Qué dice la gente de Danny Krueger?

—Que habrá un barco esperando en la costa sur para llevarlo a Francia en un suspiro.

«En un suspiro.» A Rhyme le encantó aquello. *Aquí los polis no hablan así.*

Pensó de nuevo en la casa donde se había alojado Logan cerca de Manchester y en el asalto a la ONG de Goodlight en Londres. ¿Habría algo que podía haber visto si hubiera «recorrido la cuadrícula» en ambos lugares a través de una cámara de alta definición? ¿Alguna pista minúscula que les hubiera pasado inadvertida y que podría haberles dado una idea más clara de dónde y cuándo iba a actuar el asesino? Si era así, la prueba ya había desaparecido. Tendría que confiar en que hubieran hecho las deducciones correctas.

—¿Con qué efectivos cuenta?

—Tenemos diez agentes en torno al campo de tiro, todos ellos de paisano o camuflados. —Agregó que Danny Krueger, junto con el agente francés y otro equipo táctico, se estaban dejando ver «sutilmente» por Birmingham.

La inspectora había ordenado, además, que se reforzara el dispositivo de seguridad en el lugar donde se hallaba oculto el reverendo. No tenían indicios de que Logan hubiera descubierto su paradero, pero aun así no quería correr ningún riesgo.

—Pronto sabremos algo, detective.

Nada más despedirse de la inspectora Longhurst, su ordenador emitió un tintineo.

¿Señor Rhyme?, leyó en la pantalla, delante de él. Se había abierto una ventanita y en ella aparecía una imagen del cuarto de estar de Amelia Sachs. Rhyme vio a Pam sentada ante el teclado, escribiéndole un mensaje instantáneo.

El criminalista habló con ella sirviéndose del sistema de reconocimiento de voz.

Hola pam cosmos te vas

Dichoso ordenador. Tal vez debería pedirle a Rodney Szarnek, su gurú digital, que le instalara un programa nuevo.

Pam, sin embargo, entendió el mensaje sin problemas.

Bien, escribió. *¿Y ud?*

Bien.

¿Está Amelia?

No. Está trabajando en un ocaso.

:-K rollo. Quiero ablar con ella. La he llamado, pero no lo coge.

¿Podemos acero lago por...?

Maldita sea. Rhyme suspiró y lo intentó otra vez.

¿Podemos hacer algo por ti?

No gracias

Una pausa. La vio echar un vistazo a su móvil. Volvió a fijar la mirada en el ordenador y escribió:

Me llama Rachel. Ahora vuelvo.

Dejó la cámara web encendida, pero se volvió para hablar por teléfono. Se puso una enorme mochila sobre las rodillas y hurgó en ella, abrió un libro y encontró dentro unas notas. Pareció leerlas en voz alta.

Rhyme estaba a punto de concentrarse de nuevo en las pizarras cuando miró la ventanita de la cámara web.

Algo había cambiado.

Frunció el ceño y acercó la silla, alarmado.

En casa de Sachs parecía haber alguien más. ¿Era posible? Costaba estar seguro, pero al mirar con más atención vio que, en efecto, había un hombre allí, escondido en el pasillo a oscuras, a unos cinco metros de Pam.

Rhyme entornó los párpados, alejó la cabeza de la pantalla todo lo que pudo. Un intruso con la cara oculta por una gorra. Y llevaba algo en la mano. ¿Era una pistola? ¿Un cuchillo?

—¡Thom!

Pero su asistente no podía oírle. Naturalmente, había ido a sacar la basura.

—Orden: marcar el número fijo de Sachs.

Por suerte la unidad de control hizo exactamente lo que le pedía.

Vio que Pam miraba el teléfono colocado junto al ordenador, pero no hizo caso. No era su casa: dejaría que saltara el contestador. Siguió hablando por su móvil.

El hombre se asomó a la habitación. Su cara, oscurecida por la visera de la gorra, apuntaba directamente hacia ella.

—¡Orden: mensaje instantáneo!

Se abrió la ventana en la pantalla.

—Orden: escribir «Pam, signo de exclamación». Orden: enviar.

Pan sin no de exclamación.

¡Joder!

—Orden: escribir «Pam peligro márchate enseguida». Orden: enviar.

334

El mensaje se transmitió casi intacto.

¡Pam, léelo, por favor!, suplicó Rhyme para sus adentros. *¡Mira la pantalla!*

Pero la chica estaba absorta en su conversación. Su cara ya no reflejaba despreocupación. La discusión se había vuelto seria.

El criminalista llamó a la policía y el operador le aseguró que un coche llegaría a la casa en cinco minutos. Pero el intruso estaba sólo a unos segundos de distancia de Pam, que seguía completamente ajena a su presencia.

Rhyme sabía que era 522, desde luego. Había torturado a Malloy para obtener información sobre todos ellos. Y Amelia Sachs era la primera en su lista de futuras víctimas. Sólo que no sería Amelia. Sería aquella muchacha inocente.

Su corazón latía con violencia, una sensación que se traducía en un feroz dolor de cabeza. Probó otra vez con el teléfono. Cuatro pitidos.

Hola, soy Amelia. Por favor, deja tu mensaje al oír la señal.

Lo intentó otra vez.

—Orden: escribir «Pam llámame punto Lincoln punto».

Pero ¿qué iba a decirle que hiciera si conseguía hablar con ella? Sachs tenía armas en su casa, pero no sabía dónde las guardaba. Pam era una chica fuerte y deportista, y el intruso no parecía mucho más corpulento que ella. Pero iba armado. Y, teniendo en cuenta dónde estaba ella, podía estrangularla o clavarle un cuchillo en la espalda antes de que advirtiera su presencia.

Y sucedería delante de sus ojos.

Pam giró por fin la silla hacia el ordenador. Iba a ver el mensaje.

Bien, sigue girándote.

Sin dejar de hablar por teléfono, la chica se acercó al ordenador, pero miró el teclado, no la pantalla.

¡Mira hacia arriba!, la instó Rhyme en silencio.

¡Por favor! ¡Lee el maldito mensaje!

Pero como todos los chicos de hoy en día, Pam no necesitaba mirar la pantalla para asegurarse de que había tecleado bien. Con el móvil sujeto entre la mejilla y el hombro, echó un rápido vistazo al teclado mientras golpeaba las teclas con rapidez.

Tengo que irme. Adiós señor Rhyme. Nos vemos :-)

La pantalla se volvió negra.

Amelia Sachs estaba incómoda en el lugar del crimen con el mono Tyvek, el gorro de cirujana y las fundas protectoras para los pies. Sentía claustrofobia y el olor acre que desprendía el almacén, un olor a papel húmedo, a sangre y a sudor, le daba náuseas.

Conocía poco al capitán Malloy, pero, como había dicho Sellitto, era «uno de los nuestros». Y estaba horrorizada por lo que le había hecho 522 para sacarle la información que quería. Casi había acabado de inspeccionar el lugar de los hechos y, al llevar fuera las bolsas de las pruebas, se alegró infinitamente de poder respirar el aire de la calle, aunque apestara a tubo de escape.

Seguía oyendo la voz de su padre. Una vez, siendo niña, se había asomado al dormitorio de sus padres y lo había visto con su uniforme de gala de la policía, enjugándose las lágrimas. Aquello la había impresionado. Fue la primera vez que lo vio llorar. Su padre le indicó con un gesto que entrara. Hermann Sachs, siempre sincero con su hija, la había hecho sentarse en una silla junto a la cama y le había explicado que un amigo suyo, un compañero de trabajo, había muerto de un disparo cuando intentaba impedir un robo.

«Amie, en este oficio todos somos familia. Seguramente pasas más tiempo con tus compañeros de trabajo que con tu mujer y tus hijos. Siempre que muere un policía, uno se muere también un poco. Da igual que sea un patrullero o un mando: todos son familia y duele lo mismo perderlos.»

Ahora, Sachs sentía aquel dolor del que le había hablado su padre. Lo sentía muy profundamente.

—He acabado —les dijo a los miembros del equipo de inspección ocular que esperaban junto al furgón de emergencias. Había inspeccionado sola la escena del crimen, pero los agentes de Queens se habían encargado de la grabación en vídeo y de las fotografías, así como de inspeccionar las escenas secundarias: las rutas de entrada y de salida más probables.

Con un gesto afirmativo dirigido al patólogo de guardia y a sus ayudantes de la oficina del forense, dijo:

—Bueno, ya podéis llevarlo al depósito.

Los hombres, con sus monos y sus gruesos guantes verdes, entraron en el almacén. Mientras guardaba las pruebas en cajas de plástico para llevarlas al laboratorio de Rhyme, Sachs se detuvo.

Alguien estaba observándola.

Había oído un tintineo metálico, un chirrido de metal contra metal, cristal o cemento, procedente de un callejón desierto. Echó una rápida ojeada y le pareció ver una figura escondida junto al muelle de carga desierto de una fábrica que se había derrumbado hacía años.

Busca con cuidado, pero cúbrete la espalda...

Se acordó de la escena del crimen del cementerio, del asesino con la gorra de plato de policía, observándola. Experimentó el mismo desasosiego que entonces. Dejó las bolsas de pruebas y enfiló el callejón con la pistola en la mano. No vio a nadie.

Paranoia.

—¿Detective? —la llamó uno de los técnicos.

Siguió avanzando. ¿Había una cara detrás de aquella ventana mugrienta?

—Enseguida voy —contestó con un dejo de irritación.

El técnico dijo:

—Lo siento, es una llamada del detective Rhyme.

Para evitar distracciones, siempre apagaba su móvil cuando llegaba a la escena de un crimen.

—Dígale que lo llamo dentro de un momento.

—Detective, dice que se trata de una tal Pam. Ha pasado algo en su casa. Tiene que ir enseguida.

39

Amelia Sachs entró corriendo, insensible al dolor de sus rodillas.

Pasó junto a los policías que custodiaban la puerta sin saludarlos siquiera.

—¿Dónde está?

Un agente le indicó el cuarto de estar.

Entró en la habitación y vio a Pam en el sofá. La chica, muy pálida, levantó la vista.

Sachs se sentó a su lado.

—¿Estás bien?

—Sí. Un poco asustada, nada más.

—¿No te ha hecho nada? ¿Puedo darte un abrazo?

Pam se rió y la detective la rodeó con sus brazos.

—¿Qué ha pasado?

—Entró un hombre. El señor Rhyme lo vio detrás de mí por la cámara web. Me llamó y como a la quinta vez de que el timbre estaba sonando cogí el teléfono y me dijo que me pusiera a gritar y saliera enseguida.

—¿Y lo hiciste?

—Qué va. Me metí corriendo en la cocina y cogí un cuchillo. Estaba muy nerviosa. Se fue.

Sachs miró al detective de la comisaría local de Brooklyn, un afroamericano bajo y rechoncho que le informó con una profunda voz de barítono:

—Ya se había marchado cuando llegamos. Los vecinos no han visto nada.

Así pues, lo que creía haber visto en el lugar donde había sido asesinado Joe Malloy habían sido imaginaciones suyas. O quizás había sido un chaval o algún vagabundo alcohólico que sentía curiosidad por ver qué estaba haciendo la policía. Después de asesinar a Malloy, 522 había ido a su casa en busca de archivos o pruebas, o quizá con intención de matarla y acabar así lo que había empezado.

Recorrió la casa con el detective de la policía y Pam. El escritorio estaba revuelto, pero no parecía faltar nada.

—He pensado que podía ser Stuart. —Pam tomó aire—. He roto con él.

—¿Sí?

Asintió con la cabeza.

—Has hecho bien. Pero ¿no era él?

—No. Llevaba otra ropa y no tenía el físico de Stuart. Además, puede que Stuart sea un hijo de puta, pero no va a meterse en la casa de nadie.

—¿Pudiste verlo?

—No. Se dio la vuelta y salió corriendo, no me dio tiempo a verlo con claridad. —Sólo se había fijado en su vestimenta.

El detective explicó que Pam había descrito al intruso como un varón blanco, latino o negro de piel clara, de complexión media, vestido con vaqueros azules y americana de cuadros azul oscura. También había llamado a Rhyme tras enterarse de lo de la cámara web, pero el criminalista no había visto más que una forma difusa en el pasillo.

Encontraron la ventana por la que había entrado. Sachs tenía un sistema de alarma, pero Pam lo había desconectado al llegar.

La detective miró a su alrededor. La ira y la consternación que sentía por la espantosa muerte de Malloy se disiparon, dejando paso a aquella misma inquietud, a aquella sensación de vulnerabilidad que había experimentado en el cementerio, en el almacén donde había muerto Malloy, en SSD y, de hecho, en todas partes desde que había comenzado a perseguir a 522. Como cuando había registrado la papelera, cerca de la casa de DeLeon: ¿estaría observándola en ese preciso instante?

Vio movimiento más allá de la ventana, un centelleo. ¿Eran las hojas que arrastraba el aire delante de las ventanas cercanas, en las que brillaba la pálida luz del sol?

¿O era 522?

—¿Amelia? —preguntó Pam con voz suave, mirando también a su alrededor con nerviosismo—. ¿Pasa algo?

Sachs volvió al presente. *Ponte a trabajar. Y deprisa.* El asesino había estado allí... y hacía poco tiempo. *Encuentra algo útil, maldita sea.*

—No, cariño, nada.

Un patrullero de la comisaría preguntó:

—¿Quiere que venga alguien de Inspección Forense a echar un vistazo, detective?

—No —contestó, dirigiendo una mirada y una tensa sonrisa a Pam—. Yo me encargo.

Sacó su equipo portátil del maletero del coche e inspeccionó la casa con Pam

Bueno, ella la inspeccionó y Pam esperó fuera del perímetro de seguridad y le indicó exactamente por dónde se había movido el asesino. Aunque le temblaba un poco la voz, la chica actuó con serena eficacia.

Entré corriendo en la cocina y cogí un cuchillo.

Ya que estaba allí Pam, Sachs pidió a un patrullero que montara guardia en el jardín, por donde había escapado el asesino. Pero ni siquiera así logró tranquilizarse por completo, conociendo la prodigiosa habilidad de 522 para espiar a sus víctimas, para descubrirlo todo sobre ellas y sorprenderlas. Quería inspeccionar la casa y llevarse a Pam de allí lo antes posible.

Guiada por la adolescente, registró los lugares por los que había pasado 522, pero no encontró ningún rastro material. O bien el asesino había usado guantes al entrar, o bien no había tocado ninguna superficie receptiva, y los rodillos adhesivos no revelaron señal alguna de restos sospechosos.

—¿Por dónde salió? —preguntó Sachs.

—Te lo enseño. —Pam miró su cara, que al parecer reflejaba su renuencia a exponerla a más peligros—. Es mejor enseñártelo que decírtelo.

La detective asintió con la cabeza y salieron al jardín.

—¿Ha visto algo? —le preguntó al patrullero.

—No, nada, pero la verdad es que, cuando uno cree que alguien lo está observando, acaba por ser cierto.

—Eso he oído.

El policía señaló con el pulgar una hilera de ventanas oscuras al otro lado del callejón y seguidamente a unos frondosos arbustos de azalea y boj.

—Les he echado un vistazo. Nada. Pero sigo atento.

—Gracias.

Pam la llevó al camino que había tomado 522 para escapar y Sachs comenzó a recorrer la cuadrícula.

—Amelia...

—¿Qué?

—Fue una cagada, ¿sabes? Lo que te dije ayer. Estaba, bueno, muy desesperada y todo eso. Me entró el pánico. Supongo que lo que quiero decir es que lo siento.

—Fuiste la mesura personificada.

—Pues no me sentía así.

—El amor nos vuelve muy raros, cariño.

Pam se rió.

—Luego hablaremos de eso. A lo mejor esta noche, dependiendo de cómo vaya el caso. Podemos cenar juntas.

—Claro.

Sachs siguió con su examen, esforzándose por dejar a un lado su inquietud, la sensación de que 522 seguía allí. Pero a pesar de sus esfuerzos la búsqueda apenas dio frutos. El suelo era casi todo de gravilla y no encontró pisadas, salvo una cerca de la verja por la que había escapado saliendo del jardín al callejón. Sólo estaba marcada la puntera de un zapato (el asesino iba corriendo), inservible para usos forenses. Tampoco encontró marcas de neumáticos recientes.

Pero al regresar al jardín, distinguió un destello blanco entre la hiedra y las pervincas que cubrían el suelo, exactamente en el lugar donde habría aterrizado un objeto al caer del bolsillo del asesino cuando éste había saltado la verja cerrada.

—¿Has encontrado algo?

—Puede ser. —Sirviéndose de unas pinzas, recogió un trocito de papel. Regresó a la casa, montó una mesa de examen portátil e inspeccionó el fragmento rectangular. Lo roció con ninhidrina y, tras ponerse unas gafas protectoras, lo enfocó con una fuente de luz alterna. Se llevó una decepción al no encontrar ninguna huella.

—¿Sirve de algo? —preguntó Pam.

—Podría ser. No va a llevarnos hasta su puerta, pero es lo que suele pasar con las pruebas materiales. Si fuera al contrario —añadió con una sonrisa—, no haría falta gente como Lincoln o como yo, ¿no crees? Tendré que mirarlo.

Fue a buscar su caja de herramientas, sacó el taladro y atrancó con unos tornillos la ventana rota. Cerró la puerta y conectó la alarma.

Había llamado a Rhyme un rato antes para decirle que Pam estaba bien, pero quería volver a hablar con él para avisarle de que quizás hubiera encontrado una pista. Sacó su móvil, pero antes de llamar se detuvo en el bordillo de la acera y miró a su alrededor.

—¿Qué pasa, Amelia?

Sostuvo el teléfono en la mano.

—Mi coche.

El Camaro había desaparecido. Sintió una oleada de alarma. Miró rápidamente a un lado y otro de la calle al tiempo que echaba mano de su Glock. ¿Estaba 522 allí? ¿Le había robado el coche?

En ese momento el patrullero salió del jardín de atrás. Sachs le preguntó si había visto a alguien.

—¿Ese coche, el viejo? ¿Era suyo?

—Sí, creo que el asesino puede habérselo llevado.

—Lo siento, detective, creo que se lo ha llevado la grúa. Les habría dicho algo si hubiera sabido que era suyo.

¿Se lo había llevado la grúa? Tal vez había olvidado poner el cartel del Departamento de Policía de Nueva York en el salpicadero.

Pam y ella caminaron calle arriba hasta el desvencijado Honda Civic de la chica y se acercaron a la comisaría del distrito. El sargento de recepción, un conocido de Sachs, se había enterado de lo ocurrido.

—Hola, Amelia. Los chicos se han esmerado preguntando a los vecinos. Nadie ha visto a ese tipo.

—Escucha, Vinnie, mi coche ha desaparecido. Estaba junto a la boca de riego, al otro lado de la calle, enfrente de mi casa.

—¿Tu coche patrulla?

—No.

—¿Tu Chevy, el antiguo?

—Sí.

—Vaya, qué mala pata.

—Me han dicho que se lo ha llevado la grúa. No sé si había puesto el cartel en el salpicadero.

—Aun así deberían haber comprobado la matrícula para ver a nombre de quién estaba. Vaya, qué putada. Perdone, señorita.

Pam sonrió para demostrar que era inmune a palabras que ella misma empleaba de vez en cuando.

Sachs le dio el número de matrícula al sargento y él hizo algunas llamadas y consultó el ordenador.

—No, no ha sido por una infracción de aparcamiento. Espera un segundo. —Hizo un par de llamadas más.

Hijo de puta. No podía permitirse estar sin su coche. Estaba deseando inspeccionar detenidamente la pista que había encontrado en su casa.

Pero su exasperación se convirtió en alarma cuando notó que Vinnie había fruncido el ceño.

—¿Estás seguro? Está bien. ¿Dónde lo han llevado? ¿Sí? Bueno, dame un toque en cuanto lo sepas. —Colgó.

—¿Qué pasa?

—El Camaro, ¿lo tenías financiado?

—¿Financiado? No.

—Qué raro. Se lo ha llevado un equipo de embargos.

—¿Me lo han embargado?

—Según ellos, llevas seis meses sin pagar las cuotas.

—Vinnie, ese coche es de 1969. Mi padre lo pagó en efectivo en los setenta. Nunca ha estado financiado. ¿Quién se supone que me prestó el dinero?

—Mi amigo no lo sabía. Va a enterarse y a llamarme. Se informará de dónde lo han llevado.

—Lo que me hacía falta. ¿Tenéis algún coche?

—No, ninguno, lo siento.

Le dio las gracias y salió con Pam a su lado.

—Si tiene un solo arañazo, van a rodar cabezas —masculló.

¿Podía estar 522 detrás de aquello? No la habría sorprendido, aunque no se explicaba cómo lo había hecho.

Sintió otra punzada de inquietud al pensar en lo mucho que se había acercado a ella, en cuánta información tenía sobre su vida.

El hombre que lo sabe todo...

—¿Puedes prestarme tu Civic? —le preguntó a Pam.

—Claro. Pero ¿puedes dejarme en casa de Rachel? Vamos a hacer los deberes juntas.

—¿Sabes qué, cariño? ¿Qué te parece si le digo a uno de los chicos de la comisaría que te lleve a casa de tu amiga?

—Claro. Pero ¿por qué?

—Ese tipo sabe ya demasiado sobre mí. Creo que es mejor que mantengamos un poco las distancias. —Volvieron a entrar en la comisaría para pedir que la llevaran a casa. Cuando salieron de nuevo, Sachs miró a un lado y otro de la acera. No parecía haber nadie observándola.

Levantó bruscamente la vista al advertir movimiento en una ventana, al otro lado de la calle. Pensó enseguida en el logotipo de SSD: la ventana en la torre vigía. Quien se había asomado era una señora mayor, pero eso no impidió que un nuevo escalofrío recorriera la espalda de Sachs. Caminó rápidamente hasta el coche de Pam y lo puso en marcha.

40

Con un chasquido de aparatos apagándose, privados de su savia vital, la casa quedó a oscuras.

—¿Qué demonios ha pasado? —gritó Rhyme.

—Se ha ido la luz —anunció Thom.

—Eso ya lo sé —replicó el criminalista—. Lo que quiero saber es por qué.

—El cromatógrafo no estaba puesto —dijo Mel Cooper a la defensiva. Miró por la ventana para comprobar si también se había ido la luz en la calle, pero como aún no había oscurecido no había forma de saberlo.

—No podemos permitirnos estar sin luz ahora. ¡Maldita sea! ¡Solucionadlo!

Rhyme, Sellitto, Pulaski y Cooper se quedaron en la habitación en penumbra, sin decir nada, mientras Thom salía al pasillo a hacer una llamada con su móvil. Poco después estaba hablando con alguien de la compañía eléctrica.

—Imposible. Pago las facturas por Internet. Todos los meses. No me he saltado ninguna. Tengo los recibos... Bueno, están en el ordenador y no puedo conectarme a Internet porque no hay luz, ¿no le parece?... Cheques cancelados sí, pero, repito, ¿cómo voy a mandárselos por fax si no tengo luz?... No, no sé dónde hay un centro de servicios.

—Es él, ¿sabéis? —les dijo Rhyme a los demás.

—¿Cinco Dos Dos? ¿Te ha cortado la luz?

—Sí. Sabe quién soy y dónde vivo. Malloy debió de decirle que éste es nuestro puesto de mando.

El silencio resultaba espeluznante. Lo primero que pensó Rhyme fue en lo absolutamente vulnerable que era. Los aparatos de los que dependía no funcionaban y no tenía modo de comunicarse, ni de abrir o cerrar las puertas o utilizar la unidad de control remoto. Si se prolongaba el apagón y Thom no podía recargar la batería de su silla de ruedas, se encontraría totalmente inmovilizado.

No recordaba la última vez que se había sentido tan desvalido. Estar rodeado de otras personas no mermó su sensación de angustia. 522 era un peligro para todo el mundo, en cualquier parte.

Se preguntaba, además, si el apagón sería una maniobra de distracción o el preludio de un ataque.

—Mantened todos los ojos bien abiertos —ordenó—. Puede que vaya a intentar algo.

Pulaski miró por la ventana. Cooper también.

Sellitto sacó su móvil y llamó a la comisaria central. Explicó la situación. Puso los ojos en blanco (el detective siempre había sido muy expresivo) y zanjó la conversación diciendo:

—Pues me da igual. Lo que haga falta. Ese cabrón es un asesino y no podemos hacer nada para encontrarlo sin la puta electricidad... Gracias.

—¿Ha habido suerte, Thom?

—No —contestó con aspereza su asistente.

—Mierda. —Rhyme se quedó pensativo un momento—. Lon, llama a Roland Bell. Creo que necesitamos refuerzos. Cinco Dos Dos ha ido a por Pam y a por Amelia. —El criminalista señaló con la cabeza un monitor apagado—. Sabe quiénes somos. Quiero agentes en casa de la madre de Amelia, en el hogar de acogida de Pam, en casa de Pulaski, en casa de la madre de Mel. Y también en tu casa, Lon.

—¿Tanto riesgo crees que hay? —preguntó el grueso detective. Luego meneó la cabeza—. Pero ¿qué digo? Claro que lo hay.

Anotó las direcciones y los números de teléfono y llamó a Bell para pedirle que se encargara de destinar a los agentes.

—Tardará un par de horas, pero lo conseguirá —dijo al colgar.

Una estruendosa llamada a la puerta rompió el silencio. Con el teléfono todavía en la mano, Thom fue a abrir.

—¡Espera! —gritó su jefe.

El asistente se detuvo.

—Pulaski, ve con él. —Rhyme señaló con la cabeza la pistola que el agente llevaba en la cadera.

—Claro.

Salieron al pasillo. El criminalista oyó una conversación en voz baja y un momento después dos hombres trajeados, con el pelo muy corto y semblante serio, entraron en la casa y miraron a su alrededor con curiosidad: primero, su cuerpo; después, el laboratorio, sorprendidos bien por la cantidad de equipamiento científico, bien por la falta de luz, o posiblemente por ambas cosas.

—Buscamos a un tal teniente Sellitto. Nos han dicho que estaba aquí.

—Soy yo. ¿Quiénes son ustedes?

Le enseñaron sus insignias y se presentaron por su nombre y su rango:

eran sargentos detectives del Departamento de Policía de Nueva York. Y pertenecían a Asuntos Internos.

—Teniente —dijo el mayor de los dos—, estamos aquí para retirarle la insignia y el arma reglamentaria. He de decirle que los resultados han sido positivos.

—Perdone, pero ¿de qué me está hablando?

—Está usted suspendido oficialmente. No va a ser detenido de momento. Pero le recomendamos que hable con un abogado, con el suyo propio, o bien con uno de la Asociación Benéfica de la Policía.

—¿Se puede saber a qué viene esto?

El más joven frunció el ceño.

—El análisis antidroga.

—¿Qué?

—No tiene que negar nada ante nosotros. Nosotros sólo hacemos el trabajo de a pie, requisamos insignias y armas y notificamos a los sospechosos que han sido suspendidos.

—¿Qué puto análisis?

El mayor miró al más joven. Por lo visto aquello no tenía precedentes.

Y no los tenía, naturalmente, puesto que fuera lo que fuese lo que estaba pasando era obra de 522, dedujo Rhyme.

—Detective, le aseguro que no tiene que actuar como...

—Joder, ¿le parece que estoy actuando?

—Bueno, según la orden de suspensión la semana pasada se sometió a un control antidroga. Los resultados acaban de llegar y muestran niveles importantes de narcóticos en su organismo. Heroína, cocaína y psicotrópicos.

—Me hice el análisis, sí, como todo el mundo en mi brigada. Pero no puede haber dado positivo porque yo no me drogo, joder. Nunca me he drogado, ni una puta vez. Y... Ay, mierda —dijo de pronto con una mueca. Clavó un dedo en el folleto de SSD—. Tienen empresas que se dedican al control antidrogas y la investigación de antecedentes. Se ha metido en el sistema y ha manipulado mi expediente. Esos resultados son falsos.

—Eso sería muy difícil de conseguir.

—Pues éste lo ha conseguido.

—Su abogado o usted podrán hacer esa alegación en la vista. Le repito que sólo estamos aquí para retirarle el arma y la insignia policial. Aquí tiene la documentación. Ahora confío en que no ponga dificultades. No querrá que se le compliquen más aún las cosas, ¿verdad?

—Mierda. —El grueso y desaliñado detective les entregó su arma (un revólver al viejo estilo) y su insignia—. Denme los putos papeles. —Se los arrancó de la mano al más joven mientras el otro escribía un recibo y se lo daba. Después descargó el arma y la guardó junto con las balas en un sobre grueso.

—Gracias, detective. Que tenga un buen día.

Después de que se marcharan, Sellitto abrió su teléfono y llamó al jefe de Asuntos Internos. Estaba fuera y le dejó un mensaje. Seguidamente llamó a la oficina de su brigada. Al parecer, el ayudante que compartía con otros detectives de Delitos Mayores ya se había enterado de la noticia.

—Ya sé que es una gilipollez. ¿Qué?... Vaya, genial. Te llamaré cuando averigüe qué está pasando. —Cerró tan violentamente el teléfono que Rhyme se preguntó si lo habría roto. Levantó una ceja—. Acaban de confiscar todo lo que había en mi mesa.

—¿Cómo diablos vamos a poder enfrentarnos a alguien así? —preguntó Pulaski.

Justo entonces, Rodney Szarnek llamó al móvil de Sellitto. El detective puso el manos libres.

—¿Qué pasa con la línea fija de ahí?

—Ese cabrón nos ha dejado sin luz. Estamos intentando resolverlo. ¿Qué ocurre?

—El listado de clientes de SSD, el del CD. Hemos encontrado una cosa. Un cliente se bajó páginas de datos sobre todas las víctimas y los chivos expiatorios el día anterior a cada uno de los asesinatos.

—¿Quién es?

—Se llama Robert Carpenter.

—De acuerdo, muy bien —dijo Rhyme—. ¿Qué sabemos de él?

—Sólo tengo lo que pone la hoja de cálculo. Tiene una empresa en el distrito de Midtown. Almacenes Asociados.

¿Almacenes? Rhyme estaba pensando en el lugar donde había sido asesinado Joe Malloy. ¿Habría alguna relación?

—¿Tienes su dirección?

El informático se la dictó.

Tras desconectar, el criminalista notó que Pulaski había fruncido el ceño. El joven agente dijo:

—Creo que lo vimos en SSD.

—¿A quién?

—A Carpenter. Cuando estuvimos allí, ayer. Un tipo alto y calvo. Estaba reunido con Sterling. No parecía muy contento.

—¿Contento? ¿Qué quieres decir con eso?

—No sé. Es sólo una impresión.

—Pues no sirve de nada —replicó Rhyme—. Mel, haz averiguaciones sobre ese tal Carpenter.

Cooper llamó a jefatura desde su móvil. Habló unos minutos, se acercó a la ventana para ver mejor y tomó algunas notas. Desconectó.

—No parece que te guste el adjetivo «interesante», Lincoln, pero esto lo es. Tengo los resultados de las bases de datos de la policía y del NCIC. Robert Carpenter. Vive en el Upper East Side. Soltero. Y, atención a esto, tiene antecedentes. Fraude con tarjeta de crédito y pagos con cheques falsos. Cumplió seis meses en Waterbury. Y fue detenido por un intento de extorsión a una empresa. El caso fue sobreseído, pero Carpenter se puso como loco cuando fueron a detenerlo, intentó agredir al agente. Retiraron la denuncia cuando accedió a someterse a tratamiento psicológico por un TE.

—¿Un trastorno emocional? —Rhyme asintió—. Y se dedica al negocio del almacenaje. El sector ideal para un acumulador. Muy bien, Pulaski, averigua dónde estaba Carpenter cuando Cinco Dos Dos entró en casa de Amelia.

—Sí, señor. —El agente estaba sacando el teléfono de su funda cuando éste sonó. Miró la pantalla. Contestó—: Hola, cari... ¿Qué? Espera, Jenny, cálmate...

Oh, no... Lincoln Rhyme comprendió que 522 había atacado por otro frente.

—¿Qué? ¿Dónde estás?... Tranquilízate, no es más que un error. —Al novato le tembló la voz—. Se va a solucionar... Dame la dirección... Muy bien, enseguida voy.

Cortó la llamada y cerró los ojos un momento.

—Tengo que irme.

—¿Qué ha pasado? —preguntó Rhyme.

—Han detenido a Jenny. El INS.

—¿Inmigración?

—Su nombre figura en una lista de detención de Seguridad Nacional. Dicen que está en situación ilegal y que es una amenaza para la seguridad.

—¿No es...?

—Nuestros tatarabuelos ya eran ciudadanos estadounidenses —replicó Pulaski—. Dios mío... —Su mirada se volvió frenética—. Brad está en casa de mi suegra, pero la niña está con ella. La están llevando a un centro de detención... y pueden llevarse a la niña. Si se la llevan... Ay, Dios... —La desesperación inundó su semblante—. Tengo que irme.

Rhyme comprendió por su mirada que nada le impediría ir a reunirse con su mujer.

—Está bien. Vete. Buena suerte.

El joven se marchó a toda prisa.

Rhyme cerró los ojos un instante.

—Nos está eliminando uno por uno como un francotirador. —Hizo una mueca—. Por lo menos Sachs llegará en cualquier momento. Ella puede ocuparse de Carpenter.

En ese instante alguien aporreó la puerta.

El criminalista abrió los ojos, alarmado. ¿Y ahora qué?

Esta vez, sin embargo, no fue 522 quien les interrumpió.

Dos agentes de la unidad de inspección forense del laboratorio de Queens entraron llevando una caja grande de plástico que les había dado Sachs antes de irse corriendo a su casa. Eran las pruebas de la escena del crimen de Malloy.

—Hola, detective. ¿Sabe que su timbre no funciona? —Uno de ellos miró a su alrededor—. Y no tienen luz.

—Ya nos hemos dado cuenta —dijo Rhyme con frialdad.

—Bueno, aquí tienen.

Cuando se marcharon los agentes, Mel Cooper puso la caja sobre una mesa de examen y extrajo las pruebas y la cámara digital de Sachs, que contendría imágenes del lugar de los hechos.

—Vaya, esto sí que es útil —refunfuñó Rhyme con sorna, señalando con la barbilla el ordenador apagado y el monitor a oscuras—. Quizá podamos ver la tarjeta de memoria a contraluz.

Miró las pruebas: una huella de zapato, unas hojas de árbol, cinta aislante y sobres con restos materiales. Tenían que examinarlas lo antes posible. Dado que no eran pruebas falsas, tal vez les dieran la pista definitiva que les conduciría hasta 522. Pero sin sus aparatos para analizarlas y consultar las bases de datos, las bolsas eran poco más que pisapapeles.

—¡Thom! —gritó—. ¿Y la luz?

—¡Sigo en espera! —respondió a gritos su asistente desde el pasillo a oscuras.

Sabía que seguramente era mala idea. Pero estaba frenético.

Y no era fácil poner frenético a Ron Pulaski.

Estaba también furioso. Nunca había sentido nada parecido. Al ingresar en la policía, esperaba recibir algún que otro golpe y alguna que otra amenaza de vez en cuando. Pero nunca se le había ocurrido que su trabajo pudiera poner en peligro a Jenny, y mucho menos a sus hijos.

Así que, a pesar de ser tan honrado y cabal (tan sargento Friday), iba a tomar cartas en el asunto. Iba a actuar a espaldas de Lincoln Rhyme, del detective Sellitto y hasta de su mentora, Amelia Sachs. No les haría ninguna gracia lo que se proponía, pero estaba desesperado.

Así pues, de camino al centro de detención del Servicio de Inmigración en Queens, había llamado a Mark Whitcomb.

—Hola, Ron —había contestado Whitcomb—. ¿Qué pasa? Pareces alterado. Te falta la respiración.

—Tengo un problema, Mark. Por favor, necesito ayuda. Han acusado a mi mujer de estar aquí en situación ilegal. Dicen que su pasaporte es falso y que es una amenaza para la seguridad. Es de locos.

—Pero es ciudadana estadounidense, ¿no?

—Su familia lleva aquí generaciones. Mark, creemos que el asesino al que estamos buscando se ha metido en vuestro sistema. Ha falsificado los resultados del control antidroga de un detective de la policía... Y ahora ha hecho detener a Jenny. ¿Crees que es posible?

—Habrá cambiado su expediente por el de alguien que estuviera en una lista de vigilancia y habrá llamado para denunciarla... Mira, tengo algunos conocidos en el INS. Puedo hablar con ellos. ¿Dónde estás?

—Voy camino del centro de detención de Queens.

—Nos vemos en la entrada dentro de veinte minutos.

—Gracias, tío. No sé qué hacer.

—No te preocupes, Ron. Vamos a resolverlo.

Ahora, mientras esperaba a Whitcomb, Pulaski se paseaba delante del centro de detención del Servicio de Inmigración, junto a una señal temporal que indicaba que el servicio se hallaba ahora bajo la dirección del Departamento de Seguridad Nacional. Recordó todas las noticias sobre inmigrantes ilegales que Jenny y él habían visto en televisión, y lo aterrorizados que parecían.

¿Qué le estaría pasando a su mujer en ese momento? ¿Estaría atrapada durante días o semanas en una suerte de purgatorio burocrático? Pulaski sentía ganas de gritar.

Cálmate. Afróntalo con inteligencia. Era lo que siempre le decía Amelia Sachs.

Afróntalo con inteligencia.

Por fin, gracias a Dios, vio a Mark Whitcomb caminando rápidamente hacia él con expresión preocupada. No sabía qué podía hacer exactamente Whitcomb, pero confiaba en que el departamento de autorregulación de SSD, con sus vínculos con la administración, pudiera mover ciertos hilos y conseguir que Seguridad Nacional soltara a su mujer y a su hija al menos hasta que el asunto se resolviera oficialmente.

Whitcomb llegó a su lado, jadeante.

—¿Has averiguado algo más?

—He llamado hace unos diez minutos. Ya están dentro. No he dicho nada. Quería esperarte.

—¿Estás bien?

—No. Estoy histérico, Mark. Gracias por venir.

—No hay de qué —contestó muy serio—. No va a pasar nada, Ron. No te preocupes. Creo que puedo hacer algo. —Miró a los ojos a Pulaski. Era sólo un poco más alto que Andrew Sterling—. Sólo que... Para ti es muy importante sacar a Jenny de ahí, ¿verdad?

—Sí. Esto es una pesadilla.

—Muy bien. Ven por aquí. —Doblaron la esquina del edificio y se adentraron en un callejón—. Tengo que pedirte un favor, Ron —susurró Whitcomb.

—Lo que sea.

—¿De veras? —Su voz sonó extrañamente suave y en calma. Y sus ojos tenían una expresión afilada que Pulaski no había visto nunca en ellos. Como si se hubiera quitado una máscara y estuviera mostrándose como era por primera vez—. ¿Sabes, Ron?, a veces tenemos que hacer cosas que no nos parecen bien, pero al final es lo mejor.

—¿Qué quieres decir?

—Para ayudarte a sacar a tu mujer, quizá tengas que hacer algo que no va a parecerte bien.

El agente no dijo nada. Sus pensamientos giraban en un torbellino. ¿Adónde quería ir a parar Whitcomb?

—Ron, necesito que pares el caso.

—¿Qué caso?

—La investigación por asesinato.

—¿Que lo pare? No te entiendo.

—Que detengas la investigación. —Whitcomb miró a su alrededor y susurró—. Que lo sabotees. Que destruyas las pruebas, que les des pistas falsas. Que les orientes hacia cualquier otro sitio, menos hacia SSD.

—No entiendo, Mark. ¿Es una broma?

—No, Ron. Hablo muy en serio. Este caso tiene que parar y tú puedes pararlo.

—No, no puedo.

—Claro que sí. Si quieres sacar a Jenny de ahí. —Señaló con la cabeza el centro de detención.

No, no... Era 522. ¡Whitcomb era el asesino! Había usado los códigos de acceso de su jefe, Sam Brockton, para acceder a innerCircle.

Llevado por su instinto, Pulaski echó mano del arma.

Pero Whitcomb fue más rápido: una pistola negra apareció en su mano.

—No, Ron. Así no vamos a llegar a ningún sitio. —Metió la mano en la funda, sacó la Glock de Pulaski por la empuñadura y se la guardó en la cinturilla de los pantalones.

¿Cómo podía haberse equivocado hasta ese punto al juzgarlo? ¿Era por la herida en la cabeza? ¿O era simplemente idiota? Whitcomb había fingido ser amigo suyo, y ello no sólo le causaba estupor, sino que también le dolía. Llevarle el café, defenderlo ante Cassel y Gillespie, proponerle que se vieran fuera del trabajo, ayudarlo con los registros de asistencia... Había sido todo una estratagema para acercarse a él y utilizarlo.

—Era todo mentira, ¿no, Mark? No te criaste en Queens, ¿verdad? Y tampoco tienes un hermano policía.

—No a las dos cosas. —El semblante de Whitcomb se había ensombrecido—. He intentado razonar contigo, pero no has querido colaborar. ¡Maldita sea! Podrías haberlo hecho. Mira ahora lo que me has obligado a hacer.

El asesino empujó a Pulaski hacia el fondo del callejón.

41

Amelia Sachs surcaba el tráfico de la ciudad exasperada por la respuesta, tibia y ruidosa, del motor japonés.

Sonaba como una heladera. Y tenía aproximadamente la misma potencia.

Había llamado dos veces a Rhyme, pero las dos veces había saltado directamente el contestador. Ocurría rara vez: obviamente, Lincoln Rhyme salía muy poco de casa. Y en la Casa Grande estaba pasando algo raro: Lon Sellitto estaba fuera de servicio y ni él ni Ron Pulaski contestaban al teléfono.

¿Estaba 522 detrás de aquello?

Razón de más para inspeccionar cuanto antes la pista que había descubierto en su casa. Era una pista sólida, estaba convencida de ello. Tal vez fuera la definitiva, la pieza del rompecabezas que necesitaban para zanjar el caso.

Vio no muy lejos de allí el lugar al que se dirigía. Pensando en lo que había pasado con el Camaro, no quiso arriesgarse a que se llevaran también el coche de Pam (si, como sospechaba, 522 se hallaba detrás del embargo) y dio unas vueltas a la manzana hasta que encontró lo más extraño que podía encontrarse en Manhattan: un sitio libre en el que aparcar.

¿Qué te parece?

Quizá fuera buena señal.

—¿Por qué haces esto? —le preguntó Ron Pulaski en un susurro a Mark Whitcomb en el callejón desierto de Queens.

Pero el asesino ignoró la pregunta.

—Escúchame.

—Creía que éramos amigos.

—Bueno, todo el mundo cree un montón de cosas que resultan ser mentira. Así es la vida. —Whitcomb se aclaró la garganta. Parecía nervioso, incómodo.

Pulaski se acordó de que Sachs había dicho que el asesino estaba acusando la presión de su búsqueda, de ahí que fuera más descuidado. Y también más peligroso.

El agente respiraba agitadamente.

Whitcomb miró de nuevo a su alrededor rápidamente y volvió a fijar la mirada en el policía. Sostenía el arma con firmeza y saltaba a la vista que sabía manejarla.

—¿Me estás escuchando, joder?

—Sí, maldita sea, te escucho.

—No quiero que la investigación siga adelante. Es hora de que pare.

—¿De que pare? Yo estoy en Patrullas. ¿Cómo voy a parar nada?

—Te lo he dicho: sabotéala. Pierdes algunas pruebas, despista a esa gente.

—No pienso hacer eso —masculló el joven con aire desafiante.

Whitcomb meneó la cabeza. Parecía casi disgustado.

—Claro que vas a hacerlo. Puede ser por las buenas o por las malas, Ron.

—¿Qué pasa con mi mujer? ¿Puedes sacarla de ahí?

—Puedo hacer lo que quiera.

El hombre que lo sabe todo...

El joven policía cerró los ojos y rechinó los dientes como solía hacer cuando era niño. Miró el edificio en el que Jenny estaba retenida.

Jenny, que tanto se parecía a Myra Weinburg.

Ron Pulaski se resignó a lo que tenía que hacer. Era terrible, era absurdo, pero no le quedaba otro remedio. Estaba acorralado.

Agachó la cabeza y masculló:

—De acuerdo.

—¿Lo harás?

—He dicho que sí —replicó ásperamente.

—Es lo más sensato, Ron. Lo más sensato.

—Pero quiero que me prometas... —Pulaski dudó una fracción de segundo al mirar más allá de Whitcomb y luego fijó de nuevo los ojos en él— que mi mujer y mi hija saldrán hoy mismo.

Whitcomb, que había advertido el movimiento de sus ojos, miró rápidamente hacia atrás. Al hacerlo, el cañón de su pistola se apartó ligeramente del blanco.

Pulaski pensó que lo había engañado y actuó de inmediato: con la mano izquierda apartó la pistola al mismo tiempo que levantaba la pierna y sacaba un pequeño revólver de una funda que llevaba sujeta al tobillo. Amelia Sachs le había instado a llevar siempre uno consigo.

El asesino soltó un exabrupto e intentó retroceder, pero Pulaski agarró con fuerza la mano con la que sujetaba la pistola y le golpeó violentamente en la cara con el revólver, partiendo cartílago.

Whitcomb dejó escapar un grito sofocado cuando brotó la sangre a borbotones. Cayó al suelo y Pulaski logró quitarle la pistola de los dedos, pero no pudo agarrarla. El arma de Whitcomb, de color negro, voló hacia el suelo mientras los hombres se enzarzaban en un torpe combate de lucha libre. La pistola resonó al chocar contra el asfalto sin dispararse y Whitcomb, con los ojos dilatados por el miedo y la furia, empujó al policía contra la pared y agarró su mano.

—¡No, no!

Se lanzó hacia él con intención de propinarle un cabezazo y Pulaski, acordándose del horror del golpe de garrote que había sufrido en la frente hacía unos años, se encogió instintivamente. Whitcomb aprovechó la oportunidad para lanzar el revólver de Pulaski hacia arriba, sacar con la otra mano la Glock y apuntarle a la cabeza.

El joven agente tuvo el tiempo justo para esbozar una plegaria y visualizar una imagen de su mujer y sus hijos, un vívido retrato que llevarse con él al cielo.

La luz volvió por fin y Cooper y Rhyme procedieron de inmediato a examinar las pruebas del asesinato de Joe Malloy. Estaban solos en el laboratorio: Lon Sellitto se había ido a jefatura a intentar revocar su suspensión.

Las fotografías de la escena del crimen eran poco reveladoras y los indicios materiales tampoco servían de gran cosa. La pisada era claramente la de 522, la misma que habían encontrado ya. Los trozos de hojas de árbol pertenecían a plantas de interior: ficus y aglaonema, o siempreviva china. Los restos microscópicos eran tierra de origen ilocalizable, más polvo de las Torres Gemelas y un polvillo blanco que resultó ser leche en polvo. La cinta aislante era genérica. Imposible localizar su origen.

A Rhyme le sorprendió la cantidad de sangre que había en las pruebas. Pensó en la descripción que Sellitto le había hecho del capitán.

Es un cruzado...

A pesar de la frialdad que se atribuía a sí mismo, se descubrió profundamente impresionado por la muerte de Malloy... y por lo atroz que había sido. Su ira bulló más intensamente. Y su desasosiego también. Miró varias veces por la ventana, como si 522 estuviera acercándose a hurtadillas en ese preciso instante, a pesar de que había mandado a Thom cerrar todas las puertas y las ventanas y encender las cámaras de seguridad.

- Zapatos Skechers del número 45.
- Hojas de plantas de interior: ficus y aglaonema (siempreviva china).
- Tierra de origen desconocido.
- Polvo del atentado a las Torres Geme- las.
- Leche en polvo.
- Cinta aislante genérica, origen ilocali- zable.

—Añade las plantas y la leche en polvo a la tabla de pruebas no falsifica- das, Mel.

El técnico se acercó a la pizarra y anotó los cambios.

—No es gran cosa. Maldita sea, no es gran cosa.

Rhyme parpadeó entonces. Otra vez estaban aporreando la puerta. Thom fue a abrir. Mel Cooper se apartó de la pizarra y deslizó la mano hasta la fina pistola que llevaba a la altura de la cadera.

Pero el recién llegado no era 522. Era Herbert Glenn, un inspector del Departamento de Policía de Nueva York. Un hombre de mediana edad y por- te impresionante, observó Rhyme. Vestía un traje barato, pero sus zapatos estaban bruñidos a la perfección. Detrás de él, en el pasillo, se oían otras voces.

Tras las presentaciones, Glenn dijo:

—Me temo que tengo que hablarle de un agente que trabaja con usted.

¿Sellitto? ¿O Sachs? ¿Qué había pasado?

Glenn dijo con voz firme:

—Se llama Ron Pulaski. Trabaja con él, ¿verdad?

Oh, no.

El novato...

Pulaski muerto y su mujer en el infierno burocrático del centro de deten- ción, con su bebé. ¿Qué haría?

—¡Dígame qué ha pasado!

Glenn miró hacia atrás e indicó a dos hombres que entraran en la habi- tación: uno de ellos tenía el pelo gris y vestía traje oscuro; el otro era más joven y bajo y vestía de manera parecida, pero llevaba un aparatoso vendaje en la nariz. El inspector le presentó a Samuel Brockton y a Mark Whitcomb, empleados de SSD. Brockton, advirtió Rhyme, estaba en la lista de sospecho- sos, aunque por lo visto tenía una coartada para el asesinato de Myra Weinburg. Whitcomb era, al parecer, su segundo en el departamento de autorregulación.

—¡Dígame qué le ha pasado a Pulaski!

El inspector Glenn añadió:

—Me temo... —Sonó su teléfono y cogió la llamada. Miró a Brockton y Whitcomb mientras hablaba en voz baja. Por fin puso fin a la conversación.

—Dígame qué le ha pasado a Ron Pulaski. ¡Quiero saberlo inmediatamente!

Sonó el timbre y Thom y Mel Cooper hicieron entrar a otros dos hombres en el laboratorio. Uno era un hombre fornido que llevaba colgada del cuello una insignia del FBI. El otro era Ron Pulaski, que iba esposado.

Brockton señaló una silla y el agente del FBI depositó allí al joven policía. Saltaba a la vista que Pulaski estaba tembloroso, además de llevar la ropa polvorienta, arrugada y salpicada de sangre. Pero por lo demás parecía estar intacto. Whitcomb también se sentó y se tocó con cautela la nariz. No miró a nadie.

Samuel Brockton enseñó su identificación a Rhyme.

—Soy agente de la División de Cumplimiento de la Normativa del Departamento de Seguridad Nacional de los Estados Unidos. Mark es mi ayudante. Su colaborador ha agredido a un agente federal.

—Que me estaba amenazando a punta de pistola sin identificarse y que además me había...

¿La División de Cumplimiento de la Normativa? Rhyme nunca había oído hablar de ella. Pero dentro del complejo laberinto de Seguridad Nacional, los grupos de trabajo aparecían y desaparecían como modelos de coche sin éxito de ventas.

—Yo creía que trabajaban para SSD.

—Tenemos nuestro despacho en SSD, pero somos empleados del gobierno federal.

¿Y en qué diablos se había metido Pulaski? El alivio comenzó a refluir al tiempo que subía la marea del enfado.

El novato hizo amago de hablar, pero Brockton le mandó callar. Rhyme, sin embargo, dijo con severidad al hombre del traje gris:

—No, deje que hable.

Brockton dudó un momento. Sus ojos revelaban una convicción cargada de paciencia que sugería que Pulaski o cualquier otra persona podían decir lo que quisieran sin que a él le afectara lo más mínimo. Hizo un gesto de asentimiento.

El novato explicó a Rhyme que se había reunido con Whitcomb, esperando conseguir con ello que Jenny saliera del centro de detención. Pero Whitcomb le había pedido que saboteara la investigación y, al negarse él, había sacado un arma y lo había amenazado. Pulaski lo había golpeado en la cara con su revólver de refuerzo y habían luchado.

—¿Por qué quieren sabotear nuestro caso? —preguntó con aspereza Rhyme a Brockton y Glenn.

Brockton pareció notar de pronto que el criminalista estaba discapacitado y al instante pareció olvidarlo. Dijo con voz tranquila y grave:

—Lo hemos intentado de un modo sutil. Si el agente Pulaski hubiera accedido, no se habría formado este jaleo. Este caso ha dado un montón de quebraderos de cabeza a mucha gente. Se suponía que tenía que pasar toda esta semana en reuniones en el Congreso y el Departamento de Justicia, pero tuve que cancelarlo todo y volver aquí a toda prisa para ver qué estaba pasando. Pero, en fin, todo esto es extraoficial. ¿Entendido todo el mundo?

Rhyme masculló un sí y Cooper y Pulaski hicieron lo propio.

—La División de Cumplimiento de la Normativa se dedica al análisis de amenazas terroristas y ofrece servicios de seguridad a empresas privadas que pueden ser blanco de atentados. Pesos pesados de la infraestructura nacional. Compañías petrolíferas, aerolíneas, bancos. Y también procesadores de información como SSD. Tenemos agentes in situ.

Sachs había dicho que Brockton pasaba mucho tiempo en Washington. Aquello explicaba por qué.

—Entonces, ¿por qué mentir? ¿Por qué decir que son empleados de SSD? —balbució Pulaski.

Rhyme nunca había visto al joven enfadado. Ahora, en cambio, lo estaba, y mucho.

—Tenemos que mantener un perfil bajo —explicó Brockton—. Es fácil comprender por qué las compañías petrolíferas o farmacéuticas y la industria alimentaria pueden ser blanco de ataques terroristas. Pues piensen en lo que podrían hacer los terroristas con la información que tiene SSD. Nuestra economía sufriría un serio revés si fallaran sus ordenadores. ¿Y qué pasaría si los terroristas se enteraran con detalle de las idas y venidas de ejecutivos o políticos y de otros datos personales que contiene innerCircle?

—¿Han sido ustedes quienes han manipulado los resultados del control antidroga de Lon Sellitto?

—No, eso tiene que haber sido cosa de su sospechoso, de ese tal Cinco Dos Dos —contestó el inspector Glenn—. Igual que la detención de la esposa del agente Pulaski.

—¿Por qué quieren que se pare la investigación? —preguntó Pulaski bruscamente—. ¿Es que no se dan cuenta de lo peligroso que es ese hombre? —Hablaba dirigiéndose a Mark Whitcomb, pero el ayudante de Brockton siguió con la vista clavada en el suelo y guardó silencio.

—Según nuestro perfil, es una protuberancia —explicó Glenn.

—¿Una qué?

—Una anomalía. Una incidencia no recurrente —aclaró Brockton—. SSD ha hecho un análisis de la situación. Los modelos predictivos y de perfil psicológico afirman que un sociópata como ése tiene que alcanzar el punto de saturación de manera inminente. Dejará de hacer lo que está haciendo. Sencillamente, se esfumará.

—Pero no lo ha hecho, ¿verdad?

—Todavía no —repuso Brockton—. Pero lo hará. Los programas nunca se han equivocado.

—Se equivocarán si muere una sola persona más.

—Tenemos que ser realistas. Es una cuestión de equilibrio. No podemos permitir que todo el mundo sepa lo valioso que es SSD como objetivo terrorista. Ni podemos dejar que se haga pública la existencia de la División de Cumplimiento de la Normativa del Departamento de Seguridad Nacional. Tenemos que mantener a SSD y a la división fuera de escena en la medida de lo posible. Y una investigación por asesinato las pondría en el candelero a lo grande.

Glenn añadió:

—Si quiere investigar pistas convencionales, Lincoln, hágalo. Pruebas forenses, testigos, todo eso está muy bien. Pero tendrán que mantener al margen a SSD. Esa conferencia de prensa fue un error garrafal.

—Hablamos con Ron Scott en la oficina del alcalde, hablamos con Joe Malloy. Ellos la autorizaron.

—Pues no consultaron con quien debían. Puso en peligro nuestra relación con SSD. Andrew Sterling no tiene por qué procurarnos apoyo informático, ¿sabe?

Hablaba como el presidente de la empresa de zapatos, aterrorizado por molestar a Sterling y a SSD.

Brockton añadió:

—En fin, la línea directriz es que su asesino no obtuvo esa información de SSD. En realidad, es la única línea aceptable.

—¿Son conscientes de que Joseph Malloy ha muerto por culpa de SSD e innerCircle?

El rostro de Glenn se crispó. Suspiró.

—Lamento su muerte. Muchísimo. Pero el capitán Malloy ha muerto en el curso de una investigación. Es trágico, pero son gajes del oficio.

La línea directriz... la única línea...

—Así pues —prosiguió Brockton—, SSD ya no forma parte de la investigación. ¿Entendido?

Un gélido gesto de asentimiento.

Glenn hizo una seña al agente del FBI.

—Ya puede soltarlo.

El agente quitó las esposas a Pulaski, que se levantó frotándose las muñecas.

—Revoquen la suspensión de Lon Sellitto. Y manden poner en libertad a la esposa de Pulaski.

Glenn miró a Brockton, que negó con la cabeza.

—Hacer eso ahora equivaldría a reconocer que SSD ha tenido que ver en los crímenes. Tendremos que dejarlo como está de momento.

—Eso es una gilipollez. Ustedes saben que Lon Sellitto no ha tomado drogas en toda su vida.

—Y así lo pondrá de manifiesto la investigación —afirmó Glenn—. Vamos a dejar que el asunto siga su curso.

—¡No, maldita sea! Según los datos que el asesino ha introducido en el sistema, ya es culpable. Igual que Jenny Pulaski. ¡Está todo en sus expedientes!

El inspector contestó con calma:

—Tendremos que dejarlo así de momento.

Los agentes federales y Glenn se dirigieron a la puerta.

—Eh, Mark —dijo Pulaski.

Whitcomb se volvió.

—Lo siento.

El agente federal parpadeó, sorprendido por la disculpa, y se tocó la nariz vendada. Luego Pulaski añadió:

—Siento no haberte roto más que la nariz. Que te jodan, Judas.

Vaya, el novato tiene mal genio, después de todo.

Después de que se marcharan, Pulaski llamó a su mujer, pero no pudo hablar con ella. Cerró el teléfono, furioso.

—¿Sabes qué te digo, Lincoln? Que me da igual lo que digan, no pienso darme por vencido.

—Descuida, vamos a seguir con la investigación. A fin de cuentas, a mí no pueden despedirme: soy un civil. Sólo pueden despediros a ti y a Mel.

Cooper arrugó el ceño.

—Bueno, yo...

—Relájate, Mel. Yo también tengo sentido del humor, a pesar de lo que cree todo el mundo. Nadie va a enterarse, siempre y cuando el novato no vaya por ahí pegando a más agentes federales. Bueno, ese tal Robert Carpenter, el cliente de SSD. Lo quiero. Ahora mismo.

42

Así que soy 522.

Me he estado preguntando por qué habrán escogido un número. Myra 9834 no fue mi víctima quinientos veintidós (¡qué idea tan encantadora!). De las direcciones de las víctimas, ninguna contenía esa cifra... Espera. La fecha. Claro. Myra 9834 murió el domingo pasado, día 22 del mes cinco, y fue entonces cuando Ellos empezaron a perseguirme.

Así que para Ellos soy un número. Igual que Ellos para mí. Me siento halagado. Ahora estoy en mi Armario, acabo de completar la mayor parte de mi investigación. Ya es tarde, la gente vuelve a casa después del trabajo, o sale a cenar o a ver a los amigos. Pero eso es lo fantástico de los datos: que nunca duermen, y mis soldados pueden llevar a cabo un ataque aéreo sobre la vida de cualquier persona a la hora que yo elija y en cualquier lugar.

Ahora mismo, la familia Prescott y yo estamos pasando un rato juntos antes de que empiecen los ataques. La policía estará pronto custodiando las casas de mis enemigos y sus familiares... Pero no entienden de qué índole son mis armas. El pobre Joseph Malloy me dio bastante material con el que trabajar.

Por ejemplo, ese tal detective Lorenzo (Lon) Sellitto (se ha tomado muchas molestias para ocultar su verdadero nombre de pila) está suspendido, pero eso no es lo único que le espera. Aquel desafortunado incidente hace unos años en el que un sospechoso murió de un disparo durante un arresto... Van a aparecer pruebas nuevas que demostrarán que el sospechoso no tenía, en realidad, un arma: el testigo estaba mintiendo. La madre del chico muerto se enterará, y yo mandaré un par de cartas racistas en nombre de Sellitto a algunas páginas web de la ultraderecha. Después me las arreglaré para que intervenga el reverendo Al*, y ése será el golpe de gracia. Es posible que el pobre Lon acabe cumpliendo condena.

Además, he estado informándome sobre los individuos adheridos a Se-

* Reverendo Al Sharpton: ministro baptista, famoso activista por los derechos civiles de los afroamericanos. (*N. de la T.*)

llitto. Ya se me ocurrirá algo para el hijo adolescente que tiene con su exmujer. Un par de acusaciones por posesión de drogas, quizá. De tal palo, tal astilla. Un toque bonito.

Y respecto a ese polaco, ese tal Pulaski, bueno, en algún momento logrará convencer a Seguridad Nacional de que su esposa ni es una terrorista, ni está aquí en situación ilegal. Pero ¡qué sorpresa se llevarán ambos cuando desaparezca la partida de nacimiento de su hija y otra pareja, cuyo recién nacido desapareció del hospital hace un año, se entere por casualidad de que su bebé podría ser el de Pulaski! Como mínimo, la pequeña pasará en el limbo de los hogares de acogida unos cuantos meses, los que tarden en aclararse las cosas. Y de ésta ya no levantará cabeza. (Si lo sé yo bien.)

Y luego llegamos a Amelia 7303 y a ese tal Lincoln Rhyme. Bien, sólo porque estoy de mal humor, Rose Sachs, que tenía que someterse a una operación cardíaca el mes que viene, va a perder su seguro sanitario debido a... Bueno, creo que lo dejaré en algún que otro fraude en el pasado. Y Amelia 7303 seguramente estará cabreada por lo de su coche, pero espera a que reciba la verdadera mala noticia: su deuda de consumidora irresponsable. Unos doscientos mil dólares, quizá. Con una tasa de interés rayana en la usura.

Pero eso son simples aperitivos. He descubierto que un exnovio suyo fue condenado por secuestro, asalto, robo y extorsión. Varios testigos nuevos enviarán correos anónimos afirmando que ella también estaba involucrada y que hay un alijo escondido en el garaje de su madre, que yo mismo pondré allí antes de llamar a Asuntos Internos.

Los cargos serán sobreseídos (estatuto de limitaciones), pero la repercusión mediática destruirá su reputación. Gracias, libertad de prensa. Dios bendiga a América...

La muerte es una forma de transacción que sin duda frena a tus perseguidores, pero las tácticas no letales pueden ser igual de eficaces y en mi opinión son mucho más elegantes.

En cuanto a ese tal Lincoln Rhyme... Bien, la situación resulta interesante. Naturalmente, cometí el error de elegir a su primo. Pero, a decir verdad, revisé todos los individuos adheridos a Arthur 3480 y no encontré ninguna mención a su primo. Lo cual es curioso. Son parientes consanguíneos, pero hacía una década que no mantenían ningún contacto.

Ha cometido el error de despertar a la bestia de un aguijonazo. Es el mejor adversario al que me he enfrentado. Me detuvo cuando iba camino de la casa de DeLeon 6832; de hecho me pilló con las manos en la masa, cosa que no había sucedido nunca. Y según el agónico relato de Malloy, avanza constantemente hacia mí.

Pero, cómo no, también tengo planes para él. En estos momentos no puedo aprovecharme de innerCircle (debo ser prudente), pero los artículos periodísticos y otras fuentes de datos son suficientemente reveladores. El problema, naturalmente, estriba en cómo destruir la vida de alguien como Rhyme, cuya existencia física ya está prácticamente destruida. Finalmente se me ocurre una solución: si es tan dependiente, destruiré a alguien a quien esté adherido. Su cuidador, Thom Reston, será mi siguiente objetivo. Si el joven muere (y de un modo particularmente penoso), dudo que Rhyme se recupere del golpe. La investigación irá desinflándose. Nadie se hará cargo de ella con el mismo empeño que él.

Meteré a Thom en el maletero de mi coche y lo llevaré a otro almacén. Allí, usaré sin prisas mi navaja Krusius Brothers. Grabaré en vídeo toda la sesión y se la enviaré a Rhyme por correo electrónico. Siendo un criminalista tan concienzudo como parece ser, se sentirá obligado a ver atentamente la espantosa grabación, en busca de pistas. Tendrá que verla una y otra vez.

Estoy seguro de que eso lo dejará incapacitado para seguir con el caso. Puede que incluso lo destroce por completo.

Entro en la sala tres de mi Armario y busco una de mis cámaras de vídeo. Las pilas están cerca. Y en la sala dos cojo la Krusius, en su viejo estuche. La hoja tiene todavía una pátina marrón de sangre reseca. Nancy 3470, hace dos años. (El tribunal acaba de rechazar la apelación final de su asesino, Jason 4971, que había alegado que las pruebas del caso eran falsas para solicitar la absolución, un argumento que seguramente hasta su abogado encontró patético.)

La navaja está embotada. Recuerdo que las costillas de Nancy 3470 ofrecieron cierta resistencia. Pataleó más de lo que esperaba. No importa. La paso un poco por uno de mis ocho afiladores, luego por el suavizador de navajas y listo.

La adrenalina de la caza inundaba ahora como una marea a Amelia Sachs.

La prueba que había encontrado en su jardín la había llevado por un camino retorcido, pero tenía la corazonada (con perdón de Rhyme) de que la misión que iba a acometer daría fruto. Aparcó en la calle el coche de Pam y se acercó a toda prisa a la siguiente dirección de su lista, en la que figuraban seis personas, una de las cuales, esperaba, le daría la pista final de la identidad de 522.

Había probado ya con dos, sin ningún éxito. ¿Tendría el tercero la respuesta? Circular así por la ciudad era una especie de macabra búsqueda de carroña, se dijo.

Era ya de noche y tuvo que comprobar la dirección a la luz de una farola. Encontró la casa y subió los escasos peldaños que llevaban a la puerta principal. Estaba acercando la mano al timbre cuando algo comenzó a inquietarla.

Se detuvo.

¿Era simple paranoia lo que llevaba sintiendo todo el día? ¿Aquella sensación de estar siendo observada?

Miró deprisa a su alrededor: a los pocos hombres y mujeres que había en la calle, a las ventanas de las casas y las tienditas de allí cerca, pero no vio nada sospechoso. Nadie parecía prestarle atención.

Hizo de nuevo amago de pulsar el timbre y bajó la mano.

Había algo raro...

Pero ¿qué?

Entonces lo entendió. No era que estuvieran vigilándola. Lo que la inquietaba era un olor. Y con un sobresalto comprendió qué era: moho. Olía a moho y el olor procedía de la casa frente a la que se hallaba.

¿Simple coincidencia?

Bajó los peldaños sin hacer ruido y rodeó la casa por el callejón empedrado. Era un edificio muy grande: de fachada estrecha, pero muy profundo. Se adentró más aún en el callejón y se acercó a una ventana. Estaba cubierta con papel de periódico. Observó el lateral del edificio. Sí, estaban todas tapadas. Se acordó de las palabras de Terry Dobyns: *Y las ventanas estarán pintadas de negro o tapadas. Tiene que mantener alejado al mundo exterior...*

Había ido allí simplemente a buscar información. Aquélla no podía ser la casa de 522: las pistas no encajaban. De pronto comprendió, sin embargo, que se había equivocado. No había duda de que era la casa del asesino.

Echó mano del teléfono, pero de pronto oyó un ruido suave a su espalda, en el callejón empedrado. Con los ojos dilatados, dejó el teléfono por la pistola y se volvió bruscamente. Pero antes de que su mano llegara a la empuñadura de la Glock, recibió un fuerte golpe. Chocó contra la pared del edificio. Aturdida, cayó de rodillas.

Sofocó un grito, levantó la vista y vio los duros ojillos del asesino y la navaja manchada que sostenía en el instante en que iniciaba su viaje hacia su garganta.

43

—Orden: llamar a Sachs.

Pero saltó el buzón de voz.

—Maldita sea, ¿dónde está? Encontradla. ¿Pulaski? —Rhyme giró su silla para mirar al joven, que estaba hablando por teléfono—. ¿Qué pasa con Carpenter?

El agente levantó una mano. Luego colgó.

—Por fin he podido hablar con su secretaria. Carpenter ha salido temprano del trabajo, tenía que hacer unas gestiones. Ya debería estar en casa.

—Quiero a alguien allí. Enseguida.

Mel Cooper intentó localizar a Sachs por el busca, pero al no obtener respuesta dijo:

—Nada. —Hizo un par de llamadas más y añadió—: Nada. No ha habido suerte.

—¿No le habrá cortado el servicio Cinco Dos Dos, como hizo con la luz?

—No, dicen que la cuenta está activa. Es sólo que los aparatos no funcionan. O están rotos o les han quitado la batería.

—¿Qué? ¿Están seguros? —El miedo que sentía comenzó a extenderse.

Sonó el timbre y Thom fue a abrir.

Lon Sellitto entró en la habitación con la camisa medio sacada de los pantalones y la cara sudorosa.

—No pueden hacer nada respecto a la suspensión. Es automática. Aunque me haga otro análisis, tienen que mantenerla en vigor hasta que Asuntos Internos acabe sus pesquisas. Putos ordenadores. Le he pedido a alguien que llamara a PublicSure. Dice, y cito, que «lo están mirando», y ya sabéis lo que significa eso. —Miró a Pulaski—. ¿Qué ha pasado con tu mujer?

—Sigue detenida.

—Dios mío.

—Y la cosa no acaba ahí. —Rhyme le contó a Sellitto lo de Brockton, Whitcomb y Glenn y la División de Cumplimiento de la Normativa de Seguridad Nacional.

—Joder. Es la primera vez que lo oigo.

—Y quieren que suspendamos la investigación, al menos en lo tocante a SSD. Pero tenemos otro problema. Amelia ha desaparecido.

—¿Qué? —bramó Sellitto.

—Eso parece. No sé adónde pensaba ir después de pasarse por su casa. No ha llamado... Dios mío, no había luz, el teléfono no funcionaba. Comprueba el buzón de voz. Puede que haya llamado.

Cooper marcó el número. Y descubrieron que, en efecto, Sachs había llamado. Pero sólo había dicho que iba a seguir una pista, nada más. Pedía a Rhyme que la llamara y se lo explicaría.

El criminalista cerró los ojos, lleno de frustración.

Una pista...

¿Adónde? Tenía que ser alguno de sus sospechosos. Miró la lista.

Andrew Sterling, presidente y consejero delegado. Coartada verificada: estuvo en Long Island. Confirmada por su hijo.

Sean Cassel, director de ventas y márquetin. Sin coartada.

Wayne Gillespie, director de operaciones técnicas. Sin coartada.

Samuel Brockton, director del departamento de autorregulación. Coartada: el registro del hotel confirma su presencia en Washington.

Peter Arlonzo-Kemper, director de recursos humanos. Coartada: su esposa. Verificada por ella (¿sesgada?).

Steven Shraeder, encargado del servicio técnico y de mantenimiento, turno de día. Coartada: estuvo en la oficina, según su ficha horaria.

Faruk Mameda, encargado del servicio técnico y de mantenimiento, turno de noche. Sin coartada. Coartada para el asesinato del guarda: estuvo en la oficina, según los registros horarios de la empresa.

¿Cliente de SSD? ¿Robert Carpenter?

¿SNI reclutado por Andrew Sterling? (¿)

¿Corredor?

¿Tenía relación aquella pista con alguno de ellos?

—Lon, ve a ver a ese tal Carpenter.

—¿Y qué le digo? ¿«Hola, antes era policía. Me permite que lo interrogue. No tiene por qué hacerlo, pero soy de fiar»?

—Sí, Lon, algo parecido.

Sellitto se volvió hacia Cooper.

—Mel, dame tu insignia.

—¿Mi insignia? —preguntó el técnico con nerviosismo.

—No voy a rayártela —masculló el hombretón.

—Me preocupa más que me suspendan.

—Bienvenido al puto club. —Sellitto cogió la insignia y Pulaski le dio la dirección de Carpenter—. Os llamaré en cuanto sepa algo.

—Ten cuidado, Lon. Cinco Dos Dos se siente acorralado. Va a contraatacar con todas sus fuerzas. Y recuerda que es...

—El hijo de puta que lo sabe todo. —Sellitto salió del laboratorio.

Rhyme notó que Pulaski estaba observando las pizarras.

—Detective...

—¿Qué?

—Se me está ocurriendo una cosa. —Tocó la pizarra en la que estaban anotados los nombres de los sospechosos—. La coartada de Andrew Sterling. Me dijo que cuando estuvo en Long Island su hijo estaba haciendo senderismo en Westchester. Había llamado a Andy desde fuera de la ciudad y vimos la hora en su registro de llamadas. Encajaba.

—¿Y?

—Pues que acabo de acordarme de que Sterling dijo que su hijo había tomado el tren para ir a Westchester. Pero cuando hablé con Andy, me dijo que había ido en coche. —Ladeó la cabeza—. Y hay otra cosa, señor. El día en que mataron al guarda del cementerio. Comprobé las horas de entrada y salida de los empleados. Vi el nombre de Andy. Se marchó justo después que Miguel Abrera, el conserje. Segundos después, quiero decir. Entonces no le di importancia porque Andy no estaba entre los sospechosos.

—Pero el hijo no tiene acceso a innerCircle —dijo Cooper, señalando con la cabeza la lista de sospechosos.

—No, según dice su padre, pero... —Pulaski meneó la cabeza—. Verán, Andrew Sterling se ha mostrado tan dispuesto a colaborar que hemos creído sin vacilar todo lo que nos ha dicho. Afirmó que sólo tenían acceso las personas que figuran en nuestra lista de sospechosos. Pero no lo hemos deducido por nuestros propios medios. No hemos verificado quién puede o no puede entrar en innerCircle.

—Puede que Andy haya echado un vistazo a la agenda electrónica o al ordenador de su papá para conseguir el código de acceso —comentó Cooper.

—Hoy estás en vena, Pulaski. Está bien, Mel, ahora tú eres el mandamás. Manda un equipo táctico a casa de Andy Sterling.

Ni siquiera el mejor análisis predictivo, alimentado por brillantes cerebros artificiales como Xpectation, puede acertar siempre.

¿Quién iba a adivinar que Amelia 7303, que ahora yace esposada y aturdida a cinco metros de mí, se presentaría en mi casa?

Todo un golpe de suerte, la verdad. Estaba a punto de marcharme para poner en marcha la vivisección de Thom cuando la he visto por la ventana. Mi vida parece funcionar así: mi buena suerte compensa los nervios.

Sopeso con calma la situación. Muy bien, sus colegas de la policía no sospechan de mí. Sólo ha venido a enseñarme el retrato robot que he encontrado en su bolsillo junto con una lista de seis personas. Las dos primeras están tachadas. Yo soy el infortunado número tres. Sin duda alguien preguntará por ella. Y cuando lo hagan diré que sí, que estuvo aquí, que me enseñó el retrato robot y se marchó. Y eso será todo.

He desmantelado sus aparatos electrónicos y los estoy colocando en las cajas apropiadas. Se me ha ocurrido utilizar su teléfono para grabar los últimos estertores de Thom Reston. La idea posee una bonita simetría, cierta elegancia. Pero, naturalmente, ella tendrá que esfumarse por completo. Irá a dormir en mi sótano, junto a Caroline 8630 y Fiona 4892.

Desaparecer por completo.

No tan pulcramente como sería posible (a la policía le encanta que haya un cadáver), pero de todos modos es una buena noticia para mí.

Esta vez conseguiré un trofeo como es debido. Nada de simples uñas de mi Amelia 7303...

44

—Vale, ¿qué ha pasado? —le preguntó Rhyme a Pulaski con aspereza.

El novato estaba a cinco kilómetros de allí, en Manhattan, en la casa que Andrew Sterling hijo tenía en el Upper East Side.

—¿Has entrado? ¿Sachs está ahí?

—Creo que no es Andy, señor.

—¿Crees o no es él?

—No es él.

—Explícate.

El policía le contó que, en efecto, Andy Sterling había mentido acerca de sus actividades del domingo. Pero no para ocultar su papel como asesino y violador. Le había dicho a su padre que había tomado el tren de Westchester para ir a hacer senderismo, pero lo cierto era que había ido en coche, tal y como había dicho por descuido al hablar con Pulaski.

Delante de éste y de dos agentes del Servicio de Emergencias, el joven había confesado entre balbuceos por qué había mentido a su padre diciéndole que había tomado el tren. Andy no tenía permiso de conducir.

Pero su novio sí. Andrew Sterling podía ser el mayor proveedor de información del mundo, pero ignoraba que su hijo era homosexual, y el joven nunca había reunido el valor suficiente para decírselo.

Una llamada a su novio confirmó que habían estado ambos fuera de la ciudad a la hora de los asesinatos. Y el centro de operaciones de la tarjeta de telepeaje confirmó que así era.

—Maldita sea. Está bien, vuelve aquí, Pulaski.

—Sí, señor.

Mientras caminaba por la acera en sombras, Lon Sellitto iba pensando: *Mierda, debería haberle pedido también la pistola a Cooper*. Pero, naturalmente, una cosa era pedir prestada una insignia si estabas suspendido, y otra muy distinta un arma. Eso podría haber convertido aquel lío en un marrón de la hostia, si llegaba a oídos de Asuntos Internos.

Y además les daría motivos fundados para suspenderlo cuando se aclarara el asunto del análisis antidroga.

Drogas... Menuda mierda.

Encontró la dirección que buscaba, la de Carpenter, una casa en un barrio tranquilo del Upper East Side. Las luces estaban encendidas, pero no vio a nadie dentro. Se acercó a la puerta y pulsó el timbre.

Le pareció oír ruidos en el interior. Pasos. Una puerta.

Y luego nada durante un minuto largo.

Acercó instintivamente la mano al lugar donde siempre llevaba el arma.

Mierda.

Por fin, la cortina de una ventana lateral se abrió y volvió a caer. Se abrió la puerta y Sellitto se encontró frente a un hombre de complexión robusta, con el pelo peinado hacia atrás. Miraba fijamente su insignia dorada que había tomado prestada. Parpadeó desconcertado.

—Señor Carpenter...

Sin que le diera tiempo a decir nada más, el desconcierto de Carpenter pareció desvanecerse y su rostro se crispó en una mueca de pura rabia.

—¡Maldita sea! —gritó—. ¡Maldita sea!

Hacía años que Lon Sellitto no se enzarzaba en una pelea con un sospechoso, y de pronto se dio cuenta de que aquel hombre podía darle una paliza con toda facilidad y a continuación rebanarle el pescuezo. *¿Por qué diablos no le he pedido la pistola a Cooper, pasara lo que pasase?*

Pero resultó que la ira de Carpenter no iba dirigida contra él, sino, curiosamente, contra el presidente de SSD.

—Ha sido ese cabrón de Andrew Sterling, ¿verdad? ¿Les ha llamado él? Me ha implicado en esos asesinatos de los que no paran de hablar. Dios mío, ¿qué voy a hacer? Seguramente ya estoy en el sistema y Atalaya habrá mandado mi nombre a listas de todo el país. Ay, Dios. ¡Qué puto imbécil he sido por enredarme con SSD!

La preocupación de Sellitto disminuyó. Guardó la insignia policial y le pidió que saliera. Carpenter obedeció.

—Entonces, ¿tengo razón? Andrew está detrás de esto, ¿a que sí? —gruñó Carpenter.

El detective no contestó, pero le preguntó dónde estaba a la hora del asesinato de Malloy, ese mismo día.

Carpenter se lo pensó.

—Estaba en reuniones. —Le dio el nombre de varios empleados de un gran banco de la ciudad y sus números de teléfono.

—¿Y el domingo por la tarde?

—Mi novia y yo tuvimos invitados. Para almorzar.

Una coartada fácil de verificar.

Sellitto llamó a Rhyme para contarle lo que había averiguado. Habló con Cooper, que le dijo que comprobaría las coartadas. Después desconectó y se volvió hacia un agitado Bob Carpenter.

—Ese capullo es el tío más vengativo con el que he hecho negocios.

Sellitto le dijo que, en efecto, había sido SSD quien les había procurado su nombre. Al oír la noticia, el hombre cerró los ojos un momento. Su cólera comenzaba a refluir, dando paso a la angustia.

—¿Qué les ha dicho de mí?

—Por lo visto descargó usted información sobre las víctimas justo antes de que fueran asesinadas. En varios asesinatos que han tenido lugar en los últimos meses.

—Esto es lo que pasa cuando Andrew se cabrea —repuso Carpenter—. Se toma la revancha. Pero no pensé que sería así... —Frunció el entrecejo—. ¿En los últimos meses? Esas descargas... ¿De cuándo son las más recientes?

—De las últimas dos semanas.

—Entonces no he podido ser yo. Tengo prohibido el acceso al sistema de Atalaya desde principios de marzo.

—¿Prohibido?

Carpenter hizo un gesto de asentimiento.

—Por orden de Andrew.

Sonó el teléfono de Sellitto. Era Mel Cooper. El técnico le explicó que al menos dos de las fuentes habían confirmado la coartada de Carpenter. El detective le pidió que llamara a Rodney Szarnek para que comprobara de nuevo los datos del CD que le habían dado a Pulaski. Cerró el teléfono y le dijo a Carpenter:

—¿Por qué le prohibieron el acceso?

—Verá, lo que pasa es que tengo una empresa de almacenamiento de datos y...

—¿Almacenamiento de datos?

—Almacenamos datos que procesan empresas como SSD.

—Pero ¿no como en un almacén donde se guardan mercancías?

—No, no. Es todo almacenaje informático. Tenemos nuestros servidores en Nueva Jersey y Pensilvania. El caso es que... En fin, podría decirse que me dejé seducir por Andrew Sterling. Todo su éxito, su dinero... Me dieron ganas de dedicarme yo también a la minería de datos, como SSD, no sólo a almacenarlos. Pensaba abrirme un hueco en el mercado, en un par de sectores en los que SSD no es tan fuerte. En realidad no era nada ilegal, no intentaba competir.

Sellitto advirtió una nota de desesperación en su voz al intentar justificar Carpenter lo que había hecho.

—Era cosa de poco, pero Andrew se enteró y me expulsó de innerCircle y Atalaya. Amenazó con demandarme. He intentado negociar con él, pero hoy me ha echado. Bueno, ha puesto fin a nuestro contrato. Pero la verdad es que no he hecho nada malo. —Se le quebró la voz—. Eran sólo negocios...

—¿Y cree que Sterling ha manipulado los archivos informáticos para que parezca usted el asesino?

—Bueno, ha tenido que ser alguien de SSD.

Total que Carpenter no es sospechoso, se dijo Sellitto, *y esto es una pérdida de tiempo de tres pares de cojones.*

—No tengo más preguntas. Buenas noches.

Pero el hombre había cambiado de estado de ánimo. Su ira se había desvanecido por completo y en su lugar había aparecido una expresión que a Sellitto le pareció de desesperación, o de miedo, quizá.

—Espere, agente, no me malinterprete. Me he precipitado. No es que esté sugiriendo que ha sido Andrew. Me he puesto como loco, pero ha sido sólo un pronto. No se lo dirá, ¿verdad?

El detective miró hacia atrás mientras se alejaba. El empresario parecía estar a punto de echarse a llorar.

Así pues, otro sospechoso era inocente.

Primero, Andy Sterling. Ahora, Robert Carpenter. Al regresar a casa de Rhyme, Sellitto llamó de inmediato a Rodney Szarnek, y el informático se comprometió a averiguar dónde estaba el error. Volvió a llamar diez minutos después. Lo primero que dijo fue:

—Eh... Uf.

Rhyme suspiró.

—Venga, sigue.

—Vale. Carpenter sí que se bajó listas suficientes para tener la información que habría necesitado para matar a las víctimas e inculpar a los detenidos, pero ha sido a lo largo de dos años. Todo ello como parte de campañas de márquetin legales. Y desde marzo, nada.

—Dijiste que se había descargado la información justo antes de los crímenes.

—Eso es lo que ponía en la hoja de cálculo propiamente dicha, pero los metadatos demuestran que alguien de SSD ha cambiado las fechas. La información sobre tu primo, por ejemplo, se la descargó hace dos años.

—Así que alguien de SSD alteró los datos para despistarnos y conducirnos hasta Carpenter.

—Exacto.

—Ahora la gran pregunta: ¿quién demonios alteró los datos? Esa persona es Cinco Dos Dos.

Pero el informático dijo:

—No hay más información codificada en los metadatos. El administrador y los ficheros de acceso de superusuario no están...

—No a secas. ¿Ésa es la respuesta abreviada?

—Correcto.

—¿Estás seguro?

—Segurísimo.

—Gracias —masculló el criminalista, y colgó.

El hijo, eliminado; Carpenter, eliminado...

¿Dónde estás, Sachs?

Rhyme sintió un sobresalto. Había estado a punto de usar su nombre de pila. Pero entre ellos era un norma tácita llamarse por el apellido cuando se referían al otro. Lo otro traía mala suerte. Como si las cosas pudieran torcerse más aún.

—Linc —dijo Sellitto, señalando el tablero que contenía la lista de sospechosos—, lo único que se me ocurre es que nos informemos del paradero de todos. Ahora mismo.

—¿Y cómo lo hacemos, Lon? Tenemos un inspector que ni siquiera quiere que este caso exista. No parece que podamos... —Su voz se interrumpió al tiempo que fijaba los ojos en el perfil de 522 y en los esquemas con las pruebas.

Y también en el dosier de su primo, que seguía en el atril de lectura, a su lado.

Estilo de vida

Dosier 1A. Preferencias de productos de consumo.

Dosier 1B. Preferencias de servicios de consumo.

Dosier 1C. Viajes.

Dosier 1D. Sanidad.

Dosier 1E. Preferencias de ocio.

Financiero/académico/profesional

Dosier 2A. Historial académico.

Dosier 2B. Historial de empleo e ingresos.

Dosier 2C. Historial de crédito/situación actual y calificación crediticia.

Dosier 2D. Preferencias de productos y servicios empresariales.

Administrativo/jurídico

Dosier 3A. Registro civil.

Dosier 3B. Censo electoral.

Dosier 3C. Historial jurídico.

Dosier 3D. Historial delictivo.

Dosier 3E. Cumplimiento de la Normativa.

Dosier 3F. Inmigración y nacionalización.

Leyó varias veces el documento, rápidamente. Luego miró los demás documentos pegados en las pizarras con los esquemas de las pruebas. Algo no casaba.

Llamó a Rodney Szarnek.

—Rodney, dime una cosa: ¿cuánto espacio ocupa un documento de treinta páginas en un disco duro? Como el dosier de SSD que tengo aquí.

—Eh... ¿Un dosier? Sólo texto, imagino.

—Sí.

—Estaría en una base de datos, así que tenía que estar comprimido... Ponle unos veinticinco kas, máximo.

—Eso es muy poco, ¿verdad?

—Pues... como un pedo en el huracán del almacenamiento de datos.

Rhyme levantó los ojos al cielo al oír la respuesta.

—Tengo una pregunta más para ti.

—Vale. Dispara.

Le estallaba la cabeza y notaba el sabor a sangre del corte que se había hecho en la boca al chocar con la pared de piedra.

Sin apartarle la navaja del cuello, el asesino le había quitado el arma y la había llevado a rastras por la puerta del sótano y luego escaleras arriba, hasta el lado «visible» del edificio: la parte delantera, una casa moderna y austera que recordaba a la decoración en blanco y negro de SSD.

Después, la había conducido hasta una puerta, al fondo del cuarto de estar.

La puerta había resultado ser, irónicamente, un armario. El asesino apartó algunas prendas que olían a rancio y abrió otra puerta situada al fondo, la hizo entrar a rastras y le quitó el buscapersonas, la agenda electrónica, el teléfono móvil, las llaves y la navaja automática que llevaba en el bolsillo trasero de los pantalones. La empujó contra un radiador, entre altos montones de periódicos, y la esposó al metal oxidado. Sachs recorrió con la mirada el paraíso del acumulador: oscuro y mohoso, apestaba a viejo y a usado. No había visto tal acumulación de cachivaches y desperdicios en toda su vida. El asesino llevó sus cosas a una mesa grande y atiborrada. Sirviéndose de la navaja, comenzó a inutilizar los aparatos electrónicos. Procedía meticulosamente, regodeándose en cada componente que sacaba, como si estuviera diseccionando un cadáver y extrayendo sus órganos.

Ahora, Sachs lo observaba sentado a su escritorio, tecleando en su ordenador. Estaba rodeado por inmensas pilas de periódicos, torres de bolsas de papel dobladas, cajas de cerillas, recipientes de vidrio, cajas con etiquetas en las que se leía «cigarrillos», «botones» o «clips de papel», latas viejas y cajas de comida de las décadas de 1960 y 1970, productos de limpieza y centenares de envases más.

Pero Sachs no prestaba atención al inventario. Estaba reflexionando, atónita, acerca de cómo los había engañado. Cinco Dos Dos no era uno de sus sospechosos. En absoluto. Se habían equivocado respecto a los ejecutivos perdonavidas, los técnicos, los clientes, el *hacker* y el presunto asesino a sueldo contratado por Andrew Sterling para expandir el negocio.

Y sin embargo era un empleado de SSD.

¿Por qué demonios no se había dado cuenta de lo que era obvio?

Cinco Dos Dos era el guardia de seguridad que la había llevado a visitar los rediles de datos, el lunes. Recordó el nombre que figuraba en su identificación. John. De apellido, Rollins. Debía de haberles visto a ella y a Pulaski llegar al puesto de seguridad del vestíbulo de SSD y enseguida se había ofrecido a acompañarlos al despacho de Sterling. Se había quedado por allí para averiguar el propósito de su visita. O quizás había sabido de antemano que iban a ir y lo había dispuesto todo para estar de guardia esa mañana.

El hombre que lo sabe todo...

Dado que el lunes Rollins la había escoltado por la Roca Gris sin traba alguna, debería haber deducido que los guardias de seguridad tenían acceso a todos los rediles de datos y al centro de admisión. Recordó que, una vez dentro de los rediles, no hacía falta código de acceso para entrar en innerCircle. Ignoraba cómo había sacado Rollins discos con datos, puesto que hasta él había sido registrado al salir de los rediles, pero de algún modo se las había arreglado para hacerlo.

Entornó los párpados con la esperanza de que disminuyera el dolor de su cráneo. No sirvió de nada. Levantó los ojos hacia la pared de enfrente del escritorio, donde colgaba un cuadro: un retrato fotorrealista de una familia. Naturalmente, el Harvey Prescott por el que había asesinado a Alice Sanderson, la mujer de cuya muerte estaba inculpado Arthur Rhyme.

Cuando sus ojos se acostumbraron por fin a la penumbra, observó atentamente a su adversario. Cuando la había acompañado por la sede de SSD, no se había fijado en él. Ahora podía verlo claramente: un hombre delgado, pálido, una cara anodina, pero de rasgos armoniosos. Sus ojos hundidos se movían velozmente, sus dedos eran muy largos y sus brazos fuertes.

El asesino notó su mirada. Se volvió y la miró de arriba abajo, con avidez. Luego fijó de nuevo la vista en el ordenador y siguió tecleando furiosamente. En el suelo, amontonados, había decenas de teclados, la mayoría de ellos rotos o con las letras borradas. Inservibles para cualquier otra persona. Pero, naturalmente, 522 era incapaz de tirarlos a la basura. A su alrededor había miles de cuadernos amarillos, llenos de una escritura minúscula y precisa: de ellos procedían los trozos de papel que habían encontrado en una de las escenas del crimen.

El olor a moho, a ropa y sábanas sucias era sofocante. El asesino debía de estar tan acostumbrado a aquel hedor que ni siquiera lo notaba. O quizá le gustaba.

Sachs cerró los ojos y recostó la cabeza en un montón de periódicos. Estaba desarmada, indefensa... ¿Qué podía hacer? Se sentía furiosa consigo misma por no haberle dejado a Rhyme un mensaje más detallado avisándole de dónde iba.

Indefensa...

Entonces, sin embargo, recordó unas palabras. El lema de todo el caso 522: *el conocimiento es poder.*

Pues intenta conocerlo, maldita sea. Averigua algo sobre él que puedas usar como arma.

¡Piensa!

John Rollins, guardia de seguridad en SSD... Aquel nombre no le decía nada. No había salido a relucir en ningún momento de la investigación. ¿Cuál era su relación con SSD, con los crímenes, con los datos?

Escudriñó la habitación en sombras, mirando a su alrededor, abrumada por la cantidad de cachivaches que veía.

Ruido...

Concéntrate. *Cada cosa a su tiempo.*

Distinguió entonces algo en la pared del fondo que le llamó la atención. Era una de las colecciones del asesino: un enorme montón de tiques de telesilla de distintas estaciones de esquí.

Vail, Copper Mountain, Breckinridge, Beaver Creek*...

---

* Estaciones de esquí del estado de Colorado. *(N. de la T.)*

¿Podía ser?

Bien, valía la pena jugársela.

—Peter —dijo con voz firme—, tú y yo tenemos que hablar.

Al oír aquel nombre, el asesino parpadeó y la miró. Pestañeó un momento, atónito. Casi como si hubiera recibido una bofetada.

Sí, había acertado: John Rollins era, cómo no, un nombre falso. Aquel hombre era en realidad Peter Gordon, el famoso rapiñador de datos que había muerto... o que supuestamente había muerto cuando SSD absorbió la empresa para la que trabajaba en Colorado, unos años antes.

—Nos intrigaba cómo habías fingido tu muerte. ¿Y el ADN? ¿Cómo te las arreglaste?

Dejó de teclear y se quedó mirando el cuadro. Por fin dijo:

—¿No es curioso lo de los datos? Creemos en ellos a pie juntillas. —Se volvió hacia ella—. Si lo dice el ordenador, enseguida creemos que es cierto. Y si además interviene el dios del ADN, entonces, definitivamente tiene que ser verdad. No se hacen más preguntas. Fin de la historia.

Sachs añadió:

—Entonces tú, Peter Gordon, desapareces. La policía encuentra tu bici y un cadáver en descomposición que lleva tu ropa. No queda mucho de él, después de servir de alimento a los animales, ¿verdad? Recogen muestras de pelo y de saliva de tu casa. Sí, el ADN encaja. No hay ninguna duda. Estás muerto. Pero en realidad el pelo y la saliva que había en tu baño no era tuyo, ¿verdad? Recogiste un poco de pelo del hombre al que mataste y lo dejaste en tu cuarto de baño. Y le cepillaste los dientes, ¿no es eso?

—También dejé un poquito de sangre en la Gillette. A vosotros los policías os chifla la sangre, ¿a que sí?

—¿Quién era el hombre al que mataste?

—Un chaval de California. Estaba haciendo autostop en la I-Setenta.

Procura desconcertarlo: la información es tu única arma. ¡Úsala!

—No sabemos por qué lo hiciste, Peter. ¿Fue para sabotear la compra de Rocky Mountain Data por SSD? ¿O se trataba de otra cosa?

—¿Sabotearla? —susurró, perplejo—. No lo pillas, ¿verdad? Cuando Andrew Sterling y sus chicos de SSD vinieron a Rocky Mountain con intención de comprar la empresa, recogí todos los datos que pude encontrar sobre él y su compañía. ¡Y lo que descubrí era alucinante! Andrew Sterling es dios. Es el futuro de la información, lo que significa que es el futuro de la sociedad. Era capaz de encontrar datos que yo ni siquiera imaginaba que existieran y de utilizarlos como un arma, o como una medicina, o como agua bendita. Yo *necesitaba* formar parte de su obra.

—Pero no podías ser un rapiñador de datos para SSD. Al menos, para lo que tenías planeado, ¿no es cierto? Para tus... otras colecciones. Y viviendo como vivías. —Indicó con la cabeza las habitaciones atestadas.

El rostro del asesino se ensombreció, sus ojos se dilataron.

—Quería formar parte de SSD. ¿Crees que no? ¡Ah, los sitios a los que podría haber ido! Pero no me tocó jugar esa carta. —Se quedó callado; después hizo un ademán, señalando sus colecciones—. ¿Crees que habría elegido vivir así? ¿Crees que me gusta? —Su voz parecía a punto de quebrarse. Respirando agitadamente, esbozó una sonrisa tenue—. No, tenía que vivir fuera del casillero. No puedo sobrevivir de otro modo. Fuera... del... casillero.

—Así que simulaste tu muerte y asumiste una identidad falsa. Te buscaste un nombre nuevo y un número de la Seguridad Social, de alguien que había muerto.

La emoción había desaparecido.

—De un crío, sí. Jonathan Rollins, tres años de edad, de Colorado Springs. Conseguir una nueva identidad es fácil. Los *survivalistas* lo hacen continuamente. Se pueden comprar libros sobre el tema... —Esbozó una sonrisa—. Pero acuérdate de pagarlos en efectivo.

—Y conseguiste trabajo como guardia de seguridad. Pero ¿no podía reconocerte nadie en SSD?

—Nunca vi en persona a nadie de la empresa. Eso es lo fantástico del negocio de la minería de datos. Que puedes recoger datos sin salir para nada de la intimidad de tu propio Armario.

Su voz se apagó. Parecía inquieto, como si meditara sobre lo que le acababa de decir Sachs. ¿De veras estaban a punto de identificar a Rollins como Peter Gordon? ¿Iría alguien más a la casa a hacer averiguaciones? Pareció decidir que no podía correr ese riesgo. Cogió la llave del coche de Pam. Querría esconderlo. Examinó el llavero.

—Barato. Y sin RFID. Pero ahora todo el mundo estará comprobando las matrículas. ¿Dónde has aparcado?

—¿Crees que voy a decírtelo?

Gordon se encogió de hombros y se marchó.

Su estrategia (hacerse con algún dato y usarlo como arma) había funcionado. No era gran cosa, desde luego, pero al menos había ganado un poco de tiempo.

¿Bastaría, sin embargo, para hacer lo que tenía pensado: sacar la llave de las esposas del bolsillo de sus pantalones?

45

—Escúcheme. Mi compañera ha desaparecido. Y necesito consultar unos archivos.

Rhyme estaba hablando con Andrew Sterling a través de una cámara web de alta definición

El jefe de SSD estaba de vuelta en su austero despacho de la Roca Gris. Permanecía sentado, muy tieso, en lo que parecía ser una silla de madera sencilla. Irónicamente, su actitud imitaba la rígida postura del criminalista en su TDX. Sterling dijo con voz suave:

—Ya ha hablado con Sam Brockton. Y también con el inspector Glenn.

—Su voz no traslucía ni un atisbo de inquietud. Ni tampoco emoción alguna, a pesar de que su rostro exhibía una sonrisa cordial.

—Quiero ver el dosier de mi pareja, la detective con la que ha hablado, Amelia Sachs. Su dosier completo.

—¿Qué quiere decir con «completo», capitán Rhyme?

El criminalista advirtió que lo había llamado por su rango, un dato no muy conocido.

—Sabe perfectamente a qué me refiero.

—No, no lo sé.

—Quiero ver su dosier Tres E, «Cumplimiento de la Normativa».

Otra vacilación.

—¿Por qué? Carece de importancia. Sólo es información técnica de registros administrativos. Datos protegidos por la Ley de Privacidad.

Pero Sterling estaba mintiendo. Kathryn Dance, la agente de la Oficina de Investigación de California, le había enseñado algunos fundamentos de kinesia (lenguaje gestual) y análisis de la comunicación. Una vacilación antes de responder suele ser señal de engaño, pues el sujeto trata de formular una respuesta verosímil, pero falsa. Uno habla rápidamente cuando dice la verdad. No hay nada que elucubrar.

—Entonces, ¿por qué no quiere que lo vea?

—Es que no hay razón para... No le serviría para nada.

Mentira.

Los ojos verdes de Sterling permanecieron en calma, aunque una vez se desviaron hacia un lado y Rhyme comprendió que había mirado hacia el lugar donde Ron Pulaski aparecía en su pantalla. El joven agente estaba al fondo del laboratorio, en pie detrás de Rhyme.

—Entonces respóndame a una pregunta.

—¿Sí?

—Acabo de hablar con un informático del Departamento de Policía de Nueva York. Le he pedido que calculara el tamaño del dosier de mi primo.

—¿Sí?

—Me ha dicho que un dosier de treinta páginas de texto tendría más o menos un tamaño de veinticincos kas.

—Me preocupa tanto como a usted el bienestar de su compañera, pero...

—Eso lo dudo mucho. Ahora escúcheme.

Sterling reaccionó levantando ligeramente una ceja.

—Un dosier típico ocupa unos veinticinco kilobytes de datos, pero según su folleto tienen ustedes más de quinientos petabytes de información. Son tantos datos que para la mayoría de la gente resulta inconcebible.

Sterling no respondió.

—Si un dosier tiene veinticinco kas de media, una base de datos que incluyera a todos los seres humanos vivos ocuparía unos ciento cincuenta mil millones de kas, como mucho. Pero innerCircle tiene más de quinientos trillones de kas. ¿Qué hay en el resto del espacio del disco duro de innerCircle, Sterling?

Otra vacilación.

—Pues montones de cosas... Los gráficos y las fotografías ocupan gran cantidad de espacio. Datos administrativos, por ejemplo.

Mentira.

—Y dígame, ¿por qué existen los dosieres de cumplimiento de la normativa? ¿Quién tiene que cumplir con qué?

—Nos cercioramos de que el archivo de todas las personas se ajuste a las exigencias de la ley.

—Sterling, si no me manda ese archivo dentro de cinco minutos, me iré derecho al *Times* con la historia de cómo ha ayudado y dado cobertura a un criminal que ha utilizado sus datos para violar y asesinar. Los chicos de la División de Cumplimiento de la Normativa de Washington no van a salvarlo de esos titulares. Y saldrá en primera plana, eso se lo garantizo.

El consejero delegado de SSD se echó a reír. Su semblante rebosaba confianza.

—No creo que eso vaya a pasar. Bien, capitán, tengo que decirle adiós.

—Sterling...

La pantalla quedó en negro.

Rhyme cerró los ojos, lleno de frustración. Dirigió su silla hacia las pizarras que contenían los esquemas con las pruebas y la lista de sospechosos. Se quedó mirando la letra de Thom y Sachs, alguna garabateada a toda prisa, otra escrita metódicamente.

Pero no se le ocurrió ninguna respuesta.

¿Dónde estás, Sachs?

Sabía que vivía en la cuerda floja, que él jamás le pediría que evitara las situaciones de alto riesgo que tanto parecían atraerla. Pero estaba furioso con ella por haber seguido su puñetera pista sin pedir refuerzos.

—¿Lincoln? —dijo Ron Pulaski con voz queda.

Rhyme levantó los ojos y vio que la mirada del joven agente se había vuelto extrañamente fría mientras contemplaba las fotografías del cadáver de Myra Weinburg.

—¿Qué?

Se volvió hacia el criminalista.

—Tengo una idea.

La cara, con la nariz vendada, llenaba la pantalla de alta definición.

—Sí que tienes acceso a innerCircle, ¿verdad? —preguntó Ron Pulaski a Mark Whitcomb con voz serena—. Dijiste que no tenías autorización, pero sí la tienes.

Whitcomb suspiró. Por fin dijo:

—Sí. —Miró fijamente un momento a la cámara web y enseguida desvió los ojos.

—Mark, tenemos un problema. Necesitamos tu ayuda.

Pulaski le explicó que Sachs había desaparecido y que Rhyme sospechaba que el archivo de Cumplimiento de la Normativa podía ayudarles a descubrir dónde había ido.

—¿Qué contiene el dosier?

—¿Un dosier de Cumplimiento de la Normativa? —susurró Whitcomb—. Está absolutamente prohibido acceder a ellos. Si se enteraran, podría ir a la cárcel. Y la reacción de Sterling... sería peor que la cárcel.

—No fuiste sincero con nosotros —le espetó Pulaski— y murió gente. —Luego añadió con más suavidad—: Somos de los buenos, Mark. Échanos una mano. No dejes que muera nadie más. Por favor.

El policía no dijo nada más. Dejó que se prolongara el silencio.

Buen trabajo, novato, pensó Rhyme, que en esta ocasión se conformaba con ocupar el asiento del copiloto.

Whitcomb hizo una mueca. Miró a su alrededor y luego al techo. ¿Temía que hubiera micrófonos o cámaras de vigilancia?, se preguntó Rhyme. Eso parecía, porque su voz rebosaba urgencia y resignación cuando dijo:

—Anota esto. No tenemos mucho tiempo.

—¡Mel! ¡Ven aquí! Vamos a entrar en innerCircle, el sistema de SSD.

—¿Ah, sí? Oh, oh, esto pinta mal. Primero Lon me requisa la insignia y ahora esto. —El técnico corrió al ordenador que había junto a Rhyme.

Whitcomb recitó la dirección de una página web y Cooper la escribió. En la pantalla aparecieron varios mensajes indicando que habían entrado en contacto con el servidor de seguridad de SSD. Whitcomb dio a Cooper un nombre de usuario temporal y, tras vacilar un momento, tres largos códigos de acceso compuestos por caracteres elegidos al azar.

—Descargad el archivo de decodificación de la ventana del centro de la pantalla y hacer clic en «ejecutar».

Cooper obedeció y un momento después apareció otra pantalla.

Bienvenido, NGHF235. Por favor, introduce (1) el código de sujeto de 16 caracteres de SSD; o (2) el país y el número de pasaporte del sujeto; o (3) el nombre del sujeto, su domicilio actual, su número de la Seguridad Social y un número de teléfono.

—Escribid la información de la persona que os interesa.

Rhyme dictó los datos de Sachs. En la pantalla se leyó: *¿Confirma acceso a Dossier 3E, Cumplimiento de la Normativa? Sí / No.*

Cooper hizo clic en «Sí» y apareció otra ventana pidiéndole otro código de acceso.

Whitcomb lanzó otra mirada al techo y preguntó como si estuviera a punto de pasar algo trascendental:

—¿Listos?

—Listos.

Whitcomb les dio otra contraseña de dieciséis dígitos. Cooper la tecleó y pulsó «Intro».

Cuando el texto comenzó a llenar la pantalla del ordenador, el criminalista susurró asombrado:

—Dios mío...

Y no era fácil asombrar a Lincoln Rhyme.

RESTRINGIDO

EL ACCESO A ESTE DOSIER POR PARTE DE CUALQUIER PERSONA QUE NO DISPONGA DE UNA AUTORIZACIÓN A-18 O SUPERIOR SUPONE UNA VIOLACIÓN DE LAS LEYES FEDERALES

Dosier 3E — Cumplimiento de la Normativa
Número de Sujeto SSD: 7303-4490-7831-3478
Nombre: Amelia H. Sachs
Páginas: 478

ÍNDICE DE CONTENIDOS

Haga clic en el tema para visualizar
Nota: El acceso a materiales archivados puede demorarse hasta cinco minutos

PERFIL
- Nombre/sobrenombres/apodos/nombres de usuario/alias
- Número de la Seguridad Social
- Domicilio actual
- Visualización por satélite de domicilio actual
- Direcciones anteriores
- Ciudadanía
- Raza
- Historial genealógico
- Origen nacional
- Descripción física/rasgos distintivos
- Datos biométricos
  Fotografías
  Vídeos
  Huellas dactilares
  Huellas plantares
  Escáner de la retina
  Escáner del iris
  Tipo de paso
  Escáner facial
  Rasgos vocales
- Muestras de tejidos

- Historial médico
- Afiliación a partidos políticos
- Asociaciones profesionales
- Fraternidades
- Afiliación religiosa
- Ejército
  Servicio/exento
  Evaluación Departamento de Defensa
  Evaluación Guardia Nacional
  Adiestramiento en sistemas armamentísticos
- Donaciones
  Políticas
  Religiosas
  Médicas
  Filantrópicas
  Red de Televisión Pública/Radio Nacional Pública
  Otras
- Historial psicológico/psiquiátrico
- Perfil de personalidad Myers-Briggs
- Perfil de tendencias sexuales
- Aficiones/intereses
- Clubes/fraternidades

INDIVIDUOS ADHERIDOS AL SUJETO
- Cónyuges
- Relaciones íntimas
- Hijos
- Padres
- Hermanos
- Abuelos (paternos)
- Abuelos (maternos)
- Otros familiares consanguíneos, vivos
- Otros familiares consanguíneos, fallecidos
- Familiares vinculados por matrimonio o adheridos al sujeto
- Vecinos
  Actuales
  De los últimos cinco años (archivado; el acceso puede demorarse)
- Compañeros de trabajo, clientes, etc.
  Actuales
  De los últimos cinco años (archivado; el acceso puede demorarse)
- Conocidos
  En persona

Online
- Personas de interés (PDI)

INFORMACIÓN ECONÓMICA
- Empleo actual
  Categoría
  Historial salarial
  Días de ausencia/motivos de la ausencia
  Despidos/solicitudes de desempleo
  Citaciones/apercibimientos
  Título 7, incidentes discriminatorios
  Agencia de Seguridad y Salud Laboral: incidencias
  Otros
- Empleos previos (archivado; el acceso puede demorarse)
  Categoría
  Historial salarial
  Días de ausencia/motivos de la ausencia
  Despidos/solicitudes de desempleo
  Citaciones/apercibimientos
  Título 7, incidentes discriminatorios
  Agencia de Seguridad y Salud Laboral: incidencias
  Otros
- Ingresos actuales
  Declarados a Hacienda
  No declarados
  Foráneos
- Ingresos anteriores
  Declarados a Hacienda
  No declarados
  Foráneos
- Patrimonio actual
  Bienes inmuebles
  Vehículos y barcos
  Cuentas bancarias/fondos
  Pólizas de seguros
  Otros
- Disposición o adquisición inusual de activos en los últimos doce meses
  Bienes inmuebles
  Vehículos y barcos
  Cuentas bancarias/fondos
  Pólizas de seguros
  Otros

- Disposición o adquisición inusual de activos en los últimos cinco años (archivado; el acceso puede demorarse)
  Bienes inmuebles
  Vehículos y barcos
  Cuentas bancarias/fondos
  Pólizas de seguros
  Otros
- Informe crediticio/solvencia crediticia
  Hoy
  En los últimos siete días
  En los últimos treinta días
  El año pasado
  En los últimos cinco años (archivado; el acceso puede demorarse)
- Transacciones financieras, entidades con sede en el extranjero
  Hoy
  En los últimos siete días
  En los últimos treinta días
  El año pasado
  En los últimos cinco años (archivado; el acceso puede demorarse)
- Transacciones financieras, giros y otras transacciones en metálico, en Estados Unidos o en el extranjero
  Hoy
  En los últimos siete días
  En los últimos treinta días
  El año pasado
  En los últimos cinco años (archivado; el acceso puede demorarse)

COMUNICACIONES
- Números de teléfono actuales
  Móvil
  Fijo
  Satélite
- Números de teléfono anteriores, últimos doce meses
  Móvil
  Fijo
  Satélite
- Números de teléfono anteriores, últimos cinco años (archivado; el acceso puede demorarse)
  Móvil
  Fijo
  Satélite
- Números de fax

- Números de buscapersonas
- Llamadas entrantes/salientes de teléfono/buscapersonas-móvil/PDA
  Últimos treinta días
  Último año (archivado; el acceso puede demorarse)
- Llamadas entrantes/salientes teléfono/buscapersonas/fax-línea fija
  Últimos treinta días
  Último año (archivado; el acceso puede demorarse)
- Interceptación de llamadas y mensajes
  Ley de Vigilancia y Espionaje Foráneo (FISA)
  Registros de escritura
  Título 3
  Otros, órdenes judiciales
  Otras, colaterales
- Actividades telefónicas de ámbito web
- Proveedores de servicios de Internet, actuales
- Proveedores de servicios de Internet, últimos doce meses
- Proveedores de servicios de Internet, últimos cinco años (archivado; el acceso puede demorarse)
- Sitios web archivados en Favoritos
- Direcciones de correo electrónico
  Actuales
  Pasadas
- Actividad de correo electrónico, último año
  Historial TCP/IP
  Direcciones salientes
  Direcciones entrantes
  Contenido (para visualizar este bloque, puede ser necesaria una orden judicial)
- Actividad de correo electrónico, últimos cinco años (archivado; el acceso puede demorarse)
  Historial TCP/IP
  Direcciones salientes
  Direcciones entrantes
  Contenido (para visualizar este bloque, puede ser necesaria una orden judicial)
- Páginas web, actuales
  Personales
  Profesionales
- Páginas web, últimos cinco años (archivado; el acceso puede demorarse)
  Personales
  Profesionales
- Blogs, diarios, páginas web (véase en los apéndices «Pasajes de interés» [PDI]).
- Participación en redes sociales (mySpace, Facebook, OurWorld, otras). (Véase en los apéndices «Pasajes de interés» [PDI]).

- Avatares/otras identidades web
- Listas de correo
- «Amigos» en cuentas de correo electrónico
- Participación en chats de Internet
- Navegación por páginas web y solicitudes/resultados en motores de búsqueda
- Perfil técnico de uso del teclado
- Perfil de gramática, sintaxis y puntuación en motores de búsqueda
- Historial de entrega de paquetes
- Códigos postales
- Actividad de correo urgente y correo certificado en el Servicio Nacional de Correos

ESTILO DE VIDA Y ACTIVIDADES
- Compras de hoy
  Bienes o servicios potencialmente peligrosos
  Ropa
  Vehículos y otras compras relacionadas con ellos
  Alimentación
  Licores
  Productos de limpieza
  Electrodomésticos
  Otras
- Compras de los últimos siete días
  Bienes o servicios potencialmente peligrosos
  Ropa
  Vehículos y otras compras relacionadas con ellos
  Alimentación
  Licores
  Productos de limpieza
  Electrodomésticos
  Otras
- Compras de los últimos treinta días
  Bienes o servicios potencialmente peligrosos
  Ropa
  Vehículos y otras compras relacionadas con ellos
  Alimentación
  Licores
  Productos de limpieza
  Electrodomésticos
  Otras
- Compras del último año (archivado; el acceso podría demorarse)
  Bienes o servicios potencialmente peligrosos

Ropa
Vehículos y otras compras relacionadas con ellos
Alimentación
Licores
Productos de limpieza
Electrodomésticos
Otras

- Libros/revistas comprados en Internet
Sospechosos/subversivos
Otros libros o revistas de interés
- Libros/revistas comprados en tiendas minoristas
Sospechosos/subversivos
Otros libros o revistas de interés
- Libros/revistas sacados de bibliotecas
Sospechosos/subversivos
Otros libros o revistas de interés
- Libros/revistas observados por personal de aeropuertos/líneas aéreas
Sospechosos/subversivos
Otros libros o revistas de interés
- Otras actividades relacionadas con los libros
- Registros de regalos de boda, nacimientos, aniversario
- Películas vistas en cines
- Programas de televisión por cable/*pay per view* vistos en los últimos treinta días
- Programas de televisión por cable/*pay per view* vistos en el último año (archivado; el acceso puede demorarse)
- Suscripción a emisoras de radio
- Viajes
En automóvil
    Vehículos propios
    De alquiler
Transporte público
Taxis/limusinas
Autobús
Tren
Aviones comerciales
    Vuelos nacionales
    Vuelos internacionales
Aviones privados
    Vuelos nacionales
    Vuelos internacionales
Controles de la Agencia de Seguridad de los Transportes

Apariciones en listas de personas sin autorización para volar
- Presencia en lugares de interés (LDI)
Locales
    Mezquitas
Otras ubicaciones dentro de EE.UU.
    Mezquitas
Otras ubicaciones en el extranjero
- Presencia en o en tránsito por puntos de bandera roja (LBR): Cuba, Uganda, Libia, Yemen del Sur, Liberia, Ghana, Sudán, República Democrática del Congo, Indonesia, Territorios Palestinos, Siria, Irak, Irán, Egipto, Arabia Saudí, Jordania, Pakistán, Eritrea, Afganistán, Chechenia, Somalia, Nigeria, Filipinas, Corea del Norte, Azerbaiyán, Chile.

POSICIÓN GEOGRÁFICA DEL SUJETO
- Dispositivos GPS (todas las posiciones de hoy)
Vehiculares
Manuales
Teléfonos móviles
- Dispositivos GPS (todas las posiciones de los últimos siete días)
Vehiculares
Manuales
Teléfonos móviles
- Dispositivos GPS (todas las posiciones de los últimos treinta días)
Vehiculares
Manuales
Teléfonos móviles
- Dispositivos GPS (todas las posiciones, último año) (archivado; el acceso podría demorarse)
Vehiculares
Manuales
Teléfonos móviles
- Observaciones biométricas
Hoy
Últimos siete días
Últimos treinta días
Último año (archivado; el acceso podría demorarse)
- Registros RFID, lectores de peaje de autopistas
Hoy
Últimos siete días
Últimos treinta días
Último año (archivado; el acceso podría demorarse)
- Fotografías/vídeos de infracciones de tráfico

- Fotografías/vídeos de cámaras de seguridad
- Fotografías/vídeos de vigilancia judicial
- Transacciones financieras efectuadas en persona
  Hoy
  Últimos siete días
  Últimos treinta días
  Último año (archivado; el acceso podría demorarse)
- Registros de teléfono móvil/PDA/telecomunicaciones
  Hoy
  Últimos siete días
  Últimos treinta días
  Último año (archivado; el acceso podría demorarse)
- Proximidad a objetivos de seguridad
  Hoy
  Últimos siete días
  Últimos treinta días
  Último año (archivado; el acceso podría demorarse)

JURÍDICO

- Historial delictivo (EE.UU.)
  Arresto/interrogatorio
  Detenciones
  Condenas
- Historial delictivo en el extranjero
  Arresto/interrogatorio
  Detenciones
  Condenas
- Listas de sospechosos
- Vigilancia
- Litigación civil
- Órdenes de alejamiento
- Historial de delaciones

DOSIERES ADICIONALES

- FBI
- CIA
- Agencia Nacional de Seguridad
- Organización Nacional de Reconocimiento
- NPIA
- Agencias de Inteligencia Militar de EE.UU.
  Ejército de Tierra
  Armada

Fuerza Aérea

Marines

• Departamentos de inteligencia de policía estatal y local

VALORACIÓN DE SEGURIDAD
• Valoración como riesgo para la seguridad

Sector privado

Sector público

Y aquello era sólo el índice de contenidos. El dosier de Amelia Sachs tenía cerca de quinientas páginas.

Rhyme revisó rápidamente la lista y abrió varios bloques. Las entradas eran densas como madera.

—¿SSD tiene toda esta información? —susurró—. ¿De todos los ciudadanos estadounidenses?

—No —contestó Whitcomb—. De niños menores de cinco años hay muy poca, obviamente. Y en el caso de muchos adultos hay un montón de lagunas. Pero SSD hace todo lo que puede. Lo hace mejor cada día.

¿Mejor?, se preguntó Rhyme.

Pulaski señaló con la cabeza el folleto de ventas que había descargado Mel Cooper.

—¿Cuatrocientos millones de personas?

—Exacto. Y creciendo.

—¿Y se actualiza hora por hora? —preguntó Rhyme.

—A menudo en tiempo real.

—Entonces su agencia gubernamental, Whitcomb, esa tal «División de Cumplimiento de la Normativa»..., no tiene por objeto salvaguardar los datos, sino utilizarlos, ¿no es así? ¿Para encontrar a terroristas?

Whitcomb se quedó callado, pero puesto que ya había enviado el dosier a alguien que no tenía una autorización A-18, fuera eso lo que fuese, pareció llegar a la conclusión de que desvelar algún dato más no empeoraría su situación.

—Así es. Y no sólo terroristas. También otros delincuentes. SSD utiliza programas de predicción para descubrir quién va a cometer un delito, cuándo y cómo. Muchos de los chivatazos que reciben los agentes de policía y los departamentos de inteligencia proceden de presuntos ciudadanos anónimos que en realidad son avatares. Ficciones creadas por Atalaya e innerCircle. A veces hasta recogen recompensas, que luego se reenvían a la administración para volver a ser utilizadas.

Esta vez fue Mel Cooper quien preguntó:

—Pero ¿por qué una agencia gubernamental encarga ese trabajo a una compañía privada? ¿Por qué no lo hace ella misma?

—Tenemos que usar una empresa privada. El Departamento de Defensa intentó hacer algo así después del Once de Septiembre: el programa Conocimiento Total de la Información. Lo dirigieron un exconsejero de Seguridad Nacional, John Poindexter, y un ejecutivo de SAIC. Pero se cerró porque violaba la Ley de Privacidad. Y la opinión pública pensó que se parecía demasiado a un Gran Hermano. Pero SSD no está sujeta a las mismas trabas legales que la administración pública.

Whitcomb soltó una risa cargada de cinismo.

—Además, con todo el respeto para mis jefes, los de Washington no demostraron mucho talento. SSD, sí. Las dos palabras principales dentro del vocabulario de Andrew Sterling son «conocimiento» y «eficiencia». Y nadie las combina mejor que él.

—¿No es ilegal? —inquirió Mel Cooper.

—Hay ciertas zonas grises —reconoció Whitcomb.

—Bien, ¿puede ayudarnos? Es lo único que quiero saber.

—Puede que sí.

—¿Cómo?

—Vamos a abrir el bloque de hoy de posicionamiento geográfico de la detective Sachs —explicó Whitcomb—. Yo me ocupo de teclear. —Comenzó a manejar el teclado—. Pueden ver lo que estoy haciendo en la ventana de abajo de su pantalla.

—¿Cuánto va a tardar?

Una risa sofocada, debido a la nariz rota.

—No mucho. Es muy rápido.

No había terminado de hablar cuando la pantalla se llenó de texto.

PERFIL DE POSICIONAMIENTO GEOGRÁFICO
SUJETO 7303-4490-7831-3478

Parámetros horarios: últimas cuatro horas.

- 16:32 horas. Llamada telefónica. Del teléfono móvil del sujeto al número fijo del sujeto 5732-4887-3360-4759 (Lincoln Henry Rhyme) (individuo adherido). 52 segundos. El sujeto se hallaba en su domicilio en Brooklyn, Nueva York.
- 17:23 horas. Deteccción biométrica. Cámara de seguridad de la Comisaría 84 de la Policía de Nueva York, Brooklyn, Nueva York. Probabilidades de coincidencia: 95%.

- 17:23 horas. Detección biométrica. Sujeto 3865-7453-9902-7221 (Pamela D. Willoughby) (individuo adherido). Cámara de seguridad de la Comisaría 84 de la Policía de Nueva York, Brooklyn, Nueva York. Probabilidades de coincidencia: 92,4%.
- 17:40 horas. Llamada telefónica. Del teléfono móvil del sujeto al número fijo del sujeto 5732-4887-3360-4759 (Lincoln Henry Rhyme) (individuo adherido). 12 segundos.
- 18:27 horas. Escáner de RFID. Tarjeta de crédito Manhattan Style Boutique, número 9 de la calle Octava Oeste. Sin compras.
- 18:41 horas. Detección biométrica. Cámara de seguridad, Estación de servicio Presco, número 546, calle 14 Oeste, surtidor 7. Honda Civic de 2001. Matrícula de Nueva York número MDH459, registrada a nombre de 3865-7453-9902-7221 (Pamela D. Willoughby) (individuo adherido).
- 18:46 horas. Compra con tarjeta de crédito. Estación de servicio Presco, número 546, calle 14 Oeste. Surtidor 7. Compra de 55 litros de gasolina normal. 43,86 dólares.
- 19:01 horas. Detección de matrícula. Cámara de seguridad, avenida de las Américas y calle Veintitrés. Honda Civic MDH459, dirección norte.
- 19:03 horas. Llamada telefónica. Del teléfono móvil del sujeto al número fijo del sujeto 5732-4887-3360-4759 (Lincoln Henry Rhyme) (individuo adherido). El sujeto se hallaba entre la avenida de las Américas y la calle Veintitrés. 14 segundos.
- 19:07 horas. Escáner de RFID. Tarjeta de crédito Associated Credit Union, avenida de las Américas con la calle Treinta y cuatro. 4 segundos. Sin compras.

—Vale, va en el coche de Pam. ¿Por qué? ¿Dónde está el suyo?

—¿Qué matrícula tiene? —preguntó Whitcomb—. Da igual, es más rápido usar su código. Veamos...

Se abrió una ventana y vieron un informe según el cual su Camaro había sido embargado y trasladado en grúa desde delante de su casa. No había ninguna información respecto al depósito al que había sido trasladado.

—Eso es cosa de Cinco Dos Dos —susurró Rhyme—. Tiene que serlo. Igual que lo de tu mujer, Pulaski. Y que el corte de luz aquí. Va a por todos nosotros de la manera que puede.

Whitcomb siguió tecleando y la información sobre el coche fue sustituida por un plano que mostraba las últimas ubicaciones incluidas en el perfil de posicionamiento geográfico. Estaba claro que Sachs se había trasladado desde Brooklyn hasta el distrito de Midtown. Pero allí se perdía su pista.

—¿Cuál es la última? —preguntó Rhyme—. El escáner de RFID. ¿Qué es?

—Una tienda leyó el chip de una de sus tarjetas de crédito —explicó

Whitcomb—. Pero fue poco tiempo. Seguramente iba en el coche. Tendría que haber ido caminando muy deprisa para que la lectura sea tan breve.

—¿Todavía iba en dirección norte? —preguntó Rhyme.

—Ésa es toda la información que tenemos. Pronto se actualizará.

—Ha tenido que tomar la calle Treinta y cuatro, hacia la autopista del West Side —comentó Mel Cooper—. E ir hacia el norte, como si fuera a salir de la ciudad.

—Hay un puente de peaje —dijo Whitcomb—. Si lo cruza, detectarán el número de matrícula. La chica de la que es el coche, Pam Willoughby, no tiene tarjeta de telepeaje. Si no, lo sabríamos por innerCircle.

Siguiendo las instrucciones de Rhyme, Mel Cooper (el policía de mayor graduación entre ellos) pidió que se emitiera una orden de localización de vehículos con el número de matrícula del coche de Pam y su modelo.

Rhyme llamó a la comisaría de Brooklyn, donde le dijeron que, en efecto, la grúa se había llevado el Camaro de Sachs. Pam y ella habían estado allí un momento, pero se habían marchado enseguida y no habían dicho adónde iban. El criminalista llamó a la chica al móvil. Estaba en la ciudad, con una amiga. Le confirmó que Sachs había descubierto una pista después de que alguien entrara en su casa de Brooklyn, pero que no le había dicho qué era ni adónde se dirigía.

Rhyme cortó la llamada.

Whitcomb dijo:

—Vamos a pasar las ubicaciones de GPS y todo lo que tenemos sobre ella y el caso por FORT, el programa de relaciones oscuras, y luego por Xpectations. Es un *software* predictivo. Si hay algún modo de averiguar adónde ha ido, es así.

Whitcomb volvió a mirar al techo. Hizo una mueca. Se levantó y caminó hacia la puerta. Rhyme vio que echaba el cierre y encajaba una silla bajo el pomo. Les dedicó una tenue sonrisa al volver a sentarse ante el ordenador. Comenzó a teclear.

—¿Mark? —dijo Pulaski.

—¿Sí?

—Gracias. Y esta vez lo digo en serio.

46

La vida es una lucha, naturalmente.

Mi ídolo (Andrew Sterling) y yo compartimos la pasión por los datos y valoramos ambos su misterio, su atractivo, su inmenso poder. Pero hasta que me introduje en este ámbito no pude apreciar el verdadero potencial de los datos como arma para difundir nuestra visión del mundo a todos los rincones del planeta. Reducir toda vida, toda existencia a números y observar luego cómo crecen y se hinchan hasta convertirse en algo trascendental.

El alma inmortal...

Yo estaba enamorado de SQL, el programa que marcó el primer estándar en la gestión de bases de datos, hasta que caí seducido por Andrew y Atalaya. ¿Y quién no? Su potencia y su elegancia son irresistibles. Y es gracias a él que he llegado a apreciar por completo el mundo de los datos, aunque sea indirectamente. Nunca me ha dirigido más que una cordial inclinación de cabeza en el pasillo o una pregunta sobre el fin de semana, a pesar de que se sabe mi nombre sin necesidad de mirar la tarjeta que llevo en el pecho (qué mente tan brillante, tan impresionante, la suya). Pienso en todas las noches que he pasado en su despacho, más o menos a las dos de la madrugada, con todo el edificio vacío, sentado en su silla y notando su presencia mientras leía sus libros con el lomo vuelto hacia arriba. Ni uno solo de esos libros de autoayuda tan pedantes y estúpidos que suelen leer los hombres de negocios, sino volúmenes y más volúmenes que dejaban entrever una visión mucho más amplia: libros sobre la conquista del poder y el territorio geográfico; sobre Estados Unidos bajo la doctrina decimonónica del Destino Manifiesto; sobre Europa bajo el Tercer Reich; sobre el *mare nostrum* en época romana; sobre el mundo entero bajo la férula de la Iglesia católica y el islam. (Todos ellos, por cierto, valoraban el incisivo poder de los datos.)

¡Ah, las cosas que he aprendido con sólo oír de pasada a Andrew, con sólo saborear lo que escribía en borradores de memorias y cartas, y en el libro en el que está trabajando!

«Los errores son ruido. El ruido es contaminación. La contaminación ha de eliminarse.»

«Únicamente cuando salimos vencedores podemos permitirnos ser generosos.»

«Sólo los débiles transigen.»

«O encuentras una solución a tu problema o dejas de considerarlo un problema.»

«Hemos nacido para luchar.»

«Quien comprende, gana; quien sabe, comprende.»

Reflexiono sobre lo que pensará Andrew de lo que estoy haciendo y creo que se sentirá satisfecho.

Y ahora, la batalla contra Ellos avanza de nuevo.

En la calle, cerca de mi casa, presiono de nuevo el llavero y por fin oigo un suave pitido.

A ver, a ver... Ah, aquí está. Mira qué trozo de chatarra, un Honda Civic. Prestado, claro, porque el coche de Amelia 7303 está ahora en un depósito: un golpe del que me siento bastante orgulloso. Antes nunca se me había ocurrido intentarlo.

Me distraigo pensando en la bella pelirroja. Lo que ha dicho que saben Ellos, ¿será un farol? ¿Y lo de Peter Gordon? Es lo que tiene el conocimiento: la línea entre la verdad y la mentira es tan delgada... Pero no puedo arriesgarme. Tendré que esconder el coche.

Vuelvo a pensar en ella.

Sus ojos feroces, su cabello rojo, su cuerpo... No sé si podré esperar mucho más.

Trofeos...

Registro rápidamente el coche. Algunos libros, revistas, pañuelos desechables, varias botellas vacías de agua mineral, una servilleta de Starbucks, unas zapatillas deportivas con la goma desgastada, un ejemplar de la revista *Seventeen* en el asiento de atrás y un libro de texto sobre poesía... ¿Y a quién pertenece esta soberbia contribución de la tecnología japonesa al mundo? Según el registro, a Pamela Willoughby.

Me informaré un poco más sobre ella en innerCircle y luego iré a hacerle una visita. Me pregunto qué aspecto tendrá. Miraré en Tráfico para asegurarme de que merece la pena tomarse la molestia.

El coche arranca bastante bien. Sal con cuidado, que no se cabreen otros conductores. No quiero montar una escena.

Media manzana y al callejón.

¿Qué le gusta escuchar a la señorita Pam? Rock, música alternativa, hip-hop, noticias y la radio pública. Las emisoras preseleccionadas son sumamente reveladoras.

Ya estoy haciendo planes para organizar una transacción con la chica: para conocerla mejor. Nos veremos en el funeral en memoria de Amelia 7303 (sin cuerpo, no hay entierro). Le ofreceré mis condolencias. Conocí a Amelia mientras trabajaba en el caso. Me cayó muy bien. Vamos, no llores, cielo. No pasa nada. ¿Sabes qué? ¿Qué te parece si quedamos? Puedo contarte todas las historias que me contó Amelia. Su padre. Y la interesante historia de cómo llegó su abuelo a este país. (Cuando me enteré de que estaba husmeando por allí, leí su dosier. Qué historia tan interesante.) Tenemos que ser buenos amigos. Estoy realmente hecho polvo... ¿Qué te parece si tomamos un café? ¿Te gusta Starbucks? Yo voy todas las tardes, después de ir a correr por Central Park. ¡No! ¿Tú también?

Desde luego, parece que tenemos muchas cosas en común.

Vaya, ya está otra vez esa idea, cuando pienso en Pam. ¿Será muy fea?

Quizá tenga que esperar para meterla en el maletero. Primero tengo que encargarme de Thom Reston... y de un par de cosas más. Pero al menos esta noche tengo a Amelia 7303.

Me meto en el garaje y guardo el coche. Se quedará aquí hasta que cambie la matrícula y lo lance al fondo del embalse de Croton. Pero no puedo pensar en eso ahora. Estoy muy nervioso haciendo planes para la transacción con mi amiga pelirroja, que me espera en casa, en mi Armario, como una esposa a su marido tras un duro día de trabajo en la oficina.

Lo sentimos. En este momento no puede hacerse una predicción. Por favor, introduzca más datos e inténtelo de nuevo.

A pesar de haber consultado la base de datos más grande del mundo, a pesar de que el *software* de tecnología punta examinaba cada detalle de la vida de Amelia Sachs a la velocidad de la luz, el programa no obtenía resultados.

—Lo siento —dijo Mark Whitcomb tocándose con cuidado la nariz.

La pantalla de alta definición del sistema de videoconferencia hacía que la herida resaltara aún más. Tenía mal aspecto. Ron Pulaski le había dado un buen golpe.

—No hay suficientes detalles —continuó el joven, sorbiendo por la nariz—. La calidad de los resultados depende de los datos que se introduzcan. El programa trabaja mejor con una pauta de conductas. Lo único que nos dice es que la detective Sachs ha ido a un sitio al que no había ido nunca antes, al menos no por esa ruta.

Derecha a casa del asesino, pensó Rhyme lleno de frustración.

¿Dónde diablos estaba?

—Un momento. El sistema se está actualizando...

La pantalla cambió después de un parpadeo.

—¡La tengo! —balbució Whitcomb—. Varios RFID la han detectado hace unos veinte minutos.

—¿Dónde? —murmuró Rhyme.

Whitcomb les mostró los datos en pantalla. Estaba en una calle tranquila del Upper East Side.

—Dos incidencias en tiendas. La duración del primer escáner de RFID es de dos segundos. El segundo ha sido un poco más largo, ocho segundos. Puede que se haya detenido a comprobar una dirección.

—¡Llamad a Bo Haumann enseguida! —gritó Rhyme.

Pulaski marcó el número y un momento después el jefe del Servicio de Emergencias de la policía se puso al teléfono.

—Bo, tengo una pista sobre Amelia. Ha ido en busca de Cinco Dos Dos y ha desaparecido. Tenemos un sistema informático vigilando sus movimientos. Hace unos veinte minutos estaba cerca del seiscientos cuarenta y dos de la Ochenta y ocho Este.

—Podemos estar ahí en diez minutos, Linc. ¿Habrá rehenes?

—Yo diría que sí. Llámame en cuanto sepas algo.

Colgaron.

Rhyme pensó en el mensaje que le había dejado Sachs en el buzón de voz. Parecía tan frágil, aquel hatillo de datos digitales.

Oyó perfectamente su voz: *Tengo una pista, una buena pista, Rhyme. Llámame.*

No pudo evitar preguntarse si aquélla habría sido su última comunicación.

El Equipo A de la Unidad del Servicio de Emergencias de Bo Haumann se hallaba junto a la puerta de una casa de gran tamaño, en el Upper East Side: cuatro agentes acorazados, provistos de MP-5, subfusiles negros y compactos. Procuraban mantenerse apartados de las ventanas.

Haumann tenía que reconocer que no había visto nada parecido en todos sus años en el ejército y la policía. Lincoln Rhyme estaba utilizando un programa informático que había seguido los pasos de Amelia Sachs hasta aquella zona, sólo que no había sido a través de su teléfono móvil, o de un transmisor, o de un rastreador GPS. Tal vez aquél fuera el futuro del trabajo policial.

El programa no les había dado la ubicación concreta de aquella casa, un domicilio privado, pero un testigo había visto a una mujer pararse delante de las dos tiendas en las que el ordenador había localizado a Sachs y dirigirse luego a aquella casa, al otro lado de la calle.

Donde presumiblemente la retenía el asesino al que apodaban 522.

Finalmente, llamó el equipo que vigilaba la parte de atrás de la casa.

—Equipo Be a Uno. En nuestros puestos. No vemos nada. ¿En qué piso está? Cambio.

—Ni idea. Vamos a entrar y registrarlo todo. Moveos deprisa. Lleva un buen rato ahí dentro. Voy a pulsar el timbre. Cuando venga a abrir, entramos.

—Recibido, cambio.

—Equipo Ce. Dentro de tres o cuatro minutos estaremos en la azotea.

—¡Daos prisa! —gruñó Haumann.

—Sí, señor.

Haumann llevaba años trabajando con Amelia Sachs. La detective tenía más huevos que muchos hombres que trabajaban a sus órdenes en el Servicio de Emergencias. No estaba seguro de que le cayera bien (era tozuda, brusca y a menudo se colaba en primera línea cuando debía quedarse atrás), pero la respetaba, de eso no había duda.

Y no iba a dejarla en manos de un violador como 522. Hizo un gesto de asentimiento al detective de la Unidad de Emergencias que esperaba en el pórtico de la casa, vestido de paisano para que, cuando llamara a la puerta, el asesino no los descubriera con sólo mirar por la mirilla. En cuanto abriera, los agentes agazapados junto a la fachada se abalanzarían sobre él. El agente se abrochó la chaqueta y asintió.

—Maldita sea. —Impaciente, Haumann llamó por radio al equipo de la parte de atrás—. ¿Estáis ya en vuestros puestos o no?

47

Se abrió la puerta y oyó los pasos del asesino adentrándose en la habitación hedionda y sofocante.

Amelia Sachs estaba agachada, le dolían las piernas y luchaba por sacar la llave de las esposas del bolsillo delantero de su pantalón. Pero rodeada por los altos montones de papeles, no había podido girarse lo suficiente para meter la mano en el bolsillo. Había palpado la llave a través de la tela, había notado su forma tentadora, pero no había conseguido deslizar los dedos por la abertura.

Se retorcía de frustración.

Más pasos.

¿Dónde, dónde?

Un intento más de alcanzar la llave... Casi, pero no.

Entonces los pasos de acercaron. Sachs se dio por vencida.

Bien, era hora de luchar. Por ella que no quedara. Había visto sus ojos, su ansia, su lujuria. Sabía lo que le esperaba en cualquier momento. No sabía cómo iba a hacerle daño teniendo las manos esposadas a la espalda y la cara y los hombros terriblemente doloridos por el forcejeo de un rato antes. Pero aquel cabrón pagaría cara cada caricia.

Pero ¿dónde estaba?

Los pasos se habían detenido.

¿Dónde? No tenía perspectiva de la habitación. El pasillo por el que debía pasar el asesino para llegar hasta ella tenía unos sesenta centímetros de ancho y se abría entre torres de periódicos mohosos. Veía su mesa y los montones de cacharros y revistas.

Vamos, ven a por mí.

Estoy lista. Haré que estoy asustada, me acobardaré. Los violadores buscan controlar a sus víctimas. Se sentirá poderoso y se descuidará en cuanto me vea acobardada. Entonces, cuando se acerque, me lanzaré a por su cuello con los dientes. Aguanta y no sueltes, pase lo que pase. Voy a...

Fue entonces cuando se derrumbó el edificio, cuando estalló una bomba.

Una marea aplastante cayó sobre ella, estrellándola contra el suelo, donde quedó inmovilizada.

Gimió de dolor

Sólo pasado un minuto se dio cuenta de lo que había hecho el asesino: previendo quizá que iba a defenderse, había empujado los montones de periódicos.

Con las piernas y las manos paralizadas y el pecho, los hombros y la cabeza expuestos, estaba atrapada bajo centenares de periódicos malolientes.

La claustrofobia se apoderó de ella. Sintió un pánico indescriptible y dejó escapar un grito seco y entrecortado. Luchó por dominar su miedo.

Peter Gordon apareció al final del túnel. Sachs vio en una de sus manos la hoja de acero de una navaja de afeitar. En la otra llevaba una grabadora. La observó atentamente.

—Por favor —gimió ella. Su angustia era sólo en parte fingida.

—Eres preciosa —contestó él en voz baja.

Iba a decir algo más, pero el sonido del timbre, que sonaba allí al igual que en la parte principal de la casa, ahogó su voz.

Gordon se quedó parado.

El timbre sonó otra vez.

El asesino se incorporó y se acercó a la mesa, tecleó algo en el ordenador y observó la pantalla: posiblemente la imagen de una cámara de seguridad que mostraba al recién llegado. Arrugó el ceño.

El asesino dudó. Miró a Sachs y a continuación plegó cuidadosamente la navaja y se la guardó en el bolsillo de atrás.

Se acercó a la puerta del armario y la cruzó. Sachs oyó el chasquido de la cerradura. Una vez más, su mano comenzó a abrirse paso lentamente hacia el bolsillo y la pequeña llave metálica que contenía.

—Lincoln...

La voz de Bo Haumann sonaba distante.

—Dime —contestó Rhyme en voz baja.

—No era ella.

—¿Qué?

—La lectura de ese programa informático era correcta. Pero no era Amelia. —Le explicó que Sachs le había dado su tarjeta de crédito a una amiga, Pam Willoughby, para que hiciera la compra con la esperanza de que esa noche pudieran cenar juntas y hablar de «cosas personales»—. Imagino que eso es lo que leyó el sistema. La chica fue a una tienda, estuvo mirando escaparates y luego se paró aquí, en casa de una amiga. Estaban haciendo los deberes.

Rhyme cerró los ojos.

—De acuerdo. Gracias, Bo. Ya podéis retiraros. Lo único que podemos hacer es esperar.

—Lo siento, Lincoln —dijo Ron Pulaski.

El criminalista asintió con la cabeza.

Sus ojos se posaron en la repisa de la chimenea, donde había una fotografía de Sachs con casco negro, en la cabina de un Ford NASCAR. A su lado había una foto de ellos dos juntos, él en su silla y ella abrazándolo.

No pudo mirarla. Fijó los ojos en las pizarras.

PERFIL DEL SNI 522	PRUEBAS MATERIALES NO FALSIFICADAS
• Varón.	• Cartón viejo.
• Probablemente no fuma.	• Pelo de muñeca, nailon 6 BASF B35.
• Probablemente no tiene ni pareja ni hijos.	• Tabaco de cigarrillos Tareyton.
• Probablemente blanco o de etnia de piel clara.	• Tabaco viejo, no de marca Tareyton, sino de marca desconocida.
• Complexión media.	• Restos de hongo *Stachybotrys chartarum*.
• Fuerte: capaz de estrangular a sus víctimas.	• Aperitivos con salsa picante/pimienta de cayena.
• Tiene acceso a dispositivos de ocultamiento de voz.	• Polvo del atentado a las Torres Gemelas. Posiblemente indica que vive o trabaja en el centro de Manhattan.
• Posiblemente con conocimientos de informática: conoce OurWorld. ¿También otras redes sociales?	• Fibra de cuerda con:
• Se lleva trofeos de sus víctimas.	• Restos de refresco *light* edulcorado con ciclamato (antiguo o procedente del extranjero).
• Come aperitivos/salsa picante.	• Bolas antipolillas de naftalina (antiguas o procedentes del extranjero).
• Calza zapatos cómodos, marca Skechers, del número 45.	• Hojas de lotería (planta de interior).
• Acumulador. Sufre un TOC.	• Restos de dos cuadernos distintos, de color amarillo.
• Tendrá una vida «secreta» y una «fachada».	• Pisada de zapato cómodo Skechers del número 45.
• Su personalidad pública será opuesta a su verdadero yo.	• Hojas de plantas de interior: ficus y aglaonema (siempreviva china).
• Vivienda: no alquila, tendrá dos espacios separados, uno normal y uno secreto.	• Leche en polvo.
• Las ventanas estarán cubiertas o pintadas.	
• Se pondrá violento cuando su colección o su guarida estén en peligro.	

¿Dónde estás, Sachs? ¿Dónde estás?

Miró los esquemas como hipnotizado, deseando que pudieran hablar. Pero aquellos pocos datos le daban tan pocas pistas como los datos de inner-Circle al ordenador de SSD.

Lo sentimos. En este momento no pueden hacerse predicciones...

48

Un vecino.

El que ha llamado era un vecino que vive un poco más arriba, en el número 697 de la calle 91 Oeste. Acaba de llegar del trabajo. Se suponía que tenían que llevarle un paquete, pero no ha llegado. En la tienda le han dicho que seguramente lo habrían entregado en el número 679, mi dirección. Un baile de números.

Frunzo el ceño y le digo que no me han entregado nada. Que vuelva a preguntar en la tienda. Me dan ganas de rebanarle el pescuezo por haber interrumpido mi escarceo con Amelia 7303, pero, naturalmente, sonrío con aire comprensivo.

Lamenta haberme molestado. Que usted también pase un buen día, menos mal que han acabado con las obras que estaban haciendo en la calle, ¿verdad?

Y ahora vuelvo a pensar en Amelia 7303. Pero al cerrar la puerta siento un sobresalto de pánico. De pronto me he dado cuenta de que se lo he quitado todo (el teléfono, las armas, el espray de defensa propia y la navaja), menos la llave de las esposas. Debe de tenerla en el bolsillo.

El vecino me ha distraído. Sé dónde vive y me las pagará por ello. Pero por ahora vuelvo a toda prisa a mi Armario, sacándome la navaja del bolsillo. ¡Deprisa! ¿Qué estará haciendo ahí dentro? ¿Estará llamando para decirles dónde pueden encontrarla?

¡Intenta quitármelo todo! La odio. La odio muchísimo...

El único progreso que había hecho Amelia Sachs en ausencia de Gordon había sido dominar su pánico.

Había intentado frenéticamente alcanzar la llave, pero sus piernas y sus brazos permanecían inmovilizados bajo el montón de periódicos y no conseguía mover las caderas de modo que pudiera meter la mano dentro del bolsillo.

Sí, había logrado mantener a raya la claustrofobia, pero el dolor iba apoderándose de ella rápidamente. Notaba calambres en las piernas dobladas y una afilada esquina de papel se le clavaba en la espalda.

Su esperanza de que la persona que había llamado fuera su salvación se extinguió. La puerta de la guarida del asesino se abrió de nuevo. Oyó los pasos de Gordon. Un momento después levantó la vista del lugar donde yacía en el suelo y lo vio mirándola. Rodeó la montaña de papel hasta colocarse a un lado y entornó los ojos al ver que las esposas seguían intactas.

Sonrió, aliviado.

—Así que soy el número Cinco Dos Dos.

Ella hizo un gesto de asentimiento y se preguntó cómo lo habría descubierto. Seguramente torturando al capitán Malloy, lo cual la puso aún más furiosa.

—Prefiero un nombre que tenga relación con algo. La mayoría de los dígitos son aleatorios. En la vida hay demasiado azar. Ése fue el día en que me descubristeis, ¿verdad? Mes cinco, día veintidós. Tiene sentido. Me gusta.

—Si se entrega, haremos un trato.

—¿Un trato? —Soltó una risa cínica y aterradora—. ¿Qué trato iba a hacer nadie conmigo? Los asesinatos han sido premeditados. No saldría jamás de la cárcel. Vamos. —Desapareció un momento y regresó con una lona de plástico que desplegó en el suelo, delante de ella.

Con el corazón acelerado, Sachs miró la lona manchada de sangre marrón. Recordando lo que les había dicho Terry Dobyns sobre los acumuladores, comprendió que le preocupaba que su colección se manchara de sangre.

Gordon sacó su grabadora y la puso sobre un montón de periódicos cercano, uno no muy grande, de sólo un metro de alto. El periódico de arriba era el *New York Times* del día anterior. En la esquina superior izquierda había un número escrito con esmero: 3.529.

Fuera lo que fuese lo que intentara Gordon, iba a sufrir por ello. Sachs estaba dispuesta a usar sus dientes, sus rodillas, sus pies. Iba a hacerle daño. *Deja que se acerque. Hazte la desvalida, la vulnerable.*

Que se acerque.

—¡Por favor! Esto duele... No puedo mover las piernas. Ayúdeme a estirarlas.

—No, dices que no puedes moverlas para que me acerque y así puedas intentar arrancarme la tráquea de un mordisco.

Exacto.

—No. ¡Por favor!

—Amelia Siete Tres Cero Tres... ¿Crees que no me he informado sobre ti? El día en que tú y Ron Cuarenta y dos Ochenta y cinco vinisteis a SSD, entré en los rediles y me estuve informando sobre vosotros. Tu archivo es muy revelador. Caes muy bien en el departamento, por cierto. Y creo que también les asustas. Eres muy independiente, vas a tu aire. Conduces deprisa, disparas bien, eres especialista en inspección forense y sin embargo has formado parte de cinco equipos tácticos en los últimos dos años... Así que sería absurdo que me acercara a ti sin tomar las debidas precauciones, ¿no crees?

Sachs apenas prestaba atención a sus palabras. *Vamos*, pensaba. *Acércate. ¡Vamos!*

Se apartó y regresó con una Taser, una pistola de descargas eléctricas.

Ay, no... No...

Claro. Siendo guardia de seguridad, disponía de todo un arsenal de armas. Y desde aquella distancia no podía fallar. Quitó el seguro al arma y se estaba acercando cuando se detuvo y ladeó la cabeza.

Sachs también había oído un ruido. ¿Un goteo de agua?

No. Un cristal al romperse, como una ventana que se hiciera añicos a lo lejos.

Gordon arrugó el ceño. Dio un paso hacia la puerta que llevaba a la entrada del armario... y de pronto la puerta se abrió y el asesino retrocedió bruscamente.

Una figura que empuñaba una corta barra de hierro irrumpió en la habitación, parpadeando para orientarse en la oscuridad.

Gordon cayó violentamente al suelo, el aire escapó de sus pulmones y soltó la Taser. Haciendo una mueca de dolor, se puso de rodillas y echó mano del arma, pero el recién llegado blandió la barra de hierro y le golpeó con fuerza en el brazo. El asesino chilló. Le había roto un hueso.

—¡No, no! —Gordon entornó los ojos llorosos por el dolor y miró a su agresor.

—Ahora no eres tan Dios, ¿eh? —gritó el hombre—. ¡Hijo de puta!

Era Robert Jorgensen, el médico del hotelucho, el hombre al que Gordon había robado su identidad. Descargó con fuerza la barra metálica en el cuello y los hombros del asesino, sujetándola con las dos manos. La cabeza de Gordon se estrelló contra el suelo. Puso los ojos en blanco, se desmayó y quedó totalmente inmóvil.

Sachs pestañeó, mirando atónita al doctor.

¿Que quién es? Él es Dios y yo soy Job.

—¿Está bien? —preguntó Jorgensen, acercándose a ella.

—Quíteme estos periódicos de encima. Luego quíteme las esposas y póngaselas a él. ¡Deprisa! Tengo la llave en el bolsillo.

Jorgensen se puso de rodillas y comenzó a empujar los periódicos.

—¿Cómo ha llegado aquí? —preguntó Sachs.

El hombre tenía los ojos dilatados, igual que durante su conversación en aquel hotel de mala muerte del Upper East Side.

—He estado siguiéndola desde que vino a verme. Ahora vivo en la calle. Sabía que me conduciría hasta él. —Señaló con la cabeza a Gordon, que seguía inmóvil y respiraba agitadamente.

Jorgensen cogía grandes montones de periódicos y los arrojaba lejos de ella.

—Era usted quien me seguía. En el cementerio y en el muelle de carga del West Side —dijo Sachs.

—Sí, era yo. Hoy la he seguido desde el almacén hasta su casa y luego hasta la comisaría, y después hasta ese edificio de oficinas en Midtown, ese gris. Y luego hasta aquí. La he visto entrar en el callejón y, como no salía, he empezado a preocuparme. He llamado a la puerta y ha salido a abrir. Le he dicho que era un vecino, que venía a buscar un paquete. He echado un vistazo dentro. No la he visto. He fingido que me iba y entonces lo he visto cruzar una puerta del cuarto de estar y sacar una navaja.

—¿No lo ha reconocido?

Jorgensen se tiró de la barba con una risa amarga.

—Seguramente sólo me conocía por mi foto del permiso de conducir. Y es de cuando todavía me molestaba en afeitarme... y podía permitirme ir a la peluquería para cortarme el pelo... Dios, cómo pesa esto.

—Dese prisa.

Jorgensen añadió:

—Gracias a usted por fin tenía la oportunidad de encontrarlo. Sé que tiene que detenerlo, pero primero quiero pasar un rato con él. ¡Tiene que dejarme! Voy a hacerle pagar por todo lo que me ha hecho pasar.

Sachs comenzó a recuperar la sensibilidad de las piernas. Miró hacia donde yacía Gordon.

—En el bolsillo delantero... ¿Puede coger la llave?

—Todavía no. Espere, voy a quitar algunos más...

Cayeron más periódicos al suelo. Un titular: «LOS SAQUEOS CAUSAN DAÑOS MILLONARIOS DURANTE LOS APAGONES». Otro: «SIN AVANCES EN LA CRISIS DE LOS REHENES. TEHERÁN SE NIEGA A NEGOCIAR».

Por fin, retorciéndose, logró liberarse de los periódicos. Se levantó con torpeza hasta donde le permitían las esposas. Le dolían las piernas. Tambaleándose, se apoyó contra otro montón de periódicos y se volvió hacia Jorgensen.

—La llave de las esposas, deprisa.

Él metió la mano en su bolsillo, encontró la llave y estiró los brazos hacia su espalda. Una de las esposas se abrió con un suave chasquido y Sachs pudo incorporarse del todo. Se giró para coger la llave.

—Deprisa —dijo—. Vamos a...

Un disparo ensordecedor retumbó en la habitación. Sachs sintió que algo le salpicaba simultáneamente la cara y las manos cuando una bala disparada por Peter Gordon con su Glock se incrustó en la espalda de Jorgensen, rociándola con sangre y tejidos.

El médico dejó escapar un grito y se derrumbó sobre ella, haciéndola caer hacia atrás y salvándola así del segundo proyectil, que pasó silbando a su lado y fue a incrustarse en la pared, a escasos centímetros de su hombro.

49

Amelia Sachs no tenía elección. Tenía que atacar. Enseguida. Parapetándose tras el cuerpo de Jorgensen, se lanzó hacia Gordon, que sangraba agazapado, cogió del suelo la pistola Taser y le disparó.

Las agujas de las pistolas de electrochoque no son tan veloces como las balas y Gordon cayó hacia atrás justo a tiempo para que errara el blanco. Ella empuñó la barra de hierro de Jorgensen y se abalanzó contra él. Gordon se incorporó apoyándose en una rodilla, pero cuando Sachs estaba apenas a tres metros de distancia consiguió levantar la pistola y disparar una bala directamente hacia ella en el instante en que la detective le lanzaba un golpe con la barra de hierro. El proyectil se estrelló en el chaleco antibalas. El dolor la dejó aturdida, pero la bala le había dado muy por debajo del plexo solar, donde un disparo la habría dejado momentáneamente paralizada y sin respiración.

La barra de hierro golpeó a Gordon en la cara, emitiendo un ruido sordo, casi inaudible. El asesino gritó de dolor, pero no se desplomó. Siguió sosteniendo con firmeza la Glock. Sachs viró en la única dirección por la que podía escapar, a su izquierda, y corrió por el desfiladero de cacharros que atestaba aquel sórdido lugar.

Sólo cabía calificarlo de «laberinto». Un angosto pasillo abierto entre sus colecciones: peines, juguetes (montones de muñecas; de una de ellas procedía sin duda el pelo encontrado en la escena de uno de los crímenes anteriores), tubos de pasta de dientes cuidadosamente enrollados, cosméticos, tazas, bolsas de papel, ropa, zapatos, latas de comida vacías, llaves, bolígrafos, herramientas, revistas, libros... No había visto tantos trastos juntos en toda su vida.

La mayoría de las lámparas estaban apagadas, pero había un par de bombillas de poca potencia que cubrían el lugar con una especie de velo amarillento, y la pálida luz de las farolas de la calle se colaba por entre las persianas sucias y las hojas de periódicos pegadas a los cristales. Había rejas en todas las ventanas. Sachs tropezó varias veces y consiguió sujetarse antes de caer sobre un montón de porcelana o un enorme recipiente lleno de alfileres.

Cuidado, cuidado...
Una caída sería fatal.

A punto de vomitar por el impacto que había recibido en el estómago, pasó entre dos altos montones de revistas *National Geographic* y, sofocando un grito, agachó la cabeza a tiempo en el instante en que Gordon doblaba una esquina a doce metros de distancia y, al verla, haciendo una mueca de dolor por el brazo roto y el golpe que había recibido en la cara, disparaba dos veces con la mano izquierda. Falló los dos tiros. Comenzó a avanzar hacia ella. Sachs metió el codo tras una torre de revistas satinadas y las arrojó en cascada hacia el pasillo, bloqueándolo por completo. Mientras se alejaba a gatas, oyó dos disparos más.

Gordon había disparado siete balas (Sachs siempre contaba los disparos), pero era una Glock: aún quedaban ocho proyectiles. Buscó una salida, incluso una ventana sin rejas por la que pudiera arrojarse, pero en aquel lado de la casa no había ninguna. En las paredes había estanterías repletas de estatuillas y baratijas de porcelana. Oyó cómo Gordon mascullaba y apartaba las revistas caídas pataleando furiosamente.

Su cara apareció por encima de los montones mientras intentaba trepar por encima, pero las cubiertas de las revistas resbalaban como hielo y se escurrió dos veces, soltando un grito al intentar apoyarse en el brazo roto. Finalmente consiguió trepar hasta arriba, pero antes de que pudiera levantar la pistola se quedó paralizado de horror, boquiabierto.

—¡No! ¡Por favor, no!

Sachs tenía ambas manos en una librería llena de jarrones antiguos y figurillas de porcelana.

—¡No! No lo toques. ¡Por favor!

Ella había recordado lo que les dijera Terry Dobyns acerca de perder cualquier cosa de su colección.

—¡Lánzame la pistola! ¡Vamos, Peter!

No creía que fuera a obedecer, pero enfrentado a la horrenda posibilidad de perder lo que contenía la estantería, el asesino dudó.

El conocimiento es poder.

—No, no, por favor... —Un susurro patético.

Después, su mirada cambió. En un instante sus ojos se volvieron negros puntos, y Sachs comprendió que iba a disparar.

Lanzó la estantería contra otra y noventa kilos de cerámica se hicieron añicos en el suelo con un espantoso estruendo que sin embargo ahogó el aullido visceral y espeluznante de Peter Gordon.

Dos estantes más de feas figurillas, tazas y platos se sumaron a la demolición.

—¡Lánzame la pistola o rompo todo lo que hay aquí!

Pero Gordon había perdido por completo el control.

—Voy a matarte, voy a matarte, voy a matarte... —Disparó dos veces más, pero para entonces Sachs ya se había puesto a cubierto. Nada más superar Gordon el montón de revistas, había comprendido que dispararía y había evaluado la posición que ocupaban ambos. Dando un rodeo, había retrocedido hacia la puerta del armario de delante, mientras él seguía en la parte trasera de la casa.

Pero para llegar a la puerta y ponerse a salvo, tendría que pasar corriendo ante la puerta de la habitación en la que, a juzgar por los ruidos, Gordon se había puesto a rebuscar entre las estanterías y el montón de objetos rotos. ¿Era consciente el asesino de su dilema? ¿Estaba esperándola, apuntando hacia la galería de tiro que tendría que atravesar para llegar a la puerta del armario?

¿O había rodeado la barricada y se estaba acercando por una ruta que ella desconocía?

En medio de la penumbra, se oían pequeños ruidos por todas partes. ¿Eran sus pasos? ¿O sólo los crujidos de la madera?

Sintió el hormigueo del pánico y se giró bruscamente. No veía a Gordon. Sabía que tenía que moverse, y cuanto antes. *¡Vamos! ¡Ahora!* Respiró hondo sin hacer ruido, procuró ignorar el dolor de sus rodillas y, manteniéndose agachada, pasó corriendo por delante de la barricada de revistas.

No hubo disparos.

Gordon no estaba allí. Se paró en seco, con la espalda pegada a la pared, y procuró controlar su respiración.

Tranquila, tranquila...

Maldita sea. ¿Dónde, dónde, dónde? ¿Por este pasillo de cajas de zapatos, por éste de latas de tomate, o por éste de ropa bien doblada?

Más crujidos. No sabía de dónde venían.

Un sonido leve, como un soplo de viento, o como una respiración.

Por fin tomó una decisión: *¡Corre! ¡Ahora! ¡Derecha hacia la puerta!*

Y ojalá no esté detrás de ti ni haya llegado a la entrada por otro pasadizo. ¡Vamos!

Echó a correr, dejando atrás otros pasillos, desfiladeros de libros, de objetos de cristal, de pinturas, de cables y equipamiento electrónico, de latas de conserva. ¿Iba bien?

Sí, sí. Delante de ella estaba la mesa de Gordon, rodeada de cuadernos amarillos. El cadáver de Robert Jorgensen yacía en el suelo. *¡Más deprisa! ¡Muévete! Olvídate del teléfono de la mesa*, se dijo tras pensar fugazmente en llamar a emergencias.

Sal de aquí. Sal ya.

Corrió hacia la puerta del armario.

Cuanto más se acercaba, mayor era su pánico. Esperaba un disparo en cualquier momento.

Ya sólo faltaban cinco metros...

Quizá Gordon creyera que se había escondido en la parte de atrás. Quizás estaba de rodillas, llorando enloquecido por la destrucción de su preciosa porcelana.

Tres metros...

Dobló una esquina y se demoró el tiempo justo para agarrar la barra de hierro, resbaladiza por la sangre de Gordon.

No, sal de una vez.

Entonces se detuvo, conteniendo la respiración.

Lo vio justo delante de ella, silueteado por el resplandor de la luz procedente de la puerta del armario. Comprendió desesperada que, en efecto, había tomado otra ruta para llegar hasta allí. Levantó la pesada barra de hierro.

Gordon no la vio al principio, pero su esperanza de pasar sin que la viera se desvaneció cuando el asesino se volvió hacia ella y, dejándose caer al suelo, la apuntó con el arma. En ese instante, la imagen de su padre y, a continuación, la de Lincoln Rhyme inundaron sus pensamientos.

Ahí está Amelia 7303, la tengo en el punto de mira.

La mujer que ha destruido cientos de mis tesoros, la que me lo quitaría todo, la que me privaría de todas mis transacciones futuras y expondría mi Armario ante el mundo. No tengo tiempo de divertirme con ella. No hay tiempo para grabar sus gritos. Debe morir. Inmediatamente.

La odio, la odio, la odio, la odio, la odio, la odio, la odio, la odio, la odio, la odio, la odio...

Nadie va a quitarme nada, nunca más.

Apunta y aprieta el gatillo.

Amelia Sachs se tambaleó hacia atrás en el instante en que la pistola disparó delante de ella.

Luego otro disparo. Dos más.

Al caer al suelo se tapó la cabeza con los brazos, aturdida al principio, luego cada vez más consciente del dolor.

Me muero... me muero...

Sólo que... sólo que la única sensación dolorosa procedía de sus rodillas artríticas, que habían golpeado violentamente el suelo al caer, no de las balas que debían haber impactado en su cuerpo. Se llevó la mano a la cara, al cuello. No había herida, no había sangre. Gordon no podía haber fallado desde aquella distancia.

Pero había fallado.

Entonces echó a correr hacia ella. Con la mirada fría y los músculos rígidos como el hierro, Sachs ahogó un gemido y asió la barra de hierro.

Pero él pasó de largo sin mirarla siquiera.

¿Qué ocurría? Se incorporó despacio, con una mueca de dolor. Ahora que ya no veía el resplandor de la puerta abierta del armario, la silueta fue haciéndose cada vez más nítida. No era Gordon, sino John Harvison, un detective al que conocía de la cercana comisaría número veinte. Empuñaba firmemente su Glock mientras se acercaba con cautela al cadáver del hombre al que acababa de matar.

Sachs comprendió de pronto que Peter Gordon se había ido acercando a ella por detrás, sigilosamente, y había estado a punto de dispararle por la espalda. Desde donde estaba situado no había visto a Harvison agachado en la puerta del armario.

—Amelia, ¿estás bien? —preguntó con urgencia el detective.

—Sí, estoy bien.

—¿Hay alguien más?

—Creo que no.

Sachs se levantó y se reunió con Harvison. Al parecer, todos sus disparos habían dado en el blanco: se habían incrustado directamente en la frente de Gordon. Los daños producidos por las balas eran enormes. La sangre y la masa encefálica habían salpicado el retrato de familia de Prescott colgado encima del escritorio.

Harvison era un hombre vehemente, cuarentón, varias veces condecorado por su valor en situaciones de peligro extremo y por haber detenido a importantes traficantes de drogas. Adoptó una actitud puramente profesional y, sin hacer caso del rocambolesco escenario, aseguró el lugar de los hechos. Recogió la Glock que Gordon tenía aún en la mano ensangrentada y se la guardó junto con el cargador en el bolsillo. Apartó también la Taser a distancia prudencial, aunque era muy improbable que Gordon resucitara milagrosamente.

—John —susurró Sachs, mirando el cuerpo destrozado del asesino—. ¿Cómo..? ¿Cómo demonios me has encontrado?

—Radiaron un aviso a todos los agentes disponibles advirtiendo de que se estaba produciendo una agresión en esta casa. Yo estaba a una manzana de aquí, en un asunto de drogas, así que vine enseguida. —La miró—. Fue ese tipo con el que trabajas quien llamó.

—¿Quién?

—Rhyme. Lincoln Rhyme.

—Ah. —No le sorprendió la respuesta, a pesar de que planteaba nuevos interrogantes.

Oyeron un suave gemido. Se volvieron. Procedía de Jorgensen. Sachs se agachó.

—Avisa a una ambulancia. Todavía está vivo. —Aplicó presión en la herida de bala.

Harvison sacó su radio y dio el aviso.

Un momento después, dos agentes del Servicio de Emergencias cruzaron violentamente la puerta con las armas en la mano.

—El asesino ha sido abatido —les informó Sachs—. Seguramente no hay nadie más. Pero registren esto para asegurarse.

—Claro, detective.

Harvison y uno de los agentes de Emergencias comenzaron a recorrer los pasillos abarrotados. El otro policía se detuvo y le dijo a Sachs:

—Esta casa da escalofríos. ¿Alguna vez había visto algo así, detective?

Ella no estaba de humor para charlar.

—Tráigame vendas o una toalla. Dios, seguro que entre todos estos trastos tiene que haber media docena de botiquines. Necesito algo para parar la hemorragia. ¡Deprisa!

QUINTA PARTE

EL HOMBRE
QUE LO SABE TODO

Miércoles, 25 de mayo

La intimidad y la dignidad de nuestros ciudadanos [están] siendo socavadas paso a paso, a menudo de manera imperceptible. Considerados por separado, cada uno de esos pasos puede parecer poco importante. Pero cuando se contemplan como un todo, empieza a aflorar una sociedad distinta a cualquier otra que hayamos visto hasta ahora: una sociedad en la que el gobierno puede introducirse en las esferas más recónditas de la vida [de una persona].

WILLIAM O. DOUGLAS,
Magistrado de la Corte Suprema

50

—De acuerdo, el ordenador ayudó —reconoció Lincoln Rhyme.

Se refería a innerCircle, a la base de datos Atalaya y a otros programas de SSD.

—Pero sobre todo fueron las pruebas —añadió tajantemente—. El ordenador me dio una orientación general. Nada más. A partir de ahí, fue cosa nuestra.

Era bien pasada la medianoche y Rhyme estaba hablando con Sachs y Pulaski, sentados ambos en el laboratorio cercano. Ella había regresado de la casa de 522, donde los médicos le habían informado de que Robert Jorgensen sobreviviría: el disparo no había afectado a ningún órgano vital ni a los principales vasos sanguíneos. Jorgensen se encontraba en la unidad de cuidados intensivos del Columbia-Presbyterian.

Rhyme prosiguió explicándoles cómo había averiguado que Sachs estaba en casa del guardia de seguridad de SSD. Le habló del enorme dosier que SSD tenía sobre ella. Mel Cooper lo abrió en el ordenador para que Sachs pudiera verlo. Al ver la cantidad de información que contenía, la detective palideció.

—Lo saben todo —murmuró—. No tengo ni un solo secreto.

El criminalista le explicó que el sistema les había proporcionado la lista de sus movimientos después de que saliera de la comisaría de Brooklyn.

—Pero el ordenador sólo podía darnos una indicación general de tu itinerario. De tu paradero no sabía nada. Seguí mirando el plano y me di cuenta de que ibas en dirección a SSD, lo cual, por cierto, no dedujo su puñetero ordenador. Llamé y el guardia del vestíbulo me dijo que acababas de pasar media hora allí, preguntando por distintos empleados. Pero nadie sabía dónde habías ido después.

Sachs les contó cómo le había conducido su pista hasta SSD: el hombre que había entrado en su casa había perdido un comprobante de caja de una cafetería situada junto al edificio de la empresa.

—Pensé que tenía que significar que el asesino era un empleado o alguien muy relacionado con SSD. Pam pudo ver su ropa: chaqueta azul, vaqueros y una gorra. Deduje que los guardias de seguridad sabrían qué empleados habían ido vestidos así a trabajar hoy. Los que estaban de servicio no se acordaban de haber visto a nadie así, por lo que les pedí el nombre y la dirección de los guardias que libraban esta tarde. Y me fui a hablar con ellos. —Hizo una mueca—. No se me ocurrió que Cinco Dos Dos fuera uno de ellos. ¿Cómo descubriste tú que era un guardia, Rhyme?

—Bueno, sabía que estabas buscando a un empleado, pero ¿era uno de los sospechosos u otra persona? El maldito ordenador no servía de ninguna ayuda, así que recurrí a las pruebas. Nuestro asesino era un empleado que llevaba zapatos cómodos y muy poco elegantes y llevaba encima rastros de leche en polvo. Era fuerte. ¿Significaba eso que desempeñaba un trabajo físico en los peldaños más bajos de la compañía? ¿Un conserje, un repartidor, un encargado del correo? Entonces me acordé de la pimienta de cayena.

—Espray de pimienta —dijo Sachs, suspirando—. Claro. No era comida.

—Exacto. El arma principal de un guardia de seguridad. ¿Y el dispositivo de ocultamiento de voz? Se pueden comprar en las tiendas de equipamiento para seguridad. Así que hablé con el jefe de seguridad de SSD, Tom O'Day.

—Sí. Hablamos con él allí. —Sachs hizo un gesto de asentimiento mirando a Pulaski.

—Me contó que muchos de los guardias de seguridad sólo trabajaban media jornada, lo que daría a Cinco Dos Dos tiempo de sobra para entregarse a su afición favorita fuera de la oficina. Le expliqué a O'Day cuáles eran las otras pruebas. Los trozos de hojas que encontramos podían proceder de las plantas que hay en el comedor de los guardias de seguridad. Y allí tienen leche en polvo, no leche auténtica. Le hablé del perfil que había hecho Terry Dobyns y le pedí la lista de todos los guardias que eran solteros y no tenían hijos. Luego cotejó sus nombres con los registros de asistencia de los últimos dos meses y con las horas de todos los asesinatos.

—Y diste con uno que siempre estaba fuera de la oficina. John Rollins, también llamado Peter Gordon.

—No, descubrí que John Rollins estaba siempre en la oficina a la hora de los asesinatos.

—¿En la oficina?

—Evidentemente. Entraba en el sistema de gestión de la oficina y cambiaba los registros de asistencia para procurarse una coartada. Le pedí a Rodney Szarnek que comprobara los metadatos. Y sí, era nuestro hombre. Así que di el aviso.

—Pero, Rhyme, no entiendo cómo consiguió los dosieres Cinco Dos Dos. Tenía acceso a todos los rediles de datos, pero allí registran a todo el mundo cuando sale, incluso a él. Y no tenía acceso *online* a innerCircle.

—Ésa era la única pega, sí. Y tenemos que agradecérselo a Pam Willoughby. Fue ella quien me ayudó a solucionarlo.

—¿Pam? ¿Cómo?

—¿Recuerdas que nos dijo que no se podían descargar las fotos de esa red social, OurWorld, pero que los chicos hacían fotografías de la pantalla?

Bueno, no se preocupe, señor Rhyme. Mucha veces, a la gente no se le ocurre la respuesta obvia...

—Me di cuenta de que así era cómo Cinco Dos Dos obtenía la información. No necesitaba descargar dosieres de miles de páginas. Sólo copiaba lo que necesitaba saber sobre las víctimas y los chivos expiatorios, seguramente de madrugada, cuando sólo estaba él en los rediles. ¿Recuerdas que encontramos esos restos de hojas de cuaderno? Y ni los rayos equis del puesto de seguridad ni el detector de metales detectan papel. A nadie se le habría ocurrido.

Sachs dijo que había visto un millar, quizá, de cuadernos amarillos rodeando la mesa de Gordon en su escondrijo.

Lon Sellitto llegó de jefatura.

—Ese cabrón está muerto —masculló—, pero yo sigo figurando en los archivos como un puto yonqui. Lo único que me dicen es «estamos en ello».

Tenía, sin embargo, una buena noticia. El fiscal del distrito iba a reabrir todos los casos en los que presuntamente 522 había manipulado las pruebas. Arthur Rhyme iba a ser puesto en libertad inmediatamente, y la situación de los demás imputados se revisaría lo antes posible. Era muy probable que estuvieran libres antes de un mes.

Sellitto añadió:

—He estado informándome sobre la casa donde vivía Cinco Dos Dos.

La vivienda del Upper West Side tenía que costar varias decenas de millones. Era un misterio cómo había podido costeársela Peter Gordon trabajando como guardia de seguridad.

Pero el detective tenía la respuesta.

—La casa en absoluto era suya. La escritura está a nombre de una tal Fiona McMillan, una viuda de ochenta y nueve años sin parientes cercanos. La señora McMillan sigue pagando los impuestos y las facturas sin faltar a un solo pago. Lo curioso es que nadie la ha visto en los últimos cinco años.

—Aproximadamente la época en que SSD se trasladó a Nueva York.

—Imagino que Gordon consiguió toda la información que necesitaba para suplantarla y luego la mató. Mañana van a empezar a buscar el cadáver. Comenzarán por el garaje y luego continuarán en el sótano. —El teniente añadió—: Estoy organizando el funeral en recuerdo de Joe Malloy. Es el sábado, por si queréis ir.

—Claro —contestó el criminalista.

Sachs le tocó la mano y dijo:

—Da igual que sea un patrullero o un mando: todos son familia y duele lo mismo perderlos.

—¿Es de tu padre? —preguntó Rhyme—. Suena a algo que habría dicho él.

Una voz les interrumpió desde el pasillo:

—Eh... Llego tarde, lo siento. Acabo de enterarme de que habéis cerrado el caso. —Rodney Szarnek entró en el laboratorio seguido por Thom. Llevaba un montón de papeles impresos y de nuevo parecía dirigirse al ordenador de Rhyme y a su sistema integrado de mando: a las máquinas, no a las personas.

—¿Tarde? —preguntó Rhyme.

—El sistema ha terminado de estructurar los archivos de espacio vacío que robó Ron. Bueno, que tomó prestados. Venía para acá para enseñároslos cuando me he enterado de que habéis cazado a ese tipo. Imagino que ya no os hacen falta.

—Sólo por curiosidad, ¿qué has encontrado?

Szarnek se acercó con varios papeles impresos y los desplegó delante de Rhyme. Eran incomprensibles. Palabras, números y símbolos, y entre medias grandes espacios en blanco.

—No sé leer griego.

—Ja, qué gracia. Lo que no lees es idioma *geek*.

Rhyme no se molestó en contestar. Preguntó:

—Resumiendo, ¿qué pone?

—Que *Corredor*, ese apodo que encontré, se descargó en secreto un montón de información de innerCircle y luego borró sus huellas. Pero no eran los dosieres de las víctimas ni de nadie relacionado con el caso.

—¿Sabes su nombre? —preguntó Sachs—. ¿El de *Corredor*?

—Sí. Un tal Sean Cassel.

La detective cerró los ojos.

—*Corredor*... Y dijo que estaba entrenándose para un triatlón. No se me ocurrió.

Cassel era el director de ventas de la empresa y uno de los sospechosos, se dijo Rhyme, y se fijó en la reacción de Pulaski ante la noticia: el joven agente parpadeó sorprendido y miró a Sachs con una ceja levantada y una sonrisa tenue, pero amarga. Rhyme se acordó de su reticencia a volver a SSD y de su azoramiento por no saber manejar una hoja de cálculo. Un roce entre él y Cassel era la explicación más plausible.

—¿Qué se traía Cassel entre manos? —preguntó Pulaski.

Szarnek hojeó los papeles.

—No sabría decíroslo exactamente. —Se detuvo y le pasó una hoja, encogiéndose de hombros—. Echa un vistazo, si quieres. Éstos son algunos de los dosieres a los que accedió.

Pulaski meneó la cabeza.

—No conozco a ninguna de estas personas. —Leyó varios nombres en voz alta.

—Espera —dijo de pronto Rhyme—. ¿Cuál era el último?

—Dienko... Aquí se le menciona otra vez. Vladimir Dienko. ¿Lo conoces?

—Mierda —dijo Sellitto.

Dienko, el imputado en la investigación contra la mafia rusa cuyo caso había sido sobreseído a causa de problemas con los testigos y las pruebas materiales.

—¿Y el anterior? —preguntó Rhyme.

—Alex Karakov.

Karakov era un confidente que, tras declarar contra Dienko, había permanecido escondido bajo un nombre falso. Había desaparecido dos semanas antes del juicio y se le había dado por muerto, aunque nadie se explicaba cómo habían dado con él los hombres de Dienko. Sellitto cogió los papeles de Pulaski y estuvo ojeándolos.

—Dios mío, Linc. Direcciones, retiradas de efectivo en cajeros automáticos, registro de coches, llamadas telefónicas... Justo lo que necesita un asesino a sueldo para acercarse a su objetivo. Uf, y mira esto. Kevin McDonald.

—¿No era el imputado de un caso de crimen organizado en el que estuviste trabajando? —preguntó Rhyme.

—Sí. En Hell's Kitchen. Tráfico de armas, conspiración, un poco de drogas y algo de extorsión. También se libró.

—Mel, pasa todos los nombres de esa lista por nuestro sistema.

De los ocho nombres que Rodney Szarnek había encontrado en los archivo reconstruidos, seis habían estado imputados por diversos delitos durante los tres meses anteriores y los seis habían sido puestos en libertad sin cargos o habían tenido la suerte de que los casos se sobreseyeran en el último momento debido a problemas inesperados con los testigos y las pruebas.

Rhyme se echó a reír.

—Esto sí que es pura chiripa.

—¿Qué? —preguntó Pulaski.

—Cómprate un diccionario, novato.

El agente suspiró y dijo con paciencia:

—No sé qué significa esa palabra, Lincoln, pero lo más probable es que no vaya a querer usarla nunca.

Todos los presentes se echaron a reír, Rhyme incluido.

—*Touché*. Lo que quiero decir es que nos hemos tropezado por casualidad con algo muy *interesante*, con permiso de Mel. El Departamento de Policía de Nueva York tiene archivos en los servidores de SSD, a través de Public-Sure. Pues bien, Cassel ha estado descargándose información sobre diversas investigaciones, vendiéndosela a los imputados y borrando su rastro después.

—Me lo imagino perfectamente haciendo algo así —dijo Sachs—. ¿Verdad, Ron?

—No lo dudéis ni un minuto. —El joven agente añadió—: Espera... Fue Cassel quien nos dio el CD con los nombres de los clientes. Fue él quien señaló a Robert Carpenter.

—Claro —dijo Rhyme, asintiendo con la cabeza—. Alteró los datos para incriminar a Carpenter. Necesitaba alejar la investigación de SSD, no por el caso de Cinco Dos Dos, sino porque no quería que nadie mirara los archivos y descubriera que había estado vendiendo expedientes policiales. ¿Y quién mejor para arrojarlo a los lobos que alguien que había intentado convertirse en un competidor?

—¿Hay implicado alguien más de SSD? —le preguntó Sellitto a Szarnek.

—No, que yo sepa. Sólo Cassel.

Rhyme miró a Pulaski, que estaba observando la pizarra de las pruebas. Sus ojos tenían aquel mismo destello de dureza que el criminalista había advertido horas antes.

—Eh, novato, ¿lo quieres?

—¿El qué?

—El caso contra Cassel.

El joven se lo pensó, pero luego dejó caer los hombros y, echándose a reír, dijo:

—No, creo que no.

—Puedes encargarte de él.

—Sé que puedo, pero... Cuando lleve solo mi primer caso, quiero estar seguro de que lo hago por las razones adecuadas.

—Bien dicho, novato —masculló Sellitto, levantando su taza de café hacia el joven—. Puede que todavía podamos hacer algo de ti. En fin, ya que estoy suspendido por lo menos podré acabar esos trabajillos en la casa con los que Rachel me ha estado dando la lata. —El corpulento detective cogió una galleta y se dirigió a la puerta—. Buenas noches a todos.

Szarnek recogió sus archivos y sus discos y los puso sobre una mesa. Thom firmó la tarjeta de cadena de custodia como representante de facto del criminalista. El informático se marchó, no sin antes recordarle a Rhyme:

—Y cuando le apetezca unirse al siglo veintiuno, detective, deme un toque. —Señaló los ordenadores.

Sonó el teléfono de Rhyme: era una llamada para Sachs, cuyo móvil despedazado tardaría algún tiempo en volver a estar operativo. Dedujo por la conversación que llamaban de la comisaría de Brooklyn para avisarla de que habían encontrado su coche en un depósito, no muy lejos de allí.

La detective quedó con Pam en ir a recogerlo a la mañana siguiente en el coche de la chica, que había sido encontrado en un garaje, detrás de la casa de Peter Gordon. Sachs subió a prepararse para dormir y Cooper y Pulaski se marcharon.

Rhyme se puso a redactar un informe para Ron Scott, el teniente de alcalde, describiendo el modus operandi de 522 y sugiriéndole que buscaran otros casos en los que hubiera culpado de sus crímenes a personas inocentes. Habría más pruebas en casa de Gordon, naturalmente, pero no podía ni imaginar la cantidad de trabajo que supondría inspeccionar aquel lugar.

Acabó de redactar el correo, lo envió y estaba especulando sobre cuál sería la reacción de Andrew Sterling al saber que uno de sus subalternos había estado vendiendo datos bajo cuerda cuando sonó su teléfono. La pantalla mostraba un número desconocido.

—Orden: contestar al teléfono.

Clic.

—¿Diga?

—Lincoln, soy Judy Rhyme.

—Vaya, hola, Judy.

—No sé si te has enterado. Han retirado los cargos. Ya ha salido.

—¿Ya? Sabía que estaban en ello, pero pensaba que tardarían un poco más.

—No sé qué decir, Lincoln. Supongo que gracias. De todo corazón.

—No hay de qué.

—Espera un momento —dijo Judy.

Rhyme oyó una voz sofocada y dedujo que había tapado el teléfono con la mano para hablar con uno de sus hijos. ¿Cómo se llamaban?

Entonces oyó:

—¿Lincoln?

Era curioso que la voz de su primo, una voz que hacía años que no oía, le resultara familiar al instante.

—Vaya, hola, Art.

—Estoy en la jefatura de policía. Acaban de soltarme. Han retirado todos los cargos.

—Bien.

Qué situación tan violenta.

—No sé qué decir. Gracias. Muchísimas gracias.

—De nada.

—Todos estos años... Debería haberte llamado antes. Es sólo que...

—No tiene importancia. —¿Qué demonios quería decir con eso?, se preguntó Rhyme. La ausencia de Art de su vida ni tenía importancia ni dejaba de tenerla. Lo que sintiera por su primo era simple relleno. Tenía ganas de colgar.

—No tenías por qué hacerlo.

—Había otras irregularidades. Era una situación extraña.

Lo cual tampoco significaba absolutamente nada. Lincoln Rhyme se preguntó por qué estaba deconstruyendo la conversación. Era una especie de mecanismo de defensa, supuso, y aquella idea le resultó tan tediosa como las demás. Quería colgar.

—¿Estás bien, después de lo que te pasó en el centro de detención?

—No fue nada grave. Me llevé un buen susto, pero ese tipo llegó a tiempo. Me bajó de la pared.

—Estupendo.

Silencio.

—Bueno, gracias otra vez, Lincoln. Poca gente habría hecho esto por mí.

—Me alegro de que haya salido bien.

—Tenemos que quedar. Judy, tú y yo. Y tu amiga. ¿Cómo se llama?

—Amelia.

—Tenemos que vernos. —Un largo silencio—. Será mejor que cuelgue. Tenemos que volver a casa, con los niños. Bueno, cuídate.

—Tú también. Orden: desconectar.

Rhyme fijó los ojos en el dosier de su primo.

El otro hijo...

Y comprendió que nunca «quedarían». *Así que aquí se acaba*, pensó, preocupado al principio porque con el *clic* de un teléfono al desconectarse algo que podría haber sido no llegara a ser nunca. Pero luego concluyó que aquél era el único final lógico para los acontecimientos de los tres días anteriores.

Pensando en el logotipo de SSD, se dijo que, en efecto, sus vidas habían coincidido de nuevo después de tantos años, pero que era como si permanecieran separados por una ventana sellada. Se habían observado mutuamente, habían cambiado unas palabras, pero hasta ahí había llegado su contacto. Ya iba siendo hora de que cada uno regresara a su mundo.

51

A las once de la mañana, Amelia Sachs se hallaba en un sucio solar de Brooklyn. Conteniendo las lágrimas, contemplaba el cadáver.

La mujer a la que habían disparado, que había matado en el cumplimiento del deber, que a base de labia conseguía colarse en primera línea de las operaciones de rescate de rehenes, se encontraba ahora paralizada por la pena.

Meciéndose adelante y atrás, clavó el índice en el pulgar, uña con uña, hasta que apareció una minúscula gota de sangre. Se miró los dedos. Vio el color rojo, pero no se detuvo. No podía.

Sí, habían encontrado su amado Chevrolet Camaro SS de 1969.

Pero lo que al parecer no sabía la policía era que el coche había sido vendido para chatarra, no sólo embargado por impago. Pam y ella estaban en el depósito de coches, que podría haber sido escenario de una película de Scorsese o de *Los Soprano*, una chatarrería que apestaba a aceite rancio y humo de quemar basuras. Cerca de allí rondaban chillonas gaviotas de aspecto mezquino como buitres blancos. Le dieron ganas de sacar su arma y disparar al aire hasta vaciar el cargador para que huyeran aterrorizadas.

Del coche que la había acompañado desde su adolescencia sólo quedaba un rectángulo de metal aplastado. El Camaro era una de las tres cosas más importantes que le había legado su padre. Las otras eran su fortaleza de carácter y su pasión por el trabajo policial.

—Tengo los papeles. Está todo en orden, ¿sabe? —El encargado de la chatarrería blandía, nervioso, los lacios papeles que habían convertido su coche en un cubo de metal irreconocible.

«Vendido para despiece» era la expresión que solía utilizarse. Quería decir vender un coche por piezas y, lo que quedara, convertirlo en chatarra. Lo cual era una idiotez, naturalmente: nadie ganaba dinero vendiendo por piezas un coche con cuarenta años en un destartalado desguace del sur del Bronx. Pero como había averiguado en el curso de aquel caso, cuando el ordenador de una instancia superior da una orden, se hace lo que dice.

—Lo siento, señora.

—Es agente de policía —dijo Pam Willoughby con aspereza—. Detective.

—Ah —dijo el encargado mientras sopesaba las consecuencias futuras que podía tener la situación. No parecieron gustarle mucho—. Lo siento, detective.

Aun así, podía escudarse en sus papeles en regla. No lo sentía tanto. Se quedó a su lado unos minutos, meciéndose de un pie al otro. Luego se alejó.

El dolor que sentía Sachs era mucho peor que el hematoma verdoso de la bala de nueve milímetros que había impactado contra su estómago la noche anterior.

—¿Estás bien? —preguntó Pam.

—No, la verdad es que no.

—Tú no sueles alterarte tanto.

No, es verdad, pensó Sachs. *Pero ahora estoy alterada.*

La chica entrelazó un mechón de pelo teñido de rojo alrededor de los dedos, quizás una versión más suave del tic nervioso de Sachs. La detective miró una vez más el feo cuadrángulo de metal de un metro por uno veinte, colocado en la mitad de media docena de otros semejantes.

La asaltaron los recuerdos. Su padre y ella, de adolescente, pasando las tardes de los sábados en su pequeño garaje, trabajando en el carburador o el embrague. Escapaban a la parte de atrás de la casa por dos razones: por el placer de dedicarse a trabajos mecánicos el uno en compañía del otro y para huir de la malhumorada tercera parte de la familia: su madre.

—¿Platino? —había preguntado su padre, poniéndola a prueba en broma.

—Calibrado, cero treinta y cinco —había contestado una Amelia adolescente—. Ángulo de leva, de treinta a treinta y dos.

—Muy bien, Amie.

Se acordó de otra ocasión: una cita, durante su primer curso en la facultad. Ella y un chico que respondía al nombre de C.T. habían quedado en una hamburguesería de Brooklyn. Ambos se habían llevado una sorpresa al ver el coche del otro. Sachs en su Camaro (que en aquel entonces era amarillo con franjas negras) y él en su Honda 850.

Las hamburguesas y los refrescos habían desaparecido a toda prisa, porque sólo a unos kilómetros de allí había una pista aérea abandonada y era inevitable una carrera.

Él salió primero porque el coche de Amelia pesaba una tonelada y media, pero el Camaro le dio alcance antes de que hubieran recorrido un kilómetro (él tenía cuidado y ella no), y Sachs había tomado las curvas por dentro y se había mantenido por delante todo el camino hasta la meta.

Luego estaba su paseo en su coche favorito de todos los tiempos: tras concluir su primer caso juntos, con Lincoln Rhyme inmovilizado y sujeto con el cinturón a su lado, las ventanas bajadas y el aullido del viento. Había apoyado la mano de Rhyme sobre el pomo de la palanca al cambiar de marcha y recordaba que él había gritado para hacerse oír por encima del viento:

—¡Creo que lo noto! ¡Creo que lo noto!

Y ahora el coche había desaparecido.

Lo siento, señora...

Pam bajó por el talud.

—¿Adónde vas?

—No debería bajar ahí, señorita. —Delante del cobertizo que servía de oficina, el dueño agitaba los papeles como una banderola de peligro.

—¡Pam!

Pero la chica no se detuvo. Se acercó al amasijo de metal y hurgó dentro. Tiró con fuerza y sacó algo. Luego volvió junto a Sachs.

—Ten, Amelia. —Era el símbolo del botón del claxon, con el logotipo de Chevrolet.

Sachs sintió las lágrimas, pero siguió intentando contenerlas.

—Gracias, cariño. Vamos, salgamos de aquí.

Regresaron al Upper West Side y pararon a tomar un helado para recuperarse. La detective lo había arreglado todo para que Pam se tomara el día libre en el instituto. No quería que se acercara a Stuart Everett y la chica había aceptado encantada.

Sachs se preguntaba si el profesor aceptaría un no por respuesta. Pensando en las películas de miedo (como *Scream* y *Viernes 13*) que Pam y ella veían a veces de madrugada, mientras devoraban Doritos y mantequilla de cacahuete, comprendió que los exnovios, como los asesinos de las películas de terror, a veces se las arreglaban para resucitar de entre los muertos.

El amor nos vuelve raros...

Pam se acabó su helado y se dio unas palmadas en la tripa.

—Me hacía muchísima falta. —Luego suspiró—. ¿Cómo he podido ser tan idiota?

En la risa que soltó a continuación, y que sonó extrañamente adulta, Amelia Sachs creyó oír la última paletada de tierra sobre la tumba del asesino de la máscara de *hockey*.

Salieron de la heladería Baskin-Robbins y caminaron hacia la casa de Rhyme, a varias calles de allí, mientras planeaban una salida de chicas junto con otra amiga de Sachs, una policía a la que conocía desde hacía años.

—¿Cine o teatro? —le preguntó a la chica.

—Teatro.

Siguieron andando por una bocacalle que discurría en dirección este-oeste, hacia Central Park West. Sachs cobró de pronto conciencia de que alguien caminaba cerca de ellas. Una persona estaba cruzando la calle a su espalda y moviéndose en su misma dirección, como si las siguiera.

No se alarmó y achacó el soplo de preocupación que sintió a la paranoia que le había dejado el caso 522.

Relájate. El asesino ya no está, ha muerto.

No se molestó en mirar atrás.

Pero Pam sí.

Y de pronto chilló:

—¡Es él, Amelia!

—¿Quién?

—El tipo que entró en tu casa. ¡Es él!

Se giró bruscamente. El hombre de la chaqueta de cuadros azules y la gorra de béisbol. Caminaba hacia ellas deprisa.

Se llevó la mano a la cadera, buscando su arma.

Pero no estaba allí.

No, no, no...

La Glock, lo mismo que su navaja, había pasado a ser una prueba del caso, puesto que la había disparado Peter Gordon, y ambos objetos se hallaban en el laboratorio forense de Queens. No había tenido oportunidad de ir a jefatura y ocuparse del papeleo para que le dieran otra.

Se quedó paralizada al reconocerlo. Era Calvin Geddes, el miembro de Privacidad Ya. Sachs no entendió nada y se preguntó si se habían equivocado. ¿Se había compinchado Geddes con 522 para cometer los asesinatos?

Estaba ya sólo a unos metros de distancia. La detective no podía hacer nada, excepto colocarse entre Pam y él. Cerró los puños cuando el hombre se acercó y se metió la mano en el bolsillo.

52

Sonó el timbre y Thom fue a abrir.

Rhyme oyó voces acaloradas desde el vestíbulo. Una voz de hombre, enfadada. Un grito.

Frunciendo el ceño, miró a Ron Pulaski, que había sacado su arma de la sobaquera y apuntaba con ella, listo para disparar. La manejaba con destreza. Amelia Sachs era una buena maestra.

—¿Thom? —gritó Rhyme.

No contestó.

Un momento después apareció un hombre en la puerta, vestido con gorra de béisbol, vaqueros y una fea chaqueta de cuadros. Parpadeó, sorprendido, al ver a Pulaski apuntándolo con la pistola.

—¡No, espere! —gritó, agachando la cabeza y levantando una mano.

Thom, Sachs y Pam entraron enseguida. La detective vio el arma y dijo:

—No, no, Ron. No pasa nada. Es Calvin Geddes.

Rhyme tardó un momento en recordar. *Ah, sí: el de la asociación Privacidad Ya.* Era él quien les había dado la pista de Peter Gordon.

—¿Se puede saber a qué viene esto?

—Fue él quien entró en mi casa —contestó Sachs—. No Cinco Dos Dos.

Pam asintió con la cabeza.

Geddes se acercó a Rhyme, metió la mano en el bolsillo de su camisa y sacó unos documentos con el dorso de color azul.

—Conforme a la normativa de procedimiento civil del estado de Nueva York, le entrego este requerimiento en relación con el caso Geddes y otros contra Strategic Systems Datacorp. —Le tendió los papeles.

—A mí también me ha dado una. —Sachs levantó su copia.

—¿Y qué se supone que tengo que hacer con esto? —le preguntó Rhyme a Geddes, que seguía tendiéndole los documentos.

El hombre arrugó el entrecejo, miró la silla de ruedas y pareció darse cuenta del estado del criminalista.

—Bueno, yo...

—Él es mi representante legal de facto. —Rhyme señaló con la cabeza a Thom, que cogió los papeles.

Geddes empezó a decir:

—Lo...

—¿Le importa que lo leamos? —preguntó el criminalista ácidamente, señalando a su asistente.

Thom así lo hizo, en voz alta. Era un requerimiento solicitando todos los documentos y ficheros informáticos, notas y otras informaciones que Rhyme tuviera en su poder relacionados con SSD, su división de autorregulación y las pruebas de los vínculos de SSD con cualquier organismo gubernamental.

—Fue ella quien me habló del departamento de autorregulación. —Geddes indicó a Sachs con un gesto—. No tiene sentido. Hay algo raro en todo eso. Ni loco iba a ofrecerse Andrew Sterling a colaborar con el gobierno en materia de privacidad si no pudiera sacar tajada del asunto. Se habría resistido con uñas y dientes. Eso me hizo sospechar. Ese departamento tiene alguna otra función. No sé cuál. Pero vamos a averiguarlo.

Explicó que la demanda, amparada en leyes estatales y federales de protección del derecho a la intimidad, se refería a diversas violaciones de la legislación civil y del derecho constitucional a la intimidad.

Rhyme se dijo que Geddes y sus abogados iban a llevarse una grata sorpresa cuando echaran un vistazo a los dosieres de Cumplimiento de la Normativa, uno de los cuales guardaba casualmente en un ordenador a escasos metros de donde estaba Geddes, y que estaría encantado de entregarle dada la negativa de Andrew Sterling a ayudarles a encontrar a Sachs después de su desaparición.

Se preguntó quién se vería en mayores apuros, si Washington o SSD, cuando la prensa descubriera el tinglado.

Empate técnico, concluyó.

Sachs dijo entonces:

—Naturalmente, el señor Geddes tendrá que conjugar el caso con su juicio. —Y le lanzó una mirada torva. Se estaba refiriendo al allanamiento de su casa de Brooklyn, cuyo fin había sido, al parecer, conseguir información sobre SSD. Explicó que, irónicamente, había sido a Geddes y no a 522 a quien se le había caído el comprobante de caja que la había llevado hasta SSD. Geddes era cliente asiduo de aquella cafetería del distrito de Midtown, desde donde podía vigilar furtivamente la Roca Gris y las idas y venidas de Sterling y otros empleados y clientes.

—Haré todo lo que sea necesario para detener a SSD —declaró Geddes con vehemencia—. No me importa lo que me pase. Me alegraré de ser el chivo expiatorio si así conseguimos recuperar nuestros derechos individuales.

Rhyme respetaba su coraje moral, pero se dijo que le convenía revisar su discurso.

El activista comenzó a sermonearlos, reiterando gran parte de lo que Sachs les había contado ya acerca de la telaraña que estaban tejiendo SSD y otras empresas de minería de datos, la extinción de la intimidad en el país y el riesgo que ello suponía para la democracia.

—Muy bien, ya tenemos los papeles —dijo Rhyme, interrumpiendo su fatigosa diatriba—. Mantendremos una charla con nuestros abogados y, si nos dicen que está todo en orden, estoy seguro de que recibirá un paquete en el plazo estipulado.

Sonó el timbre. Una, dos veces. Luego empezó a oírse golpes en la puerta.

—Ay, señor. Esto parece la dichosa Estación Central. ¿Y ahora qué?

Thom se acercó a la puerta. Regresó un momento después acompañado por un hombre bajo y seguro de sí mismo, con traje negro y camisa blanca.

—Capitán Rhyme.

El criminalista volvió su silla de ruedas para mirar a Andrew Sterling, cuyos serenos ojos verdes no reflejaron sorpresa alguna al ver su estado. Rhyme dedujo que su dosier documentaba con considerable detalle el accidente y su vida posterior, y que Sterling se habría informado antes de ir a verlo.

—Detective Sachs, agente Pulaski. —Los saludó con una inclinación de cabeza y se volvió hacia Rhyme.

Detrás de él estaba Sam Brockton, el director del departamento de autorregulación de SSD, y otros dos hombres trajeados, con el pelo bien cortado. Podían haber sido asistentes de un congresista o ejecutivos de escala media, pero a Rhyme no le sorprendió enterarse de que eran abogados.

—Hola, Cal —dijo Brockton, mirando a Geddes con hastío.

Geddes le lanzó una mirada torva.

Sterling dijo en tono suave:

—Hemos descubierto lo que hizo Mark Whitcomb. —A pesar de su corta estatura, Sterling resultaba imponente en persona, con sus ojos intensos, la tiesura de su porte y su voz imperturbable—. Me temo que ha sido despedido. Como primera medida.

—¿Por hacer lo correcto? —le espetó Pulaski.

El semblante de Sterling no reflejó emoción alguna.

—Y me temo también que el asunto no acaba ahí. —Hizo una indicación a Brockton con la cabeza.

—Entrégueselo —dijo el director de autorregulación a uno de los abogados, que entregó a Rhyme otra remesa de papeles con el dorso azul.

—¿Más? —preguntó el criminalista, señalando los documentos—. Tanto leer... ¿Quién tiene tiempo? —Estaba de buen humor, eufórico todavía por haber detenido a 522 y salvado a Amelia Sachs.

Los papeles resultaron ser una orden judicial prohibiéndoles entregar a Geddes ordenadores, documentos, discos o cualquier otro material relacionado con el departamento de autorregulación. Les ordenaba, además, entregar a las autoridades cualquier material de ese tipo que obrara en su poder.

—Si no lo hacen —les advirtió uno de los abogados—, se exponen a condenas civiles según el derecho penal.

Sam Brockton comentó:

—Y créame, utilizaremos todos los recursos a nuestro alcance.

—No pueden hacer esto —dijo Geddes, furioso. Sus ojos brillaban y el sudor punteaba su rostro sombrío.

Sterling contó los ordenadores del laboratorio de Rhyme. Eran doce.

—¿En cuál está el dosier de Cumplimiento de la Normativa que les envió Mark, capitán?

—No me acuerdo.

—¿Hicieron alguna copia?

Rhyme sonrió.

—Haz siempre copias de seguridad de tus datos. Y guárdalas en ubicaciones separadas y seguras. Fuera de tu lugar de trabajo. ¿No es ése el lema del nuevo milenio?

Brockton dijo:

—Traeremos otra orden para confiscarlo todo y buscaremos en todos los servidores en los que hayan alojado información.

—Pero eso costará tiempo y dinero. ¿Y quién sabe qué puede suceder entre tanto? Podrían llegar correos y sobres a la prensa, por ejemplo. Accidentalmente, por supuesto. Pero podría pasar.

—Estos días han sido muy estresantes para todos, señor Rhyme —comentó Sterling—. No estamos de humor para juegos.

—No estamos jugando —repuso el criminalista con firmeza—. Estamos negociando.

El consejero delegado de SSD esbozó lo que pareció ser su primera sonrisa sincera. Se hallaba ahora en su territorio predilecto. Acercó una silla a Rhyme.

—¿Qué quiere?

—Se lo daré todo, sin batallas judiciales ni implicación de la prensa...

—¡No! —gritó Geddes, furibundo—. ¿Cómo puede ceder?

Rhyme ignoró al activista tan eficazmente como Sterling y continuó:

—Siempre y cuando limpie usted los expedientes de mis colaboradores. —Le habló del análisis antidrogas de Sellitto y de la esposa de Pulaski.

—Eso puedo hacerlo —afirmó Sterling como si fuera tan sencillo como subir el volumen del televisor.

—Y también tiene que arreglar la vida de Robert Jorgensen —añadió Sachs, y le contó cómo había aniquilado 522 la existencia del médico.

—Denme los datos y me aseguraré de que se solucione. Quedará completamente limpio de sospechas.

—Bien. En cuanto esté todo arreglado tendrá lo que quiere. Y nadie verá un solo papel ni un archivo sobre el funcionamiento de su departamento de autorregulación. Le doy mi palabra.

—¡No! ¡Tiene que luchar! —le dijo Geddes amargamente—. Cada vez que uno no se enfrenta a ellos, todos salimos perdiendo.

Sterling se volvió hacia él y dijo con una voz apenas unos decibelios más alta que un susurro:

—Calvin, permíteme decirte una cosa. Perdí a tres buenos amigos en las Torres Gemelas el once de septiembre. Otros cuatro sufrieron quemaduras graves. Sus vidas no volverán a ser las mismas. Y nuestro país perdió a miles de ciudadanos inocentes. Mi empresa contaba con la tecnología necesaria para encontrar a parte de los secuestradores y con *software* de predicción que podía haber descubierto lo que estaban tramando. Nosotros, yo, podríamos haber impedido esa tragedia. Y todos los días lamento no haberlo hecho.

Sacudió la cabeza.

—¡Ah, Cal! Tú y tu política en blanco y negro... ¿Es que no lo ves? Para eso está SSD: no para que la policía del pensamiento eche abajo tu puerta a medianoche porque no les gusta lo que estáis haciendo tu novia y tú en la cama, ni para detenerte por haber comprado un libro sobre Stalin o el Corán, o porque has criticado al presidente. La misión de SSD es garantizar que sigas siendo libre de disfrutar de la intimidad de tu hogar y de comprar, leer y decir lo que te parezca. Pero si mueres en un atentado suicida en Times Square, no tendrás ninguna identidad que proteger.

—Ahórrate el sermón, Andrew —replicó Geddes, furioso.

—Cal —dijo Brockton—, si no te tranquilizas vas a encontrarte en un apuro muy serio.

Geddes soltó una fría carcajada.

—Ya estamos en un apuro muy serio. Bienvenidos a un mundo feliz... —Giró sobre los talones y salió hecho una furia. La puerta de la casa se cerró de golpe.

—Me alegra que lo entiendas, Lincoln —comentó Brockton—. Andrew Sterling está haciendo cosas estupendas. Y gracias a ello vivimos más seguros.

—Cuánto me alegra saberlo.

Su ironía pasó completamente desapercibida para Brockton. No para Andrew Sterling. A fin de cuentas, era el hombre que lo sabía todo. Reaccionó, sin embargo, con una sonrisa jovial y cargada de seguridad en sí mismo, como si supiera que las consignas al final acaban calando en la gente, aunque todavía no comprenda el mensaje.

—Buenos días, detective Sachs. Capitán. Y, para usted también, agente Pulaski. —Miró con sorna al joven policía—. Echaré de menos verlo por los pasillos. Pero si quiere pasar algún rato más perfeccionando sus destrezas informáticas, siempre tendrá disponible nuestra sala de reuniones.

—Bueno, yo...

Andrew Sterling le guiñó un ojo y dio media vuelta. Abandonó la casa acompañado por su séquito.

—¿Creéis que lo sabía? —preguntó el novato—. ¿Lo del disco duro?

El criminalista se encogió de hombros.

—Dios mío, Rhyme —dijo Sachs—, supongo que esa orden tiene validez, pero después de todo lo que nos ha hecho pasar SSD, ¿tenías que ceder tan pronto? Santo cielo, ese dosier de Cumplimiento de la Normativa... No me gusta nada que toda esa información circule por ahí.

—Una orden judicial es una orden judicial, Sachs. No podemos hacer gran cosa al respecto.

Ella lo miró entonces con más atención y pareció notar un brillo en sus ojos.

—Está bien, ¿qué pasa?

—Léeme otra vez esa orden con tu adorable voz de tenor —pidió Rhyme a su asistente—. La que acaban de entregarnos nuestros amigos de SSD.

Thom así lo hizo.

Rhyme asintió con un gesto.

—Bien... Se me está ocurriendo una expresión latina, Thom. ¿Adivinas cuál es?

—Bueno, Lincoln, debería, teniendo en cuenta la cantidad de horas libres que tengo aquí y que me paso sentado en el salón estudiando a los clásicos, pero desgraciadamente me he quedado en blanco.

—El latín, ¡qué gran idioma! De una precisión admirable. ¿Dónde, si no, pueden encontrarse cinco declinaciones del nombre y todas esas asombrosas conjugaciones verbales? Bien, la expresión en la que estoy pensando es «*inclusio unis, exclusio alterius*». Significa que, al incluir una categoría, se excluyen automáticamente otras categorías relacionadas con ella. ¿Te resulta confuso?

—Pues no, la verdad. Para que me resultara confuso tendría que estar prestando atención.

—Excelente réplica, Thom. Pero voy a ponerte un ejemplo. Pongamos que eres un congresista y redactas una ley que dice «queda prohibido importar carne cruda». Al escoger esas palabras en concreto, estás autorizando automáticamente la importación de carne en conserva o cocinada. ¿Ves cómo funciona?

—*Mirabile dictu* —repuso Ron Pulaski.

—Dios mío —dijo Rhyme, sinceramente sorprendido—. Un hablante de latín.

Pulaski se rió.

—Lo estudié un par de años, en el instituto. Y, como he cantado en un coro, algunas cosas se te quedan.

—¿Adónde quieres ir a parar, Rhyme? —preguntó Sachs.

—La orden judicial de Brockton sólo nos prohíbe entregar información a Privacidad Ya sobre la división de autorregulación. Pero Geddes nos ha pedido todo lo que tengamos sobre SSD. Ergo, por tanto, estamos en nuestro derecho de entregarle todo lo demás. Los archivos que Cassel vendió a Dienko formaban parte de PublicSure, no de Cumplimiento de la Normativa.

Pulaski se rió, pero Sachs frunció el ceño.

—Se limitarán a pedir otra orden judicial.

—No estoy tan seguro. ¿Qué van a decir la policía de Nueva York y el FBI cuando sepan que alguien que trabaja para su contratista de datos ha estado vendiendo información sobre casos de enorme relevancia? Tengo la sensación de que la plana mayor va a respaldarnos en esto. —Aquella idea lo llevó a otra. Y la conclusión resultaba alarmante—. Espera, espera, espera... En el centro de detención... Ese hombre que atacó a mi primo. ¿Antwon Johnson?

—¿Qué pasa con él? —preguntó Sachs.

—Es absurdo que intentara matar a Arthur. Hasta Judy Rhyme me lo dijo. Según Lon era un preso federal al que habían trasladado temporalmente a ese centro de detención del estado. Me pregunto si alguien de la División de Cumplimiento de la Normativa del FBI hizo un trato con él. Tal vez estaba allí para enterarse de si Arthur estaba convencido de que alguien había conseguido información sobre sus hábitos de consumo y la estaba utilizando para cometer crímenes. Si así era, Johnson debía quitarlo de en medio, quizás a cambio de una reducción de condena.

—¿El gobierno, Rhyme? ¿Intentar eliminar a un testigo? Es un poco paranoico, ¿no te parece?

—Estamos hablando de dosieres de quinientas páginas, circuitos integrados en libros y cámaras de seguridad en las esquinas de todas las calles de la ciudad, Sachs... Pero, está bien, les concedo el beneficio de la duda: puede que fuera alguien de SSD quien contactó con Johnson. En todo caso vamos a llamar a Calvin Geddes para contarle eso también. Y que le saque jugo al asunto si quiere. Sólo tenemos que esperar a que los expedientes de todos estén limpios. Dadles una semana.

Ron Pulaski se despidió y se marchó para ir a ver a su mujer y su hija.

Sachs se acercó a Rhyme y se inclinó para besarlo en la boca. Hizo una mueca y se llevó la mano al estómago.

—¿Estás bien?

—Esta noche te lo demuestro —susurró ella seductoramente—. Las balas de nueve milímetros dejan unos moratones muy interesantes.

—¿Sexis? —preguntó él.

—Sólo si las manchas de Rorschach de color púrpura te parecen eróticas.

—La verdad es que sí.

Sachs le dedicó una sonrisa sutil y luego salió al pasillo y llamó a Pam, que estaba leyendo en el salón.

—Venga, nos vamos de compras.

—Qué bien. ¿Qué vamos a comprar?

—Un coche. No puedo estar sin uno.

—Genial. ¿De qué marca? ¡Uy, un Prius sería superchulo!

Sachs y Rhyme se echaron a reír. Pam sonrió, desconcertada, y la detective le explicó que, aunque llevaba una vida muy verde en otros sentidos, el consumo de gasolina no figuraba entre sus preocupaciones medioambientales.

—Vamos a comprar un coche con músculo.

—¿Qué es eso?

—Ya lo verás. —Blandió una lista de posibles vehículos que había sacado de Internet.

—¿Vas a comprarte uno nuevo? —preguntó la chica.

—Nunca jamás te compres un coche nuevo —la instruyó Sachs.

—¿Por qué?

—Porque los coches de hoy en día son ordenadores con ruedas. Nosotros no queremos aparatos electrónicos. Queremos mecánica pura y dura. Con un ordenador, no puedes mancharte las manos de grasa.

—¿De grasa?

—Te va a encantar la grasa. La veo muy de tu estilo.

—¿Tú crees? —Pam pareció complacida.

—Claro que sí. Vamos. Hasta luego, Rhyme.

53

Sonó el teléfono.

Lincoln Rhyme miró la pantalla del ordenador cercano, en la que aparecía el prefijo 44.

Al fin. Esta vez, sí.

—Orden: contestar al teléfono.

—Detective Rhyme —dijo la impecable voz de acento británico. Pero el timbre de voz de la inspectora Longhusrt nunca dejaba traslucir nada.

—Dígame.

Una vacilación. Y después:

—Lo siento muchísimo.

Rhyme cerró los ojos. *No, no, no...*

Longhurst continuó:

—Aún no hemos hecho el anuncio oficial, pero quería decírselo antes de que salga en la prensa.

Así pues, el asesino se había salido con la suya después de todo.

—Entonces, ¿el reverendo Goodlight ha muerto?

—Oh, no, está perfectamente.

—Pero...

—Pero Richard Logan ha conseguido eliminar a su verdadero objetivo, detective.

—¿Ha...? —Su voz se apagó mientras las piezas del rompecabezas empezaban a cobrar sentido. Su verdadero objetivo...—. Oh, no... ¿A por quién iba en realidad?

—A por Danny Krueger, el traficante de armas. Ha muerto, junto con dos de sus escoltas.

—Ah, sí, comprendo.

—Al parecer —continuó Longhurst—, cuando Danny dejó el negocio, varios carteles de Sudáfrica, Somalia y Siria concluyeron que era demasiado arriesgado que siguiera con vida. Les ponía nerviosos que hubiera circulando por ahí un extraficante con escrúpulos de conciencia. Contrataron a Logan para matarlo. Pero la red de seguridad de Danny en Londres era demasiado hermética, de modo que Logan necesitaba sacarlo de allí, hacerlo salir a la luz.

El reverendo había servido simplemente como elemento de distracción. El propio asesino había hecho correr el rumor de que andaba tras Goodlight. Y había obligado a británicos y americanos a recurrir a Danny para que les ayudara a salvarlo.

—Y la cosa, me temo, no acaba ahí —prosiguió la inspectora—. Se ha llevado todos los archivos de Danny. Todos sus contactos, todas las personas para las que ha estado trabajando: confidentes, señores de la guerra de los que podíamos servirnos, mercenarios, pilotos, fuentes de financiación... Ahora, todos los posibles testigos tendrán que ocultarse. A los que no maten en el acto, claro. Habrá que sobreseer una docena de casos criminales.

—¿Cómo lo ha conseguido?

La inspectora suspiró.

—Se ha hecho pasar por nuestro enlace francés, D'Estourne.

Así pues, el zorro había estado desde el principio dentro del gallinero.

—Deduzco que interceptó al verdadero D'Estourne en Francia cuando iba a cruzar el túnel del Canal, lo mató y enterró su cadáver o lo arrojó al mar. Una maniobra brillante, debo decir. Conocía a fondo la vida del francés y el funcionamiento del organismo para el que trabajaba. Hablaba un francés perfecto... y un inglés con perfecto acento francés. Incluso empleaba a la perfección las frases hechas.

»Hace un par de horas, se presentó un individuo en un edificio del campo de tiro de Londres. Logan lo mandó a entregar un paquete. Trabajaba para Tottenham Parcel Express, una empresa de mensajería. Llevan uniformes grises. ¿Recuerda las fibras que encontramos? Y el asesino ha pedido un mensajero en concreto, alegando que ya lo conocía. Se da la circunstancia de que es rubio.

—El tinte de pelo.

—Exacto. Un tipo de fiar, dijo Logan. Por eso quería que fuera él en concreto. Todo el mundo estaba tan concentrado en la operación, siguiendo los pasos del mensajero por el campo de tiro y buscando cómplices y posibles artefactos explosivos que el asesino pudiera utilizar como distracción, que la gente de Birmingham bajó la guardia. El asesino se limitó a llamar a la puerta de la habitación de Danny Krueger en el hotel Du Vin mientras la mayor parte de sus escoltas estaba abajo, en el bar, tomando una pinta. Empezó a disparar con esas condenadas balas de punta hueca. Las heridas eran espantosas. Danny y dos de sus hombres murieron en el acto.

Rhyme cerró los ojos.

—Así que los papeles de tránsito falsos no significaban nada.

—Era todo una maniobra de distracción. Me temo que estamos en un lío espantoso. Y los franceses ni siquiera me devuelven las llamadas... No quiero ni pensarlo.

Lincoln Rhyme no pudo evitar preguntarse qué habría pasado si hubiera seguido en el caso, si hubiera inspeccionado el alojamiento del asesino en Manchester a través de la cámara de alta definición. ¿Habría visto algo que desvelara la verdadera índole de los planes del asesino? ¿Habría llegado a la conclusión de que las pruebas de Birmingham también eran falsas? ¿O quizás algo lo habría llevado a concluir que la persona que había alquilado la habitación, el hombre al que tanto ansiaba atrapar, se estaba haciendo pasar por el agente de seguridad francés?

¿Habría descubierto algo en la oficina de la ONG de Londres en la que supuestamente había entrado el asesino?

—¿Y el nombre Richard Logan? —preguntó.

—Al parecer no es el suyo. Un sobrenombre falso. Le ha robado la identidad a otra persona. Por lo visto es sorprendentemente fácil hacerlo.

—Eso tengo entendido —comentó Rhyme con amargura.

—Hay una cosa extraña, detective —agregó Longhurst—. La bolsa que el mensajero tenía que entregar en el campo de tiro... Dentro había...

—Un paquete dirigido a mí.

—Pues sí.

—¿Es un reloj de pulsera o de pared, por casualidad? —preguntó el criminalista.

Longhurst soltó una risa incrédula.

—Un reloj de mesa bastante cursi, victoriano. ¿Cómo lo ha sabido?

—Una simple corazonada.

—Nuestros artificieros lo han inspeccionado. Está limpio.

—No, no será un artefacto explosivo. Inspectora, haga el favor de guardarlo en una bolsa de plástico sellada y enviármelo por servicio urgente. Y me gustaría ver su informe cuando esté terminado.

—Naturalmente.

—Y mi colaboradora...

—La detective Sachs.

—Exacto. Querrá entrevistar por videoconferencia a todos los implicados.

—Reuniré a todos los *dramatis personae*.

A pesar de la ira y la consternación que sentía, Rhyme tuvo que sonreír al oír aquella expresión. Adoraba a los británicos.

—Ha sido un privilegio trabajar con usted, detective.

—Lo mismo digo, inspectora. —Colgó con un suspiro.

Un reloj victoriano.

Rhyme miró la repisa de la chimenea, en la que había un reloj de bolsillo Breguet, antiguo y bastante valioso, regalo del mismo asesino. Se lo habían entregado en casa justo después de que el asesino escapara de Rhyme un gélido día de diciembre, no hacía tanto tiempo.

—Thom, whisky, por favor.

—¿Pasa algo?

—No, nada. No es la hora del desayuno y quiero tomarme un whisky. He pasado mi examen físico con matrícula de honor y que yo sepa no eres un baptista fanático dispuesto a arrearme con su Biblia. ¿Por qué demonios crees que pasa algo?

—Porque has dicho «por favor».

—Muy gracioso. Hoy rebosas ingenio.

—Eso intento. —Pero arrugó el ceño mientras observaba a Rhyme como si hubiera notado algo extraño en su expresión—. ¿Uno doble, quizá? —preguntó suavemente.

—Eso sería encantador —respondió Rhyme con un inglés muy británico.

Thom le sirvió un buen vaso de Glenmorangie y le acercó la pajita a la boca.

—¿No me acompañas?

Su asistente pestañeó. Luego se echó a reír.

—Luego, quizás.

Era la primera vez, pensó Rhyme, que le ofrecía una copa a su cuidador.

El criminalista bebió un sorbo del licor ambarino mientras miraba fijamente el reloj de bolsillo. Pensó en la nota que había enviado el asesino junto con el reloj. Hacía tiempo que la había memorizado:

El reloj de bolsillo es un Breguet. Mi favorito, entre los muchos relojes con los que me he topado este último año. Fue fabricado a principios del siglo XIX y está provisto de escape cilíndrico de rubí, calendario perpetuo y dispositivo antichoque o contra caídas. Confío en que, a tenor de nuestras recientes aventuras, el cuadrante con las fases de la luna sea de su agrado. Hay en el mundo muy pocos relojes como éste. Se lo ofrezco como obsequio, en señal de respeto. Nadie me ha impedido nunca llevar a cabo un trabajo; es usted tan bueno como el que más. (Diría que tan bueno como yo, pero no sería cierto: a fin de cuentas, no me han atrapado.)

Dé cuerda al Breguet de cuando en cuando, pero con delicadeza; él se encargará de contar el tiempo hasta que volvamos a encontrarnos.

Un consejo: yo que usted, aprovecharía cada segundo.

Eres bueno, le dijo Rhyme para sus adentros al asesino.

Pero yo también lo soy. La próxima vez acabaremos la partida.

Después, se interrumpieron sus cavilaciones. Entornó los ojos y, apartándolos del reloj, los fijó en la ventana. Algo había llamado su atención.

Un hombre vestido con ropa informal se había detenido en la acera, al otro lado de la calle. Rhyme acercó su TDX a la ventana y echó un vistazo. Bebió otro sorbo de whisky. El hombre estaba de pie junto a un banco repintado de oscuro, delante de la pared de piedra que bordeaba Central Park. Miraba fijamente la casa con las manos en los bolsillos. No pareció advertir que estaba siendo observado desde el otro lado del ventanal.

Era su primo, Arthur Rhyme.

Avanzó, estuvo a punto de cruzar la calle, pero luego se detuvo. Retrocedió de nuevo hacia el parque y se sentó en uno de los bancos que miraban hacia la casa, junto a una mujer que, vestida con chándal, bebía agua y balanceaba el pie mientras escuchaba su iPod. Arthur se sacó un trozo de papel del bolsillo, lo miró y volvió a guardárselo. Sus ojos se fijaron de nuevo en la casa.

Qué curioso. Se parece a mí, pensó Rhyme. En todos sus años de camaradería y separación, jamás se había percatado de ello.

De pronto, sin saber por qué, lo asaltaron las palabras que había pronunciado su primo una década antes:

¿Lo intentaste alguna vez con tu padre? ¿Cómo crees que se sentía teniendo un hijo como tú, cien veces más listo que él? Te ibas constantemente porque preferías estar con tu tío. ¿Le diste alguna oportunidad a Teddy?

—¡Thom! —gritó el criminalista.

No hubo respuesta.

Gritó de nuevo, aún más fuerte.

—¿Qué? —preguntó su asistente—. ¿Ya te has acabado el whisky?

—Necesito una cosa. Del sótano.

—¿Del sótano?

—Eso acabo de decir. Hay un par de cajas viejas ahí abajo. Tendrán escrito «ILLINOIS».

—Ah, ésas. La verdad, Lincoln, es que hay como treinta.

—Las que sean.

—Un par, no.

—Necesito que les eches un vistazo y me busques una cosa.

—¿Qué?

—Un trozo de cemento en un estuchito de plástico. De unos siete centímetros por siete.

—¿Cemento?

—Es un regalo para una persona.

—Dios mío, me muero de ganas de que llegue Navidad para ver qué pones en mi calcetín. ¿Para cuándo lo...?

—Para ahora mismo. Por favor.

Un suspiro. Thom desapareció.

Rhyme siguió observando a su primo, que a su vez miraba fijamente la puerta de la casa. Arthur, sin embargo, no se movió.

Un largo trago de whisky.

Cuando volvió a mirar, el banco del parque estaba vacío.

Su marcha repentina lo alarmó, y también le dolió. Avanzó rápidamente con la silla de ruedas, acercándose todo lo posible a la ventana.

Y vio a Arthur sorteando el tráfico, camino de la casa.

Un largo silencio. Después, por fin, sonó el timbre.

—Orden —dijo rápidamente Rhyme a su siempre solícito ordenador—: abrir la puerta de la calle.

Nota del autor

El comentario de Calvin Geddes acerca de «un mundo feliz» es, cómo no, una referencia al título de la novela futurista que Aldous Huxley publicó en 1932 en torno a la pérdida de la identidad individual en una sociedad presuntamente utópica. El libro sigue siendo tan inquietante como entonces, al igual que *1984* de George Orwell.

A los lectores que deseen ahondar en el tema de la privacidad tal vez les interese echar un vistazo a las páginas web de las siguientes asociaciones: Electronic Privacy Information Center (www.epic.org); Global Internet Liberty Campaign (www.gilc.org); In Defense of Freedom (www.indefenseoffreedom. org); Internet Free Expression Alliance (www.ifea.net); The Privacy Coalition (www.privacycoalition.org); Privacy.org (www.privacy.org); y Electronic Frontier Foundation (www.eff.org).

Creo que también disfrutarán del excelente libro del que he tomado prestadas varias de las citas que encabezan las diversas partes de la novela, *No place to hide*, de Robert O'Harrow, Jr., una obra que sin duda les causará también cierto desasosiego.

A quienes quieran saber más acerca de cómo se conocieron Amelia Sachs y Pam Willoughby quizá les apetezca leer *El coleccionista de huesos* y la siguiente novela de la serie, *Luna fría*. Esta última narra asimismo el primer encuentro de Lincoln Rhyme con el asesino al que la inspectora Longhurst y él intentan atrapar en esta novela.

Ah, y no olviden vigilar su identidad. Si no lo hacen ustedes, hay mucha gente por ahí dispuesta a hacerlo.

Agradecimientos

Gracias a una tropa maravillosa: Will y Tina Anderson, Louise Burke, Luisa Colicchio, Jane Davis, Julie Deaver, Jamie Hodder-Williams, Paolo Klun, Carolyn Mays, Deborah Schneider, Vivienne Schuster, Seba Pezzani, Betsy Robbins, David Rosenthal, Marysue Rucci y, naturalmente, a Madelyn Warcholik.